O Matuto

Manaly dos Santos Silva.
jul/2007.

Capa:
desenho mediúnico de Picasso
Psicopictoriografado pelo médium Luiz A. Gasparetto
Foto 4ª capa:
Renato Cirone

Editoração Eletrônica e Revisão:
João Carlos de Pinho

31ª edição
Fevereiro • 2006
10.000 exemplares

Publicação, Distribuição
Impressão e Acabamento:
CENTRO DE ESTUDOS
VIDA & CONSCIÊNCIA EDITORA LTDA.

Rua Agostinho Gomes, 2312
Ipiranga • CEP 04206-001
São Paulo • SP • Brasil
Fone / Fax: (11) 6161-2739 / 6161-2670
E-mail: grafica@vidaeconsciencia.com.br
Site: www.vidaeconsciencia.com.br

Zibia Gasparetto

ditado por Lucius

O Matuto

EDITORA VIDA & CONSCIÊNCIA GRÁFICA

Sumário

Prólogo IX
Capítulo 1 1
Capítulo 2 15
Capítulo 3 28
Capítulo 4 44
Capítulo 5 71
Capítulo 6 90
Capítulo 7 99
Capítulo 8 143
Capítulo 9 173
Capítulo 10 207
Capítulo 11 248
Capítulo 12 266
Capítulo 13 278
Capítulo 14 287
Capítulo 15 309
Capítulo 16 324
Capítulo 17 331
Capítulo 18 337
Capítulo 19 346
Capítulo 20 360
Capítulo 21 381
Capítulo 22 411

Prólogo

De todas as lutas e mágoas que enfrentamos na vida, sempre nos será mais fácil falar das que já vencemos de há muito, cujas lições já aprendemos e nos reconhecemos melhorados, do que relatar fatos recentes, quando as emoções ainda permanecem a descompassar nossos corações carentes de aprendizagem e de mais equilíbrio.

Quando alguns dos personagens ainda se demoram na Terra, a lutar para desenvolver suas aptidões de Espírito Eterno em busca da felicidade legítima, raros são os narradores desencarnados que conseguem permissão para contar suas histórias, cujo desenrolar poderão expô-los à curiosidade pública.

Quando isso acontece, além da permissão dos envolvidos, há certas normas que devem ser observadas.

Por essa razão, é claro que os nomes e alguns detalhes da história de O *Matuto* foram trocados. Que ninguém, ao lê-la, procure descobrir nomes ou pessoas que a nossa ética houve por bem ocultar e que com certeza não acrescentarão nada aos objetivos desta narrativa.

Contudo, esse aspecto da forma não consegue tirar a autenticidade da história, que realmente aconteceu e nos convida a meditar nos problemas que ainda nos envolvem o espírito desejoso de ser feliz, amar e progredir.

Estaremos felizes se, através desta narrativa simples e despretensiosa, alguns vierem a compreender e aceitar a bondade de Deus, sua soberana justiça e a eterna felicidade de viver.

Lucius

São Paulo, 27 de outubro de 1983

Capítulo 1

Ponto terminal. A estrada acabava ali. Pequena vila, logo depois a mata fechada, misteriosa e rica. Alguns casebres de pau-a-pique, construídos sem alinhamento ou cuidados. Uma rua que era a própria estrada de terra, uma venda onde podia-se comprar o fumo, o sal, a pinga e algumas vezes um pedaço de charque ou de rapadura.

Alguns moradores tinham plantação de couve, milho, abóbora e chuchu. Os mais abastados, galinhas, e só o Venâncio, de quando em vez, criava um porco que era sempre de pouca engorda.

Apesar de paupérrimo, Dente de Onça (era o nome do local) abrigava algumas famílias ordeiras e pacatas. Pouco exigiam, limitando-se à pesca no rio que passava mais abaixo e a algumas incursões na vila do Ingaí, que distava umas vinte léguas, para vender ou trocar seu pescado pelos gêneros ou objetos de que necessitavam.

O apelido curioso de Dente de Onça devia-se ao grande número desses animais que habitavam a mata das redondezas, tendo feito já inúmeras vítimas. Sempre forasteiras, porquanto os moradores locais, conhecendo-lhes os hábitos e costumes, tomavam muitas precauções, conseguindo evitá-las. Muitos deles aceitavam a vida dura e pareciam não ter outras ambições ou aspirações senão continuar ali, sobrevivendo ao sabor da sorte; outros, porém, os jovens principalmente, se iam da vila, sequiosos de conhecer o resto do mundo.

Raimundo morava só. Cuidava da própria subsistência plantando um pouco de mandioca e milho, pescando ao sabor da vontade, vagabundeando, dormitando na rede ou mourejando no rio quando tinha fome, e na roça, quando vinha a disposição.

Tinha apenas 28 anos, mas seu corpo alto e magro parecia mais velho. O rosto, queimado de sol, parcialmente coberto por uma barba mais escura do que seus cabelos castanhos. Raimundo não nascera em Dente de Onça; chegara ao local há mais de vinte anos pela mão do pai, que construíra a cabana onde sempre tinham morado. Seu pai não era homem de roça como os habitantes do local, tinha maneiras e era letrado. Porém, demonstrava grande desprezo pelo mundo e pelos homens. Inculcara em Raimundo verdadeiro horror à vida na cidade, o pessimismo em relação à humanidade e o desprezo pelas conquistas do progresso.

Afeiçoara-se à natureza, ensinando o filho a viver de maneira primitiva e rude.

Raimundo aceitara aquela vida, amava o cheiro da terra, os pássaros, o rio. Alma de poeta, vibrava ante a beleza agreste da mata, desbravando-a pelo prazer de vencê-la.

Quando seu pai adoeceu, queria transportá-lo à vila, mas o velho José recusou-se terminantemente a ir. Desacreditava da medicina. Preferia as beberagens do mato que aprendera com um índio de quem era amigo. Contudo, elas foram insuficientes. José, minado pela febre, veio a falecer. Ajudado por alguns amigos, Raimundo enterrou-o ali mesmo, na beira do rio. A vida continuou igual, dentro da monotonia de sempre.

Não pensou em ir-se embora. Para onde iria? Não sabia ler nem escrever. Ali, tinha sua casa, seus amigos com os quais pouco conversava. Tinha o que lhe bastava, para que mais?

Deitado na rede grosseira, gostava de olhar o céu pontilhado de estrelas através da janela da cabana. O que haveria lá em cima?

Ficava pensando, pensando... Quem teria feito tudo aquilo? Seria Deus mesmo? Não sabia responder. O pai nunca lhe ensinara nada a respeito de Deus. Ouvira dos amigos que fora ele o criador de tudo. Como poderia ser? Se fosse verdade, que poder teria!

Cismava, cismava. Às vezes sentia-se só, mas aceitava a solidão como necessidade sem remédio. Casar seria bom, mas tinha medo. O pai sempre recomendara-lhe fugir das mulheres, figuras traiçoeiras e fúteis.

Poucas moças na aldeia, feias e sem graça. O jeito era ficar só. Melhor do que sofrer.

E o tempo ia passando, passando, na monotonia da roça, e Raimundo deixava-se ficar, aceitando a vida, contentando-se com o pouco que ela lhe oferecia.

Era tarde amena de novembro, e o Raimundo, na rede, cochilava embalado pelo pipilar dos pássaros que em bandos passavam sobre as árvores.

Chovera durante vários dias, e agora o sol tinha brilhado, secando as matas e o chão; as folhas verdes recendiam ainda o aroma peculiar das plantas molhadas, exibindo agradável frescor.

Ele colocara a rede nas árvores de fora, usufruindo as delícias da natureza. Foi quando um ruído desagradável e inesperado veio arrancá-lo da modorra, fazendo-o abrir os olhos, surpreendido.

Quebrando o silêncio bucólico da paisagem, um jipe descia a estrada. Apesar de não ser usual um carro naquelas paragens, Raimundo não se moveu. Limitou-se a olhar em silêncio.

O jipe aproximou-se e parou em frente à sua casa. Havia três homens dentro dele, e Raimundo reconheceu o Bastião do Córrego Seco, no Ingaí, com o qual já trocara alguns gêneros. Seu pai é que o conhecia melhor, porquanto cada vez que iam à vila mantinha demoradas palestras com ele.

Calmo, esperou. Bastião chegou-se, chapéu entre os dedos, sorriso mostrando alguns dentes amarelos de fumo.

— Oh! Raimundo...

O interpelado sentou-se na rede, olhando o interlocutor, calado.

— Oh! Raimundo — repetiu ele —, careço falá com ocê. Assunto sério e particulá.

— Pode falá, home.

— Esses dois home que tão no carro tão procurando ocê. Viero de Cuiabá, especiar, só pra lhe vê.

Raimundo alçou o olhar desconfiado para o jipe parado, onde os dois homens conversavam tranqüilamente.

— Num conheço eles. Pra que tão me procurando?

— Num sei não. Parece que viero trazê notícia de parente seu da cidade...

— Bobage. Num tenho ninguém. Sô sozinho.

Bastião baixou a voz e, colocando a mão no braço de Raimundo, disse em tom intencional:

— Sabe, eles são gente rica. Têm dinheiro pra se vê. Gastam sem pena. Pra eu trazê eles aqui e ensiná sua casa me dero dois conto.

E, vendo que o outro olhava desconfiado, completou:

— Eu só truxe eles pruque são gente direita. Querem falá com ocê.

Raimundo deu de ombros.

— Num tenho nada pra falá co'eles.

— Ocê num vai agora mandá os home imbora sem conversá. É farta de inducação. Dispoi, eles viajaro muitas léguas, tão cansado. Se ocê num qué dá atenção preles, deixa só descansá um pouco que a gente vorta prá trás.

— Tá certo. Ocê num vai dizê que sou mal inducado. Chama eles.

Bastião, saiu com um sorriso amável a distender-lhe o rosto moreno e ossudo. Os homens saltaram do jipe e, com fisionomia distendida, aproximaram-se. Um era jovem ainda, menos de trinta anos; o outro beirava os 45. Vestiam roupas de brim, mas o corte e a qualidade eram de muita classe. Pela aparência, homens de cidade, cultos e elegantes.

Raimundo colocou-se de sobreaviso.

— Esses são os home que querem lhe conhecê — apresentou Bastião, meio sem jeito.

— Pruquê? — fez Raimundo, olhando-os bem nos olhos.

Apesar de homens desembaraçados, os dois ficaram sem saber como começar. A pergunta direta fora feita com rudeza, mas sem agressividade.

— Posso explicar — tornou o mais velho com voz delicada. — Meu nome é Olavo Rangel, advogado. Meu amigo é Juvenal Dias, jornalista de Cuiabá. Temos um assunto do seu interesse para conversar. Viemos de longe à sua procura. Estamos cansados. Se nos permitisse, gostaríamos de descansar um pouco.

Raimundo olhou-os de frente. Depois resolveu:

— Tá bem. Vamo lá pra dentro. Casa de pobre. Num sei se ocês vão ficá a gosto.

Levantou-se e conduziu-os ao casebre humilde. Dentro, uma mesa tosca, duas cadeiras que o pai trouxera ainda quando tinham ido para lá, um pequeno armário, uma arca de madeira e nada mais. A um canto, o fogão de lenha que ele mesmo fizera com algumas pedras e barro.

Ofereceu-lhes as cadeiras enquanto tomava assento na rede, que também servia-lhe de cama. Bastião ficou de pé mesmo.

— Muito bem — tornou o advogado em tom profissional —, seu nome todo é... Preciso saber se estou falando com a pessoa que procuro.

— Meu nome é Raimundo.

— Temos aí um problema. Eu acho que seu nome é outro. Sei que seu pai mudou o seu nome quando deixaram São Paulo.

— Parece que o sinhô sabe mais do que eu.

— Acho que sei. Seu nome é Geraldo Tavares de Lima. E seu pai, Euclides Marcondes de Lima. Raimundo foi apelido que ele lhe deu, na mesma época que passou a se dizer José.

Raimundo interessou-se. Seu pai nunca lhe contara as razões pelas quais deixara São Paulo quando ele tinha cinco a seis anos e resolvera morar ali. Várias vezes quisera perguntar-lhe, mas o assunto o irritava tanto que acabava desistindo. Agora, aquele estranho aparecia com aquela história. Deveria acreditar? O homem parecia sério e de bem.

— Num sei se é verdade. Num lembro. Era muito pequeno.

Olavo ficou preocupado.

— Faça um esforço. Seu pai não deixou nenhum guardado com papéis, documentos, etc.?

Raimundo esforçou-se para lembrar.

— Acho que não. Tinha raiva de papel. Dizia que atrapalhava a vida.

— Procure lembrar-se do que aconteceu quando chegaram aqui — tornou o jornalista, persuasivo. — Nunca viu nada de estranho com ele?

Raimundo pensou, pensou, até que se lembrou:

— Um dia ele chegou da vila feito doido. Trazia um jorná que lia muitas vez, com fúria.

— Você sabe o que dizia?

— Num sei lê. Ele nunca deixou eu aprendê. Depois me mandou buscá água no rio, mas eu num fui logo. Tava assustado co'ele e me escondi pra vê o que ele fazia. Vi quando pegou uma caixa e foi pro mato. Enterrou ela, depois vortô. Parecia mais sussegado. Fiquei pensando na caixa, e quando ele foi drumi de tarde, fui até lá e desenterrei ela, pra vê o que era. Tinha só papé, e eu enterrei ela de novo, cum medo dele me batê. Ele era homem bom mas muito brabo.

Olavo animou-se.

— Lembra-se de onde essa caixa está enterrada?

— Faz muito tempo, mas acho que se percurá, nóis acha.

— Sabe, Raimundo, é muito importante sabermos se você é mesmo filho do Euclides Marcondes de Lima. Para isso viemos à sua procura.

— Tá certo. Tô querendo conhecê o que meu pai num quis me contá. Vamo lá.

Levantou-se, apanhou a enxada e dirigiu-se para fora. Os outros seguiram-no em silêncio. Notava-se-lhes a preocupação no semblante.

Raimundo caminhou para a pequena plantação sem pressa, obrigando os outros a moderarem a marcha. Ao fundo, sob uma árvore, parou coçando a barba.

— Acho que foi aqui. Faz tempo, mas eu num esqueci. Deixa oiá bem pra vê... É, acho que foi aqui.

Os olhos ansiosos dos três iam de Raimundo ao chão coberto de mato. Ele começou a cavar. Em nenhum momento pareceu apressado. Lentamente, foi sulcando a terra com certa facilidade, por causa da chuva do dia anterior. Raimundo cavava e nada. Ia com cuidado, atento para não danificar a caixa quando a achasse.

— Acho que era mais pro lado.

— Será que seu pai não a retirou daqui? — inquiriu o advogado, preocupado.

— Num acredito. Pra quê? Se enterrô foi pra se livrá dela, num foi pra guardá. Olha aqui, parece que aqui tem coisa... É, acho que encontrei.

— Cuidado para não estragá-la. Deve estar velha.

— Num carece preocupá. Sei lidá co'a terra.

Realmente, em poucos minutos um objeto, escuro, surgia aos olhos curiosos dos presentes. Não era bem uma caixa, mas uma bolsa rústica de couro cru que, apesar de suja e úmida, estava intata.

Raimundo largou a enxada e limpou as mãos na calça surrada.

— Deixa limpá ela por fora pra ocês num sujá as mão.

— Não importa — tornou o advogado, impaciente. — Vamos abrir para ver o que contém.

Raimundo abriu-a com certa dificuldade, e um grosso rolo envolto de um pano surgiu. O advogado desenrolou-o e alguns papéis amarelecidos apareceram. Rápido, Olavo os manuseou, e sua fisionomia distendeu-se em triunfo.

— Acho que encontramos. Está aqui o que precisamos.

Raimundo olhou desconfiado.

— O que tá escrito aí, seu dotô?

— São documentos, certidões, vamos até a casa. Lá, poderemos examiná-los minuciosamente.

— É mió mesmo. Tá escurecendo e num dá pra enxergá.

Com a calma que lhe era peculiar, Raimundo apanhou a enxada e tapou o buraco, enquanto os outros, impacientes, encaminhavam-se para a casa modesta. Vagarosamente, Raimundo aproximou-se, entrou na cabana e acendeu o lampião.

Sob a sua luz bruxuleante, o advogado, com emoção e certa impaciência, examinou um por um daqueles documentos, sacudindo a cabeça afirmativamente e olhando satisfeito para o jornalista, que, sobre o seu ombro, também inteirava-se do seu conteúdo.

Apesar de curioso, Raimundo não fez gesto nenhum. Observava tudo em silêncio, olhos semicerrados, esperando.

— É tal qual eu esperava. Você é mesmo Geraldo Tavares de Lima, nascido em São Paulo a 18 de junho de 1908, filho de Euclides Marcondes de Lima e de D. Carolina Tavares de Lima.

— Como sabe? — perguntou Raimundo.

— Estão aqui as certidões. Esta é a do seu nascimento, esta a do casamento do Dr. Euclides, a 15 de maio de 1900, na comarca de Itu. Tem também outros documentos importantes, e eu vou dar-lhe a melhor das notícias. Prepare-se, Geraldo, sente-se para não cair.

Raimundo olhava meio assustado.

— É com você, sim. Seu nome é Geraldo e de hoje em diante deverá ser chamado assim.

Juvenal pegou-o pelo braço, forçando-o a sentar-se em uma das cadeiras. O advogado, diante do espanto de Bastião e de Raimundo, continuou:

— Você é um homem rico. Muito rico, que, se quiser, pode comprar uma cidade inteira.

Raimundo olhava sem entender.

— Você é muito rico, homem! Podre de rico. Alegro-me de poder dar-lhe essa notícia.

— Num pode sê. Ocê tá enganado. Meu falecido pai era muito pobre. Num tinha dinheiro nem pra comprá fumo.

— Engano seu. Seu pai era médico e muito rico. Pertencia a uma das melhores famílias de São Paulo, nunca lhe contou?

— Custa acreditá. Médico? Acho que ocês tão enganado. Ele num gostava da medicina. Diza que os médico num sabe de nada. Sempre se tratou co'as erva dos índio e eu também, nunca tomava droga de farmácia.

— Mais uma razão para acreditar no que digo. Ele era médico, mas acho que se formou para contentar a família, não gostava da profissão. Apesar disso, cuidou de você.

— É, ele cuidou. Conhecia muitos remédio, mas só de mato — coçou a cabeça, sem entender. — Mas se era rico e médico, pru que veio pra cá nessa vida dura e sem conforto?

— Aí é que está. Não sabemos bem o que aconteceu. Parece que um dia teve que socorrer um amigo que hospedava em sua casa e não conseguiu evitar sua morte. Desgostoso, passou a mão no filho, sumiu de casa. Inúteis todas as buscas. D. Carolina estava inconsolável, desesperada. Colocaram anúncio nos jornais, contrataram gente da polícia para procurar, nada. Ninguém sabia informar onde o Dr. Euclides escondera-se com o filho. D. Carolina fechou a casa, nunca mais tirou o luto. Segundo sei, ela dizia que só o tiraria no dia em que reencontrasse o filho, único amor de sua vida. Com a morte do avô, pai de Euclides, ela herdou imensa fortuna, propriedades que vieram a aumentar muito o patrimônio da família.

Raimundo ouvia pensativo, quase sem acreditar que aquela história fosse a de seu pai. O advogado continuou:

— O velho Dr. Marcondes de Lima, pai de Euclides, seu avô paterno portanto, era advogado hábil e de posses. Viúvo, tomou conta dos negócios da nora quando seu pai saiu de casa, em quem procurou consolo para a separação do filho predileto. Bem aplicada e administrada, a fortuna aumentava sempre. Mas D. Carolina não demonstrava alegria. Raramente saía, era vista muito pouco, não freqüentava a sociedade nem abria o seu palacete da Av. Paulista, em São Paulo, para os velhos amigos e conhecidos. Era conhecida como uma excêntrica. Quando perdeu o sogro, ficou ainda mais melancólica. Faleceu há cerca de seis meses. Você é o herdeiro de uma das maiores fortunas do Brasil.

Raimundo não se sentiu alegre. Pressentira sempre um mistério na ida de seu pai para aqueles sítios. Se tudo aquilo fosse mesmo verdade, o que teria acontecido para o pai ter abandonado tudo, pai, esposa, dinheiro, tudo? Qual o mistério que havia atrás de tudo aquilo? Não pensava no dinheiro. Não tinha ambições. Preocupava-o mais a mãe, de quem não lembrava senão vagamente, de rosto jovem e alegre, debruçada sobre ele.

Era das poucas lembranças que conservava daqueles tempos. O pai havia-lhe dito que ela estava morta, e se tudo fosse verdade, se o advogado não estivesse mentindo, quem mentira fora ele. Ele que tinha horror à mentira. Que o ensinara a falar a verdade doesse a quem doesse. Ele lhe mentira. Renegava a sociedade e o mundo, pela mentira dos homens, pela hipocrisia. Queria ficar na simplicidade da natureza para fugir aos que enganam e fora o primeiro a mentir, a enganar. Ele que gostava tanto da mãe, que sempre sofrera sua falta.

Sentia-se profundamente decepcionado. A mãe, sempre querida e recordada no silêncio de suas noites solitárias. Sentira-lhe a falta durante aqueles anos, mas conformara-se, julgando-a morta. Fora enganado! Ela usara luto por ele, porque sempre fora mãe amorosa, e ele, seu único filho!

Seu coração apertou-se. Um sentimento de revolta começou a brotar-lhe do peito oprimido.

Dr. Olavo admirou-se.

— Trago-lhe tão boas notícias e você faz essa cara? Digo-lhe que é um homem imensamente rico! Não está alegre?

Raimundo olhou-o com raiva:

— Pensei que minha mãe tivesse morrido há muito tempo. Primeiro, ocê me diz que ela tava viva até pouco tempo, pra depois dizê que agora já tá morta. Acha que posso tá alegre por isso?

O advogado trocou um olhar surpreendido com o jornalista. Quem não entendia era ele. Julgou não estar tratando com pessoa normal.

— Você não sabia que sua mãe era viva? — perguntou Juvenal com voz conciliadora.

— Não. Num sabia. Senão tinha ido buscá ela pra morá comigo.

— Acha que ela viria para este buraco? — fez o advogado com ironia.

Raimundo olhou-o bem de frente.

— Era minha mãe — tornou ele, muito sério. — Se gostasse de mim, haveria de querê ficá comigo.

— Bem, bem, pode ser — fez o advogado, mais interessado em tratar dos seus negócios do que nos problemas daquele bronco. — Mas agora viemos buscá-lo para tratar dos negócios da herança. Você é um homem rico, precisa ir a São Paulo para tomar posse de tudo. Podemos ir amanhã mesmo. Cuidarei de tudo. Você não tem por aqui muitos valores, pode deixar tudo isto e comprar o que quiser assim que chegarmos à cidade.

Calmo, Raimundo esperou que ele terminasse e depois declarou:

— Quem lhe disse que eu vô?

— Como?! Certamente que irá. Sua fortuna é na base de 50 mil contos de réis!! Se não for, não recebe nada.

— Não careço de nada. Tenho tudo que quero. Num sinto farta. Aqui, os amigos são gente de bem e nossa vida é sussegada. Num gosto de cidade. Só tem farsidade e hipocrisia. Que vô fazê por lá?

— E o dinheiro?

Raimundo deu de ombros.

— Num tem importância. Num sei gastá ele mesmo. Ia me dá muito trabaio. Vô ficá aqui mesmo. Levá minha vida. Se a mãe tivesse viva eu ia, mas ela já tá morta, então, num carece de i...

Dr. Olavo trocou um olhar desanimado com o jornalista. Sentouse, sem saber o que dizer. Jamais pensara encontrar tanta ignorância. Talvez ele fosse um deficiente mental. Para recusar tanto dinheiro, preferir tal miséria, só havia uma explicação: a imbecilidade. Incapacidade para avaliar o que estava perdendo.

Por outro lado, um homem tão ingênuo seria fácil de manejar, principalmente na administração de seus bens, o que era seu objetivo principal. Por isso, calou-se e permaneceu pensativo durante alguns minutos. Depois tornou:

— Bem, quanto ao trabalho, não precisa ocupar-se com nada. Tenho um escritório em São Paulo e poderei tratar de tudo para você. Acontece que se você não for receber esse dinheiro, não se apresentar dentro do prazo legal, quem vai herdar tudo é a família de seu tio José, irmão de seu pai, e isso não era do gosto de sua mãe.

Raimundo fixou-o com curiosidade.

— D. Carolina não apreciava o cunhado porque ele botou fora toda parte da herança que recebeu, joga muito. Seu filho também é sem juízo. Estão arruinados e loucos para receber o dinheiro de sua mãe.

— Depois — aduziu o jornalista —, não é só o dinheiro. Vão morar na casa dela, ficar com as jóias dela, as roupas, os móveis, tudo que era dela e que é seu.

Raimundo estremeceu. Tocaram-lhe o ponto fraco. Gostaria de ter alguma lembrança da mãe.

— Se você gosta de sua mãe, não deve deixar que pessoas das quais ela não gostava e vivia afastada tomem conta de tudo.

— É — fez ele, pensativo. — Ela num ia gostá.

— Então — tornou o advogado, com habilidade —, você vai conosco amanhã, toma posse de tudo. Depois, pega o que desejar, e se não quiser ficar por lá, volta para cá. Você não é obrigado a ficar lá. Precisa ir porque sua presença é necessária para fins legais. Decidirá o que quer. Ninguém pode obrigá-lo a nada. Se resolver dar toda sua fortuna, ninguém tem nada com isso.

Raimundo permaneceu pensativo, indeciso.

— Vai, home — animou Bastião, cujos olhos miúdos vibravam de cobiça. — Se quisé, eu posso i junto. Eu num deixava essa dinherama pra esses parente que sua mãe num gostava. É desaforo.

— É — disse o advogado, com astúcia —, tem razão. Eles abriram o inventário, alegando que você está morto e que os únicos e verdadeiros herdeiros são eles.

— Mas eu tô vivo — tornou Raimundo, irritado. Tinha raiva dos ambiciosos e interesseiros.

— Eles não têm certeza se você é vivo ou morto. Mas ao invés de procurar descobrir, eles querem lhe passar a perna. Afirmaram em ofício que você está morto. E como está desaparecido há vinte anos, se não aparecer com os documentos provando que está vivo, eles herdarão tudo.

— Como foi que me descobriu aqui? — inquiriu Raimundo, desconfiado.

— Conheci sua mãe. Fui amigo dela. Sempre procurou saber onde estava o filho. Fui encarregado de procurá-lo. Mas infelizmente, só seis meses depois de sua morte consegui achá-lo. Se ela fosse viva, como ficaria feliz!

Raimundo tranqüilizou-se. Se era amigo de sua mãe, devia ser gente de bem. Depois, eles tinham razão. Seria doloroso que esses parentes sem escrúpulos, ambiciosos, que se alegraram com a morte dela e apressaram-se a dizê-lo morto, ficassem com tudo. Não era justo. Não gostava da cidade. Encarava o povo da metrópole como um ninho de assaltantes e hipócritas. Mas era homem de coragem. Ia até lá, recebia tudo. Resolvia o destino que daria aos bens e depois voltaria para sua casa, com dinheiro para viver tranqüilo, suprindo as próprias necessidades.

— Tá certo, dotô. Eu vô. E num preciso docê, Bastião. Vô só. Vô e vorto logo que desocupá.

— Muito bem — fez o advogado satisfeito. Fico contente que tenha concordado. Assim é melhor. Agora vamos indo. Amanhã cedinho voltaremos.

Raimundo abanou a cabeça.

— Mior ficá por aqui. Essa hora é perigosa. As onça tão sorta e cum fome. Num garanto que cheguem na vila.

— É verdade — confirmou Bastião. — Eu num arrisco. O mior é ficá aqui hoje e manhã cedinho nóis vai simbora.

Não lhes agradava passar a noite na tosca cabana, mas sabiam que o lugar era perigoso e a cara dos dois não era de brincadeira.

— Então vamos no jipe apanhar comida e alguns objetos.

— Pera um poco.

Raimundo pegou um archote que estava sobre o fogão e acendeu-o.

— Agora eu vô na frente. Ocês vão comigo de olho aberto, bem perto.

— Está certo. Vá você, Juvenal, eu espero aqui.

Com o tição aceso foram até o carro, de onde o jornalista apanhou alguns sacos de viagem. Depois foram pegar a rede que estava na árvore ao lado. Voltaram para casa. Comeram pão e outras guloseimas que tinham trazido enquanto Raimundo servia o café, e depois da porta bem trancada, acomodaram-se.

Raimundo numa rede, o advogado na outra. O jornalista colocou seu cobertor de viagem no chão duro, procurando ajeitar-se, enquanto Bastião acocorava-se a um canto.

Deitado na rede, Raimundo não conseguia conciliar o sono. Tantas idéias em sua cabeça deixavam-no aturdido. Em poucos minutos sua vida calma transformara-se.

Nunca tinha ido à cidade. Parecia-lhe tão distante, como se fosse um outro planeta, quase inatingível. Seu pai sempre comentava a vida em sociedade com pessimismo. Os homens da cidade eram todos hipócritas e perversos. Quem quisesse sossego devia viver longe da civilização. Sua vida não era ruim. Tinha saúde, tranqüilidade, o céu, as árvores, o rio. Era livre. Fazia o que lhe dava vontade.

Horrorizava-o a idéia de que os homens na cidade tinham que se submeter aos patrões com hora para tudo. Às vezes ficava imaginando como deveria ser a vida por lá. Mulheres pintadas como vira em uma revista na vila. Mas, mesmo que sentisse alguma curiosidade em ver como era, não tinha dinheiro para uma viagem dessas. Agora, quando menos esperava, tudo tinha se arranjado, não só para conhecer como para morar se quisesse. Palacete e tudo.

Raimundo remexeu-se na rede, aflito. Pensara estar só no mundo. De repente surgem parentes, dinheiro, posses... Custava-lhe crer. Parecia-lhe mentira. Mas como não acreditar? O advogado conhecia a vida de seu pai muito mais do que ele próprio. Conhecera-lhe a mãe, o avô, a família...

Sentiu certa curiosidade. Gente fina, por certo, gente rica, letrada, da cidade. Como iriam recebê-lo?

Remexia-se na rede sem conseguir dormir. Era noite alta quando finalmente pôde conciliar o sono. Sono inquieto, em que as fisionomias misturavam-se à sua frente. O rosto do pai, barbudo e enérgico, o rosto suave da mãe, o advogado, o jornalista, não lhe permitindo um repouso tranqüilo.

Quando os galos começaram a cantar, abriu os olhos em sobressalto. Foi à janela. Cinco horas, com certeza. Acendeu o fogo e botou a água para o café.

Bastião abriu os olhos com vivacidade. O cheiro gostoso do café sempre o animava. O jornalista também acordou. Apesar do chão duro, o cansaço o fizera dormir profundamente. Sentia-se bem disposto. Voltar à cidade era uma boa perspectiva. Havia um mês que procuravam por Raimundo pelas redondezas. Finalmente podiam voltar, e que reportagem faria! Pensando bem, talvez a fortuna de Geraldo precisasse de administradores. O advogado certamente esperava passar a mão em grande parte daquele dinheiro, uma vez que o pobre matuto era imbecil a ponto de nem querer recebê-lo. Depois, ignorante e analfabeto, fácil lhe seria, como advogado, ludibriá-lo. Ele não pretendia largar o osso. Afinal, deixara tudo e trabalhara intensamente nessa busca havia vários meses. Dr. Olavo prometera-lhe largo furo de reportagem, mas agora ele achava que podia conseguir muito mais.

Bem-humorado, acordou o companheiro e apressaram-se a tomar breve refeição.

— Vamos embora — fez o Dr. Olavo com decisão. Temos algumas horas de estrada e pretendo chegar a Cuiabá antes do anoitecer.

Raimundo vestiu a melhor roupa. Vendo-o, o advogado esclareceu:

— Essa roupa decerto não serve para a cidade. Quando chegarmos lá, vamos comprar tudo novo.

Raimundo olhou-o com calma.

— Num carece. Num tenho dinheiro.

— Bobagem. Você é um homem rico. Eu tenho e vou emprestar para as primeiras despesas. Depois você me paga.

Raimundo abanou a cabeça:

— Num preciso. A ropa serve só para agasaiá o corpo. Essa é muito boa.

O advogado irritou-se, mas o homem era teimoso. Melhor não contrariá-lo. Procurando imprimir um tom calmo à voz, tornou, conciliador:

— Não é isso. Na cidade, as pessoas usam roupas diferentes. Se você aparecer assim por lá, todos vão olhá-lo e pensar que você é um mendigo. Eles dão muita importância às roupas, e enquanto estiver lá, é preciso que se vista bem. Afinal, você agora é um homem rico.

— Isso não muda nada. Sou o mesmo de antes. Num sei calçá aqueles sapatos, nem vesti ropa cheia de capricho. Despois, sou ansim i num vô mudá. Quem achá ruim que coma menos. Ninguém vai me obrigá a fazê o que num gosto.

O advogado achou prudente calar-se. Estava irritado, e se ofendesse aquele maluco era bem capaz de desistir da viagem. Aí, adeus dinheiro, adeus posição, adeus tudo.

— Está certo. Seja como você quiser — murmurou, conciliador.

Decidiu não dizer nada mais. Contrariado, viu Raimundo colocar uma muda de roupa numa toalha e fazer uma trouxa. Teve que esperar com paciência que ele fosse chamar um seu vizinho, autorizando-o a baldear as galinhas para o seu galinheiro, cuidando delas até que voltasse. Podia lucrar os ovos e comer os frangos que ficassem no ponto. Pediu-lhe para olhar a casa até a volta.

O dia já tinha amanhecido de todo quando os quatro homens instalados no jipe iniciaram sua viagem. Olhando as paisagens familiares e queridas que ia deixando para trás, Raimundo sentiu um aperto no coração. Mas, ao mesmo tempo, um sentimento de curiosidade pelo mundo do outro lado daquelas matas começou a brotar, vivo e ansioso, em seu peito oprimido.

Como seria esse mundo que iria conhecer?

Capítulo 2

A viagem decorreu em silêncio, cada qual engolfado nos próprios pensamentos. Só Bastião, falante e excitado com a aventura de Raimundo, tentava uma palestra, sem êxito. Ninguém tinha vontade de conversar. Ele conhecia Raimundo desde que viera para aquelas terras porque seu Zé e o filho tinham morado alguns meses na vila, gastando no armazém de seu pai. Ele era criança ainda e muitas vezes tinha brincado com Raimundo. Depois que eles se mudaram para aquele fundó, sempre continuaram a comprar no armazém de Bastião. Quando os homens chegaram à vila perguntando por um homem com o filho, não lhes identificou os nomes, mas vendo o retrato de seu Zé logo o reconheceu, apesar de estar agora mais envelhecido. Sabedor da novidade, prontificou-se a levá-los à casa de Raimundo. O repórter tirou fotografia sua e de sua casa, dizendo que ia sair no jornal, e Bastião não se cabia de alegria.

Chegaram à vila, reabasteceram o carro e a custo conseguiram despedir-se de Bastião, tal a sua excitação.

— Quando vortá, passo por aqui. Aí, conto tudo — prometeu Raimundo, mais para livrar-se dele.

— Se ocê vortá!

— Nunca fui home de duas palavra. Vou resorvê tudo e vorto. Ocê vai vê.

Na vila, o assunto corria de boca em boca. Raimundo milionário! Parecia mentira. Ficaram por lá apenas uma hora, mas foi o bastante para o povo todo vir ver o herói. Conversavam, riam, pediam ajuda, alguns até oferecendo-lhe quitandas para a viagem.

Raimundo pareceu contrariado. Não gostava de atrair a atenção, queria sossego. Nunca fora da intimidade daquela gente. Dr. Olavo tratou de buzinar para abrir caminho e sair dali o mais rápido possível. Quando viram-se longe da algazarra, Raimundo comentou:

— Num sei pru que isso. Sempre vim aqui e ninguém nunca se importô.

— Agora você é rico e famoso.

Raimundo deu de ombros:

— Bobage. Sou a mesma pessoa, nem mais gordo, nem mais magro. Bestera do povo. Farsidade.

Os dois calaram-se. A rudeza do rapaz confundia-os. Continuaram a viagem em silêncio. A estrada era deserta, apenas alguns vilarejos muito pobres de quando em quando. Comeram na estrada mesmo, ao lado de uma fonte onde encheram os garrafões e descansaram um pouco.

O jornalista revezava-se na direção com o advogado. Raimundo, calado, observava-lhes os gestos e movimentos. Só ao entardecer, cansados porém satisfeitos, chegaram a Cuiabá.

Depois de instalarem-se em dois quartos, o advogado sugeriu:

— Melhor tomarmos um bom banho — estava um pouco preocupado com a figura empoeirada de Raimundo.

— Num sô sujo não, dotô. Costumo me banhá todo dia.

Olavo procurou dissimular sua intenção lançando olhares examinadores pelas instalações modestas dos aposentos, enquanto que o jornalista continha o riso.

— Vamos jantar no quarto mesmo — acrescentou Olavo, tentando imprimir à voz tom de naturalidade. — Estamos muito cansados. Depois, precisamos acertar nossa viagem o quanto antes.

Na verdade, o causídico não queria comer na mesa com aquele bicho do mato, talvez ele nem soubesse sentar-se frente a uma toalha limpa. O pior é que ele era muito teimoso, não era maleável. Tinha opinião própria e não aceitava conselhos. Pior para ele. Seria ridicularizado por todos até aprender.

Depois de limpos e bem alimentados, recolheram-se para dormir. O cansaço era grande e o dia seguinte prometia ser trabalhoso.

O sol ia alto quando Juvenal acordou. Levantou-se um pouco assustado e, dirigindo-se ao quarto ao lado onde ficaram os outros dois, tranqüilizou-se ao verificar que o advogado dormia placidamente. Não confiava nele. Temia que ele tivesse saído cedo para livrar-se do seu concurso. Claro que o Dr. Olavo já devia ter percebido que ele não se contentaria com a reportagem em modesto jornal interiorano. Suspirou aliviado; mas, quando procurou por Geraldo, o leito estava vazio. Verificou nos banheiros, no corredor. Nada.

— Dr. Olavo, Dr. Olavo. Acorde. Nosso homem não está aqui.

Olavo acordou assustado, sentando-se na cama, olhos abertos, meio apalermado.

— Como?! Não está? Você já procurou?

— Procurei, por aqui não achei.

— Vamos, precisamos encontrá-lo. Pode ser que ele tenha se arrependido e resolvido voltar.

Um calafrio percorreu-lhes a espinha. Enquanto o advogado procurava as calças e as vestia precipitadamente, o jornalista descia as escadas rumo à recepção do hotel.

Um funcionário atrás do balcãozinho estreito lia um jornal com atenção.

— Moço, faz favor. Você está aqui há muito tempo?

— Estou, sim. O que aconteceu?

— Você viu sair um homem alto, magro, de barba, camisa xadrez?

— O moço que veio ontem com os senhores?

— Sim.

— Vi, sim. Ele disse que ia dar uma volta. Achou o quarto muito abafado. Queria ver a cidade.

O outro suspirou, aliviado.

— Viu se levava alguma coisa?

— Que coisa? O senhor acha que ele roubou?

— Não, não é isso. Perguntei se ele levou a trouxa com a roupa.

— Ah, bom! Não levou nada. Estava com as mãos vazias.

— Está bem. Obrigado — e, virando-se para o advogado, que, esbaforido, já chegara à portaria, explicou:

— Não se preocupe. Nosso homem foi tomar ar. Achou o quarto abafado. Foi conhecer a cidade.

O advogado bufou, impaciente:

— Esta agora! Ele pode perder-se! Não conhece nada aqui.

O porteiro deixou escapar uma risada.

— Perder-se? Ele? É mais fácil acontecer com o pessoal da cidade. Matuto não se perde.

— Vamos esperar lá em cima — tornou Olavo ao companheiro. E, dirigindo-se ao porteiro: — Mande servir café completo no quarto. Será que ele foi só passear mesmo?

— Acho que sim — respondeu Juvenal. — A curiosidade dele é natural. Talvez seja até bom que ele veja como os outros se vestem diferente dele. Veja, a trouxa está lá dentro do armário. Podemos ficar tranqüilos. Acho que ele abandonará a fortuna, mas jamais a trouxa com a roupa. Reparou como ele cuidou dela o tempo todo?

O advogado riu, mais calmo.

— Puxa, que susto. Se ele desiste, adeus herança. Os parentes herdam tudo e eu ficarei de fora. Não é justo, depois do trabalho que tive.

— É, Dr. Olavo, foi bom entrarmos no assunto. Também quero melhorar a vida e acho que há dinheiro para todos nós. Eu desejo acompanhá-los a São Paulo.

— Em que condições?

— Na de ajudá-lo a conseguir o que deseja. Trabalhar consigo. Vai precisar de quem o assista na luta que o espera. Juntos teremos melhores possibilidades de êxito.

— É... A idéia não é má. Você realmente tem me ajudado, mas veja bem, não sei em que condições vamos trabalhar. Esse maluco vai nos causar problemas. Parece até que já estou vendo. É bronco feito uma porta, e o pior é que precisamos dele.

— Impacientar-se não adianta. Tracemos o plano com calma. Amansá-lo é questão de tempo. Precisamos captar-lhe a confiança. Depois, faremos tudo o que quisermos dele.

O outro suspirou:

— É. Acho que preciso mesmo de você. Não tenho paciência com a burrice dele.

— Então fica acertado, somos sócios. Cinqüenta por cento.

O outro pulou.

— Cinqüenta por cento?! Você endoideceu. Afinal, a causa é minha e sou eu quem vai enfrentar a situação judicialmente. Você é um simples jornalista, apenas meu assistente. Dou-lhe dez por cento, o que já é muito.

Discutiram acaloradamente, chegando ao acordo dos trinta por cento, dos quais o advogado não arredou o pé, alegando despesas do seu escritório em São Paulo, etc., etc.

Desejavam viajar de avião até o Rio, mas receavam o comportamento do matuto num avião. Por outro lado, a viagem de trem era muito cansativa e demorada. Não tinham chegado a nenhuma conclusão quando a figura de Geraldo apontou na porta. O advogado sorriu, procurando ser amável.

— Bom dia, amigo. Já tomou seu café?

— Já. Fui pra cozinha logo cedo.

Procurando não demonstrar irritação, o advogado explicou:

— Geraldo, num hotel estamos pagando. Por isso, os empregados vêm trazer o café no quarto ou nos sentamos à mesa no salão e lá somos servidos. Não fica bem entrarmos na cozinha.

— Pru quê? Num tô duente pra sê servido. Dispois, olha esse pão que ocês tão comendo, parece duro. O café, garanto que veio frio. Lá eu escolhi o mió, bebi café coado na hora, comi broa quentinha e conversei co'a dona que vai fazê pra mim um armoço especiá.

Vendo a cara assustada do Dr. Olavo, Juvenal mal conteve o riso.

— Vejo que não perdeu tempo. Foi mais bem servido do que nós — e chegando-se mais, perguntou, curioso: — Conte-nos agora, o que achou da cidade?

— É diferente do que eu vi na revista. As casa pequena, pensei que fosse maió.

— Espere até chegarmos a São Paulo — fez o jornalista.

— Num é igual?

— Não. Não é. Os prédios são grandes. As mulheres são muito bonitas.

Os dois olharam com curiosidade para Geraldo. Como se arranjaria ele com as mulheres? Teria alguma experiência?

— Por agora, num vi muié bonita. Só se pra lá for mior.

— Certamente. No Rio de Janeiro, em São Paulo, as moças são de pele fina e cheirosa, vestem-se muito bem, são deliciosas.

Juvenal suspirou, empolgado, pensando já na sua vida com muito dinheiro na cidade grande.

— Muié feia num serve, muié bunita é marvada e perigosa. Mió abri o olho co'elas.

— É isso mesmo — ajuntou o advogado. — Geraldo, você precisa ter muito cuidado. Elas vão correr atrás de você por causa do seu dinheiro. Não pode acreditar nelas, senão elas o depenam.

— Depenam?

— É, tiram-lhe até a roupa do corpo.

— Carece nascê a muié que vai me tapiá. Num sô trouxa.

— É... acho que não mesmo. Precisamos combinar a viagem. É muito longe, e se formos de trem gastaremos muito tempo e ficaremos muito cansados. O melhor é irmos de avião — disse isso e olhou para Geraldo receoso.

— Viajá de aeroplano? Subi lá no céu?

— É... Foi o que pensamos. Em poucas horas estaremos no Rio e de lá seguiremos para São Paulo. Se tem medo e prefere ir de trem, iremos — apressou-se Olavo a acrescentar.

— Puxa! Subi lá no alto! Quem diria! Eu quero subi. Nunca vi um aeroplano no chão. Dizem que é muito grande.

Decididamente, ele era imprevisível. Pela primeira vez entusiasmava-se com alguma coisa. Fazia lembrar uma criança.

— Pois seja. Juvenal, vá agora mesmo ver nossas passagens. Partiremos o quanto antes.

Geraldo estava curioso. Como o avião baixava? Como cabia tanta gente dentro? Como ele conseguia voar?

Dr. Olavo, embora um pouco caceteado, procurava prestar esclarecimentos. Não podia perder aquela chance de aproximar-se mais dele. Conhecê-lo bem era parte integrante de seus planos para manejá-lo. Vendo-o mais afável, arriscou:

— Eu vou dar uma volta por aí. Não quer comprar uma roupa nova? Como viu, na cidade as roupas são diferentes. Vestido assim, você chamará muita atenção. Todos olharão para você.

Geraldo deu de ombros.

— Num careço de ropa. To bem como tô. Num perciso de nada.

— Pelo menos vamos comprar uma mala. Em avião não se leva trouxa.

— Pru quê?

— Não é costume. Depois, a roupa fica mais arrumada na mala. Não amassa, não suja. É muito ruim andar sujo e amarrotado.

— Num gosto de andá sujo, mas a ropa tá muito bem na troxa.

O advogado a custo reprimiu um suspiro e uma praga. Procurou sorrir, resignado.

— Venha ver.

Pegou sua mala dentro do armário e continuou:

— Olha como é. Tudo fica arrumado. Vou sair e comprar uma para você. É meu presente. Não precisa pagar.

— Pru que tá fazendo isso tudo, seu dotô?

O olhar dele era penetrante e firme.

— Porque era amigo de sua mãe — mentiu ele —, e porque, como advogado, prometi a ela zelar por você se o encontrasse, ajudando-o no que fosse possível.

Geraldo calou-se. A mãe era seu ponto fraco. Mencioná-la significava acalmá-lo.

— Ela não gostaria de vê-lo mal vestido.

— Ela gostava de mim. Num ia se importá com essas coisa.

— Claro que ela gostava de você, mas era uma mulher muito fina. Vestia-se muito bem, de acordo com sua posição; gostaria que você fosse elegante.

Geraldo suspirou fundo.

— Tá bem, seu dotô. Compre a mala, mas pequena.

O advogado sentiu enorme alívio. Parecia-lhe haver ganho uma batalha. Essa vitória representava muito. Era a primeira vez que Geraldo concordava com um desejo seu. Com o tempo, certamente conseguiria tudo quanto desejasse.

Foi com alívio que deixaram o hotel. Tinham vendido o jipe, e o comprador, que pagara um preço muito barato, prazerosamente conduziu-os ao campo de aviação.

Os olhos vivos de Geraldo registravam tudo que os rodeava, embora se conservasse silencioso. O avião, um bimotor de pequeno porte que fora alugado por Juvenal, levá-los-ia diretamente a São Paulo. Por muitos dias não passaria avião comercial pela cidade, e, como tinham pressa, fretaram um que só iria levantar vôo quando sua carga se completasse.

Apesar de acanhado e de pouco conforto, Geraldo estava maravilhado. Quis ver tudo, dos motores e da cabine do piloto até a cauda, o que retardou a partida e irritou o advogado, embora ele procurasse dissimular.

O piloto olhava-o, curioso. Era um tipo raro, de que selva tinha saído? Estava acostumado com os matutos, mas aquele parecia-lhe mais selvagem. Divertido, procurou explicar o que podia, e só pôde partir quando Geraldo deu-se por satisfeito.

— Olha, você nunca voou e pode enjoar. Se tiver ânsia, tem esse saco de papel. Cuspa dentro.

Geraldo não respondeu a Olavo. Sua atenção fixava-se, ávida, nas hélices que já começavam a girar e na poeira que se levantava do chão. Sentia um friozinho na boca do estômago e muita emoção. Muitas vezes tinha contemplado os aviões que passavam luzidios sobre sua cabana. Agora, milagre: ele estava em um!

O avião decolou, iniciando a subida. Ele estava maravilhado. O advogado ajeitou-se. Tinham algumas horas de vôo pela frente. Até ali, tudo bem, Geraldo não tinha medo, felizmente. O dia era quente e o sol ia alto. Procurou descansar e logo conseguiu adormecer.

Acordou assustado, com ruído de ânsia e um cheiro desagradável. Procurou por Geraldo, em cujo lado sentara-se, mas o banco estava vazio. Olhou para a frente e viu Juvenal pálido, curvado sobre o saco de papel. Sentiu-se enjoado. Onde diabo teria se metido o caipira?

Levantou-se, abriu a porta da cabine do piloto e, para sua surpresa, lá estava ele, tranqüilo e calmo, enquanto o piloto dizia:

— A direção está marcada nesse relógio, é uma bússola; esse ponteiro mostra o rumo em que eu devo ir.

— De modo que ocê num carece do sol pra indicá o rumo?

— Chamamos a isso latitude e é ainda nosso ponto principal. Norte, sul, leste e oeste.

Olavo estava estupefato. Como podia aquele selvagem conversar sobre assuntos técnicos de aviação?

Resolveu sentar-se em seu lugar. Juvenal suava frio. Não podia fazer nada.

Felizmente, chegaram a São Paulo. Estava escurecendo, já. Geraldo viajara na cabine o tempo todo. Olavo surpreendeu-se quando, na saída do Campo de Marte, onde aterrissaram, o piloto apertou a mão de Geraldo com cordialidade.

— Tive muito gosto em conversar com você. Quando quiser, venha por aqui e eu vou mostrar-lhe tudo. Vai gostar dos hangares e tudo o mais.

— Acho que vô. Foi uma grande viage. Nunca vô esquecê.

— Sabe — disse o piloto aos dois admirados passageiros —, ele tem alma de aviador. Devia tirar o brevê. Se ele quiser, eu ensino.

— Pode deixá. Eu ainda vorto aqui. Aprendê a voá. Puxa!

— Adeus — despediu-se o piloto —, esta viagem foi mesmo muito boa.

Juvenal, pálido como cera, não teve nem forças para protestar. Apanharam um carro de aluguel e foram para a casa do advogado. Juvenal procuraria um hotel, mas o Dr. Olavo não queria perder Geraldo de vista; por isso, hospedá-lo-ia em sua casa. Telegrafara para sua mulher prevenindo-a e esperava poder controlar a situação. Seu quarto de hóspedes não era grande, mas deveria parecer principesco em confronto com a choupana daquele selvagem. Estava emocionado e satisfeito.

Seu relacionamento com a mulher não era muito harmonioso, mas tinha a certeza de que ela o ajudaria a tratar bem o hóspede. Apesar de não acreditar muito que Olavo pudesse encontrar o milionário, D. Marilda, que sempre criticara a viagem do marido, certamente agora teria até muito orgulho em hospedá-lo.

Eram sete da noite quando o carro parou em frente à casa confortável da avenida Angélica. Embora não tivesse dinheiro, o advogado pertencia a ilustre família e herdara do pai a casa onde residia. Achava importante manter a posição, e por isso lutava por conservá-la em bom estado.

Tocou a campainha. Ruídos, passos, e a porta abriu-se. Uma criada com elegante uniforme surgiu, soltando exclamação de susto ao reconhecer o patrão. Em pouco tempo, Olavo era abraçado por uma senhora alta, cabelos castanhos crespos e cortados bem curtos, busto volumoso e corpo ereto. Recendia a perfume.

Geraldo, segurando a pequena mala, olhava assustado. O hall, onde imponente lustre de cristal reluzia, era recoberto por grosso tapete vermelho, e um console ricamente lavrado e patinado a ouro estava a um canto, encimado por caprichoso espelho de cristal. Flores delicadas em um vaso de alabastro, do outro lado a escada larga em mármore branco, corrimão dourado de metal, recoberta pela passadeira também vermelha.

Geraldo teve receio de pisar com suas grossas botinas naqueles tapetes.

— Como está, meu querido? — disse ela com certo aceno formal. — Fez boa viagem?

— Regular, Marilda. Mas quero que conheça nosso Geraldo. Entre, não fique aí na porta, a casa é sua.

Ele entrou sério e procurando pisar com leveza. D. Marilda a custo conteve o riso. Parecia pior do que o Jeca Tatu. Onde Olavo desenterrara tal criatura?

Habituada à vida em sociedade, exibiu um sorriso amável:

— Seja bem-vindo, meu jovem. Entre. Não faça cerimônia. Tenho muito prazer em conhecê-lo.

Geraldo teve vontade de fugir. Não gostou daquela mulher. Tinha olhar de cobra quando queria pegar passarinho. Sem responder nem apertar a mão que ela lhe estendia, tornou:

— Olha, seu dotô. Num carece eu ficá aqui. Vô imbora pra um hoter.

— Não. Vou ficar ofendido. É uma honra tê-lo em minha casa. Não posso consentir que fique num hotel. Não gostou daqui?

— Num é isso. Sô home simples, num tô acustumado co'luxo. Num quero dá trabaio. Só vim assiná os papé e vortá.

D. Marilda estava de boca aberta. Lançou um olhar meio irônico para o marido.

— Marilda, meu bem, gostaria de conversar com ele. Pode deixar-nos a sós?

— Certamente. Com licença. — Saiu, deixando uma onda de perfume no ar.

— Geraldo, tem calma. Eu disse-lhe que na cidade tudo é diferente.

— Tô vendo, mas se eu ficá no hoter, fico mior. Num carece ser de luxo. Num sô home cumplicado.

Foi falando e foi saindo. Olavo a custo encobria a contrariedade. Só esta faltava-lhe agora. Depois daquela viagem dura, ansiava por descansar, mas o imbecil não gostava de sua bela casa!

A custo dominou a irritação.

— Geraldo, não seja criança. Todos aqui queremos que você fique confortável. Você é um homem rico agora. Precisa aprender a viver em sociedade. Depois, não conhece ninguém em São Paulo. Isto aqui não é a sua vila. Não saberia nem andar na rua. Além disso, a cidade é perigosa, está repleta de ladrões, malandros, mulheres perigosas. Desejo defendê-lo dos perigos. Quero que fique conosco para protegê-lo.

— Uai, dotô, nesse caso vorto pra Dente de Onça aminhã mesmo. Lá só tem onça, mas a gente sabe lidá co'elas. O povo é tudo gente boa e dereita. Num tem perigo de nada. Meu falecido pai também falava isso. Havera de sê verdade. Nesse caso, num é bom ficá. Vorto logo pra casa.

Olavo suspirou, resignado.

— Também, não é tanto assim. Quando você conhecer tudo, não tem perigo de nada. Mas se quiser ir para o hotel, eu levo. Porém antes responda: por quê? Não havia concordado em ficar em minha casa?

— É, por certo. Mai num gosto de luxo, e num gostei da cara da sua muié.

Ele falava isso com naturalidade. Olavo quis modificar-lhe a impressão.

— É porque você ainda não a conhece bem. Marilda é uma boa pessoa, honesta, boa esposa e boa mãe.

— Num tô dizendo isso. Mai ela é farsa, isso ela é. Num gostô de mi vê mais num qué contrariá o marido. Si eu ficá, ela vai falá de mim por detrás e eu vö fazë uns desaforo. É mior i simbora. Num gosto de fingimento. Comigo num carece não.

Olavo ficou sem argumento. Apesar de irritado, admirou-se da astúcia de Geraldo, a quem um simples olhar revelara o caráter de Marilda. Resignou-se.

— Está bem. Vamos para o hotel. Falaremos com Juvenal, que ficará com você. Espere um momento.

Procurou a mulher, com quem conversou.

— Não adianta. Ele não quer fica aqui. Vou levá-lo a um hotel e já volto.

Marilda lançou-lhe um olhar irônico.

— Faça-o pagar bem caro pelo trabalho, não se esqueça. Para mim é um alívio.

Apesar de cansado, Olavo apanhou o carro na garagem e dispôs-se a levar o caipira para o hotel. Mas sua odisséia não terminou ali. Geraldo não quis ficar no hotel onde estava Juvenal por ser de luxo, e Olavo queria que o repórter ficasse junto com o caipira para controlá-lo, mas Juvenal, por sua vez, bem instalado e cansado, não queria sair de onde estava. Geraldo não arredou pé. Não ficava ali e pronto. Depois de muita discussão. Olavo conseguiu colocar os dois no carro e saíram para procurar um hotel tipo médio. Mas Geraldo não gostava de nenhum. Depois de muito rodar, concordou com um hotel simples, porém limpo. Finalmente, gostou do local, para alívio de Olavo e para raiva de Juvenal, que já queria usufruir do luxo e do dinheiro que esperava ganhar. Reconhecia que alguém precisava ficar com ele. O homem podia meter-se em apuros e arruinar todo o plano.

Foi aí que Geraldo teve fome. Eram dez horas e o refeitório do hotel estava fechado. Olavo estava moído de cansaço, mas Geraldo parecia bem-disposto e sem sono. Na roça dormia cedo, que diabo tinha ele que não se cansava? Olhava tudo sem perder nada, admirava-se das luzes, dos anúncios coloridos, crivava os dois de perguntas que eles não sabiam responder. Queria saber como acendiam e apagavam, como coloriam as luzes, como funcionava o telefone, se o fio tinha buraco e a voz andava dentro dele. Olavo não agüentava mais. Não fosse pelo dinheiro, tinha-o mandado às favas. Tirou dinheiro do bolso e entregou-o a Juvenal.

— Preciso ir. Compre alguma coisa para comer. Amanhã cedo estarei de volta. Passem bem.

Fingiu não ver o ar contrariado do repórter e foi saindo. Estava no limite da sua resistência.

Juvenal tornou:

— Pode acomodar-se. Vou descer para comprar sanduíches.

— Sanduíches? O que é isso?

— É pão com alguma coisa no meio. Você prefere queijo ou mortadela?

— Eu gosto de queijo, mas se tivé uns bolinho de mandioca ou uma broa de milho, eu quero.

— Quer café ou guaraná?

— Vou junto com ocê. Quero vê o que tem pra comê. Despois, gostei de andá naquela coisa que sobe e desce.

— No elevador.

— É, no elevador.

Juvenal mal conteve o riso. Àquela hora, cansados da viagem, ele querendo andar de elevador! Acontece cada uma!

Desceram. O hotel situava-se na avenida São João, que, apesar de ser uma terça-feira, estava movimentada. A presença do caipira provocava alguns olhares admirados. Juvenal resignou-se. Que remédio.

Foram a um bar. Sobre um balcão, vários pratos com quitutes, mas Geraldo só tomou café com rosquinhas. Devorou um prato delas, que eram fritas na hora e cobertas com açúcar e canela. Juvenal, ainda meio enjoado, não se conformava, vendo-o comer tudo aquilo, doce.

— Tá boa essa rosquinha. Tava cum fome.

Quando saíram do bar, Juvenal estava morto de sono.

— Agora vamos dormir.

— Vá ocê. Eu vô dá uma vorta. Quero olhá a cidade.

E esta agora? Juvenal irritou-se. Aquele homem era de ferro. Não podia deixá-lo. Ele não tinha dinheiro e estava tão mal vestido que nenhum batedor de carteira o assaltaria, mas podia perder-se. Como deixá-lo?

— Você vai perder-se. É melhor irmos dormir.

— Eu num vô drumi. Vô andá um poco. Pode i que eu fico.

Juvenal não teve outro remédio senão andar ao lado dele. O caipira parecia incansável. Andaram, andaram, ele olhando tudo, perguntando sobre coisas que Juvenal não sabia responder porque tão inusitadas e nas quais nunca tinha-se detido para pensar. Eram quase duas horas da manhã quando conseguiu arrastá-lo para o hotel. Ficara no quarto ao lado do seu, e, assim que o colocou dentro, aliviado e exausto atirou-se no leito para dormir.

Capítulo 3

No dia seguinte, pela manhã, Olavo dirigiu-se ao hotel. Estava refeito e elegantemente vestido. Recendia a lavanda. Acordou Juvenal.

— Bom dia, Juvenal. E o nosso homem, onde está?

— No quarto, penso. Ontem nós andamos quilômetros. Ele parecia ter asas nas pernas. Caminhamos até quase duas horas da manhã. Acho que ainda dorme.

Olavo riu bem-humorado, pensando em do que se safara.

— É natural, tem curiosidade de ver a cidade.

— Só espero que ele já tenha visto tudo — respondeu Juvenal, desanimado.

— Não se aborreça. Hoje mesmo já vou tomar as primeiras providências legais. Com os documentos que temos, certamente teremos causa ganha. É só uma questão de formalidade e de tempo.

— Ainda bem, porque tenho pouco dinheiro.

— Vou dar-lhe algum por conta. Vê se o convence a comprar uma roupa decente.

— Por que não tenta você?

— Vamos tentar os dois. Não é fácil lutar contra sua teimosia.

Entraram no quarto e o encontraram sentado em uma cadeira, folheando com atenção uma revista.

— Sempre gostei de vê revista.

— Melhor seria se pudesse ler o que está escrito.

— Num faz mal. Pelos retrato, penso no que tá escrito.

— Você devia aprender a ler — fez Juvenal, tentando interessá-lo.

— Num carece. Se fosse bão, meu finado pai tinha me ensinado. Quando eu vortá pra casa, num vô carecê de leitura. Mai eu tava esperando pra falá com seu dotô.

— Fale, Geraldo.

— Eu tô pronto para i conhecê a casa de minha mãe. Quero i lá vê tudo, o retrato dela, tudo.

Olavo sentou-se ao lado do caipira.

— Por enquanto, não é possível. Preciso de uma autorização legal do juiz para que você entre na casa. Seus parentes não moram na casa, mas cuidam dela desde a morte de sua mãe, por ordem do juiz, até que a situação se elucide. Você não pode ir lá antes que prove perante a lei que é filho dela e seu único herdeiro.

— Mais eu vô. Num vô deixá esses parente malvado que ela num gostava mexê nas coisa que era dela. Por isso tô aqui. Quero i lá agora mesmo. E ocê vai me levá lá.

Olavo coçou a cabeça, contrariado.

— Não vê que não convém? Eles pensam que você morreu. Não vão deixá-lo entrar, podem até chamar a polícia.

— Que chamem. Num tenho medo. Num sô ladrão nem criminoso. Pode deixá eles chamá a polícia. Quero só vê.

— Não. Não vou levá-lo já assim. Olhe aqui, Geraldo, eu vou agora mesmo entrar com um ofício e procurar o juiz que estuda o inventário de sua mãe. Provando sua identidade, certamente ele nos dará permissão para visitar a casa, e assim ninguém poderá impedi-lo.

— Eu vou ficá lá. Num vô visitá. A casa é de minha mãe. Tenho direito. Quero i lá agora!

Dr. Olavo coçou a cabeça, preocupado. Era difícil lidar com aquele ignorante. Ele tinha seus motivos para não aparecer aos parentes de Geraldo e pretendia fazê-lo quando já estivesse com a lei a seu favor. Aquele teimoso poderia dificultar as coisas.

Tentou contemporizar.

— Está bem. Mais tarde levamos você até lá. Agora não posso. Fiquei muito tempo ausente dos meus negócios. Meu escritório está precisando da minha presença urgente. Vou lá agora cedo e depois, à tarde, levaremos você lá. Enquanto isso, por que não vai conhecer a cidade? Você já viu o cinema?

O advogado sabia que o caipira era curioso, tentou induzi-lo a interessar-se por outras coisas e distrair-lhe a atenção.

— Cinema?

— Sim. Você vai ver gente trabalhando, vivendo histórias como no teatro.

Ele pensou um pouco e depois tornou:

— Teatro? O que é isso?

Juvenal acompanhava a cena, divertido. Olavo tentou explicar.

— Ora, teatro é um lugar onde várias pessoas reúnem-se para fazer de conta que estão vivendo histórias, dramas, são os artistas. E o povo vai lá para assistir.

— Qué dizê que gente grande mente e finge ser outras pessoa e ainda o povo num tem vergonha de assisti?

Olavo sentiu-se ridículo diante do jornalista. Mal-humorado, aduziu:

— Não só vai como paga para assistir.

— Num acredito!

Juvenal interveio:

— Não é com intenção ruim, Geraldo. Os artistas cantam, dançam, contam coisas engraçadas, coisas bonitas, histórias de amor, de homens valentes, de gente que trabalhou para o bem da humanidade. Você não conhece circo?

— Não, num conheço.

— Nunca ouviu falar em Jesus Cristo?

— Não, num ouvi.

Agora era Olavo quem se divertia com a situação. Juvenal irritou-se.

— Você não crê em Deus?

— Eu sô home que respeita a natureza. Deus fez tudo isso. O céu, as prantas, os passarinho, a água, o sol, as estrela, tudo. Às veis, costumo falá co'ele.

— Pois é, o teatro, o cinema contam as histórias bonitas, alegres, e às vezes as feias, de criminosos, para exemplo contra o crime.

— É, deve de sê engraçado vê essa gente brincando.

— Eles não brincam. Falam tão sério que você ri com eles, chora com eles, conforme eles fazem os seus papéis.

— É... Deve de sê bão.

— E é, Geraldo. Vou deixar cinco mil réis com você. Vá passear, compre o que quiser, entre no cinema; depois, no fim da tarde, passo aqui e vamos ver o que se pode fazer com a casa de sua mãe. Está bem?

Geraldo sacudiu a cabeça concordando e Olavo suspirou, aliviado. Saiu apressado e Juvenal o acompanhou.

— Gostaria, se fosse possível, que você fizesse um contrato de trabalho entre nós. Sabe como é, negócios são negócios e eu tenho muitas despesas. Depois, nunca se sabe o dia de amanhã. Deixei família em Cuiabá e preciso mandar dinheiro para eles.

Juvenal mentia. Tinha mãe e irmãos, mas nunca lhes dava nada. O irmão possuía um sítio e iam vivendo relativamente bem. Era solteiro e sem compromissos. Não confiava no advogado. Queria tudo bem documentado.

— Está bem, Juvenal. Vamos ver isso. Agora, preciso ir. É melhor ficar de olho nele, porque nunca se sabe o que vai por aquela cabeça. Vou ver se converso com um juiz meu amigo e consigo permissão para Geraldo visitar a casa da mãe. Vai ser uma bomba. O Dr. Marcondes julga-se dono de tudo, vai ver todo o dinheiro escorregar-se-lhe por entre os dedos.

Havia um brilho de satisfação nos olhos astutos do advogado. Juvenal começou a desconfiar que além do interesse financeiro havia algum motivo para que Olavo se sentisse feliz em arrasar com os parentes de Geraldo. Arriscou:

— Algum motivo especial para você arrasar o Dr. Marcondes, além do dinheiro?

O outro estremeceu.

— Não. Apenas não simpatizo com ele. Orgulhoso e cheio de empáfia. Quero ver aonde vai seu orgulho quando tiver que trabalhar duro para comer.

— Ele não é um homem rico?

— Foi, meu caro, foi. O filho botou tudo fora. Agora, ele conta com a herança de D. Carolina para sair do buraco. Está visto que não vai conseguir.

— Puxa! Ele vai estrilar!

— Ora, se vai! Mas, por outro lado, conhece bem a lei, é advogado. Bacharelou-se só para ter nome. Você vai ver. Terá, como eu, prazer em derrubá-los. Gente intolerante, paulista de quatrocentos anos, descendente dos barões do café, etc., etc.

Juvenal perguntou:

— Você vai mesmo levar Geraldo lá hoje?

— Claro que não. Primeiro falo com o juiz, depois Geraldo assina contrato comigo, procuração com plenos poderes sobre seus bens, depois o levamos lá.

— Ele não sabe assinar.

— Não faz mal. Bota o polegar embaixo. Depois que eu tiver essa procuração, ele pode voltar para seu Dente de Onça e sumir.

— Espero que tudo dê certo.

— Dará. Você vai ver. A documentação está em ordem. Agora vou indo. Qualquer novidade, tem meu telefone. Se eu não estiver, deixe recado com a secretária.

— Está bem.

— Olavo afastou-se, apressado. Juvenal entrou no quarto de Geraldo, que calmamente folheava a revista. Foi para seu quarto. Estava cansado da véspera. Iria descansar um pouco. Depois convidaria Geraldo para sair. Podia divertir-se levando-o a um cinema. Ia ser engraçado.

Geraldo continuou olhando a revista. Dez minutos depois, largou-a. Foi até o guarda-roupa e apanhou a mala onde suas poucas peças de roupas já estavam guardadas. Depois, decidido, colocou o dinheiro no bolso e saiu.

Eram onze horas e a cidade estava bastante movimentada. Bondes, buzinas, gente, bares, lojas. Geraldo entrou na avenida São João e foi caminhando. Andou, andou, andou; quando chegou na praça Marechal Deodoro, parou. Entrou num café, sentou-se em uma mesa e pediu um pão com café. Enquanto comia, começou a conversar com o empregado.

— Moço, ocê sabe onde fica a avenida Paulista?

— Sei, sim. Você está muito longe.

— Eu careço de i lá. Como eu posso i?

O rapaz coçou a cabeça, pensativo.

— Não é difícil. Aqui passa o bonde que vai até lá.

— Bonde? Num dá pra i de a pé?

— É muito longe. Você vai demorar muitas horas. De bonde, vai em menos de meia hora.

Geraldo pensou, pensou, depois tornou a perguntar:

— Onde é que se amunta nesse bonde?

O empregado, que era do interior, foi prestativo:

— Olha, você vai ali, naquele lado da praça, e tem aquele poste pintado de branco no meio. Ali é o ponto onde ele pára. Sabe ler?

— Não, num sei.

— Então, pergunte pra alguém lá no ponto, que quando vier o Avenida eles ensinam.

— Só mas uma coisa.

— O que é?

— O que é poste?

O rapaz olhou-o admirado. De que mundo saíra aquele caipira?

— É aquele cano de ferro como tronco de árvore que tem os fios da luz. Nunca viu um poste?

— Não. É a primeira vez.

Enquanto o garçom o olhava assustado, Geraldo calmamente terminou seu lanche. Depois de pagar a conta, ficou admirado olhando o maço de notas que recebeu de troco.

— Que foi? — perguntou o dono do bar, que estava no caixa. — Não está certo!

— Acho engraçado. Eu dei uma só, bebi seu café, comi seu pão e ainda recebo todas essas nota...

— Ora essa! — fez o português, bem-humorado. — A piada até que é boa!

E começou a rir, bem-disposto. Geraldo apanhou o dinheiro, a mala, e foi calmamente para o ponto do bonde.

Perguntou a um soldado, que não só o avisou da chegada do bonde como também subiu junto. Sentaram-se lado a lado. Era um bonde fechado. Ficaram na parte dos fundos. O soldado perguntou, curioso:

— A que altura da Paulista você vai?

— A que artura?

— É, em que número.

— Número?

O soldado começou a pensar que o caipira não era normal.

— Num sei não.

— A avenida é muito comprida. Se você não sabe o número da casa, nao vai achar. Vai trabalhar por lá?

— Não. Vô vê a casa de minha mãe. Ela morreu e eu careço de i lá pra vê se tá tudo em orde.

O soldado assustou-se:

— Tem certeza de que é na avenida Paulista?

— Tenho. É uma casa grande. Só quero que quando chega lá ocê me avise.

— Está bem. Vamos passar por lá. Mas como você vai achar?

— Eu acho. Num carece preocupá.

O soldado calou-se. De onde teria saído aquele figura diferente?

— Veio de longe?

— Vim. Mai logo quero vortá.

— Não gosta da cidade?

— Num é pra mim. Tenho uma vida muito boa lá em Dente de Onça. Num careço de nada. Só quero resorvê uns negócios por aqui e vortá. Mai é a primeira vez que ando de bonde. Ocê pode me dizê cumo é que ele anda sem cavalo? Como automóvel?

O soldado olhou-o desconfiado. Estaria divertindo-se à sua custa? Mas o olhar franco e respeitoso de Geraldo o fez responder:

— É diferente. O que faz o bonde andar é a mesma força que acende as luzes. É a eletricidade.

— Eletricidade? E o que é isso?

— Não sei. Acho que ninguém sabe. Todo mundo usa, mas ninguém sabe.

— Ah! Sei...

— Olha, estamos entrando agora na Paulista. Esta é a avenida.

— Então vô descê. Moço, pára o bonde que eu vô descê.

— Calma. Precisa passar na borboleta, pagar a passagem ao cobrador e puxar aquele cordão. Aí, quando ele parar, abrir a porta, você desce.

Geraldo apanhou a mala e foi tentar passar na borboleta.

— O senhor não pode passar com a mala. Pode descer que eu a entrego pelos fundos.

— Por que não? Vô descê com a minha mala sim sinhô!

O cobrador retrucou, malcriado:

— Não vai, não. É contra o regulamento. Desce logo que lhe dou a mala.

— Num desço. Sem mala, num desço.

Geraldo agarrou a mala e tentou passar com ela. O cobrador enfureceu-se:

— Já disse que não passa, não passa — travou a borboleta, e por mais força que Geraldo fizesse, não conseguia passar.

Irritado, pendurou-se no cordão do sinal, acionando-o sem parar. O motorneiro parou o bonde, abriu a porta e resmungou irritado:

— Que barulho é esse aí?

— Esse passageiro quer passar com a mala.

O soldado levantou-se.

— Deixe ele sair pelos fundos mesmo. Abra a porta.

— Esses caipiras deviam ficar no mato — desabafou o cobrador, irritado.

Geraldo olhou-o bem e retrucou:

— Poi lá no mato todos são inducado.

Os passageiros riam-se vendo aquele matuto agarrado à mala, conservando uma calma invejável, descendo lentamente do bonde, tão lentamente que o motorneiro, nervoso, agitou o sinal, tentando apressá-lo. Mal pôs o pé no chão e já o bonde arrancou, e quase que Geraldo caiu. Aprumou-se e olhou em volta.

Era uma bela avenida. Cheia de árvores e casas bonitas. Seu coração enterneceu-se. Sua mãe! Que saudade!

Como encontrar a casa? O melhor era perguntar. Bateu palmas no portão de uma casa. O jardim era grande, e o palacete, de luxo. Mas Geraldo não conseguiu ser ouvido. Bateu com insistência até que uma mulher saiu.

— Não sabe tocar a campainha? — resmungou contrariada.

— Campainha?

— Sim, campainha. Olhe, hoje não tem nada. Passa outro dia.

— Num quero nada, não. Só quero que ocê me diga onde fica a casa de minha mãe.

— E eu sei? Estou cuidando do meu serviço e vem você a me empatá.

— Ocê num sabe? Ela morreu fai uns meses. Era D. Carolina.

— Carolina de quê?

— De quê?

— É, o nome todo.

— Carolina Tavares de Lima.

— Olha moço, num conheço não. Agora vou entrar, tenho serviço.

Geraldo começou a bater de casa em casa em busca da informação. Foi maltratado; alguns, vendo-o, simplesmente batiam-lhe a porta na cara, sem cerimônia. Até que por fim, endereçando a pergunta a um velho jardineiro que tratava de imenso jardim, ouviu a resposta esperada.

— D. Carolina? A finada D. Carolina? Conheci muito ela. Trabalhei para ela enquanto viveu. Cuidei do jardim, das flores que ela gostava. Conheceu ela?

Geraldo estava emocionado.

— Conheci sim. Era minha mãe!

O velho olhou-o admirado.

— Sua mãe?

— Era sim. Meu pai dexô ela e me levou co'ele. Só agora eu sube que ela tava viva.

— Então você é o seu Geraldo?!!!

— Me conhece?

— Sim. Quando seu pai levou você embora ela ficou muito doente. A vida inteira procurou o filho. Se estivesse viva, estaria muito feliz.

— É. Eu vim pruque foram me procurá e contaram que os parente dela estão com tudo o que era dela e ela num gostava deles.

— É verdade. Me mandaram embora quando ela morreu. Tomaram conta de tudo. Dizem que vão morar na casa e já até mandaram o engenheiro para fazer a reforma. Vão gastar dinheiro grosso.

— Isso é o que eles tão pensando. Ninguém vai fazê nada. Num vô dexá.

O velho jardineiro estava emocionado. Tirou o lenço do bolso e enxugou os olhos cansados.

— Pobre D. Carolina. Você quer tirar eles de lá. Mais vai ser difícil. Já tomaram conta. Tem documentos para provar que é filho dela?

— Tenho. O advogado que foi me buscá tá cum todos papé. Fala de minha mãe. Ela era bunita, não era?

— D. Carolina foi mulher muito bonita. Bonita e bondosa. Todos os empregados gostavam dela. Enquanto ela foi viva, ninguém passou necessidade. Agora eu e minha velha temos sofrido muito. Ninguém é como ela.

Geraldo sentiu uma onda de ternura pelo velho empregado de sua mãe.

— Pois, home. Larga a enxada e vamo embora. Ocê vai cumigo.

— Quer que eu lhe ensine a casa?

— Quero. Mai quero também que ocê tome conta do jardim dela, como ela gostava.

— Está falando sério?

— Tô, home, tô.

— Posso levar minha velha? A gente morava lá num quarto-e-cozinha que D. Carolina fez para nós. Minha velha chora todos os dias de saudades.

— Pois ocê vai comigo. Amigo de minha mãe é meu amigo. Vamo lá. Tô aflito pra chegá.

O velho olhou Geraldo com temor.

— Eles não vão nem deixar entrar.

— Tão morando na casa?

— Não. Morando, ainda não. Tem lá um caseiro encarregado de vigiar a casa. E anda armado. Não vai deixar você entrar.

— A casa é minha. Eu vô entrá.

— Se ele atirar em você, tudo pode ser perdido. Acho melhor ir com o advogado.

— Ele tava me enrolando. Eu quero vê a casa, quero vê os retrato dela. Tô ansioso.

— É, mas o caseiro não vai deixar ninguém entrar. Ele não o conhece.

— Acha que se eu falá co'ele, ele num entende?

— Ele só entende o patrão, Dr. Marcondes. É homem de confiança dele.

— Mai eu quero tentá de i lá.

Está bem. Eu vou com você lá. Vamos ver o que acontece. É preciso ter muito cuidado. Não gostaria que nada de ruim acontecesse a você.

— Tô contente de achá um amigo.

— Pode me chamar Antônio. Você foi criado no campo e eu acho que a turma da cidade não entende bem essas coisas. Eles vão querer embrulhar você por causa do dinheiro.

— Vai sê difícil. Ninguém fica com o dinheiro ou quarqué coisa da minha mãe. Eu juro!

— Vou guardar as ferramentas e já volto. Espera só um pouco.

Enquanto Geraldo aguardava com certa impaciência, o velho foi para os fundos do jardim, sobraçando algumas ferramentas. Voltou logo depois, sacudindo a cabeça.

— Quem diria! O filho de D. Carolina! Quando eu contar, minha velha não vai acreditar. Vamos lá.

Juntos, caminharam mais dois quarteirões. Geraldo estava emocionado e ansioso.

— É aqui — esclareceu Antônio apontando enorme palacete, de estilo antigo mas muito elegante.

O jardim, enorme, circundava a casa, senhorial e bela, embora mostrasse um pouco de abandono. Antônio não pode deixar de comentar:

— Veja só o jardim. No tempo de D. Carolina era uma beleza! Agora, mato e mau trato. As plantas, todas secas. Que judiação!

Mas Geraldo nem escutou. A paisagem era-lhe familiar. Lembrava-se daquela entrada e principalmente da escada da varanda, e a porta de ferro caprichosamente trabalhada e envidraçada. Sua emoção era enorme.

— Vamo entrá.

— Cuidado, Geraldo. É melhor tocar a campainha. Tem cachorro bravo. Conheço a cara dele.

— É do casero?

— Não. Era de D. Carolina, mas não conhece você. Melhor tocar a campainha.

— Certo. Pode tocá.

Antônio comprimiu o botão e esperaram. Nada. Depois do terceiro toque foi que um homem apareceu preguiçosamente dos fundos, e com cara de poucos amigos foi se chegando enquanto dizia:

— Você outra vez. Olha, não estamos precisando de jardineiro. Não adianta teimar.

— Não vim para isso, seu José. Nosso assunto é outro.

— Então fale logo, que estou com pressa.

— Pode deixá cumigo. Eu falo. Sô filho de D. Carolina e vim pra ficá em minha casa. Pode abri as porta.

O outro olhou-o assustado:

— O quê?! Filho de quem?

— De D. Carolina. Soube que ela morreu e vim tomá conta das coisa dela. Pode abri a porta.

— Esse homem é louco? — perguntou José ao jardineiro. — D. Carolina não tinha filho.

Tinha sim, seu José. É que o Dr. Euclides, marido dela, saiu de casa levando o menino, único filho dos dois, e disse-lhe que a mãe tinha morrido. Só agora foi que ele descobriu tudo. Ele é mesmo o filho único de D. Carolina. Ela sempre chorou muito por causa disso. Eu sei de tudo.

— Hum... — resmungou ele — pode ser. Mas eu não creio. Você não tem cara de filho dela, que era muito fina; mais parece um mendigo. Mesmo que ela tivesse um filho, certamente não seria esse bicho-do-mato. Sabe o que eu acho? Que querem me tapear e até assaltar a casa. É melhor ir andando, senão eu chamo a polícia.

Por entre as grades do portão, Geraldo enfiou a mão e segurou o caseiro pelo gasnete.

— Óia aqui. Num tô brincando não. Ocê qué chamá polícia, mior. Fui criado no mato mais tenho vergonha na cara. Ocê vai se dá mal de ficá contra mim. Sô dono de tudo. Tá tudo nas mão do advogado. Tenho todos papé direitinho. Ocê abre já o eu é que lhe mando prendê por entrá na minha casa sem orde e querer robá o que é meu.

José empalideceu. Seria um louco? O olhar de Geraldo era firme e decidido. Parecia seguro do que dizia. E se fosse verdade? E se ele fosse o dono mesmo? Chamar a polícia não lhe convinha. Há alguns anos tivera problemas com a lei. Melhor não mexer com polícia. Mas, por outro lado, conhecia o jardineiro como homem honesto e equilibrado. Não se metera naquela de gaiato. O que fazer?

— Um momento. Não precisa brigar. Sou só um empregado. Estou zelando pela casa por causa dos ladrões. Sou responsável por tudo. Não posso deixar ninguém entrar sem ordem do meu patrão.

— Abre o portão: eu tô na minha casa, e se você não deixá eu entrá, vorto aqui com a polícia. Ocês vão tudo preso.

José começou a tremer. Arrependeu-se de não trazer a arma no bolso. Com rápido olhar percebeu que eles não tinham arma. Certamente, se tivessem já a teriam empunhado para entrar.

— Olha. O que eu posso fazer é telefonar para o Dr. Marcondes. Ele resolve. Eu sou só empregado. Não sei nada disso.

Por mais que José forçasse para escapar da mão de Geraldo, não conseguia. Parecia de ferro.

— Antônio, tira a chave do bolso dele.

— Geraldo, melhor voltar depois com o advogado.

— Num carece. Faz o que tô mandando. Tira a chave dele.

Com as mãos trêmulas, o velho apalpou os bolsos do caseiro e apanhou o molho das chaves.

— Vocês não podem fazer isso! É um assalto.

— Num é assalto coisa nenhuma. Tô na minha casa e ninguém vai impedi eu de entrá. Abre o portão, Antônio.

O velho obedeceu.

— Agora, entra e segura ele do outro lado.

Antônio obedeceu. Geraldo calmamente pegou a mala e entrou, mas José deu um forte empurrão no velho jardineiro e correu a todo vapor para os fundos do jardim. Geraldo não se incomodou.

— Deixa ele. Tamo co'a chave. Vamo entrá.

Começaram a caminhar pelo passeio principal quando o latido forte de um cão os interrompeu.

— O danado soltou o cachorro, Geraldo. Cuidado!

O velho jardineiro adiantou-se, chamando o animal pelo nome.

— Sultão, vem, sou eu.

O animal enorme que vinha em desabalada carreira parou alguns instantes.

— Vem, Sultão. Sou eu, meu amigo.

Antônio caminhou para ele fixando-o nos olhos, enquanto dizia a Geraldo:

— Deixa comigo e vai para dentro da casa.

O animal começou a balançar a cauda com alegria, embora rosnasse para Geraldo. Foi com facilidade que Antônio segurou-o pela coleira, acariciando-o. Durante muitos anos tratara-o com desvelo e carinho. Fora seu companheiro naqueles jardins caprichosamente cuidados. Vendo Geraldo na varanda, esperou que ele entrasse e por sua vez foi para lá.

A emoção de Geraldo era imensa. Aquela casa falava-lhe ao coração. O hall de mármore com a escadaria imponente.

— Acho que na outra sala tem um retrato dela.

— Tem sim, meu filho, um retrato dela moça.

O velho, que a princípio temera participar daquela aventura, agora não tinha mais nenhuma dúvida. Ele era mesmo o filho de D. Carolina. Geraldo foi até a sala e, sobre a lareira, lá estava: em rica tela a óleo, o retrato de sua mãe! Cabelos castanho-claros ligeiramente ondulados, que, apesar do coque opulento a cobrir-lhe a nuca, deixavam transparecer sua maciez. Olhos grandes e castanhos, belos e luminosos, colo moreno pálido, tez delicada e perfeita.

— Como era bunita! — declarou ele, extasiado. Emocionado, ajoelhou-se diante do retrato. Em seus olhos havia o brilho de algumas lágrimas.

Comovido, Antônio começou a rezar. Era homem simples e de fé. Sabia o quanto aquela bondosa mulher, a quem sempre respeitara e a quem tanto devia, tinha sofrido por causa do abandono do marido e do filho. Ele nunca soube o porquê. Fazer o que o Dr. Euclides tinha feito, só podia ser por dois motivos: outra mulher ou miolo mole, loucura.

Geraldo permaneceu assim durante muito tempo, enquanto que, em respeitoso silêncio, Antônio aguardava. Até que ele levantou-se.

— Vô até meu quarto deixá a mala. Tenho vaga lembrança do quarto. Era lá em cima. Parece que quando cheguei aqui, conheço tudo. Quando tava no mato, num lembrava de nada.

— É assim mesmo, seu Geraldo. Foi só chegar para recordar tudo.

— Pru que me chama de "seu"?

— É que o senhor é mesmo meu patrão e eu não posso chamá-lo mais de você. Não fica bem.

— Ocê é meu amigo e os amigo se chama de você o de tu. Num quero mas ovi isso. Ocê precisa sabê que sô home de palavra. Ocê vai morá aqui e tomá conta de tudo. É meu único amigo e eu lhe devo muita obrigação.

Antônio estava comovido.

— Está certo. Pode contar comigo. Isso eu garanto. Conheço o Dr. Marcondes. Ele não vai se conformar. Ouvi dizer que ele anda arruinado. O filho perdeu muito dinheiro nas corridas de cavalo e ele está endividado. Conta com o seu dinheiro para sair do buraco.

— Se conta, tá muito errado. Que se arranje. Minha mãe num gostava dele, não deve de sê boa pessoa. Se fosse, não queria ficá com tudo.

— É. D. Carolina nunca convidava eles para virem aqui. Não gostavam dela. Diziam mal dela.

— O quê? Falavam de minha mãe?

— É... Calúnias, despeito...

— O que pudiam falá?

Antônio estava embaraçado.

— Bobagem. Besteira.

— Quero sabê tudo. O que falavam dela?

— Falavam que seu pai foi embora e que ela era a culpada. Chegaram a falar da honra dela.

Geraldo ficou rubro.

— Tivero corage? Essa cachorrada vai se vê cumigo!

— Agora não adianta. A vingança só envenena nossa vida. D. Carolina sabia de tudo, não gostava deles, não os recebia, mas nunca os prejudicou nem falou nada deles. Era uma senhora. Muito boa, uma santa! Sofreu sempre calada.

— Num quero fazê nada que ela num gostasse. Mai eu num vô dexá eles mexê em nada que era dela. Vamo até o quarto, quero vê tudo.

Enquanto eles se entretinham na casa, José, assustado, trancara-se em sua casa nos fundos, a mesma que tinha pertencido ao jardineiro, e telefonava ao seu patrão. Não queria nada com a polícia. Depois, aquele maluco podia estar dizendo a verdade. Sua voz tremia:

— Dr. Marcondes!

— Sim, José. O que há?

— Doutor, estou desolado. Aconteceu uma coisa terrível!

— Fala, homem. O que foi?

— Tem um homem aqui que veio junto com o Antônio, o jardineiro, e disse que é filho de D. Carolina.

— Não pode ser, José. Vai ver que é impostor. O filho dela sumiu há muitos anos e deve ter morrido. Deve ser algum aventureiro! Mande-o embora.

— Foi o que eu fiz, doutor, mas ele, sem esperar, agrediu-me e entrou na casa. Consegui escapar-me e soltei o Sultão. Não adiantou nada. Aí, me fechei em casa e estou aqui com muito medo.

— Você é mesmo um banana! Como deixou esse homem entrar na casa? Devia chamar a polícia!

— É, senhor doutor. Eu não gosto de polícia, o senhor sabe. Eles me perseguiram anos atrás. Simples implicância.

Dr. Marcondes estava exasperado.

— Como é esse impostor? Que aparência tem?

— Parece um mendigo. É um verdadeiro caipira. É alto, forte como um leão.

— Eles estão ainda na casa?

— Estão. Ele veio com mala e disse que vai ficar e tomar conta de tudo que é dele. Parecia decidido. Disse que tem os papéis com o advogado.

Marcondes sentiu um frio na barriga.

— Está bem, José. Vou até aí imediatamente. Vamos pôr esse impostor para fora.

Capítulo 4

O Dr. Olavo estava tranqüilo em seu escritório. Redigira a petição ao juiz, juntando os documentos necessários e pedindo que fossem os mesmos anexados ao processo de inventário de D. Carolina.

Não queria ir ao hotel porque pretendia evitar que o caipira teimoso invadisse a casa de D. Carolina, causando-lhe aborrecimentos.

Eram duas horas da tarde quando Juvenal apareceu esbaforido.

— Dr. Olavo, nosso homem sumiu!

— Sumiu?!

— Sumiu. Levou a mala e tudo. Deixou o hotel.

— E essa, agora? Não o deixei vigiando aquele maluco?

— Deixou. Ele estava tranqüilo, vendo revista no quarto. Peguei no sono. Ontem caminhei feito camelo, nosso homem não se cansava de ver as luzes da cidade. Não sou de ferro!

— Ele vai perder-se. Não conhece nada nem ninguém. Não sabe ler. E agora?

— Acho que ele deve ter saído para tentar achar a casa da mãe. É teimoso como só ele.

— É, pode ser. Mas deve estar perdido por aí.

Olavo passou a mão nervosa pelos cabelos.

— Olha, vamos sair. Passamos no Fórum, entrego a petição na audiência que o juiz marcou e depois vamos até a casa de D. Carolina. O maluco pode aparecer por lá. Você podia ir até lá.

— Não conheço ainda aqueles lados. Poderia perder-me.

— Está bem. Iremos juntos. Seja o que Deus quiser. Não fosse a audiência, iríamos lá agora mesmo. Porém não temos tempo. Vamos embora.

Passando a mão na pasta elegante. Dr. Olavo saiu resmungando:

— Esse maluco! Onde se terá metido?

— Nós o acharemos, doutor. É figura rara, fácil de ser identificada. Onde passa, todos olham.

— Espero que assim seja. O danado ainda não pôs o polegar na procuração. Se não fosse assim, podia ir para o diabo. Logo que o achar, vai legitimar esse documento que já lavrei, onde concede-me plenos poderes para administrar seus bens. Depois disso, que vá para o inferno!

Juvenal concordou com um sorriso, e saíram apressados rumo ao Fórum.

O Dr. Marcondes, tio de Geraldo, após desligar o telefone chamou o motorista e ordenou que o levasse à avenida Paulista. Ia preocupado. E esta, agora? Quem seria o impostor? Certamente algum espertalhao que queria passar a mão na fortuna. A história do filho de Carolina fora contada aos jornais, explorada pela imprensa sensacionalista. O jornal O *Dia* a tinha publicado várias vezes. Bem que ele queria ter evitado isso. Com o inventário aberto e o prazo de um ano concedido para o filho de Carolina reclamar a herança, o anúncio no Diário Oficial era obrigatório, mas esse jornal ninguém lê, pensava, e por isso não o preocupava. Entretanto, repórteres abelhudos tinham descoberto o segredo e feito disso celeuma. Era provável que algum falsário tivesse tido a idéia de aproveitar-se da situação. Não acreditava que Geraldo pudesse estar vivo.

Desde que o irmão sumira, nunca mais tinham tido nenhuma pista. Carolina gastara muito dinheiro sem jamais ter conseguido a menor notícia. Quanto a isso, podia estar sossegado. Fosse quem fosse o abelhudo, só podia ser um impostor. Já entrara com recurso, pretendendo que a morte de Geraldo fosse decretada e o óbito assinado, uma vez que havia mais de vinte anos desaparecera sem vestígios.

Contava conseguir isso sem esperar o tempo prescrito pelo juiz em primeira instância e poder, assim, receber a herança em breve tempo. Sua situação era premente. Tinha muitas dívidas, e vultosos empréstimos a juros extorsivos tinha sido efetuados sob a garantia da herança iminente.

Suspirou fundo. Ia disposto a acabar com aquela farsa. Se fosse preciso, chamaria a polícia para prender o intruso.

Impaciente, remexia-se no assento do carro, procurando dominar-se. Durante anos esperara que a cunhada morresse. A cada achaque de Carolina, comemorava já a herança cobiçada, antegozando o que fazer com o dinheiro.

Odiava aquela mulher, obstinada, que orgulhosamente os ignorava e nem sequer sabia usufruir da posição que ocupava, vivendo reclusa como uma freira. Finalmente, Carolina morrera. Finalmente, o sonho transformado em realidade. Principalmente em muito boa hora, quando os recursos eram escassos devido ao montante de suas dívidas.

Porém quando tudo era uma questão de tempo, eis que aparece aquele impostor. Estava seguro de que não falava a verdade. Principalmente por estar em companhia do jardineiro. Antônio fora vassalo de Carolina, faria qualquer coisa por ela. Se conhecesse o paradeiro do seu filho, não iria calar-se. Naturalmente, estava querendo vingar-se por ter sido mandado embora sem nada, apesar de D. Carolina mencioná-lo com boa quantia no testamento, que ele, Marcondes, tivera a sorte de encontrar no cofre-forte da falecida. Se alguém reclamasse em juízo, se procurassem, o testamento já estava devidamente registrado em cartório. Mas quem iria fazê-lo? Ninguém o conhecia, a não ser Carolina e o seu tabelião, e como tanto um como o outro já eram falecidos, o assunto só seria esmiuçado por alguém que soubesse da sua existência.

Quanto ao documento original, ele o reduzira a cinzas porquanto Carolina tivera a preocupação de salvaguardar seus haveres das mãos do cunhado, dotando seus empregados fiéis com uma importância régia e deixando o restante ao filho desaparecido, com a ressalva de que, não fosse encontrado, seu patrimônio seria distribuído a obras beneficentes.

Desaparecidos o testamento e o filho, Dr. Marcondes legalmente herdaria tudo. Certamente, o jardineiro, esperando parte da herança, sentira-se rancoroso e pretendia vingar-se. Só podia ser isso.

Dr. Marcondes suspirou, mais calmo. Sua mulher vivia atirando-lhe em rosto a dilapidação da fortuna e, o que é pior, acusando-o pelo comportamento desastroso do filho, jogador inveterado a quem incentivara dando-lhe cavalos de corrida e levando-o ao prado com freqüência, desde a infância. Arrependia-se disso porquanto Jorge transformara-se em um sorvedouro de dinheiro que ele agora não conseguia mais conter.

Fora jogador inveterado, mas nos últimos anos, pressionado pelo terror à miséria, tornara-se mais comedido, enquanto que Jorge mais e mais se desregrava. Pelo menos havia Maria da Glória, a filha que era admirada por todos pela sua beleza e dotes de inteligência; ela o animava a prosseguir vivendo em um lar que, não fossem as convenções sociais, pensara muitas vezes em abandonar.

Desposara Renata com grande aparato e juntara seu nome ao de uma tradicional e conceituada família, os Camargo. Mas com o correr dos anos, perdera todos seus haveres e lançara mão aos recursos de sua mulher, o que motivara, da parte dos seus sogros, uma corrida ao cartório e a transferência de várias propriedades para o nome deles; esses bens só voltariam às mãos da filha quando eles morressem. Marcondes, enraivecido, tinha se recusado a assinar essa transferência, mas, ameaçado com o desquite litigioso pelos cunhados, também advogados, cedeu por fim, certo de que, se o desquite se consumasse, estaria desmoralizado e nem sequer teria clientes para trabalhar.

Dando-se ares de vítima, cedeu, com gestos de um desprendimento que estava longe de sentir. Assim, D. Renata possuía uma renda, porquanto seus pais passavam-lhe às mãos os aluguéis dessas propriedades e isso abrigara-os das necessidades pessoais e tornara-a mais independente. Ao mesmo tempo, acabara o sentimento afetivo que no início do casamento dispensara ao marido. Casara-se por amor; porém, desiludida e aviltada pela cupidez e pelo desregramento do Dr. José, esse sentimento cedera lugar à indiferença e mesmo ao descaso. Muitas vezes manejava a ironia salientando os defeitos do companheiro, menosprezando sua capacidade de manter o orçamento doméstico, ao mesmo tempo exigindo sempre que ele ganhasse para manter as aparências e o nível social a que estavam acostumados.

Quanto a isso, o Dr. Marcondes, pensava como ela. Lutava com todas as armas para ostentar o luxo em que sempre vivera, e em seu escritório de advocacia muitas vezes colocara-se a serviço do suborno e da corrupção. Se não fosse o jogo, ele teria conseguido manter-se. Mas o vício desenfreado tornava irrisória qualquer quantia, por mais vultosa que fosse.

O filho era digno do pai. A princípio vira com orgulho Jorge cercado de belas mulheres, adulado, ostentando luxo, disputado pelas amizades mais proeminentes da sociedade, e com prazer facilitava-lhe a exibição, não poupando recursos para que seus caprichos fossem satisfeitos. Cavalos puro-sangue eram sua paixão, mas o barco, a casa de veraneio na praia, o carro de luxo, tudo o tornava o ás mais comentado na sociedade. Porém as coisas tinham tomado rumo inusitado. Ele exigia sempre mais. Quando ouviu a primeira negativa acanhada e triste do pai, rebelou-se, chamando-o de sovina e velho decrépito.

Assustado, o Dr. Marcondes viu pela primeira vez o brilho rancoroso dos olhos do seu ídolo, e a desilusão foi-lhe dura trava a penetrar-lhe o coração.

— Ele está nervoso — pensou. — Vai passar.

Porém, não passou. Vendo negadas suas pretensões, cada vez mais disparatadas, por causa da situação difícil do pai, Jorge aliou-se à mãe e passou a tratá-lo com desprezo e falta de respeito. Ironizava quanto à sua capacidade intelectual e profissional, até diante dos seus amigos, que copiavam-lhe com sempre os gestos e as atitudes.

A posse da fortuna de Carolina era para o Dr. Marcondes um meio de ser gente frente à família. Sabia a força do dinheiro. Se o possuísse, eles o tratariam com reverência e respeito.

O carro parou em frente ao palacete. Aflito, abriu o portão e entrou. Foi direto à casa dos fundos procurar o empregado.

A cara assustada do caseiro assomou à porta entreaberta.

— Dr. Marcondes! Ainda bem que chegou. Eles estão na casa.

— Muito bem. Conte tudo. Como foi?

Zé relatou o ocorrido exagerando um pouco nos detalhes, dando uma versão própria. Marcondes tremia de revolta.

— Vão se ver comigo. Não podem invadir propriedade alheia. Vão todos para a cadeia!

— Espere lá, seu doutor. Se for chamar a polícia, eu vou-me embora. Não quero encrenca.

Dr. Marcondes segurou-o com força pelo colarinho:

— Faça isso e nunca mais sairá da cadeia. Sei muito bem o seu passado. Não se esqueça de que fui eu quem o tirou de lá. Se me irritar, volta na mesma hora.

O outro começou a tremer.

— Mas, doutor, tem pena de mim. Se me encontram, vão investigar tudo de novo.

— Cala essa boca. Ninguém sabe de nada. Eu garanto tudo. Lembre-se de uma coisa: enquanto for-me fiel, será um homem livre. Se me trair, vai apodrecer na cadeia. Agora, vamos. Se eu precisar da polícia, vai testemunhar a invasão de domicílio. Não tem nada a temer com os documentos que possui. Não se preocupe.

O outro tentou acalmar-se. Sabia que o patrão ia defendê-lo. Também possuía suas armas, que, se fosse preciso, usaria. Conhecia muito sobre o Dr. Marcondes, a ponto de torná-lo seu defensor constante. Se abrisse a boca, não iria sozinho para o xadrez.

Resolutos, dirigiram-se para dentro da casa. No pavimento térreo não havia ninguém.

Geraldo, no quarto, onde sentira aclarar-se algumas imagens de sua infância, permanecia silencioso, meditando, olhando para aquelas paredes pintadas de dourado, com desenhos delicados sob fundo azul suave. Os retratos, a cômoda lavrada, onde num velho porta-retrato havia a fotografia de um belo menino de suaves e veludosos olhos castanhos, iguais aos da mãe, despertara em Geraldo um soluço de emoção. No canto, em bela letra caprichosamente desenhada, algumas palavras que ele não pôde entender. Vendo-o, olhos marejados, segurando com as duas mãos o porta-retrato em funda emoção, Antônio aproximou-se, respeitoso.

D. Carolina vivia olhando esse retrato. Muitas vezes chorou de saudade. Minha mulher viu quando ela escreveu essas palavras aí.

Geraldo passou o dedo caloso sobre as letras delicadas.

— O que tá escrito aqui?

— Meu tesouro tem dois anos, eu também. São Paulo, 18 de junho de 1910. Era o dia de seu aniversário. Fizeram uma bela festa, com bolo, tudo. D. Carolina estava muito feliz. Dr. Euclides também. Só andavam abraçados.

Geraldo sentiu o nó de sua garganta aumentar. Compreendeu. Sua mãe dissera que ele era seu tesouro. Ela tinha nascido com ele. Tal era o seu amor. Ele não sabia explicar em palavras, mas as palavras singelas e apaixonadas de Carolina calaram fundo dentro do seu peito. Forte sentimento de revolta contra o pai apossou-se dele. Não se importava com o dinheiro. Gostava da vida dura e simples da roça, mas roubar-lhe o carinho da mãe adorada fora crueldade que não conseguia entender. Respeitava o pai, em quem reconhecia honestidade e força moral. Fora-lhe dedicado e amigo, companheiro e mestre, mas não podia perdoar-lhe o afastamento do calor materno.

— Antônio, o que aconteceu? Pru que ele foi embora? Se eles viviam bem, se se gostavam, pru que ele fez isso?

O velho sacudiu os ombros, desalentado.

Não sei, Geraldo. Até hoje é mistério. O que posso contar é muito pouco. Tudo ia muito bem até o dia em que um amigo do Dr. Euclides ficou muito doente. A mulher dele arranjou outro homem e ele procurou os dois para matar. Tanto fez que achou e deu dois tiros no amante e três na D. Aurora, sua mulher. Ele morreu logo e ela ficou muito ferida, mas escapou. Foi levada para longe pela família, acho que para a Europa. Mas o Dr. Álvaro, desesperado, tentou o suicídio. Felizmente, tinha só uma bala e errou o alvo, estava nervoso e desatinado. Deu um tiro no peito, mas a bala passou entre as costelas e não atingiu nem o pulmão nem o coração, senão ele morria. O Dr. Euclides e D. Carolina eram amigos do casal e, condoídos, tentaram ajudar. Dr. Euclides lutou para salvar a vida do Dr. Álvaro, e depois de ficar um mês no hospital ele veio para cá, para recuperar-se. Dava dó. Tinha uma filha de um ano que a família de D. Aurora mandara com a mãe para a Europa, ele sofria muito as saudades dela. D. Carolina tratou dele com muito cuidado e tentava dar ânimo. Tanto ela como o Dr. Euclides tinham medo de que ele se matasse. Ele não tinha vontade de viver. Com o tempo, ele parecia melhor e recuperado. Já andava pelo jardim, perguntando das flores.

— Como era ele?

— Era moço. Uns trinta anos, mais ou menos. E muito fino. Minha mulher dizia que ele era muito bonito. Bonito e bom. Não entendia como D. Aurora deixara um moço rico, formado, para se misturar com aquele malandro. Achava até que era feitiço.

— Você acha que foi?

— Não sei. Eu não acredito nisso.

— Carece acreditá. Nóis do mato vimo muitas coisa. Os índio sabe esses segredo.

O velho ajuntou com simplicidade:

— Minha mulher acredita. Eu não sei. Já vi de tudo, e não duvido de mais nada.

— E depois?

— Ele era um moço bom. Conversava comigo, às vezes ajudava no jardim, mas tinha dia em que ficava sentado horas, cismando.

— Ele matô um homem. Num foi preso?

— Não. Ele estava mal. Houve processo, mas ele saiu livre. Não foi considerado culpado. O escândalo foi grande. D. Aurora tinha outro. Ele, nem preso foi.

Geraldo suspirou.

— Pobre home. Por isso eu nunca vô me casá.

— Nem todas as mulheres são assim, Geraldo. Há mulheres que são verdadeiras santas. D. Carolina e minha mulher, isso posso afirmar.

— É como agulha em paieiro. Difícil de achá. Mai conte, e depois?

— Eles ficaram ainda mais amigos. Dr. Euclides e Dr. Álvaro, D. Carolina. Estavam sempre juntos. Até que um dia, quando ninguém esperava, o Dr. Álvaro apareceu morto no quarto. Tinha bebido veneno. Foi um choque muito grande para todos nós. O moço era estimado e bom. D. Carolina ficou até doente, e o Dr. Euclides ficou desesperado. A polícia veio investigar, confirmou o suicídio. Desde esse dia, tudo mudou nesta casa. D. Carolina vivia triste e abatida. Dr. Euclides parecia um morto-vivo. Duas semanas depois da morte do Dr. Álvaro, o Dr. Euclides desapareceu durante a noite, levando o filho, e nunca mais ninguém soube de vocês dois. Não deixou carta nem nada. Sumiu. D. Carolina quase morreu. Esteve muito doente, mas com a ajuda de Deus recuperou-se. Nunca deixou de procurar. Gastou muito dinheiro com detetive e tudo. Mas nada. Nunca se conformou. Viveu toda vida triste e sem coragem. Só tinha uma esperança: encontrar você.

Geraldo coçou a cabeça, cismando.

— E nunca souberam pru quê?

— Não. Nós pensamos que ele tinha outra mulher, mas o Dr. Euclides sempre foi homem fiel e amante da família. Além disso, adorava D. Carolina.

— Ele nunca teve otra muié. Sempre viveu só. Eu e ele. Nunca percurô muié nenhuma. Fugia delas como o diabo da cruz.

— É, eu acredito. Então só pode ter sido uma coisa: loucura. Um acesso de loucura.

Geraldo sacudiu a cabeça.

— Garanto que não. Ele num tava loco. Sempre foi calmo. Sabia fazê tudo, sem atrapaiá as idéia. Não, loucura num foi.

— Então, meu filho, eu não sei. Só se foi feitiço mesmo.

— Aí tem coisa Antônio. Tô sentido com meu pai, mas ele era home bão e de honestidade. Se dexô minha mae, arguma coisa foi. Ela era uma santa, eu sei, mas alguém fez arguma mardade. Eu vô descubri e vô tirá a limpo.

— Agora não adianta, Geraldo. Você vai sofrer, e eles já morreram mesmo.

— Eu vô descubri. Queria vortá logo pro meu sussego no mato, mas agora só vô depois que apurá tudinho. Ninguém me enrola, Antônio. Nós vamo discubri tudo.

— Não sei não, vai ser muito difícil. Ninguém sabe o que aconteceu. Os dois já morreram guardando segredo. Como vamos saber?

— Num sei, mas garanto que discubro.

— Estou ouvindo barulho lá embaixo. Receio que seja seu tio.

— Dexa ele cumigo. Num tenho medo.

— Eu vou ver.

Antônio saiu apressado, e Geraldo tranqüilamente colocou o porta-retrato sobre a cômoda e abriu o guarda-roupa. A um canto havia um sobretudo e algumas peças de roupas infantis. Seu coração apertou-se vendo com que carinho estava tudo arrumado, com delicados saquinhos perfumados. Jeito de D. Carolina, sem dúvida, conservando suas roupas com carinho e saudade. Em seus olhos brilhou uma lágrima.

O jardineiro desceu as escadas apressado e deparou com Dr. José andando irritado de um lado a outro. Fuzilou o velho com o olhar enquanto dizia:

— Espero que você possa dar-me uma explicação bem convincente para esta invasão da casa antes de a polícia chegar!

— Dr. Marcondes, não precisa alterar-se — começou ele, respeitoso porém com voz firme. Se tivera alguma dúvida quanto à identidade de Geraldo, agora, depois de terem ido à casa, ela desaparecera. Sua voz não tremeu. Ele continuou no mesmo tom. — Garanto que não tem motivo. Finalmente o Sr. Geraldo voltou para casa.

— Que história é essa? Que besteira! Sabe que posso pô-los na cadeia por invasão de domicílio e roubo?

— O senhor engana-se. A casa é dele e não houve roubo.

— Como pode dizer isso? Sabemos que Geraldo sumiu há muitos anos. Carolina nunca conseguiu a menor pista. Como apareceu agora, quando a herança está à disposição? Acha que vou acreditar nisso? Melhor pôr-se para fora antes que eu chame a polícia.

— Vai ser difícil. Geraldo recusa-se a sair. E não se importa se chamar a polícia.

Dr. Marcondes estava apoplético. A audácia do velho jardineiro parecia-lhe o cúmulo da ousadia.

— Onde está esse malandro? Quero pô-lo para fora a pontapés. Assim se tratam os impostores. Onde está?

Seus olhos fixaram-se na figura alta de Geraldo, que calmamente descia as escadas, atraído pelos berros do tio.

Dr. José ficou mudo. Aquele era o impostor? Nem ao menos tiveram o cuidado de arranjar um homem de classe, como deveria ser o filho de Carolina se estivesse vivo. Seu estupor foi tanto que parou, olhando-o perplexo.

Geraldo, sem intimidar-se, dirigiu-se a ele:

— Quem é o senhor?

Dr. José olhou-o de cima a baixo com desprezo.

— Não deveria dar-lhe satisfações, mas eu sou o dono da casa e faço-lhe a mesma pergunta.

Geraldo sorriu ligeiramente.

— O único dono da casa de minha mãe sô eu. Por isso, acho que arguém tá mentindo. Acho que é ocê. E quanto mais depressa saí daqui, mior. Minha mãe num recebia ocê, eu também num vô recebê. Acho mior saí logo, pruque num gosto de oiá sua cara.

O rubor subiu e arroxeou a cara do Dr. Marcondes.

— Você não passa de um grosseiro impostor. Se queriam enganar, deviam ter arranjado algo melhor. Não esse espécime, esse caipira, esse selvagem. Dá-me até vontade de rir.

E, num acesso nervoso, o Dr. José foi acometido de riso enquanto continuava:

— Filho de Carolina! Você não tem espelho? Não vê que ela era uma mulher fina? Jamais poderia ser a mãe de um traste como você. Acho melhor acabar com isso. Pegue suas coisas e suma. Você deve ser louco. De que manicômio fugiu?

— Olhe, tô perdendo a paciência. Tô falando sério. Mior saí daqui e num vortá mais. Com sua cara de raposa, quem num garante que aprontô arguma pro meu pai ou pra minha mãe? Se ela num gostava d'ocê, arguma coisa foi. Fora, vamo, fora daqui.

Juntando o gesto à palavra, Geraldo segurou o tio pela lapela do paletó e começou a empurrá-lo para fora. O caseiro quis intervir, mas Geraldo aplicou-lhe violento coice que o colocou gemendo, fora de ação.

— Tire as mãos de mim, seu vagabundo. Vai pagar-me caro por isso. Vou processá-lo, não sairá mais da cadeia.

Sem incomodar-se com os gritos e esforços do tio para desvencilhar-se, continuou segurando-o, imobilizando-lhe os braços, e conduziu-o para fora. Suas mãos pareciam de ferro. Apesar de ser homem forte, Dr. José não conseguia livrar-se delas.

Geraldo avisou, calmo, dirigindo-se ao caseiro:

— Depois converso c'ocê. Trate de arrumar as coisa e caí fora. Já.

Dr. Marcondes parecia um boneco agitado nas mãos fortes de Geraldo. Foi conduzido para fora, e no jardim ele ainda vociferava:

— Pode largar. Retiro-me. Mas volto com a polícia. Você vai pagar bem caro.

— Pois pode vortá. Garanto que num tenho medo.

Conduziu-o para a rua e ordenou ao assustado jardineiro que abrisse o portão; depois, colocou o tio na calçada.

— Ocê num põe mais os pé nessa casa. Se entrá de novo, parto-lhe as costela.

De vermelho, Dr. Marcondes empalideceu. Aquilo era o cúmulo! Empertigado, ajeitou a roupa e, vociferando ameaças, retirou-se indignado.

— Geraldo, esse homem é perigoso. Aposto como vai à polícia. Vamos ter barulho, ele não vai conformar-se com a situação. Você vai ver.

Geraldo deu de ombros.

— Tô co'a razão. A polícia num pode fazê nada.

— Mas pode dar trabalho e aborrecimento. Dr. José é advogado, sabe lidar com essas coisas. Acho melhor ter os seus documentos em ordem. Onde estão?

— Os papé? Tão com o dotô Olavo.

— Então é melhor chamá-lo. É preciso ter tudo à mão se a polícia vier.

— Tá certo. Mai eu num sei i no escritório dele.

— Nem na casa? Você esteve lá.

— É, eu tive. Acho que é na avenida Angélica. Se for lá, eu conheço a casa. Só que agora num quero saí daqui, senão ele vai pensá que fugi. Fugi não é cumigo. Vamo entrá. Farta pôr aquele sem-vergonha pra fora.

Voltaram à casa, mas, para surpresa dos dois, o caseiro já tinha colocado seus pertences em uma mala e uma valise e preparava-se para ir-se embora. Sabia que o Dr. Marcondes voltaria com a polícia, e nessa hora queria estar longe. Seu patrão que se arranjasse. Não ia voltar para a cadeia.

— Não precisam brigar comigo — foi dizendo, conciliador. — Sabem que sou só um pobre empregado. Vou-me embora. Não me meto em brigas de família.

— Inda bem. Agora, vamo vê nessas mala se tá levando só o que é seu.

José deu um pulo.

— Sou um homem honesto. Não pense isso de mim.

Sem se importar, Geraldo abriu a mala e, sob as roupas, encontrou um estojo de veludo. Abriu e algumas jóias brilharam.

— Eram de minha falecida mãe. Guardo de lembrança.

— Mentira — ajuntou Antônio. — Eram de D. Carolina. Como estão em seu poder?

Geraldo segurou-o pelo gasnete com olhos de fogo.

— Teve corage de robá as jóias dela! Tem sorte de eu não lhe quebrá todos os osso um por um.

Ele se desculpava.

— Não sei como isso veio parar aí. Não sei.

— Antônio, reviste bem as coisa dele e nós vamo levá esse ladrão até a rua já. Dá vontade de cuspi na sua cara. Dá nojo.

Depois de revistada a bagagem, acompanharam-no até o portão e botaram-no na rua. De volta à casa, suspiraram aliviados.

De repente, Antônio começou a rir.

— Não posso esquecer-me da cara dele quando achou as jóias de D. Carolina. Que malandro!

— Conheço as cara de cobra. Nunca me engano. Sô do mato. Tenho mais medo de gente do que de bicho. Agora tô querendo tomá um café. Vamo vê se tem.

Se a despensa da casa estava fraca, havendo mais latarias, havia pão, café, queijo na cozinha do caseiro. Enquanto faziam um lanche, Geraldo lembrou:

— Essa casa é sua desde agora. Pode buscá sua muié. Quero conhecê ela.

— Acho melhor esperar. Não quero sair antes de estar tudo resolvido com o Dr. Marcondes. Ele vai dar trabalho. Mas minha mulher vai cozinhar para você. D. Carolina gostava muito dos quitutes dela. Tem mãos de doceira. Você vai ver.

— Vai me dexá mole. A comida num tem portância, mas as coisa de minha mãe carece sê bem cuidada. Acho que ela pode vê isso.

— Certamente. Elisa ama essa casa. Era muito amiga de D. Carolina.

O ruído insistente da campainha fez-se ouvir.

— Será a polícia? — perguntou Antônio, assustado.

— Pode sê, mas acho mior i vê.

— Pode deixar, eu vou.

— Vô entrá na casa. É lá que quero está quando eles chegá.

Antônio foi até o portão.

— O que desejam? — perguntou aos dois homens que estavam do lado de fora.

— Uma informação. Por acaso apareceu por aqui um moço do interior, com uma barba, magro e alto?

— Está referindo-se ao Sr. Geraldo?

— É. Conhece-o?

— Certamente.

— Quero falar-lhe. Abra, faça o favor.

— Quem é o senhor? A quem devo anunciar?

— Dr. Olavo Rangel, sou o advogado dele. Este é o meu assistente.

— Pois não. Queiram ter a bondade de entrar. Chegaram em boa hora. O Sr. Geraldo estava querendo localizá-los.

Antônio abriu o portão, convidando-os a entrar. Olavo trocou um olhar pasmo com Juvenal. O matuto conseguira! Estava lá. Com porteiro e tudo. Custava a acreditar. Foram encontrá-lo na sala principal.

— Geraldo! Não sabe o susto que nos deu saindo dessa maneira.

— Eu lhe disse que queria vir aqui o quanto antes.

— Devia ter esperado. Como o deixaram entrar aqui?

— Botei o casero pra fora. O malandro tava robando as jóia de minha mãe.

— Mas você invadiu este domicílio. A hora em que o Dr. Marcondes souber, vai ser uma tragédia.

— Já sôbe. Veio aqui.

— Soube?! E como reagiu?

— Botei ele pra fora. Num gostei da cara dele. Minha mãe tinha razão.

— Você usou de violência, e agora?

— Ele vai vortá com a polícia. Mior. Assim vai sabê que sô memo o fio de Carolina e vai me dexá em paz.

Dr. Olavo suspirou.

— Não é tão simples assim. A lei tem suas exigências. Você precisa comprovar sua legitimidade. Seu caso é especial. Esteve fora durante muitos anos. Ele não vai se conformar em perder toda a fortuna.

— Eu quero aqueles papé que o dotor achô. Co'eles posso prová que tô co'a razão.

— É. Os documentos estão em ordem. Não resta a menor dúvida. Estive hoje em audiência com o juiz que está procedendo ao inventário de D. Carolina e já dei a ele a cópia de todos os documentos que tive o cuidado de mandar tirar no cartório, e ele autorizou sua instalação nesta casa enquanto aguardamos a audiência com todos os interessados, que ele vai marcar para o encerramento do caso.

— Então tá tudo certo.

— Nem tudo. Dr. Marcondes pode entrar com recurso, embargando a ação, e nesse caso vai demorar mais um pouco.

A campainha soou estridente.

— Acho que é ele — ajuntou Antônio, um pouco agitado.

— Num deixa aquele patife entrá.

— E se vier com a polícia?

— Pode deixar, Geraldo. É melhor que entre, e conversaremos. Como seu advogado, trato do caso.

— Tá bem, Antônio. Vá abri.

— Deixe que eu fale. Fique calado. O caso é comigo. Juvenal, veja os documentos na pasta, deixe-os à mão.

Alguns minutos de expectativa, e logo após a figura triunfante do Dr. Marcondes ladeada por três homens, que logo tomaram conta da situação, entrou na sala. Um deles parecia chefiar o grupo, adiantou-se.

— Somos da polícia. Recebemos grave denúncia. Quem é que se faz passar por Geraldo Tavares de Lima?

— Sou o Dr. Olavo Rangel, advogado dele. O senhor, quem é?

— Sou agente policial. Aqui estão minhas credenciais.

— Muito bem. Acho que houve um lamentável engano. Meu constituinte aqui presente é realmente Geraldo Tavares de Lima, como provam todos os seus documentos em meu poder.

Dr. José estava pálido. Detestava aquele refinado patife, seu colega de má memória. Ele estava metido naquela intriga. Fora ele certamente quem liderara aquela farsa. Mas se bem o conhecia, sabia que ele devia estar bem escudado para atrever-se a tanto, jogando seu prestígio, seu nome, sua posição.

— Pode provar o que afirma?

— Certamente. Aliás, já entrei com a documentação necessária em juízo e tenho já a devida autorização para que o Sr. Geraldo se hospede nesta casa que é sua.

— Posso vê-la? — inquiriu o policial, que diante do advogado perdera muito da arrogância inicial.

— Naturalmente. E o Dr. Marcondes também pode examinar estes documentos.

Ele adiantou-se e, com ar desconfiado, passou o olhar pelos documentos exibidos. Pareciam-lhe autênticos, mas certamente tinham sido forjados. Recusava-se a crer.

— Eu estou lendo, mas não acredito. Como pode ser? Geraldo desapareceu há muitos anos e minha pobre cunhada procurou por ele toda a vida. Nunca soube de nada. Acreditava-o morto. Agora, por causa da herança aparece este aqui. Como acreditar? Onde esteve durante tantos anos? Por que jamais procurou pela mãe?

— Posso explicar-lhe, doutor. O Dr. Euclides retirou-se com o filho para um local chamado Dente de Onça, nos confins de Mato Grosso, e disse ao filho que a mãe tinha morrido. Mas D. Carolina não acreditava na morte do filho. Apesar da falta de notícias, encarregoume de procurá-lo. Infelizmente, só o encontrei agora, depois que ela morreu. Tinha uma pista, mas demorei muito tempo para encontrá-lo naqueles ermos. Por sorte, Dr. Euclides guardara todos os documentos, e por isso não tive dúvidas em reconhecer Geraldo. Agora, ele está de volta e toda a herança pertence-lhe de direito. Pelo que consta, D. Carolina não deixou testamento. Logo, ele é seu único filho e herdeiro universal.

Dr. José irritou-se.

— Não aceito isso. É uma impostura. É uma história forjada para receber a herança. Ele é um impostor. Não o reconheço como meu sobrinho!

— Nem podia. Ele saiu daqui com seis anos apenas, está agora com vinte e oito. Acho que bem diferente do que era. Não posso deixar de reconhecer os mesmos olhos de D. Carolina, um pouco do seu sorriso; e se olhar bem, verá que tem as mãos longas e a forma física do seu irmão. O jardineiro de D. Carolina, que o viu nascer, reconheceu-o muito bem. Não é, Antônio?

— Certamente. Ele é o seu Geraldo mesmo. Não tenho nenhuma dúvida. Sem ver os papéis eu o reconheci. É ele mesmo. Só sinto D. Carolina não estar viva nesta hora.

O policial olhava visivelmente curioso para a figura estranha de Geraldo, que mais parecia um matuto e que herdara aquela fortuna imensa. Tratou de aproximar-se dele com gentileza.

— O senhor vai nos desculpar, Sr. Geraldo, mas as informações que tínhamos eram contra o senhor. Nossa obrigação é investigar todas as queixas. Espero que esqueça isso, queremos felicitá-lo pela herança.

Dr. Marcondes estava tão perturbado que não conseguiu senão dizer entre dentes:

— Vocês não me enganam e não perdem por esperar. Vou desmascará-los na Justiça. Vocês vão ver!

Geraldo, que nada dissera, tornou:

— Agora, rua. Num quero ninguém aqui. Ocês pode i simbora. Quanto à polícia, fazia mior se fosse prendê os ladrão que tão por aí. Hoje memo o empregado dele que tava aqui ia levá as jóia de minha mãe.

— Onde está ele? Podemos prendê-lo.

— Num carece. Já dei corretivo e botei ele na rua. Sô home pra resorvê meus pobrema. Agora, acho que já podem i simbora.

Dr. Olavo adiantou-se e, enquanto acompanhava os três policiais e o Dr. Marcondes para o portão, foi dizendo baixinho:

— Não reparem. Ele foi criado longe da civilização. É um pouco rude, mas é homem de bem.

Dr. Marcondes fuzilou-o com o olhar e, ignorando a mão que ele lhe estendia em despedida, saiu pisando duro, abafando o ódio e a revolta.

Dr. Olavo distribuiu palmadinhas e piadas entre os policiais e escorregou algumas notas para que fossem tomar uma cervejinha. De volta à casa, Juvenal divertia-se ouvindo Antônio contar como conhecera Geraldo e tudo o mais. Ria-se a valer. Afinal, o matuto tivera muito sorte. Era valente também. Dr. Olavo estava mais interessado em negócios.

— Geraldo, precisamos dar andamento nos papéis. O Dr. Marcondes não vai conformar-se. Estava quase tendo um ataque. Vai tentar tudo e dificultar ao máximo a ação da Justiça. Eu preciso que você me assine, ou melhor, ponha seu dedo nos papéis, para que eu possa trabalhar. Está tudo aqui, e é só pôr o dedo nessa tinta e colocar aqui embaixo.

— O que tá aí nesses papé?

— É rotina. Coisas da lei, para que eu possa representá-lo como advogado.

— Que é representá?

— É agir em seu nome.

— Como se fosse eu?

— É, mais ou menos.

— Mai eu tô aqui. Num tô morto. Pra que precisa disso?

Dr. Olavo impacientou-se.

— É da lei. Se não assinar, não posso ser seu advogado.

Ele olhou os papéis desconfiado.

— O que tá escrito aí? Antônio, ocê sabe lê. Vem aqui e lê isso pra mim.

— Não é preciso. Eu posso ler. Depois, essa desconfiança não se justifica. Afinal, sou seu amigo e sinto-me ofendido com isso.

— Num carece arrodiá, dotô. É mior dexá o Antônio lê. Ele é meu home de confiança. Senão eu num boto o dedo aí.

Antônio sentia-se emocionado. Suas mãos tremiam quando debruçou-se na mesa para ler os papéis. A confiança de Geraldo deixava-o embargado.

— Estou comovido, Geraldo. Eu sou um homem pobre e simples, não tenho qualificação nenhuma...

— Ocê é meu amigo e home de confiança de minha mãe. É como se fosse meu pai. Pode lê.

Pigarreando, Antônio começou a ler com voz um pouco insegura, mas aos poucos foi se firmando. Apesar de ser simples jardineiro, era homem experiente e tinha viajado como caixeiro-viajante nos tempos da mocidade. Gostava de ler, e fora um desgosto que tivera que o forçara a abraçar a nova profissão. A vida feliz em casa de D. Carolina o deixara tranqüilo e sem preocupações com o futuro. Ela sempre prometia deixá-los amparados quando morresse. Mas não tinham achado seu testamento. Por isso, tinham ficado na rua.

Leu tudo, e ao terminar Geraldo indagou:

— Agora, Antônio, me explica direitinho tudo.

Antônio engoliu em seco para tomar coragem e tornou:

— Se você assinar isso, o Dr. Olavo é seu procurador geral, para assinar tudo em seu nome. Pode comprar, vender, empregar seu dinheiro, pode usar tudo o que é seu como se fosse dono.

Olavo estava irritado.

— Isso me ofende. É uma questão de praxe. Para trabalhar, eu preciso ter liberdade. Não posso vir atrás de Geraldo a cada requerimento que precisar fazer. Vamos, assine que estamos perdendo muito tempo.

— Num vô assiná isso. Num concordo. Ocê pode comprá e vendê como se fosse eu. Já pensô se quisé vendê a casa de minha mãe?

— Isso é um absurdo. Você me disse que não se importava com a herança. Não queria nem vir para cá. Disse que ia assinar tudo e voltar para sua casa no mato. Então, fiz essa procuração para cuidar de tudo, administrar seus bens, e você, se quiser, pode voltar para sua casa amanhã mesmo.

— Quem resorve minha vida sô eu. Vorto pra casa quando achá que tá na hora. Mai num vô dexá as coisa de minha mãe sem resorvê. Tem uns causo que quero apurá. Por isso, vô ficá. Agora num vô assiná nada.

— Diga a esse idiota — berrou Dr. Olavo, irritado — que, se ele não me nomear seu procurador, não poderei ser seu advogado.

Antônio esclareceu:

— Dr. Olavo, o senhor faz outra procuração, somente com poderes de representá-lo em juízo, e garanto que ele vai assinar. Depois veremos o resto. O contrato, com a especificação dos seus honorários, e tudo de direito.

— Mas isso não tem cabimento. É uma injustiça, uma ofensa, uma ingratidão. Dá-me vontade de abandonar o caso.

— Se fizer isso, contratamos outro. Não vai faltar advogado para isso.

— Preciso ter liberdade de ação para trabalhar. Não posso ser vigiado por terceiros, nem ter um constituinte que desconfia de mim.

— O dotô tá complicando muito. Qué o num qué continuá?

— Está certo. Quero. Já me enterrei nesse caso. Perdi meses para encontrá-lo, fiz despesas, perdi clientes, tudo, agora recebo esta injúria.

— Será reembolsado regiamente, doutor. Tenho certeza de que Geraldo é homem honesto, mas sei também que detesta ser enganado. Se o senhor trabalhar bem, não vai ter do que se arrepender.

Geraldo concordou com a cabeça.

— Precisa providenciar os documentos dele. Identidade, etc., para ficar com ele. Nunca se sabe do que o Dr. Marcondes é capaz.

Olavo suspirou, contrariado. Nada mais tinha a fazer ali.

— Amanhã cedo esperamos pelo doutor com a papelada em ordem.

Quando se despediram, iam calados e pensativos.

— E essa, agora? Esse caipira parece que tem o diabo no corpo. É uma teima só. Quem podia esperar que aquele velho jardineiro fosse tão esperto? — desabafou Olavo, nervoso.

— Esperto mesmo é o Geraldo. Estou começando a achar que não vamos conseguir nada dele. O melhor é carregar nas despesas, senão vamos perder tempo.

— Ora, Juvenal. É uma questão de dar tempo ao tempo. O velho precisa ser afastado. Se não estivesse lá, o idiota teria assinado. Não sabe ler.

— É. Pode ser. Mas burro é que ele não é. E não tem medo de nada. Sabe como ele entrou na casa? No murro. Botou até o tio para fora à força.

— É, mas se eu não estivesse lá, teria ido preso. A polícia queria ver os documentos. Por um lado teria sido bom para ele. Ir preso. Aí eu o livraria, mas antes teria que assinar tudo.

Juvenal abanou a cabeça, duvidoso.

— Não sei. Ele é tão astuto que sairia dessa muito bem.

— Não vou desistir dos meus intentos. Você vai ver. Essa fortuna será nossa.

— Assim espero.

— Por agora vou contemporizar, fazer o que me pede. Ganhar sua confiança. Depois, veremos. Mas ainda mesmo sem dinheiro, eu não deixaria o caso só pelo prazer de ver o Marcondes de joelhos e sem vintém.

Juvenal aventou:

— Por que se odeiam tanto?

— Você acha isso?

— É. Ele olhava-o desfigurado. Parecia que queria fulminá-lo.

— São velhas histórias. Não vem ao caso. Mas aquela raposa um dia ainda vai pagar-me.

Enquanto isso, Marcondes rumou para casa. Não tinha condições para trabalhar. Sua cabeça doía e o estômago estava queimando. Sua angústia deixava-o perder a respiração. A situação parecia séria; e se o advogado estivesse dizendo a verdade? E se aquele caipira fosse mesmo o Geraldo? Não podia subestimar Olavo. Sabia-o inteligente e capaz. Jamais se meteria naquela se não estivesse bem escorado.

Por outro lado, custava-lhe crer que aquele pobre-diabo fosse filho da delicada e refinada Carolina. Sua cunhada tinha sido sempre mulher de um requinte extraordinário. Sorriu irônico entre a raiva e o temor. O que teria sentido se lhe apresentassem o filho como um selvagem? Será que Euclides fizera isso para vingar-se dela? Sacudiu a cabeça. Certamente que não. Se assim fosse, teria voltado com ele antes que ela morresse. Era muito esquisito que só agora Geraldo aparecesse. Se ele fosse mesmo o filho de Carolina, sua presença ali devia-se exclusivamente às maquinações de Olavo, que pretendia desgraçá-lo. À lembrança do advogado, sentiu uma onda de rancor. O pior é que com ele não tinha condições de acordo. Fosse outro qualquer e ele arranjaria tudo, dividindo o dinheiro, mas com aquele sabia inútil. Jamais concordaria. Ainda mais se tivesse a certeza da identidade de Geraldo. Estava muito preocupado.

O carro entrou pelos jardins, ele nem notou. Sobressaltou-se quando o motorista abriu a porta para que descesse. Precipitou-se casa adentro como um furacão. Sua mulher encontrava-se na sala de estar, folheando uma revista. Era mulher de estatura média, cabelos tingidos de um louro dourado e caprichosamente penteados, pele bem cuidada, quase sem rugas apesar de estar com cinqüenta anos. Era elegante, conservando-se esbelta e vestindo-se com muito apuro. Enorme solitário no anular dava mais requinte à sua mão alva, bem talhada e fina.

Vendo entrar o marido, surpreendeu-se.

— José?! O que aconteceu?

Dr. Marcondes nunca chegava antes das nove para jantar, a não ser quando tinham algum compromisso social. Sua presença naquela hora era um acontecimento.

— Precisamos conversar, Renata, aconteceu algo terrível.

Renata levantou-se assustada.

— Alguma coisa com Jorginho?

— Não, nada disso.

— Com Maria da Glória sei que não foi porque ela está lá em cima no quarto, metida com seus livros.

— Não, não foi nada com nossos filhos. Foi algo terrível. Vamos para o quarto.

Tomou a mulher pela mão, conduzindo-a para a saleta de vestir, antecâmara do quarto do casal; fechou a porta e desfechou a novidade:

— Estamos arruinados. O filho de Carolina apareceu!

Renata deu um pequeno grito de susto:

— Não!! Tem certeza?

— Bem, certeza, não tenho ainda. Mas por enquanto parece que os documentos dele estão em ordem. Não me conformo! O dinheiro já estava praticamente em nossas mãos. E agora?

D. Renata passou a mão trêmula pela testa, num gesto nervoso. Deixou-se cair em uma poltrona, aterrada.

— É impossível! Depois de tantos anos. Como pode ser isso?

Em pinceladas dramáticas, José contou-lhe o que acontecera e rematou, maldoso:

— Você precisa ver o pobre-diabo. É um brutamontes, selvagem e grosso. Se não fosse por causa do dinheiro, ia morrer de rir.

— Vontade de rir não tenho nenhuma. O que vamos fazer?

— O pior é que o Olavo é o advogado dele. Isso torna as coisas ainda piores. Se não conhecesse a ambição daquele velhaco, eu diria que ele foi descobrir Geraldo só para me arruinar.

— E será que não foi?

Os olhos de Renata brilhavam, rancorosos. Sua fisionomia tinha se tornado dura, e perdera o ar delicado de momentos antes.

— Em parte, claro que foi. Moveria céus e terras para nos prejudicar, mas acho que também pensa no dinheiro. Para ele, vai ser fácil enganar aquele selvagem e ficar com boa parte da herança.

— Se ele ganhar a questão, o que de qualquer forma não podemos permitir.

— É, não podemos. Você sabe que os dois últimos empréstimos foram por conta desse dinheiro. Não temos como pagar. Teríamos que vender todas as propriedades, os carros, tudo. Ficar sem nada.

— Isso nunca!

— Pode ser também que ele seja um impostor. Aí será muito mais fácil.

— Tem razão. Mas o Dr. Olavo é macaco velho.

— Não mete a mão em cumbuca. Isso me preocupa mais.

— Você vai entrar com uma ação?

— Bem... Eu posso ver os documentos anexados ao inventário, juntar minhas dúvidas, requerendo alguns detalhes periciais nos documentos apresentados. Oficialmente, é só o que a lei me permite. Se tudo estiver em ordem e os documentos forem autênticos, ele é o herdeiro direto e legítimo de Carolina. Quanto a isso, não vou poder fazer nada. O que pretendo é contratar alguns homens para investigar o caso, inclusive indo ao local onde ele viveu. Quero descobrir tudo.

Renata aprovou, pensativa.

— Você disse que ele é um pobre-diabo. Como se parece?

Dr. Marcondes distendeu a fisionomia, forçando o riso.

— Você precisa ver! Contar não adianta. É alto, espigado, cabelos compridos e barba. Pele queimada de sol. A roupa é o que há. Camisa xadrez, calça branca ajustada e botinas cor de laranja, rangedeiras. Agora, as mãos são compridas e finas, embora cheias de calos, certamente de cabo de enxada. Você precisa ver! Quando abre a boca, fala pior do que os peões da nossa fazenda. Acho até que não sabe ler.

— Deus meu, o que vai fazer com tanto dinheiro? Que judiação!

— Salvar essa herança é uma obra de caridade — ajuntou ele com ênfase.

— E se você embargasse o espólio como se ele fosse incapaz para gerir esses bens?

— Ele é um tipo raro, mas não me pareceu um louco. Pelo contrário. Acho até que é muito seguro de si.

Renata permaneceu pensativa. Depois tornou:

— José, ele foi criado no mato, como você disse, não será difícil de levar. Com jeito nós podemos conseguir o que queremos.

— Como assim?

— Você vai ver os documentos. Se os laudos afirmarem sua autenticidade, você não vai ter muito a fazer. Mas eu tenho uma idéia melhor.

— Qual é?

— Enquanto você manda investigar o lugar onde ele viveu, nós podemos nos tornar amigos. Brigar não será boa política.

— Você acha que devemos aceitar essa situação?

— Claro que não. Mas podemos ganhar tempo. Não só fingir que aceitamos, como envolvê-lo em nossa amizade. É um matuto. Deve estar maravilhado com a cidade, o dinheiro. Podemos nos tornar amigos, e depois, quem sabe, você pode até administrar-lhe os bens.

José olhou a mulher surpreendido.

— É... Isso pode ser tentado... Em último caso.

— Afinal, você é seu legítimo tio, irmão do seu pai.

— Mas nem por isso ele teve complacência. Com certeza Olavo já lhe contou que Carolina não nos recebia, porque ele não teve dúvidas de pôr no olho da rua, pela força, seu tio legítimo!

— Certo, mas isso é porque ele sabe o que lhe contaram. Olavo não nos elogiou. No entanto, nós podemos estabelecer um plano para envolvê-lo. Deve ser ignorante e crédulo. Podemos usar Maria da Glória. É uma linda mulher.

— Nossa filha tem vinte e dois anos apenas.

— Mas é muito requestada e linda.

— Não creio que ela concorde em colaborar. Tem a cabeça virada pelo modernismo. Nunca pudemos controlá-la.

— Deixe comigo. Sei lidar com ela.

— Você pode tentar. Sempre é um caminho. Mas desde já temos um obstáculo. Ele não nos vai receber.

— Isso dificulta as coisas. Tenho um meio e vou usá-lo.

— Qual?

— Lucila.

— Lucila?

— É. Carolina gostava muito dela. Era sua única amiga.

— Mas nós não temos muito relacionamento com ela.

— Maria da Glória tem. É muito amiga de Inês, sua filha. As duas estão sempre juntas.

— Acha que conseguirá?

— Deixe comigo. Vou conseguir. Tantos interesses em jogo! Não desanime. Vá redigir a petição enquanto vou procurar nossa filha. Não temos tempo a perder.

— Quanto a isso, concordo. O tempo é precioso. Todos os vencimentos têm data marcada.

Renata dirigiu-se ao quarto da filha. Antes de entrar, imprimiu à fisionomia um ar sereno. Fez isso tão bem que ninguém poderia perceber a agitação que lhe ia na alma. Bateu ligeiramente e entrou.

Maria da Glória, encolhida em agradável poltrona, estava mergulhada em profunda leitura.

— Minha filha.

A moça levantou o olhar admirada. Tinha olhos grandes e castanhos, cabelos escuros e curtos penteados com displicência. O rosto sem pintura, embora corado e expressivo.

— O que deseja? — perguntou com voz indiferente.

— Preciso falar-lhe.

— Oh, mamãe! O livro está muito bom. Não quero desviar o fio do pensamento. Não pode ser mais tarde?

— Não, filha. O assunto é urgente e importante.

— Está bem — concordou ela um pouco aborrecida, fechando o livro depois de colocar o marcador na página. — Espero que não seja nenhuma futilidade.

— Claro que não. Você é anti-social. Uma moça! Como pode ser assim?

— Mamãe, não vamos voltar ao assunto. Não aprecio seus amigos, são vazios e fúteis. Não sou anti-social. Até estudo filosofia e sociologia. Tenho muitos amigos, mas nenhum é vazio como os seus. Não foi para isso que você veio aqui, não é?

— Não, não foi. Deixe-me sentar. O assunto é grave. Seu primo Geraldo apareceu.

— Geraldo? Filho de tia Carolina?

— É. Apareceu, e apesar de seu pai estar investigando sua identidade para termos certeza, tudo indica que é ele mesmo.

Nos olhos de Maria da Glória brilhou uma ponta de malícia.

— Que azar, hein, mamãe! Papai já estava gastando por conta da herança.

Renata dissimulou:

— Certamente, esse dinheiro seria nossa salvação. Mas que fazer? Deus sabe o que faz. Se ficarmos na miséria, seu pai trabalhará mais e não nos há de faltar o pão.

A moça surpreendeu-se:

— O que deu em você? Como vai largar sua vida social? E Jorginho, como vai afundar mais no vício?

— Não fale assim. Seu irmão é muito jovem. Com o tempo endireita. Eu estou conformada. Seja o que Deus quiser.

Algumas lágrimas brilharam nos olhos de Renata. A filha estava admirada. Jamais vira a mãe tão submissa. Esperou que ela continuasse:

— Pois é. O filho de Carolina foi descoberto pelo Dr. Olavo Rangel, velho inimigo de seu pai, e envenenou Geraldo contra nós. Seu pai foi lá em casa de Carolina e ele o tratou com rispidez.

— É um direito dele. Não podemos fazer nada.

— Mas dói ver esse pobre moço nas mãos daquele patife, que certamente vai lhe tirar tudo o que tem. O Dr. Olavo é mau elemento.

— Quanto a isso, não duvido. As histórias que circulam sobre ele não são nada recomendáveis.

— Temo por Geraldo. Afinal, somos seus únicos parentes.

— E tio Euclides?

— Morreu há certo tempo.

— Geraldo não é criança. É mais velho do que eu, quantos anos tem?

— Deve ter uns vinte e oito ou vinte e nove.

— Então! Deve saber defender-se. Tia Carolina sempre foi excêntrica. Nunca nos recebeu. Não vejo razão agora para nos preocuparmos com seu filho, que já é um homem e deve saber defender-se muito bem.

— Mas ele foi criado na roça. O Euclides, querendo vingar-se de Carolina, que o traiu, sumiu com o menino, e pelo que sabemos agora, foi viver nos confins de Mato Grosso. Não sabe nem ler. É um pobre-diabo. Será presa fácil do Dr. Olavo. Acha justo deixá-lo sem ajuda nessa hora? Afinal, não tem culpa dos problemas da mãe.

— Isso é. Tem certeza de que ele é assim?

— Tenho. Seu pai disse que se veste como um matuto e fala como caipira. Não sabe ler sequer.

— Que graça! Deve ser um tipo raro.

— Diz que é. Seu pai ficou com pena dele.

— Mas nós não podemos fazer nada.

— Como não?

— Não temos bom relacionamento com ele. O Dr. Olavo, com medo de que nós pudéssemos ajudá-lo, encheu-lhe a cabeça contra nós. Devemos destruir essa impressão dele. Tornarmo-nos amigos para que o Dr. Olavo não possa enganá-lo. É até obra de caridade.

A moça sorriu, incrédula.

— Você nunca se interessou em fazer caridade. Qual o seu objetivo real? Quer ver o sobrinho de perto ou quer arrancar-lhe parte da herança?

— Minha filha! Que modos grosseiros! Saiba que eu e seu pai resolvemos aceitar a pobreza como condição irremediável.

— Seria muito bom que ficássemos menos ricos. Porque a pobreza para você já representa um bom nível de vida. Assim, quem sabe cada um se interessasse em trabalhar e fazer alguma coisa útil.

— Não fale assim com sua mãe.

— Vocês ainda vão arrepender-se de tanta ociosidade.

Renata engoliu a raiva. Sabia que irritar Maria da Glória não era a melhor política. Precisava dela. Contemporizou.

— Você vai arrepender-se de ser tão injusta com seus pais — enxugou uma lágrima não existente e continuou: — Pensei em Lucila. Era muito amiga de Carolina. Ficará contente de saber sobre Geraldo e de vê-lo. Gostaria de falar com ela para que o convencesse a receber-nos.

— Para quê?

— Para que possamos conhecê-lo e orientá-lo. Se estiver tudo certo, melhor. Podemos desfazer esse mal-entendido que por tantos anos desuniu nossa família.

Maria da Glória ficou pensativa. Tinha enorme curiosidade de conhecer o primo. Como seria? Sabia que Lucila teria muita alegria em saber da novidade. Sofrera com Carolina. Acompanhara de perto sua dor. Várias vezes Maria da Glória intrigara-se com aquele mistério. Não acreditava muito na maldosa versão de seus pais, culpando Carolina da traição ao marido. A reputação da tia sempre fora inatacável. Embora não tivesse convívio com ela, a moça sabia que ela era respeitadíssima pelas famílias mais austeras, e seu comportamento discreto, sua dor após a ausência do marido tinham-lhe dado uma auréola de mártir. Lembrando-se do seu semblante puro e altivo, Maria da Glória não aceitava o deslize que lhe atribuíam, principalmente por saber que seus pais torciam sempre as coisas conforme lhes convinha, sem nenhum respeito à verdade nem à dignidade alheia.

Olhando a fisionomia perscrutadora da mãe, a moça concordou:

— Está bem. Não me custa tentar. Falarei com D. Lucila. Acho até que ficará muito feliz. Vou já telefonar-lhe.

— Isso, minha filha. Faça isso. Veremos o que podemos fazer. Aliás, estou ardendo de curiosidade para conhecer essa rara criatura.

— Não se anime muito. Pode ser que ele se negue a nos receber, e nós não vamos mendigar, não é mesmo?

— Certamente, meu bem. Ficaremos com a consciência tranqüila. Cumprimos nosso dever.

Maria da Glória olhou a mãe com certa ironia.

— Mamãe, não gostaria de ser sua inimiga.

— Filha, que injustiça!

— Deixemos isso. Também estou curiosa. Pensando bem, não vou telefonar. Vou à casa dela pessoalmente dar-lhe a notícia. Vai ser uma bomba!

A moça levantou-se de um pulo e com rapidez aprontou-se para sair. Na janela do quarto, D. Renata viu-a subir no carro e sorriu satisfeita.

Capítulo 5

Geraldo, sentado na varanda, olhava pensativo para o jardim, onde Antônio trabalhava feliz, cuidando de suas flores. O velho jardineiro já se instalara de novo na casa em que sempre vivera. Sua mulher, feliz e contente, já assumira a cozinha, e um cheiro apetitoso anunciava a preparação do almoço.

Geraldo já tinha colocado suas digitais na procuração, e o Dr. Olavo cuidava já de tudo para regularizar o inventário de D. Carolina, bem como a entrega da herança. Fizera uma procuração delineando os seus poderes, conforme Antônio sugerira, e tudo caminhava bem. O advogado contava ganhar a confiança do cliente para gerir-lhe os bens. Conhecia o suficiente para saber que irritá-lo não era a melhor solução. Adiantara boa quantia para que contratassem empregados e cuidassem da manutenção da casa. Antônio convencera Geraldo da necessidade de contratar uma arrumadeira e uma lavadeira. Explicou-lhe que todas as coisas bonitas da casa, todos os objetos que tinham sido o gosto de D. Carolina precisavam ser bem limpos e bem cuidados para que não se estragassem. Geraldo concordou, deixando Antônio praticamente na administração da casa; este, por sua vez, deu esse encargo à sua mulher, que já o exercia ao tempo de D. Carolina.

Ambos sentiram-se emocionados com a confiança do moço e cuidavam de tudo com honestidade e carinho. Antônio era o homem de confiança de Geraldo. O amigo, o companheiro, o pai. Foi ele quem convenceu-o a comprar um pouco de roupa.

— Geraldo, você precisa comprar roupas da cidade.

— Pru quê? Estas tão boas demais.

— Também acho. Mas na cidade essas roupas não são usadas. Por isso você fica muito diferente dos outros, e o povo não entende isso.

— Ocê qué dizê que eles vão caçoá de mim?

— Talvez.

— Num ligo.

— Eu sei. Isso não tem mesmo importância, mas D. Carolina era muito fina. Suas roupas eram muito delicadas, como as de uma grande senhora. O povo vai falar muito quando vir que você não se veste com o mesmo apuro dela.

— Qual, eu num sei andá co'as ropa da cidade. Fico atrapaiado.

— Acho que você deveria aprender a usar. D. Carolina ia gostar de vê-lo muito bem vestido.

— Ocê acha isso?

— Certamente. Quando você estava aqui, tinha aquele armário cheinho de roupas, sapatos, tudo do bom e do melhor. D. Carolina queria sempre vê-lo impecável. Tinha que trocar de roupas três vezes por dia. Tinha uma roupa para o almoço, outra para o jantar, uma pela manhã.

— Pra que tudo isso? Minha mãe gostava?

— Gostava. Depois, é um costume nas famílias da alta sociedade. Eles dão muito valor à roupa.

— Quanta bobage.

— É. Mas quando você vive no meio deles, precisa respeitar os costumes.

— Tô poco ligando pros outro.

— É que vão comentar. Dizer que o filho de D. Carolina não sabe vestir-se bem, e sua mãe ficaria muito triste com isso. Por mais que estivesse infeliz ou triste, jamais apareceu para alguém sem estar cuidadosamente penteada e vestida. Era uma grande dama.

— Num quero que tenha vergonha de mim. Mai eu num sei comprá essas ropa.

— Sairemos juntos. Compraremos o que for preciso. Vou ajudálo. Sei o gosto de D. Carolina.

Geraldo concordou. Antônio tocara-lhe o ponto fraco. O amor de D. Carolina. Impossibilitado de apagar todo o sofrimento de sua mãe durante os anos de sua ausência, empenhava-se em descobrir-lhe os gostos para tentar compensá-la um pouco, mesmo sabendo-a morta.

Era com prazer que ouvia qualquer reminiscência sobre ela. E permanecia horas conversando com a velha Elisa, mulher de Antônio, indagando das preferências da mãe, seu prato predileto, suas roupas, suas idéias, seus hábitos. Várias vezes acariciara com amor seus livros, pelo que soubera seu passatempo predileto durante aqueles anos de solidão.

Folheava os volumes e surpreendera as anotações de sua caligrafia delicada. Sabia serem dela, pena que não as pudesse ler.

Sentia-se impotente e inútil nesses instantes. Por vezes chegava a sentir certa mágoa contra o pai, que não quisera ensiná-lo a ler. Geraldo ocupava o quarto que fora o seu e permanecia durante horas pensando, pensando, tentando recordar-se daqueles tempos.

Naquela manhã, na varanda, sua aparência era já diferente daquela que tinha no mato. Vestia calça de lã cinza e camisa branca esporte, muito elegante. Calçava sapatos de couro. Antônio conseguira transformá-lo. Mas Geraldo ainda era o mesmo. Simples, rude, sincero. Aceitou a sugestão das roupas e vestiu-as, pensando em ser agradável à sua mãe. Elisa bateu palmas quando o viu e declarou que ele estava muito chique. Geraldo não sabia o que era isso e foi um pouco difícil para a velha serva explicar, mas no fim ele entendeu. Sorriu com alegria.

— O senhor tem o sorriso de D. Carolina. Credo! Parece até que é ela! Me deu até saudade!

— Ocê acha que pareço co'ela?

— Muito. Principalmente o sorriso. Eu não tinha visto ainda, mas seu sorriso é tão bonito! Como ela. Quando sorria, encantava.

Geraldo ficou feliz. A cada dia mergulhando no passado, na personalidade da mãe, no amor que sentia por ela, em meio à casa e ao ambiente em que vivera, mais e mais sentia-se preso a ela, ao seu afeto tão desejado e do qual fora privado.

Elisa foi até a varanda e, respeitosa, tornou:

— Seu Geraldo, está ao telefone D. Lucila e quer vir fazer-lhe uma visita. Quer saber se o senhor poderá recebê-la hoje à tarde.

Habitualmente Geraldo não recebia ninguém a não ser o advogado e seu assistente. Fora muito procurado por repórteres, por amigos da família, mas recusara-se a vê-los.

— Num recebo ninguém, ocê sabe.

— Seu Geraldo, acho que gostará de conhecer D. Lucila. Foi a única grande amiga de D. Carolina. Foi quem lhe fechou os olhos na hora da morte. Estava sempre aqui e era estimada por sua mãe.

— Num sabia disso. Deve sabê muitas coisa sobre ela.

— Por certo. D. Carolina ficava horas com ela conversando. As duas queriam-se como irmãs. D. Lucila chorou muito sua morte.

— Diga a ela que pode vir. Quero conversá co'ela.

— Sim, senhor.

Uma amiga de sua mãe! Sua confidente. Talvez fosse descobrir o mistério de tudo. O grande motivo pelo qual seu pai fugira do lar, separando-o da mãe. Foi com ansiedade que Geraldo esperou a visita de D. Lucila.

Estava marcada para as três da tarde, e ele, impaciente, quase não suportava esperar.

Faltavam cinco minutos para a hora aprazada quando o carro elegante cruzou os portões do palacete. Geraldo aguardava na varanda. Levantou-se impaciente. O carro parou em frente à varanda e o chofer desceu, abrindo com elegância a porta do carro.

Uma senhora de meia-idade desceu com desenvoltura. Estava acompanhada por duas moças. Geraldo adiantou-se.

— A senhora é D. Lucila?

— Sim, meu filho. Você é o filho de Carolina! Que alegria! Deixe-me abraçá-lo.

Sem que Geraldo soubesse o que fazer, ela abraçou-o com carinho, depositando delicado beijo em sua face. O moço ficou embargado. Nunca recebera o carinho de uma mulher.

A figura de D. Lucila falava-lhe ao coração. Era senhora de fisionomia clara, simpática, cabelos castanhos ondulados, olhos emotivos e sinceros. Geraldo ficou mudo. A sensação era-lhe desconhecida Procurou reagir.

— É muita bondade, D. Lucila.

Ainda abraçada a ele, a velha senhora tornou:

— Quero que conheça minha filha Inês e sua prima Maria da Glória.

Geraldo olhou as moças meio sem jeito. Emoção para ele era fraqueza. As moças eram muito bonitas. Inês, rosto redondo e moreno, só os cabelos castanhos e ondulados lembravam os de sua mãe, era alta e esguia. Maria da Glória também era muito bonita, embora fosse seu tipo muito diferente da amiga. Rosto claro, traços mais fortes e finos. Geraldo dominou-se e estendeu a mão para as moças, apertando-as com força.

Ambas olhavam-no com curiosidade.

— Vamo entrá. Quero muito conversá co'a senhora.

D. Lucila tomou o braço do moço sem cerimônia e foram entrando. As duas moças, mais atrás, trocaram um olhar malicioso. Maria da Glória contara tudo às amigas e descrevera Geraldo conforme a mãe o fizera. Surpreenderam-se com a aparência do moço. Bem melhor do que esperavam. Embora fosse rude nas maneiras e na linguagem.

Na sala de estar, sentaram-se. D. Lucila no sofá, ao lado de Geraldo, e as duas moças nas poltronas. Não queriam perder uma só palavra do moço. D. Lucila estava muito emocionada. Olhando o retrato de Carolina na parede, seus olhos encheram-se de lágrimas.

— Perdoe-me, meu filho. Desde que ela partiu, nunca mais voltei aqui. Estou emocionada.

Geraldo também tinha um nó na garganta. Aquela mulher entrara-lhe no coração. Vendo-a chorar de saudades de sua mãe, permaneceu silencioso, esperando que falasse.

— Foi pena que você só aparecesse agora, depois que ela se foi. Rever o filho foi sempre seu maior desejo. Falou nisso até na hora da morte.

— A senhora teve co'ela?

— Sim. Até o fim. Mas os desígnios de Deus são sábios, não devemos esquecer isso.

Geraldo, magoado, tornou:

— Pois eu num penso assim. Bem que ele pudia dexá eu vortá antes dela morrê.

— Não temos condições para julgar. Se ele quis assim, deve ter sido melhor. Deus sempre faz o melhor!

— Num acho. Mais quero sabê tudo. Quero que a senhora me conte tudo. O que aconteceu? Pru que meu pai fez isso cumigo?

D. Lucila sacudiu a cabeça, desalentada.

— Deus sabe. Só sei que foi uma injustiça grande com Carolina.

— A senhora não sabe o que aconteceu pra ele i simbora e levá eu junto?

— Não sei, meu filho. Só sei que ela sofreu muito.

— Queria tanto sabê tudo. Receio que arguém fez maldade co'ela. Tô aqui pra fazê justiça. Vô descobri e o curpado vai pagá.

D. Lucila olhou-o penalizada:

— Não faça isso, meu filho. Não é digno de você. Só Deus tem poderes para fazer justiça. Quem faz mal paga.

— Inté agora minha mãe sofreu, meu pai sofreu, eu sofri, eles tão morto, mas os curpado tão bem e satisfeito por tê feito mal a eles. Num posso dexá isso, num posso.

— Meu filho, não envenene sua vida com o ódio. Carolina nunca teve ódio de ninguém. Esqueça. Viva sua nova vida. Você é moço, rico, tem tudo. Procure fazer alguma coisa boa com a fortuna que sua mãe deixou. Um dia, você saberá de tudo e verá que o melhor mesmo foi esquecer e perdoar.

Geraldo emocionou-se de repente. Todo sentimento represado durante sua vida de solidão veio à tona naquele momento.

— Quem pode me dá de vorta todos os ano que passei longe dela? Quem pode me dá o amor que ela guardô e eu nunca tive?

Havia um brilho tão triste em seus olhos e um acento tão doloroso em sua voz que as três mulheres sentiram-se comovidas. D. Lucila abraçou-o carinhosa enquanto as moças procuravam controlar as emoções, embora as lágrimas lhes afluíssem aos olhos.

— Chega de tristezas, mamãe. Não viemos visitar Geraldo para entristecê-lo. Antes prefiro fazê-lo sorrir. Por que não deixam as recordações e as confidências para mais tarde? Estamos morrendo de curiosidade para saber o que ele achou da cidade, das moças, da moda. Aliás, está muito bem vestido.

Geraldo, ouvindo a tagarelice da moça, fitando-lhe os olhos emocionados, compreendeu que ela lhe oferecia chance para controlar as emoções. Com voz firme, esclareceu:

— Num conheço quase nada. Pra dizê a verdade, num gosto dessas ropa. Mas se usa na cidade, num quero desgostá minha mãe. Ela gosta de me vê vestido à sua moda.

— Sua roupa está muito bem. Assenta-lhe bem, não acha, Da Glória?

— É verdade. E olha que disso nós entendemos.

— Num entendo nada. Pra mim, ropa serve pra cubri o corpo. Tando limpa, tá bom. O resto é sem valô.

— Não aqui, Geraldo — esclareceu Maria da Glória. — Na cidade, se você não cobrir o corpo de roupas caras, é maltratado por todos e ainda dão risada de você pelas costas.

— Foi o que Antônio disse. Mas pra mim o home num tem valô pela ropa que veste. É respeitado pela opinião e pelo que faz. Se é honesto e trabaiadô é que é home, o resto num voga. As ropa, quarqué um que tem dinheiro compra. Mas vergonha e educação, bondade e honestidade, quero vê alguém comprá.

As moças olharam-se admiradas. A ingenuidade do moço era comovedora.

— Tem razão, meu filho. Há muitos velhacos vestindo-se na última moda e freqüentando alta sociedade. As virtudes são conquistas de cada um, adquiridas através do tempo e que ninguém consegue comprar.

— Primo, vejo que você é muito inteligente. Para chegar à mesma conclusão que você, tenho estudado longos anos e observado a própria sociedade em que vivemos.

— Me chamou de primo? Num é prima da filha de D. Lucila?

— Meu nome é Inês, Geraldo. Gostaria muito de ser sua amiga.

O moço ficou meio embaraçado. As moças eram lindas e perfumadas, e Geraldo nunca tinha visto ninguém como elas.

— Sou sua prima Maria da Glória. Não sabia? D. Lucila falou.

— Minha prima?

— Sim — fez a moça com ar gracioso. — Soube que você botou meu pai daqui para fora.

— Ocê é filha do tio José?

— Sou. Minha mãe é Renata.

Geraldo corou um pouco, mas não se deu por achado:

— Num tô arrependido. Se ele vortá, boto de novo na rua. Num tenho nada contra ocê, mas o que sei sobre seu pai num é coisa boa. Ele veio aqui, me chamô de ladrão e otras coisa mais e veio inté co'a polícia. Mas eu tô na minha casa e botei ele na rua. É seu pai, mas ele não era recebido por minha mãe. Ainda não descubri pru quê. Aí é que nós vamo ajustá as conta.

Maria da Glória, muito séria, aproximou-se do rapaz, cuja sinceridade e fraqueza apreciava.

— Se houve alguma coisa no passado, posso afirmar-lhe que jamais participei delas. Espero que aceite minha amizade. Sentirei muita honra e muita alegria em ter sua amizade.

Geraldo olhou a moça bem nos olhos, levantou-se. Seu olhar pareceu penetrar fundo nos olhos de Maria da Glória. Distendeu o rosto em leve sorriso.

— Ocê num tem curpa de nada. Era muito criança. Gosto do seu rosto. Sei que fala verdade. Quero ser seu amigo. Ocê é minha prima.

Apertou a mão da moça com ar solene. Maria da Glória estava profundamente séria. Sentia que o moço possuía um magnetismo impressionante. Tinha sido sincera. A amizade dele era-lhe muito importante. D. Lucila interveio:

— Já que somos todos amigos, podemos conversar alegremente. A tristeza precisa ser combatida. Sempre destrói nossas forças e nunca resolveu nenhum dos nossos problemas.

— O que pretende fazer com tanto dinheiro? — perguntou Inês com vivacidade.

— Num sei ainda. Pra dizê a verdade, num penso em ficá co'ele. Vô resorvê tudo e vortá pra minha casa no mato.

As três olharam-no admiradas.

— Não pensa em ficar? — tornou D. Lucila.

— Quero i simbora logo. Mas por otro lado num quero deixá a casa e as coisa de minha mãe. É só por isso que tô aqui.

— E o dinheiro? — fez Maria da Glória, boquiaberta.

— Num tem portância. Sempre vivi bem sem ele. Nunca me fartô nada. Sempre fui livre, trabaiei quando quis, descansei quando tive vontade, tinha o céu, as estrelas, a mata, tudo. Sossego e paz. Pra que mais?

As três estavam sem saber o que dizer. Não esperavam por aquelas palavras.

— Então você não gostou da cidade?

— É, é tudo bunito, mas pobre. Quase num se vê as estrelas de noite. E tem tanto barulho que os passarinho têm medo de chegá. Ocês precisam vê a alegria da mata, o prefume das pranta, o sol parece que tem vida; e quando chove, lava a alma da gente. Depois da chuva, as pranta, as arve, tudo parece que canta, as foia fica verde, bem verde, e os broto têm força de nascê. O luá, então, é tão bunito que a gente pode cismá co'as coisa boa que Deus fez. Na cidade, é mais difícil vê Deus. No mato, a gente encontra ele em todo lugá.

D. Lucila olhou-o com carinho.

— Você é bem filho de Carolina. Tem toda razão. O homem na cidade tem se esquecido de Deus. Só tem ouvidos para o ruído forte da civilização, perdendo de longe o gosto do belo, distanciando-se mais da Criação.

As moças estavam admiradas. Para elas, o sertão, o povo inculto e paupérrimo, era incapaz de tanta sensibilidade. Não podiam deixar de dar-lhe razão, mas Maria da Glória objetou:

— Você ama a natureza, mas tem que ver também que o homem precisa do progresso. Não pode viver isolado no mato para sempre. Há grandes coisas que o homem precisa aprender, e para isso tem que se socializar, criar centros de estudos e de pesquisa onde deve melhorar as condições da vida humana.

— O que ocê qué dizê com isso?

— Que se não fosse o progresso, na cidade, nós ainda não teríamos tantas descobertas que aliviam o sofrimento. Os remédios, por exemplo, os médicos, os dentistas... Eu admiro a natureza, mas acho que nós precisamos conviver em sociedade para podermos aprender uns com os outros.

Pode sê... Mai nóis temo os remédio que os índio já conhecia, que alivia nossas dô e cura nossas doença. Meu pai, agora eu sei que era médico, da cidade, nunca usô remédio de botica, mas sempre dos índio. Curô muita gente desse jeito.

— São pontos de vista, meu filho — ajuntou D. Lucila, sorrindo. — Acho que neste mundo há necessidade de vários ambientes, onde cada um tem a experiência que precisa.

— A senhora qué dizê que uns nasce pra vivê no mato e otros na cidade por vontade de Deus?

— Isso mesmo. Tem muita gente que nunca saberia viver longe da cidade, assim como você prefere viver lá. As pessoas são diferentes umas das outras, e cada um está sempre no lugar que precisa para progredir e aprender.

— A senhora acha que eu vim pra cá pruque Deus quis e preciso de ficá aqui?

— Talvez. O que podemos compreender com certeza é que Deus não permitiu sua volta enquanto sua mãe e seu pai eram vivos. Você nasceu aqui, pertence a este meio, mas foi afastado; por quê, não sabemos. Agora, de repente, Deus o conduz de volta, quase contra a vontade, colocando em suas mãos uma fortuna. Sabe o que eu acho? Que você tem alguma coisa a fazer aqui e que não poderia afastar-se antes disso. Depois, antes de ter vindo para cá você só conhecia aquela vida; mas agora, será que se voltasse seria feliz?

— Acho que sim. Tô pensando. Também acho que tenho que fazê arguma coisa. Num sei o que é. E só dispois posso i embora. Acho que é descobri o que fizero pra minha mãe e castigá os curpado.

— Deus jamais apoiaria a vingança. Jesus sempre ensinou o perdão e o amor aos inimigos.

— Jesus? Ovi falar muito poco dele. Era Deus?

— Não, meu filho. Era um espírito muito puro, que vivia em um mundo iluminado e perfeito; com pena dos nossos sofrimentos, ele quis nascer na Terra como homem, e nos ensinou tudo o que precisamos saber para sermos felizes.

— Ah! A senhora é pessoa de fé. Conheceu ele?

— Foi há muito tempo, mas quanto mais os anos passam, mais demonstram que ele estava certo. Um dia, espero conversar com você, contar sua história. Seu pai nunca lhe falou sobre isso?

— Não. Meu pai num era um home de rezá. Dizia que Deus tá na natureza, no comando de tudo. Que o home é abusado e marvado e mata as pranta, os animar e até seus irmão. Que quando Deus se zanga, manda as praga. Tremor de terra, seca, inundação, peste, doença, tudo. Por isso ele num gostava dos home, mas gostava muito dos bicho e das pranta. Sempre ajudava eles no que podia. Dizia que os índio era mais bondoso e inteligente que os branco.

— Você concordava com isso? — perguntou Inês admirada.

— Eu concordo. Os bicho só mata quando têm fome, e depois que come deixa os resto pros otro que precisa. Os home qué sê dono de tudo e tira o pão dos otro mesmo que num güente mais comê.

Elas riram, admiradas.

— Concordo — fez Maria da Glória. — A ambição, o egoísmo e a avareza do homem são evidentes. Nesse ponto, perdem muito para os animais. Você revela muito conhecimento sem ter estudado o assunto. Você convivia muito com os amigos?

— Não. Meu pai sempre me falava disso. E quando ia na vila, sempre ficava sabendo mais de crime ou maldade do que de coisa boa.

— Fico pensando como o Dr. Euclides, um homem tão bom, culto, equilibrado, delicado, pode ter se modificado tanto, ter-se tornado tão amargurado, tão descrente e tão rude. Deve ter sofrido muito — tornou D. Lucila.

— Que ele sofreu, eu sei. Era muito pequeno, mas me lembro que ele vivia desesperado; perguntei muitas veis, quando o via chorá, o que tinha acontecido. E ele sempre respondia que era a morte de minha mãe. Mas às vezes eu pensava que ele tinha ódio dela. Num gostava de falá nela. Eu tinha muitas sodades, preguntava, mas ele dizia que queria esquecê. E parece que esqueceu. Nunca falava no passado e eu me acustumei. Mas a sodade de minha mãe sempre teve cumigo.

Nesse instante, a copeira entrou com o carrinho de chá. As moças observaram o rapaz disfarçadamente. Ele permaneceu pensativo enquanto o chá era servido, não querendo nada do que lhes foi oferecido — nem torradas, doces, salgadinhos. Apesar da irreverência dos cabelos compridos e mal cortados, da barba e do seu falar caipira, o moço não se tornava ridículo. Possuía tal magnetismo no olhar que as moças acabaram até esquecendo essas discrepâncias.

Aqueles poucos momentos de conversação, onde a sinceridade e a inteligência de Geraldo evidenciaram-se, fizeram com que elas, moças da cidade, instruídas e habituadas à vida em sociedade, o respeitassem. Eram sinceras, e D. Lucila sentia-se feliz. O filho de Carolina era moço bom, apesar da maldade de que fora vítima, não tendo tido a bênção da escola e da instrução.

Após o chá, D. Lucila tornou:

— Meu filho, trouxe comigo uma carta de Carolina. Sempre quando eu viajava, ou ela, nos correspondíamos. Mas esta, em especial, ela deixou para mim, antes de morrer. Foi-me entregue quinze dias após sua morte. Achei que gostaria de lê-la. Tem aqui também um retrato que ela gostaria que chegasse a suas mãos.

Geraldo emocionou-se. Com mãos trêmulas, apanhou o envelope sobrescrito pela letra cujos contornos já conhecia de tanto fixá-los na fotografia em seu quarto. Abriu o envelope, e junto com a carta, em delicado papel rosa-claro, estava um cartão duplo cinza-claro, que Geraldo abriu. Continha dois postais. Num deles viu, emocionado, sua mãe, muito moça, linda e bem vestida, ao lado de seu pai, olhos alegres e felizes voltados para ela com muito amor. Entre os dois, um menino de uns dois anos mais ou menos. Ele, com certeza. Com um nó na garganta, Geraldo fixou aquela cena feliz e bela. Do outro lado, o retrato de sua mãe, mais velha e cabelos grisalhos, olhos serenos mas tristes; embaixo, palavras escritas que Geraldo fixou com avidez.

D. Lucila, tem hora que sofro muito por num sabê lê. Parece que tô cego. Meu pai pudia pelo menos ter me ensinado. O que diz aqui?

Com carinho e lágrimas nos olhos, D. Lucila aproximou-se e leu:

"Nossa vida, feliz e cheia de luz quando estávamos juntos, viveu em minha lembrança todos esses anos, e agora, que vou partir, tenho a certeza de que o amor que nos uniu irá comigo, onde eu estiver. E para sempre estaremos juntos em minha lembrança, até que Deus nos permita a felicidade do reencontro."

Geraldo estava tão comovido que não conseguia falar. As moças, em respeitoso silêncio, guardavam discrição. D. Lucila tomou a carta e leu:

"Querida amiga Lucila. Muitos anos já vivi neste mundo. Sei que minha passagem de volta já está marcada. Você sabe que não levo mágoa nem rancor. Crucificada no amor pelo abandono e sofrendo a separação do meu amado filho, luz de minha vida, perdoei os que me feriram pelas costas, na certeza de que a justiça é obra de Deus. Um dia, tenho a certeza, todas as coisas serão esclarecidas e recolocadas nos devidos lugares. Apesar disso, apoiada na inocência, tenho esperado a ventura maior de ver meu filho antes de partir. Essa espera tem alimentado toda minha vida, e você, querida amiga, sabe como tenho lutado para encontrá-lo. Tudo inútil. Deus não o conduziu para os meus braços. Um dia saberemos por quê. Quando você ler esta carta, já terei partido. Você sabe a minha gratidão por tudo quanto fez por mim, nos negros dias da minha vida. Sem você, sem sua fé, sem essa doutrina luminosa que é o Espiritismo, onde encontrei recursos para suportar a vida, que aprendi através do seu coração amigo, talvez eu tivesse fracassado. Graças a Deus, estou em paz. Tenho a certeza de que tudo tem uma causa justa, embora não possamos compreender. Um dia, estaremos todos juntos novamente. Entretanto, se você tiver essa ventura, peço-lhe que fale do muito amor que sempre tive por ele. Quero ainda dizer, diante da morte que me ronda os passos, que sou inocente de tudo quanto me acusaram. Tomo Deus por testemunha. Dê-lhe essas fotos e que ele as conserve sempre, como nosso elo de ligação. Reze por mim. Seu bondoso coração sempre é ouvido pelos emissários do bem. Deixo a você os meus livros espiritualistas. Para evitar dúvidas, coloquei isso em testamento. Beija-lhe as mãos, agradecida, a amiga de sempre — Carolina."

Lágrimas corriam pelas faces de Geraldo. Voz embargada, não pôde falar. D. Lucila, fisionomia comovida, buscava serenar a emoção. As duas moças disfarçavam, discretas, voltando o rosto para os lados, tentando inutilmente impedir as lágrimas de fluir.

Passados alguns instantes, Geraldo disse, com voz que procurou tornar firme:

— Ela sofreu muito. Se morreu afirmando inocência, foi pruque arguém a firiu. Arguém que foi curpado de tudo. Arguém que vô discubri e castigá.

D. Lucila suspirou.

— Não alimente idéias de vingança. Se quer estar com ela um dia, não tenha maus pensamentos. Ela perdoou, você viu.

— Ela era uma santa! Eu num sô. Os curpado vai pagá. Ela falô dos livro. A senhora já levô?

— Não. Achei muito estranho: ela falou em testamento, mas este nunca foi encontrado. Assim, os livros nunca me foram entregues.

— Só tenho raiva de num sabê lê. Às veis chegava em casa arguma revista véia, trazida da vila, mas o pai ficava nervoso, e se eu num escondesse bem, rasgava e jogava fora. Nunca quis que eu aprendesse a lê. Agora eu teria gosto de lê tudo que minha mãe escreveu, os livro que ela gostava.

— Se você quiser, eu posso ensinar — ofereceu Maria da Glória. — Afinal, somos primos e amigos. Eu poderia ensinar-lhe o que eu sei, e depois você poderia contratar outros professores.

— É muita bondade sua, prima. Acho que vô gostá de aprendê.

— Podemos começar amanhã mesmo.

— Eu sô muito burro. Espero num dá muito trabaio.

— Acho que não vai ser difícil. Você não tem nada de burro! — declarou Inês com alegria. — Se quiserem, posso colaborar. Prontifico-me a ensinar-lhe um pouco de arte, pintura, desenho.

— Pintura!? — perguntou ele, admirado.

— É. Precisa ir visitar-nos. Quero lhe mostrar alguns trabalhos meus.

— Está vendo esse retrato de D. Carolina? Foi pintado por um artista que copiou olhando o rosto dela.

— Puxa! Ocê sabe fazê isso?

— Não tão bem quanto esse pintor, mas estou esforçando-me. Gostaria de ver?

— Gostaria muito. Num sei como se faz.

A tarde declinava e a conversa no salão continuava animada. Geraldo, sempre só, calado e introvertido, na presença daquelas três encantadoras mulheres sentia-se à vontade encantado com o mundo que elas iam descortinando à sua volta. Um mundo novo, que antes ele nem sequer imaginara. Um mundo de beleza, amor e amizade, de sentimentos nobres que, sem que o moço caipira pudesse explicar ou definir, despertavam novos anseios em seu coração. Vontade de indagar, de saber, de abrir as comportas de sua inteligência para enxergar mais, encontrar respostas às suas indagações íntimas. Mas, além de tudo isso, era um reencontro de almas que, embora mergulhadas no esquecimento da carne, reconheciam-se e entrelaçavam-se, com alegria e naturalidade.

Quando elas retiraram-se, iam felizes e bem-dispostas. Geraldo iria no dia imediato à casa de D. Lucila, visitá-las. No automóvel, as duas moças não escondiam sua admiração, externando seu entusiasmo.

— Jamais eu poderia esperar que ele fosse tão simpático! — comentou Inês.

— Simpático e inteligente. Aposto que ninguém consegue enganá-lo. E minha mãe achando que o Dr. Olavo pode ludibriá-lo. Garanto que ele sabe defender-se muito bem.

— É. Também acho. Mas ele tem alma de artista. Não viu como fala da natureza? Pena que não tivesse estudado.

— No caso dele, acho até que foi melhor. Conservou sua autenticidade. Já pensou no que ele poderia ser se tivesse estudado em algum colégio de padres e freqüentado a nossa sociedade? Talvez se tivesse corrompido. Não acha, D. Lucila?

— Eu sei que o meio ambiente pode influenciar o jovem, mas quando ele tem qualidades de espírito, quando possui certas virtudes, acaba vencendo o meio e se revelando. Acho que o nosso Geraldo é desses. Tem muito magnetismo pessoal. É possuidor de forte personalidade, que até nos faz esquecer sua falta de cultura. Aposto nele.

As moças sorriram a um só tempo.

— Mamãe, pelo que vejo ele já lhe conquistou o coração.

— É verdade. Ele entrou em meu coração como um filho muito querido. Só tenho medo do seu desejo de vingança. Isso poderá destruí-lo!

— Pois eu acho que ele tem razão — tornou Maria da Glória, com certa veemência. — Foi privado de tudo, criado no mato feito um selvagem, tia Carolina sofreu a vida inteira, caluniada e só, tio Euclides quase enlouqueceu de dor. Largou tudo, posição, carreira, família, tudo, foi viver no mato. Isso foi uma verdadeira tragédia! Se alguém provocou isso deliberadamente, acho que deve ser punido. Não é justo, D. Lucila, que isso fique impune. Se fosse comigo, faria a mesma coisa. Não perdoaria.

— Concordo que isso não deve ficar impune. Mas não acho que temos condições de julgar, nem de exercer a justiça com as próprias mãos.

— Também sou contra a justiça com as próprias mãos. Mas esse crime, não há lei no mundo que possa punir. A calúnia, a honra da mulher enxovalhada, não há como ser defendida. Nesses casos, acho que podemos agir por conta própria e castigar os culpados.

— Isso você diz porque não acredita na justiça de Deus. Mas ela é lei universal e funciona para todos nós, dando a cada um o que merece. A felicidade do mau é apenas momentânea, e ele sempre terá seu encontro com a justiça divina, onde colherá de acordo com o que plantou.

— Como filosofia, é maravilhosa. Mas na vida prática não funciona.

— Você é que pensa. Tudo vem a seu tempo. O que eu não duvido é que cada um responda pelo que fez. Você, minha filha, viverá o bastante para comprovar isso. Depois, não vejo razão para um moço como Geraldo, cheio de qualidades, anuviar seu coração pelo ódio e pela vingança. Creia-me, filha, a vingança é faca de dois gumes, atinge sempre quem a abriga no coração.

— Quanto a isso, concordo. Geraldo é um moço bom. Seria uma.pena amargurar ainda mais seu coração. Já sofreu o bastante. Se ele esquecer essa história, viverá em paz.

— Esquecer vai ser difícil — ajuntou Inês, pensativa. — Seu afeto pela mãe é profundo. Raia até o exagero. Parece que a carência de afeto foi tanta que a figura da mãe se fixou dolorosamente. E quando pensa nela, como sofreu por estar longe dele, o quanto o amava, mais e mais sente mágoa contra os responsáveis. A senhora acredita, mamãe, que eles realmente tenham sido vítimas de alguém, deliberadamente?

D. Lucila suspirou fundo.

— Não ouso afirmar. É bem possível que tudo não passasse de um plano sórdido para destruí-los. Mas é melhor deixar isso de lado. De nada nos adianta comentar o passado.

— A senhora, tão amiga de tia Carolina, nunca soube o que realmente houve? Ela nunca lhe contou?

— Carolina também não sabia muita coisa. O que ela afirmava sempre, e do que eu tenho a mais absoluta certeza, é que lhe imputavam uma culpa que não tinha. Protestou inocência até na hora da morte.

— Pobre D. Carolina. Como deve ter sofrido — comentou Inês, pensativa.

— É verdade. Sofreu intensamente. Mas era uma extraordinária mulher. Inteligente, bondosa, sensível e culta.

— Pena que não me tivesse aproximado dela — comentou Maria da Glória. — Em casa, comentavam que ela era orgulhosa e intransigente. Como a senhora sabe, não gostava de nós.

— Carolina não era intransigente. Era uma mulher culta, com anos na frente da nossa geração. Mas a tragédia que a abateu tirou-lhe o gosto pela vida, afastou-a do convívio social. Pena que você não a tivesse procurado e conhecido melhor. Tenho certeza de que seriam excelentes amigas. Ela apreciaria sua maneira de ser, franca e decidida, longe dos preconceitos. Aliás, vocês duas têm muita coisa em comum. Às vezes, você, minha filha, chega até a exprimir-se com as palavras dela.

— Pode ser. Se a senhora diz, eu acredito. Também, meus pais são tão fúteis que por vezes nem eu os aceito! Não é de admirar que tia Carolina também não os aceitasse. Estimo-os, por necessidade ou por dever, mas não me afino com sua maneira de ser.

— Vejo que é compreensiva. Mas não deve ser muito rigorosa com eles. Afinal, cada um tem sua personalidade, e precisamos respeitar os outros. No seu caso, ainda mais porque o dever nos ensina a amar os pais.

O carro deixou-as em casa de D. Lucila, e em seguida Maria da Glória foi para casa. A moça não podia ficar para jantar com as amigas. Sabia que sua mãe a esperava com impaciência.

Mal entrou em casa, D. Renata foi logo perguntando:

— Então, que tal? Conseguiram vê-lo?

A moça assentiu com a cabeça, enquanto descalçava as luvas e colocava a carteira sobre o console.

— Venha, filha. Estou impaciente por saber. Como é ele? Bicho-do-mato mesmo?

— Olha, mamãe. O diabo não é tão feio como parece. Há muito exagero sobre ele.

— Sente-se aqui, filha, no sofá, e conte-me tudo.

A moça sentou-se, sacudindo a cabeça enquanto dizia:

— Não há muito para contar. Exceto que você está enganada. Ele é um moço bom, honesto, e acho que não necessita da nossa tutela. Sabe defender-se muito bem.

— Mas ele é ignorante, não é? Não sabe nem escrever.

— Quanto a isso, é verdade. Não sabe ler e escrever, fala como gente do mato, mas isso porque viveu longe da civilização e o pai não o deixou aprender a ler. Mas é muito inteligente, sabe o que quer e acho que ninguém conseguirá ludibriá-lo.

— Será que você não está enganada?

— Não. Não estou. Conversamos boa parte da tarde. D. Lucila e Inês também são da mesma opinião.

— É, mas ele expulsou seu pai de lá.

— No que fez muito bem. Papai não o procurou como a um sobrinho. Mas como a um ladrão. Levou até polícia.

D. Renata ficou rubra.

— Você não pode ir contra seu próprio pai e acatar esse selvagem!

— Meu pai não tinha o direito de agir pela força. E foi muito pretensioso querendo expulsá-lo da sua própria casa. A fortuna de tia Carolina fê-lo perder a cabeça.

— Meu Deus! — lamentou-se Renata. — Como você pode ser assim? Seu pobre pai foi posto para fora com violência por aquele brutamontes, que o agrediu pela força. E você ainda o defende?

— Conheço papai. Sei que não é nenhum anjo. Além disso, sabia que tia Carolina não o recebia. Antes de ir lá, deveria ter-se feito anunciar, entrar em contato com ele de forma mais delicada. Assim, acho que teria sido recebido. Mas chegou impondo em casa alheia e saiu-se mal. Acho que Geraldo fez o que qualquer pessoa faria.

— É incrível! Você sempre é contra nós. Até com estranhos.

— Geraldo é meu primo, mas mesmo que não fosse é um moço honesto que sofreu muito e merece nosso respeito.

— Ah! Agora é a vítima. Rico, invejado, com uma posição que não sabe nem avaliar, tendo tudo a seus pés. Você enlouqueceu?

— Não, mamãe. Mas acho que ele foi privado de tudo durante todos esses anos. Tem o direito de se sentir lesado.

— E essa, agora!

— Ele acha que na tragédia que envolveu a vida de seus pais existiu uma trama proposital para separá-los. Espera descobrir tudo e punir os culpados.

— Que absurdo. Se alguém teve culpa, foi Carolina. Tinha um ótimo marido. Devia tê-lo respeitado.

— Acho que você não devia repetir essa calúnia. Tia Carolina não era leviana nem foi infiel ao marido, se é o que você quer insinuar.

— Como você pode saber? Por acaso viveu com eles? Você era bebê quando tudo aconteceu.

— Mas sei que ela era excelente pessoa. Que amava o marido. Por que iria traí-lo?

— Vejo que não adianta falar com você. Está suficientemente preparada por Lucila. Ela era amiga e confidente de Carolina. Com certeza quer acobertar a amiga. Só porque ela está morta, não vejo razão para torná-la santa. Era antipática, excêntrica, acho até que meio desequilibrada.

— Pois eu acho que você não deve falar de quem não conhece bem. Aliás, se ela não os recebia, devia ter seus motivos. Qual foi a peça que lhe prepararam? Logo que ela se casou, recebia-os com muito carinho.

— Você quer mesmo irritar-me. Como pode defendê-la e ir contra nós? É nossa filha. Aquela mulher era intolerante e orgulhosa.

— Mas vovô amava-a muito. Falava dela com muito respeito. Enquanto que mal tolerava papai.

— Outra injustiça que aquela mulher cometeu. Intrigava meu pobre sogro contra nós. Sofremos muito por isso.

Renata enxugou uma lágrima inexistente. Maria da Glória impacientou-se:

— Deixemos isso. Não tem importância. Só quero dizer que não precisam preocupar-se com Geraldo. Deixem-no em paz. Sabe defender-se muito bem.

— Gostaríamos de ajudá-lo. Somos seus únicos parentes, Talvez precise de nós.

— Por enquanto não manifestou desejo de recebê-los, pelo contrário; foi até muito sincero.

— O que foi que ele disse? Sabia que você era sua prima?

— Sabia. Apresentei-me. Disse-me que não estava arrependido de ter posto papai na rua.

— E contra você?

— Recebeu-me com cordialidade. É um moço de idéias próprias e sabe que nunca participei de nada nas brigas de família. Ficamos amigos. Amanhã, vamos nos encontrar em casa de Inês. Ele quer aprender a ler.

— Ah! — fez Renata com entusiasmo. — Isso é muito bom. Quem sabe é um primeiro passo. Afinal, o melhor é colocarmos uma pedra no passado e sermos amigos. Seria muito bom vivermos em paz com esse pobre moço.

— Geraldo não é "pobre moço". Deixem-no em paz. O tempo pode apagar o ressentimento dele. É um moço bom. É só vocês não se meterem com ele. Não vai tolerar isso. Agora vou subir, mamãe. Tenho que estudar.

Enquanto a moça subia as escadas com graça, Renata, sentada no sofá, seguia a filha com um brilho de satisfação no olhar.

Capítulo 6

Quando as três saíram, Geraldo permaneceu sentado na sala durante muito tempo. Estava emocionado. Seu pai ensinara-lhe a temer as mulheres; no entanto, aquelas eram encantadoras. Sentia-se atraído por elas, no íntimo do coração. A bondade de D. Lucila o inundara de alegria, rompendo as barreiras da desconfiança. As duas moças, embora muito diferentes uma da outra, eram bondosas e sinceras. Inês, doce e carinhosa, e sua prima, segura de si, prática, honesta e franca. Gostara delas. Eram as primeiras amizades que fazia questão de manter.

O jardineiro, a esposa eram seus amigos, mas elas tinham entrado em seu coração de forma diferente. Não via a hora que a noite passasse para chegar o momento de revê-las. Aprender a ler! O sonho realizado! Poder folhear as revistas e compreender o que estava escrito. Abrir os livros e entender tudo! Naquele momento, Geraldo esqueceu sua casa humilde, o céu cheio de estrelas, o canto dos pássaros. A ânsia de saber, conhecer, aprender dominava-o inteiramente, apagando todas as lembranças. Não desejava voltar. Ao contrário. Começava já a sentir o fascínio da nova vida.

Antônio veio arrancá-lo desses pensamentos.

— Está pronto o jantar, Pode servir?

— Pode, Antônio. Ocê conhecia elas há muito tempo?

— Principalmente D. Lucila. Muito bondosa. Nós devemos a ela muitos favores. Quando o Dr. José nos enxotou da casa, ela nos arranjou onde morar e até pagou nosso aluguel durante três meses. Eu tinha vergonha de pedir qualquer coisa, mas ela ia a nossa casa e sempre levava um cesto com mantimentos. Se não passamos fome, foi graças a ela.

— Num sabia. Mas logo vi que era pessoa de confiança. Gosto dela. Se minha mãe era amiga dela, só pudia sê boa.

— Isso é verdade, D. Carolina era muito cuidadosa. E a apreciava muito.

— E as moça, ocê conhecia?

— Já. Inês conheço desde que nasceu, é tão boa quanto bonita; sua prima conheço pouco, mas me parece muito diferente dos pais. Aliás, tenho ouvido contar que ela não se dá muito bem com eles.

— Como sabe?

— Os empregados sabem muita coisa, e contam uns aos outros. Ouvi comentário na cozinha.

— É, ela é muito boa, não pode se entendê bem co'eles.

— Vamos jantar, Geraldo.

— Vamo. Amanhã vô na casa de D. Lucila. Maria da Glória vai me ensiná a lê.

Antônio sorriu, satisfeito.

— Boa notícia, Geraldo. Eu sabia que esse dia chegaria. Sabia que você não ia agüentar muito tempo essa situação. A leitura é um dos grandes prazeres da vida. É como se um novo mundo se abrisse aos nossos olhos: o mundo do pensamento humano.

— Cumo é isso?

— Você vai saber como os outros homens pensam. Vai conhecer pela leitura os fatos que outros experimentaram.

— Qué dizê que as pessoa conta seus causo nos livro?

— É isso. Mas tem pessoas com muitos casos interessantes para contar. Você vai ver.

— Num vejo a hora que chegue aminhã.

Antônio riu.

— Quero ver se você vai ser um aluno estudioso. Se vai aprender logo. Também, com uma professora daquelas, todo esforço é pouco.

— Maria da Glória é moça bunita, mas vô estudá muito. Quero aprendê depressa. Num vejo a hora de podê lê.

No dia imediato, Geraldo aprontou-se cedo. Marcara para as duas horas, mas ao meio-dia já estava pronto e impaciente. Pela primeira vez preocupava-se com a roupa, demorando-se na escolha do que ia vestir. Para facilitar, Antônio, com muito carinho, organizara seu guarda-roupa, separando os ternos e os conjuntos com as camisas e gravatas que deveriam ser usadas, explicando ao moço a maneira de combinar as cores. Mas ele, muitas vezes não concordando com o gosto do jardineiro, modificava tudo à sua maneira. Apesar disso, não demonstrava mau gosto. Conseguia efeitos mais vivos e alegres, que no fim

Antônio aprovava. As horas pareciam não passar naquele dia. Geraldo almoçou e mostrava-se tão impaciente que Antônio objetou:

— Calma, Geraldo. O tempo vai passar.

— Acho que vô agora. Num sei pru que essa história de relojo. No mato, a gente num liga pra essas coisa. Tá cum vontade de i vê uma pessoa, vai e pronto. Na hora que qué. Num sei pru que na cidade é assim.

— É que na cidade as pessoas trabalham, estudam, e tudo é feito com hora marcada. Se não fosse assim, seria muita confusão.

— Mas eu num trabaio. Num careço de relojo.

— D. Inês estuda de manhã, e D. Maria da Glória também.

— Mas já deve di tá em casa. Acho que num güento esperá mais. Vô agora mesmo. Arranja um carro pra mim.

— Acho que precisamos falar com Dr. Olavo para apressar o recebimento do dinheiro. Seria bom contratarmos um chofer e comprar um carro para levá-lo a toda parte.

— É. Na cidade num dá pra i de a pé. Agora, vai vê o carro. Vô agora mesmo.

— Ainda é cedo.

— Num faz mal. Vô agora e pronto.

Antônio tentou dissuadi-lo, mas teve muito trabalho explicando que.não ficava bem antecipar a visita, principalmente quando era a primeira vez e não havia intimidade entre eles. Geraldo não se deixou convencer. Antônio teve mesmo que chamar o carro. Quase uma hora antes do combinado, Geraldo tocava a campainha da casa de D. Lucila.

Era uma bela casa de dois pavimentos, grandes janelas de madeira pintada de bege-escuro, as paredes creme com seus relevos caprichosos em branco. Um belo jardim ao redor da casa, e na frente enorme portão de ferro pintado de preto, artisticamente trabalhado.

Convidado a entrar pela criada, Geraldo subiu as alvas escadas de mármore que o levaram à varanda. D. Lucila recebeu-o à porta com carinhoso abraço.

— Entre, meu filho, seja bem-vindo à nossa casa.

— Obrigado, D. Lucila. Antônio me disse que num fica bem chegá mais cedo da hora marcada, mais eu num güentava mais de vontade de vim. Acho que os relojo quase num anda.

D. Lucila sorriu, compreensiva.

— Fez muito bem. Sempre que quiser venha aqui, que nos dará muito prazer. Venha, vamos até a sala; Inês não demora.

Sentado em um gostoso sofá, Geraldo tornou:

— Espero num tê vindo atrapaiá.

— De modo algum. Veio disposto a estudar?

— Vim. Quero aprendê. Num é de hoje que tenho essa vontade.

— Vai aprender depressa. As meninas estão chegando.

Maria da Glória almoçara com a amiga e vestia ainda o vestido gracioso e elegante amarelinho-claro com o qual havia ido à faculdade. Seu rosto corado e bonito, bem cuidado, estava distendido em alegre sorriso. Inês vestia delicado vestido azul-claro que se casava muito bem à sua tez morena e seus cabelos castanhos. Ambas cumprimentaram o moço entre risos e palavras gentis.

— Vim disposta a ensinar — comentou Maria da Glória. — Acho melhor começar.

— Você já almoçou, meu filho? — perguntou D. Lucila.

— Já. Podemo começá agora mesmo.

— Primeiro estudaremos, e depois Inês nos mostrará seus trabalhos.

— Como ocês quisé.

— Venha, Geraldo. Passemos para a outra sala.

Em poucos minutos estavam sentados ao redor de uma mesa, onde a moça havia colocado uma cartilha, um caderno, lápis, borracha. Inês de um lado, Maria da Glória de outro. E começou para Geraldo um mundo de encantamento. Apesar do prazer delicioso que a proximidade das duas moças lhe causava, lindas, perfumadas, atenciosas e amigas, Geraldo concentrou-se avidamente na aprendizagem. A moça ensinava-lhe as primeiras letras, que ele como que fotografava com a memória sequiosa, demonstrando pressa e muita vontade de aprender. Elas entusiasmaram-se, e quando ele conseguiu ler as duas primeiras lições sem nenhum erro, aplaudiram com entusiasmo. A aula prosseguiu com alegria, e D. Lucila interrompeu-os dizendo:

— Vamos tomar café. Há mais de duas horas que vocês estão estudando, e agora é melhor fazer uma pausa.

— Já? — fez Geraldo, admirado. O tempo passara tão rápido que ele nem percebera. Foram para a copa, onde a mesa posta com deliciosas guloseimas os convidava ao lanche.

Apesar das maneiras requintadas de suas amigas, Geraldo não se sentiu inibido diante delas. Sentou-se à mesa, onde, apesar de tudo, sua simplicidade não foi comprometedora. Mesmo tendo sido criado como um selvagem, o pai nunca lhe permitira hábitos grosseiros na maneira de comer. Fora uma das características que o Dr. Euclides não conseguira perder. Em sua choupana simples, usava o garfo e a faca, o copo, e até o guardanapo. Ensinara o filho a comer decentemente, sem ruído e com a boca fechada. Nada o irritava mais ou causava-lhe repugnância do que o comer desleixado. Por isso, ao contrário do que elas poderiam imaginar, ele tomou o seu café, serviu-se de pão, manteiga e queijo com naturalidade e despreocupação, enquanto mantinham a conversação.

Maria da Glória sentia-se fascinada pela marcante personalidade do primo. Estudiosa dos assuntos do comportamento humano, interessava-a saber até que ponto o meio ambiente pode influenciar quando o indivíduo traz em si os genes de ancestrais cultos e civilizados. Geraldo era caso *sui generis*.

Inês empolgava-se com a pureza do moço, que se refletia em seu olhar brilhante, curioso e ávido, ao mesmo tempo que não se mostrava isento de malícia, inteligência e bondade. Olhando para Geraldo, Inês de repente sentiu-se triste. Era pena, pensou ela, contaminar a beleza daquela alma com a podridão social. Por quanto tempo conservaria ele a própria autenticidade? Como poderia defender-se da maldade e da hipocrisia dos outros?

Vendo-a pensativa e triste, Geraldo observou:

— Espero num tê aborrecido ocê com meu assunto. Acho que tô pensando só em mim e tô abusando.

Inês sorriu com doçura.

— Você jamais nos aborrecerá. Certos pensamentos às vezes vêm tirar nossa alegria, mas a gente os manda embora e tudo passa.

— Não. É que eu pensava no mundo lá fora, onde as pessoas não pensam como nós. Vivem na mentira e no interesse material.

— Quando eu morava no mato, o lugá era chamado Dente de Onça. Desde pequeno elas rondava minha casa, mas nunca conseguiro me pegá. Eu conhecia seus golpe. Sabia do que elas tinha medo e às veis saía inté de noite, mas levava tocha de fogo e elas num chegava. Na cidade já vi que tem gente igual às onça, tá sempre querendo abocanhá a gente. Mas carece conhecê seus costume e pronto. Elas num pode fazê nada.

Inês riu, desarmada. A impressão de medo desapareceu. Geraldo lera-lhe o pensamento. Como pudera sentir sua preocupação?

Maria da Glória observou:

— Gostaria de ver como você vai se sair aqui na cidade, na luta contra as feras do mundo civilizado. Note, Geraldo, que elas aqui são mais traiçoeiras do que lá. Sorriem pela frente e atacam pelas costas.

— Sei disso muito bem. Acho até que foi como derrubaro minha mãe. Mas tô de olho aberto. Num pense, Inês, que faço amizade fácil. Até agora, Antônio e a muié tivero minha confiança. Confesso que co'ocês tudo foi diferente. Parece que sempre conheci ocês. Nunca aconteceu isso cumigo. Tô falando verdade, ocês entraro no meu coração como pessoa que quero muito bem. Tenho a certeza de que são amiga de verdade. Eu sinto isso. Por isso tô tão feliz aqui. Por isso num via a hora de vim pra cá. Por isso tô abusando tanto, falando o que penso e o que tô sentindo. Nunca aconteceu isso cumigo antes. Foi a primeira vez.

— Meu filho, fico comovida com sua sinceridade. Pode abusar quanto quiser, nos dará muita alegria. Espero que faça desta a sua casa a qualquer momento em que sentir vontade.

— A senhora é muito boa. Acho que agora preciso i embora.

— De forma alguma — fez Maria da Glória, aparentando severidade. — Você não sai daqui tão cedo. A professora sou eu e ainda não o dispensei.

Ele olhou para Inês, como que querendo ouvir sua opinião. Ela ajuntou:

— É isso mesmo. Depois, sou eu que deseja mostrar-lhe os meus trabalhos. Acho mesmo que não terá outro remédio senão jantar conosco.

O olhar penetrante e firme de Geraldo tornou-se suave e terno, enquanto dizia:

— Desse jeito, num tenho otro remédio sinão ficá.

— Vamos à aula. Já perdemos muito tempo — fez Maria da Glória, com energia.

Passaram para a outra sala, onde a moça ensinou o primo a escrever as primeiras letras e passou-lhe lição de casa. E quando deu por encerrada a aula, foi a vez de Inês conduzi-los a uma pequena sala que lhe servia de atelier, onde mostrou seus trabalhos. Dona de delicado senso artístico, Inês tinha telas alegres e harmoniosas. Algumas paisagens, alguns retratos, principalmente de crianças.

— Gosto de pintar as crianças — explicou ela — porque guardam ainda muita sinceridade. Falam o que pensam, sem fingir. São mais autênticas do que os adultos.

Sobre uma mesa, uma pilha de desenhos a crayon, que foram folheando.

— São trabalhos antigos, feitos há alguns anos.

— Este eu conheço — fez Geraldo, surpreendido.

Em cores pastéis e com muita fidelidade, o retrato de um menino de rosto expressivo e inteligente.

— Sou eu. Num sabia que tinha feito o meu retrato.

A moça ficou um pouco embaraçada.

— É... Fiz. Vi muitas vezes o seu rosto e quis pintá-lo. Minha mãe tem um retrato seu e eu o reproduzi.

Geraldo estava radiante.

— Está mais bunito. Merece fazê um quadro, pindurá na parede.

— É um trabalho simples. Se você gosta, pode ficar com ele.

Apanhou uma caneta e escreveu uma dedicatória: "Que a beleza pura do seu rosto de menino continue dentro de você, mesmo quando a vida endurecer seus traços na experiência e a realidade se fizer mais rude. Seja sempre assim. Inês". Sem ler para ele, a moça enrolou o retrato e amarrou-o com uma fita azul.

— Leve-o, Geraldo. Uma lembrança minha.

Ele sentiu-se emocionado. Não soube o que dizer. Maria da Glória quebrou o instante um pouco embaraçoso do moço comentando com alegria outros desenhos. Só às nove horas foi que Geraldo saiu daquela casa.

Por ele, ficaria até mais, mas teve medo de abusar. Combinaram aula para o dia seguinte. O moço ia feliz e emocionado. Parecia-lhe que a vida tornara-se maravilhosa. Segurando o retrato com uma das mãos, exultava ao pensar no dia maravilhoso que passara. Aprendera as primeiras letras e sonhava poder ler. Pena que ainda não pudesse. Gostaria de ler o que Inês escreveu no retrato. Inês era uma artista. Nunca imaginara que alguém pudesse ser assim, tão inteligente. Principalmente uma mulher. Sempre pensara que a mulher fosse um ser perigoso e fútil, traiçoeiro e falso. Seu pai sempre emitia essa opinião. Agora sabia por quê. Amara sua mãe, julgara-se traído, sofrera muito.

Geraldo crispou as mãos. Alguém levantara a calúnia. Sabia que seu pai era homem equilibrado. Algo grave teria acontecido para que ele abandonasse tudo. Sabia o quanto ele tinha sofrido. Ouvira-o chorar muitas vezes nas longas noites de sua infância, quando acordava com seus soluços que não ousava interromper. Quando era pequeno ia abraçá-lo penalizado, e Euclides, contendo o pranto, procurava acalmar-se. O menino percebia que era por causa de sua mãe. Pensava em sua morte e na dor que o pai sofria.

Contudo, agora que conhecia parte da verdade, podia avaliar a dor do seu pobre pai. Quem seria o responsável? Tinha a certeza de que a mãe era inocente. Alguém planejara tudo. Com que fim? Acabaria por descobrir. Eles estavam mortos. Tinham sofrido muito e os culpados estavam impunes. Tinham que pagar.

Quando o carro de D. Lucila o deixou em casa, Geraldo entrou, pensativo e sério. Antônio perguntou:

— Como foi? Teve algum problema?

A fisionomia do moço desanuviou-se.

— Tudo muito bom. Gente boa tá lá. Num dexaro eu vim simbora. Parece que eu tava na minha casa. Aprendi a lê as primera lição, escrevê e ganhei um retrato meu que a Inês tinha feito. Óia que beleza! Vô pô no quadro e pindurá na parede pra todos vê.

Abriu o retrato e Antônio apreciou.

— Está muito bom.

— Lê o que ela escreveu.

Ele leu, e Geraldo ficou pensativo.

— Que ocê acha que ela quis dizê?

— Ela quis dizer para você não mudar por dentro. Apesar de rico, moço e tudo, ter sempre o coração bom e puro que ela vê em você.

— Então ela qué que eu fique como eu sou?

— É. Ela pede para você não mudar por dentro. Sabe que você vai aprender muitas coisas na cidade. Vai ler, escrever, conhecer gente, pede para você continuar sendo sempre bom como você é.

— Então ela acha que eu sou bom?

— É. Aprecia sua simplicidade. Na cidade, as pessoas são falsas.

Geraldo ficou pensativo alguns instantes.

— Eu sei. Meu pai me falava. E minha mãe sofreu por isso. Era o que eu pensava quando cheguei. Mas vô resolvê tudo. Ocê vai vê.

Naquela noite, Geraldo teve sono agitado, via o rosto de Maria da Glória repetindo as letras sem parar, o rosto de Inês suplicante, ora via-se no mato em sua cabana e uma onça querendo entrar, e por mais que fechasse a porta e a janela, uma sempre ficava aberta. Acordou cedo e indisposto. Vendo-lhe a fisionomia atormentada, Antônio murmurou:

— A emoção de ontem foi muito forte. A aula, tudo se embaralhou na sua cabeça, e você não dormiu bem. Toma seu café e tente descansar um pouco.

— Num dianta. Acordo cedo mesmo. Ocê sabe. Mió é estudá. Num quero fazê feio e preciso aprendê depressa. Ocê vai me ajudá quando eu tivé trapaiado.

— Está bem. Posso ajudar mesmo.

Assim que tomou o café, o moço pegou o caderno e fez cópias sem parar. Leu, releu as lições dadas, e na ânsia de saber queria passar para a frente, obrigando Antônio a ensinar-lhe o que não sabia.

— Acho bom você ir dar uma volta no jardim e descansar um pouco a cabeça. Não vai aprender a ler em um dia. Se ficar muito cansado, não dará uma boa lição hoje. Descanse, almoce, durma um pouquinho e se sentirá bem para ir estudar à tarde.

— Acho mió mesmo.

Espreguiçou-se e foi dar um passeio pelo jardim.

Capítulo 7

Nos dias que se seguiram, Geraldo continuou naquele encantamento de aprender. Fazia rápidos progressos, e à medida que aprendia a ler ia percebendo as diferenças da sua maneira de falar. No mato todos falavam igual a ele, mas na cidade o povo falava diferente. Seu pai também falava como eles. Tinha deixado Geraldo habituar-se com o palavreado da vila sem interferir. Já que ele ia viver para sempre ali, pensava ele, o melhor era ser como os outros. Mas agora o moço, inteligente e observador, percebia que sua forma de expressar-se era incorreta. Infelizmente, não sabia como melhorar.

Conversou com a prima a respeito, e ela aconselhou:

— Não se preocupe. Você é muito inteligente. Conforme for aprendendo a ler, irá melhorando seu modo de falar. Não se apresse. Deixe acontecer com naturalidade, para você não ficar com defeitos no falar difíceis de consertar.

Geraldo concordou, e as aulas continuaram regularmente, com evidente progresso do moço. Maria da Glória estava orgulhosa do aluno, e não se cansava de comentar em casa com entusiasmo. D. Renata achava ótimo que o primo tivesse aceitado Maria da Glória, e acariciava o projeto de poder melhorar o relacionamento deles com o moço.

As coisas iam de mal a pior. Todas as pesquisas resultaram na comprovação da autenticidade dos direitos de Geraldo, e quando o juiz determinasse o fechamento do inventário, ele seria certamente o herdeiro legítimo de tudo.

Por outro lado, a cada dia o Dr. Marcondes tinha mais dificuldades em manter as aparências de uma riqueza que já não possuía. O último golpe de Jorginho nas corridas fora arrasador. Tivera séria altercação com o filho, a quem acusou de perdulário e irresponsável, e apopleticamente lhe dissera que não mais lhe pagaria nenhuma dívida. Mas o jovem sacudiu os ombros, sem se preocupar. Sabia que o "velho" daria um jeito. Gostava muito de manter as aparências, não ia querer passar vergonha. Queria ver o que ele diria quando o visse ganhar. Sem pensar mais nisso, arrumou-se com esmero e, perfumado, elegante, saiu em busca da sua pequena.

D. Renata socorreu o marido trêmulo e descontrolado, recomendando paciência e cuidado com o coração. Não que ele fosse doente, mas sua pressão sangüínea sempre subia nessas crises. Tudo isso trazia o casal sob forte tensão. A única esperança tantos anos acariciada, a herança de Carolina, se lhes fugia das mãos, tudo por causa daquele caipira indesejado e impertinente.

Dr. Marcondes tinha ímpetos de matá-lo. Sentia-se capaz disso sem o menor remorso. Porém, sabia que não podia fazê-lo. Ir para a prisão não era seu desejo. Na verdade, o ideal seria mandar alguém fazer o serviço. Mas não podia confiar em ninguém para isso.

D. Renata tentou conversar com o filho, pedindo-lhe quase suplicante que não fosse às corridas pelo menos por algum tempo. O moço respondeu com displicência.

— Nesta terra sem graça, o que vou fazer o tempo todo? Não dá, mamãe, não dá mesmo.

Ela suspirou, triste. Parecia-lhe humilhante mencionar ao filho que estavam arruinados. Vencendo a vergonha, comentou, tímida:

— Seu pai atravessa séria crise financeira. Não tem como pagar as dívidas de jogo. Está devendo muito dinheiro e cada vez se afunda mais.

— Isso é porque ele não tem mais pulso para os negócios. Ele é matreiro. Gosta de queixar-se. Ainda mais agora, que o caipira arrancou-lhe das mãos a cobiçada herança de tia Carolina. A crise dele é por isso. É muito ambicioso. Isso passa. Não se preocupe, mamãe. Ele está blefando.

— E se não for assim? E se o dinheiro acabar?

— Não quero pensar nisso. Enquanto tiver, é para gastar. E você nunca foi "pão-dura". Vamos, sorria.

Renata procurou sorrir mesmo sem vontade. O filho era tão bom, tão jovem, tão confiante, pensava, tão longe dos problemas da vida que ela não devia chocá-lo. Por isso, não tocou mais no assunto. E as coisas a cada dia tornavam-se piores. Nutria esperança de poder fazer amizade com o sobrinho e conseguir para o marido a administração dos bens. Afinal, ele era irmão do pai de Geraldo. Por que não podiam tornar-se amigos? Maria da Glória não queria aproximar seus pais do rapaz. Embora sua mãe voltasse sempre ao assunto, insistindo para que ela tentasse a reconciliação, a moça duvidava dos propósitos de ambos. Não tinha ilusões quanto ao seu caráter. Sabia o que ambicionavam. Não queria criar problemas para o primo, a quem muito apreciava. Renata insistia. Falava em seus bons propósitos de apagar a má impressão do moço para com eles. Isso deixava a moça indecisa. Se fosse só isso, seria bom que eles se conhecessem. Geraldo poderia ir à sua casa e esse desentendimento desagradável teria fim. Mas por outro lado duvidava da sinceridade dos pais. Como saber? Prometeu interceder, pediu mais tempo.

Renata tinha pressa; mas, apesar de insistir, não conseguiu demovê-la. Naquela tarde de outono, Dr. Marcondes chegou em casa desolado e pálido. Renata, vendo-o, assustou-se.

— José, em casa a esta hora! O que houve? Não se sente bem?

Ele tirou o agasalho e deixou-se cair no sofá, desalentado.

— Fala, homem. Você está pálido. O que aconteceu?

— Tudo, Renata. É a vergonha. O fim. Hoje venceu uma letra de Jorginho de duzentos contos. Não pude levantar o dinheiro. Os bancos não quiseram emprestar e não vamos poder pagar.

Renata perdeu a cor.

— O que vai acontecer?

— Vão protestar. E se não pagarmos ele poderá ser até preso.

— Precisamos fazer alguma coisa — balbuciou ela, torcendo as mãos. — Nosso filho não pode ir parar na cadeia. Que vergonha!

— É. Eu sei. E o pior é que vai sair nos jornais.

— Nos jornais? Não pode impedir isso?

— É de lei. A única maneira seria pagar. Mas como não temos o dinheiro...

— E se você procurasse o credor, pedisse para esperar mais algum tempo. Afinal, ninguém pode levantar uma importância dessas de uma hora para outra.

— Já fiz isso. Ele esperou dois meses e recusa-se a esperar mais. Jogou na minha cara que quem não tem dinheiro não deve jogar tanto. O deslavado. Ter que agüentar essa humilhação já foi muito duro. Quisera ter o dinheiro para atirá-lo com desprezo a seus pés. Mas não temos

Dr. Marcondes tremia tanto que parecia ter febre. Renata tomou heróica resolução.

— Vou vender as minhas jóias.

— Não as de família.

— Não sei se poderei poupá-las. Poderia empenhá-las na Caixa Econômica.

— Deus nos livre! Pagam pouco, e depois, somos muito conhecidos. Meus amigos ficariam sabendo. Foi uma idéia boa. Tenho a certeza de que esta crise é temporária, e depois lhe darei outras mais lindas. Vamos vendê-las. Apuraremos mais. Sei de um judeu que compra tudo. É astuto negociante, mas honesto. Conheço o preço real de cada jóia sua. Acho que faremos negócio e levantaremos a importância necessária. Só o seu relógio de brilhantes vale bom dinheiro. Veja-me as jóias. Vou agora mesmo.

Renata sentiu as pernas pesadas como chumbo. Lentamente foi ao seu quarto e abriu a gaveta de jóias. Ela as venerava. Todo dinheiro que lhe caía nas mãos era para comprar jóias. Seu marido, conhecedor dessa predileção, presenteava-a somente com elas. Mandara embutir uma gaveta com segredo na cômoda, e nem os empregados sabiam que elas estavam ali. Costumava apregoar que as guardava no banco, e sempre que tinham uma recepção, na frente dos criados, pedia ao marido para trazê-las. Tinha horror de ser roubada. Apanhou uma toalha de cetim que usava para envolvê-las e começou a escolher as que venderia. A cada uma que tirava da gaveta e colocava no pano, parecia que ia desfalecer. Estava fazendo pelo filho seu sacrifício máximo. Quando pelos seus cálculos julgou suficiente, fechou cuidadosamente a gaveta, enrolando as jóias no pano e entregou-as ao marido.

— Ficaram quase que só as de família.

— Sei o que isto significa para você, mas eu juro que vamos ter dinheiro novamente. Custe o que custar. Não passaremos por humilhações.

Renata tentou sorrir para o marido, mas as lágrimas rolavam de seus olhos pintados. Dr. Marcondes nunca a tinha visto chorar. Sentiu-se arrasado. Tinha que tomar providências com urgência. Soltando dorido suspiro, apanhou as jóias, colocou-as na pasta e rápido saiu.

Quando Maria da Glória chegou da casa de Inês e olhou para a mãe, pálida, hirta, macerada, sentada no sofá, compreendeu que algo de muito grave tinha ocorrido. Nunca a vira daquele jeito. Assustada, aproximou-se indagando:

— O que foi, mãe, por que está assim?

— Minha filha, aconteceu uma tragédia. Ah! Que infelicidade!

— O que foi? Por acaso papai está doente? Ou foi Jorginho?

— Antes fosse, minha filha. Antes fosse. Foi muito pior.

Renata contou o ocorrido com dramaticidade. Maria da Glória suspirou fundo.

— Fico admirada da lógica de vocês. Isso tinha que acontecer mais cedo ou mais tarde. E o pior é que ele nem é tão culpado. Vocês lhe deram tudo para ser como é.

— Não fale assim. Ele vai mudar. É muito jovem. Vai aprender.

A moça irritou-se e procurou controlar-se.

— Quem vai ensinar? Só se for a vida, a cadeia e a pobreza. Vocês são incapazes de trazê-lo à responsabilidade. É absurdo pagar tudo, acobertá-lo nas coisas erradas que faz.

— Como pode falar assim? Ele é seu irmão!

— Por isso mesmo. Se fosse meu filho, eu o educaria diferente. Não lhe abriria as portas da vaidade excessiva, nem agasalharia seus erros. Já pensou que um dia ninguém mais conseguirá detê-lo e ele acabará na sarjeta?

De pálida, Renata tornou-se rubra.

— Não lhe dou o direito de falar assim do seu irmão e com sua mãe.

— Mas eu falo. Não posso me calar. Há anos assisto sem poder impedir ao que vocês fazem com ele. Você sabe a fama dele aí fora? Sabe? As aventuras calamitosas, imorais, o desrespeito às moças, alguém já lhe falou a respeito?

— Ele é homem. Quem tem filhas que as segure.

— É inútil conversar com você. Não quer entender. E posso prever o que vai acontecer. O dinheiro acabou, o que era de esperar se papai o atira fora de um lado e Jorginho do outro com uma pressa invulgar. Agora, o que fazer? Vender a casa na hora em que as jóias acabarem? E depois, o que fará ele? Trabalhará para sustentar-se?

— Que horror! Ele é muito criança para trabalhar!

— Vinte anos. Há pais de família com essa idade ou pouco mais. Não podendo trabalhar porque, mesmo que resolvesse, não sabe fazer nada de útil, o que fará? Quem o sustentará no luxo a que se habituou? O roubo? O crime?

— Você me mata! Nunca vi filha tão perversa. Parece que odeia o irmão. É isso. Deve ter ciúme dele porque sempre foi o predileto.

— Pense o que quiser. Minha consciência está tranqüila. Tenho pena dele. Despreparado para enfrentar a vida. Você não vê o abismo em que o estão colocando? Não percebe que ele precisa ser responsabilizado pelos seus atos para que consiga compreender o que fez? Acho que papai não devia pagar essa dívida.

— Deixá-lo ser preso?

— O susto seria salutar.

— Nos odiaria.

— Muito mais os vai odiar quando compreender as falhas da educação que recebeu.

— Não acredito. Você nem parece da família. É malvada, insensível.

Maria da Glória suspirou, resignada.

— Você se engana mais uma vez. Previno-a que de hoje em diante não cruzarei mais os braços. Vou começar a agir.

— O que vai fazer?

— Falar com ele. Tentar mostrar-lhe a realidade.

— Proíbo-a de envolver-se com seu irmão. Certamente pretende dizer-lhe essas barbaridades que me disse.

— Trata-se de uma realidade que cedo ou tarde ele vai encontrar. Como pode ser tão cega? Não vê que não há outra saída? Até quando conseguirá iludir-se? Não vê que ele continuará jogando, perdendo, gastando, e que papai não tem mais como pagar? Acha que os credores terão complacência?

Renata sabia, no fundo, que a filha tinha razão; porém, ainda esperava um milagre, algum golpe fortuito que os tirasse do buraco.

— Não podemos desesperar. Seu pai dará um jeito. Tem nome, profissão, trabalha, vai ganhar dinheiro.

— Se Jorginho parasse de gastar, não duvido que papai pudesse pelo menos manter nossa vida normal. Porém, ele não terá condições de pagar as dívidas de jogo, e você sabe disso. Falarei com ele quer você queira, quer não. Não posso pactuar com sua queda no abismo sem tentar pelo menos salvá-lo.

— Deixe-o em paz. Para que perturbá-lo?

Maria da Glória ia responder mas conteve-se. O que adiantaria? Olhou o rosto da mãe e sentiu pena. Avaliou a leviandade daquela criatura, que inconscientemente atirava o filho ao despenhadeiro do vício a pretexto de amá-lo e poupá-lo. Subiu ao seu quarto ruminando sua revolta. Não era o ódio, pensava ela, que prejudicava as criaturas.

Quem nos odeia pode ser evitado, alijado do nosso convívio. Ela achava pior os que dizem amar e sob este pretexto corrompem e acovardam os seres amados. Seus pais não tinham feito outra coisa a vida inteira com Jorginho. Ele não era mau no fundo, pensava ela, mas fora totalmente estimulado a tornar-se o jovem leviano, irresponsável, exibicionista que era. Ele era o menos culpado. A moça sentiu um aperto no coração. As perspectivas não eram boas para o futuro. Não temia a pobreza. Para ela não faltaria um bom emprego, e estava terminando a faculdade. Assim que isto acontecesse, iria trabalhar. Sabia que seus pais não aprovavam, mas a moça estava disposta a enfrentá-los com coragem. A brigar e a deixar o lar, se preciso fosse. Sempre fora preterida ao irmão, cujo temperamento cheio de artimanhas e atenções com os pais era bem diverso do da moça, mais objetiva, mais leal, não aceitando o que julgasse errado ou prejudicial. Tinha forte personalidade, o que não acontecera com Jorge, fraco e leviano.

Os pais dificilmente conseguiam dobrá-la. Era firme e obstinada quando tomava alguma resolução, o que os enraivecia. Mas a moça sabia que fora esta circunstância que a impedira de sofrer também os desacertos afetivos do irmão. Considerava o amor de seus pais perigoso, e não se deixava envolver por eles. Era, porém, justa, respeitosa. Atenciosa e solícita. Jamais deixava de reconhecer um erro seu. Infelizmente, quase sempre eles é que estavam fora da realidade e não queriam enxergar. Mesmo revoltada com a filha, D. Renata inconscientemente a procurava quando tinha problemas. E mesmo não aceitando sua versão, instintivamente sentia que ela estava com a razão.

Por isso, as palavras da filha a tinham deixado pensativa e assustada. E se o que ela tinha dito fosse verdade? E se José não conseguisse mais reaver a fortuna perdida? O que seria deles?

Um arrepio de horror sacudiu-lhe o corpo, e ela não quis pensar nisso. Certamente, seu marido conseguiria resolver o problema mais uma vez. Pensou na imensa fortuna que fora parar nas mãos daquele caipira. Teve ímpetos de matá-lo. Se ele morresse, tudo se resolveria.

Era madrugada quando Maria da Glória escutou o irmão entrando em casa. Esperara lendo, porque queria conversar com ele. Desceu as escadas exatamente no instante em que ele, despreocupado, entrava na copa procurando algo para tomar. Tinha sede. Pelo cheiro, Maria da Glória percebeu que andara bebendo.

— Você acordada a esta hora? Está doente?

— Não. Estava lendo. Ouvi você chegar e acho que precisamos conversar.

— Conversar? A esta hora? Tive uma noite cheia. Não foi nada boa. Estou cansado e com sono. Deixa para amanhã, não é melhor?

Maria da Glória teve ímpetos de gritar. Olhou o rosto jovem conturbado, olhos injetados pelo excesso de álcool, voz empastada. Teria tempo de tentar alguma coisa para afastá-lo da ruína? Sentiu o peito oprimido e teve vontade de chorar. Engoliu as lágrimas que não chegaram a sair. Sabia controlar-se. Teve muita pena dele, tão jovem e tão mal orientado. Num ímpeto, abraçou-o dizendo:

— Jorginho, gosto muito de você, sabe disso, não é?

Ele olhou-a surpreendido.

— Claro. Você é uma irmã batuta. Mas o que há?

— Há que não posso vê-lo neste estado, jogando sua vida fora e perdendo tudo o que há de melhor.

— Ora, ora. Sermão a esta hora? Não vê que estou cansado?

— Não é sermão, Jorge. Você sente-se feliz fazendo o que faz?

— Claro. Sou feliz dentro desta estúpida vida tanto quanto posso. Procuro tirar tudo o que ela pode me dar.

— Isso o torna feliz?

— Enquanto estou lá fora, esqueço tudo. Mergulho nas emoções e não posso parar. Em casa, durmo para esquecer. O que posso querer mais? Sou menino de sorte, tenho tudo!

— Jorge, você sabe que hoje mamãe vendeu suas jóias para pagar suas dívidas de jogo?

Ele parou, surpreendido.

— Tem certeza?

— Tenho. Quando cheguei em casa, ela estava pálida e sofrida. Você sabe como ela gostava delas.

Por alguns instantes ele ficou sério.

— Então ela vendeu algumas jóias! Foi um bonito gesto para salvar a pele — havia um brilho irônico em seu olhar.

— Salvar a sua pele.

— Não. Eles pagam porque não querem passar vergonha. Foi para salvar a pele deles. Eles gostam do luxo. Ficam felizes quando faço bonito. Não é qualquer um que pode gastar no jogo tanto dinheiro.

— Mas o dinheiro acabou, Jorge. Você não percebe isso? O dinheiro acabou. Estamos arruinados. Somos pobres.

O moço deu uma gargalhada.

— Pobres? Nós? Está falando como o "velho". Ontem ele veio com essa de não ter mais dinheiro. Acho que é golpe dele.

— Infelizmente, é verdade. Acha que mamãe se privaria de suas jóias se ele tivesse onde arranjar o dinheiro?

Ele ficou pensativo por alguns instantes.

— É, ela é apegada aos brilhantes. Mas com certeza é coisa passageira. Fase que qualquer um pode atravessar.

— Não é, Jorge. Eles não queriam preocupá-lo, mas há mais de um ano nossas finanças vão de mal a pior. Perdendo dinheiro, tudo, tudo, sem podermos mudar o rumo das coisas, e você, com suas dívidas de jogo, contribuiu para isso. Você já tentou fazer um cálculo de quanto já perdeu em dinheiro nestes anos todos?

Por um momento ele ficou sério, preocupado; depois, seu rosto distendeu-se em sorriso.

— Nossa fortuna é muito grande. Não pode acabar assim.

— Mas acabou. Estamos cheios de dívidas. Os bancos não emprestam mais a papai e ele não pôde levantar os duzentos contos que você tinha que pagar hoje. Por isso venderam as jóias. Por isso estou contando a você. É preciso parar de jogar, mudar de vida. Porque quando acabarem as jóias, o que venderemos? A casa? Os objetos de arte? O piano? E depois? Depois que perdemos tudo, ainda perderemos o nome porque não poderemos pagar as dívidas nem manter nossa vida como até aqui.

— Jamais serei pobre. Odeio a pobreza.

Ela alisou os cabelos dele com carinho.

— Não acha mais lógico não fazer mais dívidas, evitar o jogo?

— Não. Não acho. Se estamos perdidos, só o jogo pode nos salvar. Posso ganhar numa noite de sorte tudo quanto perdi nestes anos todos.

— Você sonha longe da realidade. O jogo não dá dinheiro a ninguém. Ele tem servido para sustentar apenas quem o explora como negócio, nos clubes e nos cassinos. O jogador acaba sempre na miséria e, o que é pior, às vezes nos negócios escusos. Você é jovem, inteligente, pode tornar-se um homem útil, trabalhar, vencer na vida. Por que mergulhar no vício desse jeito, comprometendo sua saúde, seu futuro, seu bem-estar?

— Você sabe que eu não sirvo para ganhar dinheiro, só sei gastar. Sempre achei que o burro trabalha e o esperto gasta. Eu me considero esperto. Depois, não teria jeito para submeter-me ao trabalho a troco de uns míseros mil réis. Seria humilhante.

— Quando nos ocupamos com alguma coisa útil, nem sempre é só por causa do dinheiro. Podemos sentir a gratificação de criarmos ou realizarmos alguma coisa importante. O prazer de construirmos o progresso ou de nos sentirmos capacitados e úteis.

— Isso não é para mim. Não tenho essas idéias. Não saberia o que fazer. Detesto estudar. Depois, ainda é cedo para preocupar-me com a vida. Quando eu acertar e derrotar a banca, você vai ver que eu tinha razão.

Maria da Glória olhou para o irmão com infinita tristeza. Como fazê-lo entender?

— Eu gostaria que você percebesse que está destruindo sua vida, colocando muitas ilusões em sua cabeça. Não vê que a realidade é muito diferente? Você já viu alguém tornar-se rico à custa de jogo? Só os banqueiros. O que temos visto é ruína, desespero, e até suicídio, como o caso do Dr. Renato no ano passado.

— Não fique agourando. Ele não teve sorte. Comigo será diferente. Você vai ver.

— E se não for? E se você perder e nossa miséria aumentar?

O rosto de Jorge contraiu-se num ricto conformista.

— Pobre eu não fico. Posso jurar. Se o dinheiro acabar, sempre se pode casar com moça rica; ou, se não der, a vida não vale muito mesmo. Tendo tudo já é tão sem graça, tão monótona, que pobre deve ser bem pior. Não encaro o suicídio como uma tragédia. Acabar com tudo pode ser um alívio. Mas estou cansado. Não tenho cabeça para pensar nessas coisas desagradáveis. Você tem cada uma!

Maria da Glória estava em pânico. Percebia que seu irmão já fora muito mais longe do que ela ousara pensar. Talvez fosse tarde demais para salvá-lo. Abraçou-o com carinho, sentindo um peso no coração.

— Jorginho. Pelo menos prometa-me que por algum tempo não vai mais jogar.

O rapaz riu, despreocupado. Abraçou a irmã, dando-lhe sonoro beijo na testa.

— Sabe o que você parece? Uma velha mamãe. Sei o que estou fazendo. Se estamos com pouco dinheiro, agora é que não devo parar. Ou tudo ou nada. A sorte vai decidir. Ou eu ganho tudo ou perco tudo. É emocionante. Não se preocupe por mim. Sei cuidar da minha vida. Agora, Mariinha da Glorinha, vamos dormir.

Ela suspirou, preocupada.

— Certo. Vamos dormir. Mas prometa pensar no que eu lhe disse. Não quero que você sofra. A desilusão é muito triste.

Ele sorriu confiante.

— Comigo será diferente. Nasci com uma boa estrela. Você verá.

Maria da Glória não conseguiu conciliar o sono naquela noite. Seu irmão parecia-lhe perdido. Cínico, parecia divertir-se com a preocupação dos pais em relação a ele. Chegava até a querer provocá-la. Como mostrar-lhe o abismo em que descuidadamente se atirava? Como fazê-lo enxergar?

No dia seguinte, a moça estava abatida e muito cansada. Porém não quis perder a aula, foi à faculdade. Não viu ninguém em casa quando voltou. Seu pai não viria para o almoço. A mãe, sofrida e mal dormida, não saíra do quarto, lá tomando a refeição; o irmão, como sempre, dormia. Isso deixou-a mais deprimida. Mal tocou nos alimentos e, muito antes da hora costumeira, dirigiu-se à casa de Inês. A aula do primo seria mais tarde, mas ela precisava do apoio daquelas excelentes amigas para poder acalmar-se.

D. Lucila abraçou-a com carinho.

— Inês está no atelier. Você quer ir lá?

— Gostaria de falar um pouquinho com a senhora. Estou precisando de uma injeção de ânimo. Infelizmente, estou muito preocupada.

— Sente-se aqui, minha filha, e fale.

— É meu irmão, D. Lucila.

Segurando a mão da moça com carinho, D. Lucila deixou-a extravasar toda preocupação. Ouviu em silêncio, porém com muita atenção. Seu rosto bondoso refletia compreensão e solidariedade. Maria da Glória terminou:

— Estou chocada. Acho que será difícil fazer alguma coisa por ele. Já é muito tarde. Devia ter tentado há mais tempo. Mas me omiti. Também tenho culpa. Pago por omissão.

— Não diga isso, filha. Nunca é tarde para tentar salvar alguém da queda. Você fez muito bem conversando com ele.

— Foi inútil. Ele não concordou comigo. Não consegui nada.

— Você semeou a verdade. Por mais que ele se defenda não querendo vê-la ou aceitá-la para não ter que lutar para mudar, suas palavras estarão dentro dele, como uma semente. Tudo quanto plantarmos de bom no coração dos outros dará frutos um dia.

— Acredita então que ele poderá mudar?

— Todos podemos mudar quando queremos. O importante é querer.

— É. Isso ele não quer.

— Mas você deve continuar a conversar com ele. O diálogo amoroso opera verdadeiros milagres. Você fez muito bem em não criticar suas atitudes. Ele precisa de afeto e compreensão para poder enfrentar a realidade que ele teme e repudia. Seu irmão é um espírito fraco. Só conseguirá vencer o problema se você o ajudar. Você é uma moça forte e lúcida, sabe discernir. Com ele, o amor, a compreensão, o carinho é que vão dar acesso ao seu raciocínio todo deturpado em conceitos fora da realidade.

— O que acha que eu posso fazer?

— Conversar com ele. O mais que puder. Não mencione mais o jogo nem peça para ele abster-se.

— Mas ele não pode jogar mais. Meu pai não tem dinheiro para pagar.

— Você sabe disso. Ele recusa-se a ver. Quer continuar acomodado, levando a mesma vida de sempre. Quem sabe a impossibilidade de seu pai saldar uma dívida o conscientize da verdade?

— Tenho medo da sua reação.

— É por isso que eu acho importante seu apoio amoroso. Converse com ele, tentando pouco a pouco interessá-lo em alguma coisa boa. Jorginho não é mau. Acredito que possua talentos ou qualidades ocultas que você precisa descobrir, trazendo à tona. Valorizar suas qualidades é fator mais importante para que ele se modifique. Até agora ele tem se apoiado no dinheiro, no nome da família, no prestígio social que lhe tem aberto todas as portas. Não se julga capacitado a viver de outra forma. Você precisa desenvolver nele a autoconfiança na própria capacidade. É preciso que ele enxergue e saiba que tem outras opções na vida. Pelo que me consta, ele pensa que só pode viver como sempre viveu. Chegou até a valorizar o suicídio como alternativa rebelde de não aceitar a verdade.

— É isso o que eu temo.

— Você sabe que ele não será poupado pela vida. É isso o que a preocupa. Ver que ele tem plantado ilusões e certamente sabe que fatalmente dia virá em que elas cairão por terra. É natural. Por isso teme que ele não possa suportar o choque da dura realidade. Você pode tornar-se para ele o apoio afetivo, a criatura em quem ele confie, a ponto de procurá-la quando sentir-se infeliz ou desiludido.

— Ah, se eu pudesse! Acho que isso o ajudaria muito.

— Você pode. Tem todas as qualidades para isso. Seu irmão vive muito só, apesar de mimado. Procure-o para conversar. Assuntos agradáveis mas construtivos, sem alusões ou indiretas aos problemas dele. Sem tentar ministrar-lhe lições de comportamento. Isso anularia todo seu trabalho com ele, colocando-o na defensiva. É preciso que você esqueça as fraquezas dele. Nunca as mencione nem por distração. Seja sincera, o que lhe é fácil, seja interessante com ele, o que também não lhe será difícil. Você tem uma conversa muito atraente e agradável. Discorre com graça e inteligência sobre todos os assuntos. Procure descobrir-lhe as preferências e converse, sem questionar seu comportamento, apenas valorizando-o como pessoa humana. Verá como ele vai responder a essa atitude. Tornando-o seu amigo, você tem muita chance de ajudá-lo. Só assim poderá conseguir o que deseja.

— Tem razão, D. Lucila. Ele precisa confiar em mim. Eu já devia ter feito isso há muito tempo. Conseguirei agora evitar o mal?

— O futuro pertence a Deus, mas quando semeamos o bem tudo pode acontecer. Depois, você tem o recurso da prece. Deus pode fazer tudo quanto nós não podemos. A fé remove montanhas.

— Quisera ter fé como a senhora! Infelizmente, a religião não me seduz. Não consigo aceitá-la.

— Talvez você não esteja senão recusando aceitar a religião dos homens.

— A senhora pensa diferente. Eu sei. Algumas vezes fico pensando se a vida continua mesmo como a senhora acha. Confesso que tenho um pouco de medo.

— De quê? De descobrir que continuamos a viver depois da morte?

— Não sei explicar. Este assunto sempre me arrepia.

Lucila sorriu, calma.

— Se você quiser, tenho livros sobre o assunto que certamente vão dar-lhe uma visão muito clara e objetiva à base da ciência. Acho mesmo que já é hora de ler essas coisas.

— D. Lucila. Se a sua crença tem-lhe dado tanta serenidade, tanta força, tanta compreensão, não precisa de outro argumento. Terei prazer em ler esses livros e em conversar sobre eles com a senhora.

— Muito bem, minha filha. Hoje mesmo escolherei um para você. Tenho a certeza de que vai gostar e interessar-se muito.

— Só em falar com a senhora já estou mais calma. Quanto à prece, quer fazê-la por mim? Acho que Deus a ouvirá melhor.

Lucila sorriu com certa malícia.

— Não acredito. Um coração franco e sincero como o seu certamente tem muito crédito lá em cima. Certamente farei preces por vocês, mas experimente conversar com Deus com toda a sinceridade. Disse Jesus que quando quisermos orar não precisaremos de muitas palavras. Basta nos recolhermos ao compartimento secreto do coração e Deus nos ouvirá. Por que não experimenta? Sentir-se-á mais forte e mais calma com os recursos da prece.

Maria da Glória olhou-a com seriedade.

— Tentarei — murmurou pensativa.

Quando Geraldo chegou, vinha cheio de pacotes. Pedira a Antônio sugestões, porquanto a amizade e os favores daquelas mulheres o comoviam muito. Desejava retribuir a gentileza de alguma forma.

Antônio sugerira algumas guloseimas para o lanche, já que o moço sempre lanchava na casa, ficando muitas vezes para jantar. Achava que no momento era o mais adequado para não ferir a suscetibilidade e a delicadeza daquelas criaturas. Encomendara doces e salgadinhos finos e bombons. Geraldo parecia uma criança em dia de festa, o que fez Maria da Glória perder um pouco o ar de preocupação. Dava gosto vê-lo enquanto as moças abriam os pacotes e comentavam que a aula seria prejudicada pela vontade de tomar o lanche mais cedo.

Havia dois meses que Geraldo freqüentava as aulas, quatro vezes por semana. Tal era seu entusiasmo que já terminara a cartilha e iniciara-se no primeiro livro. Possuía memória prodigiosa e dificilmente esquecia o que ouvia em aula. Já conseguia ler, com alguma dificuldade, trechos das notícias dos jornais e das revistas, o que lhe provocava grande entusiasmo. Sua maneira de falar também modificara-se um pouco. Já agora misturava palavras com menos sotaque caipira, embora ainda conservasse basicamente a mesma forma de expressão. Mas, à medida que aprendia a ler e escrever as palavras corretamente, soletrava-as e procurava pronunciá-las com perfeição. Sua insistência nesse ponto divertia as moças, que compreendiam o esforço dele para aprender a falar certo. Mas, no conversar, ele muitas vezes queria empregar essas palavras e misturava-as, provocando hilariedade nelas, que o aconselhavam a não se preocupar excessivamente com esse ponto; eram de opinião que, quando ele melhorasse bem a leitura, venceria certamente o problema.

— Não se preocupe, Geraldo, quando conversa, em pronunciar as palavras como no livro. Essa preocupação no momento dificulta sua forma de expressão. Tenha paciência, que quando estiver mais desembaraçado na leitura exigirei que leia em voz alta todos os dias durante uma hora, e então verá que naturalmente sua maneira de falar irá se tornando correta sem afetação nem distorção.

— Eu, particularmente, adoro seu modo de falar, tão espontâneo e pitoresco. Pena que queira mudar — comentou Inês.

Geraldo olhou-a surpreendido.

— Acho que quando falo sô diferente das pessoas daqui. Não quero envergonhá meus amigos.

— Na verdade, tem razão — concordou Maria da Glória. — Sua posição social requer educação e apresentação. Eu também aprecio sua maneira de ser, de falar, sua simplicidade, tudo, mas infelizmente em sociedade essas coisas são importantes! Se você quiser, posso orientar seus estudos para que represente dignamente em sociedade o nome da família, sem que ninguém possa criticar sua maneira de ser. Mas ainda acho que o mais importante será sempre sua maneira de agir, sua honestidade e sua moral. Isso realmente você tem e sempre será respeitado, embora alguns mais fúteis possam comentar suas maneiras simples.

— Gostaria de não ser motivo de anedotas como já li num jornal. Você entende.

A piada saíra como uma alusão a Geraldo, um caipira arrebatando um saco com um cifrão enorme, rindo sorrateiro e dando uma rasteira num cidadão super refinado, que caía no chão ao lado de um cartão, enquanto dizia: "O bom-bocado não é para quem o quer mas para quem o come". Modificando o provérbio, mas certamente referindo-se ao Dr. Marcondes, cuja situação já começava a ser conhecida.

Se Geraldo sentira-se chocado com a charge, Dr. Marcondes quase tivera uma síncope. Telefonou ao jornal e os ameaçou de processo se continuassem com a brincadeira. Estava indignado. Inútil, entretanto, sua indignação. Jornal dedicado a piadas e muito lido na época, reproduziu na semana seguinte outra charge: uma raposa meio velha e de rosto meio parecido com o Dr. Marcondes presa numa armadilha, enquanto um caipira com cara de malícia saboreava lindos cachos de uvas de uma parreira. Dizia a legenda: "A astúcia do caipira vence a velha raposa da cidade".

D. Renata a custo conseguiu evitar que o marido fosse ao jornal para uma briga.

— Não adianta. Você não vê que esse pasquim só vive do escândalo? Quanto mais você se irrita, mais eles têm assunto. O melhor é esquecer.

— Você diz isso porque não vê o jornaleco nas mãos dos meus amigos, que me olham com malícia. Até no fórum ele anda circulando para me desmoralizar. Quando penso que aquele maldito caipira é a causa de tudo, tenho ímpetos de estrangulá-lo.

— Calma. Sua irritação de nada vale. Maria da Glória está em bom relacionamento com ele. Quando pudermos nos relacionar, tudo ficará bem. Os maldizentes terão que calar. Depois, precisamos do dinheiro. Ainda não desisti da idéia de você administrar aquela fortuna. É de direito e muito justo!

— É só isso que me segura. Senão, acho que eu acabaria com ele.

— Para acabar os dias na cadeia?

Dr. Marcondes suspirou fundo.

— Como tenho sofrido! Ter que aceitar essa injustiça! Esse boçal pavoneando-se com o dinheiro que ele nem sabe usar. É o cúmulo do desperdício!

— Estive pensando. Maria da Glória gosta muito dele. Está ensinando-o a ler. Quem sabe isso não termina em casamento?

— O quê?!! Casamento? Ela, com a cultura que tem, com um idiota daqueles? Não acredito.

— Ele não é nenhum idiota. Ignorante, sim; mas esperto, isso ele é. Se os dois se casassem, a fortuna seria nossa!

— Puxa! Eu nunca pensei nisso!

— Pois é. Eu pensei. Ela fala muito nele. Gosta dele, aprecia-o. Quem sabe se isso já não é um começo de namoro?

— Aliás, já era hora de nossa filha pensar em casamento. Já está passando da idade. Logo mais, será difícil casar. Até agora, recusou todos os pretendentes. Se casasse com um homem rico, poderia resolver nossa situação. Seria boa solução.

— Por que não com ele?

— Embora eu o deteste, o dinheiro viria em boa hora. Você acha mesmo que há alguma coisa entre eles?

— Bem, ela não conta, mas pode bem ser. Afinal, nossa filha é muito bonita.

— É, mas muito instruída. Isso a prejudica, na minha opinião. Mulher deve ter classe, ser bem educada mas não muito instruída. Não há homem que agüente a sabedoria da mulher.

Renata suspirou.

— Aquela menina é muito independente. Não aceita nossa orientação. Se ouvisse meus conselhos, já estaria muito bem casada e feliz.

— Se não podemos casá-la com um homem rico, Jorginho é mais maleável. Quem sabe, talvez se decida a um bom casamento para solucionar nossos problemas. Afinal, ele é quem mais precisa de dinheiro. Não sabe viver sem ele.

— Jorginho é muito criança. Quem tem idade para casar é Maria da Glória. E o partido ideal é o primo. Depois, a fortuna também nos pertence de direito. Seria de justiça que nos viesse às mãos. Poderíamos administrá-la. Ao passo que ele, sabe Deus o que fará com tanto dinheiro.

Dr. Marcondes ficou pensativo por alguns instantes. Seu ar preocupado acentuou-se.

— Renata, seja o que for, case-se ela com quem puder, ou quiser, o que sei é que não vamos poder manter nossa situação por muito tempo. Se nos aparecer alguma conta grande, não vamos poder pagar. Aí, nem quero pensar...

— Acho que está na hora de insistir com ela. Deixe comigo. Vou começar a agir.

Na casa de D. Lucila, o ambiente estava alegre e tranqüilo. Maria da Glória adorava aquelas horas em que se reuniam ali, numa atmosfera alegre e serena. Aquela casa, aquelas amizades representavam para a moça verdadeiro refúgio do ambiente desagradável de sua própria casa, onde a tensão e os desentendimentos pareciam insolúveis. Ali, eles se afinavam, falavam de assuntos interessantes e trocavam gentilezas com simplicidade.

Geraldo afinara-se com elas a tal ponto que a diferença de instrução e de cultura não chegava a dificultar, porquanto ele, vivo e inteligente, tinha personalidade marcante, opinião própria, que expunha à sua maneira mas com uma lucidez que as deliciava.

Por vezes, ao lanche, elas contavam algum fato, social, político, histórico, que ele com atenção procurava entender e analisar, perguntando os detalhes em sua curiosidade em enxergar o mundo do qual vivera sempre afastado. Ele então falava contando a linguagem da floresta, os costumes dos índios que conhecera de perto, os segredos da natureza que aprendera a observar no seu estreito contato com ela. As três ouviam-no maravilhadas, esmiuçando os detalhes de tudo, na revelação de um mundo fascinante que lhes era completamente desconhecido. Assim, as horas decorriam agradáveis, e para Maria da Glória representavam verdadeira injeção de bom ânimo.

Reunidos em volta da mesa bem posta na copa, eles conversavam. D. Lucila, na cozinha, verificava alguns problemas domésticos quando a criada avisou que tinham visita. Inês levantou-se para atender e Geraldo, aproximando-se da prima, perguntou:

— Ocê tá triste. O que aconteceu?

A moça sobressaltou-se.

— Dá para perceber?

— Não tanto. Mas eu sinto que ocê tá triste. Posso ajudá?

Havia um aceno especial na voz do rapaz. Sentia um carinho muito grande para com ela, tão inteligente e culta, dando-se ao trabalho de ensiná-lo a ler.

— Acho que não. Problemas de família.

— Alguém doente?

— Não. São vários problemas. Principalmente com meu irmão.

— Não qué me contá? Não tem confiança em mim?

— Não é isso, Geraldo. Não tenho direito de entristecê-lo com meus problemas pessoais.

O moço ficou sério.

— Num fala assim. Sou seu primo e muito seu amigo. Quando sou amigo, sou mesmo. Se não me contá, vou pensá que não confia em mim.

A moça sorriu, reconfortada. Sabia que o primo era sincero.

— Está certo. Prometo que conversaremos sobre isso, já que quer carregar o peso das minhas preocupações.

A moça sorria, mas havia emoção em seus olhos. Não chegou a terminar, exclamando surpreendida:

— Mamãe! Você por aqui?

Renata, acompanhada por Inês, entrava na copa. Geraldo levantou-se um pouco constrangido. Maria da Glória, um pouco ruborizada pelo inesperado da situação. Felizmente D. Lucila voltava, e vendo Renata abraçou-a com delicadeza.

— Ora, que alegria. Finalmente nos visita. Como vai?

— Muito bem. Passei por aqui apenas por alguns minutos, não quero incomodar... Mas tenho um chá beneficente e preciso falar com você. Sei que entende desses assuntos.

— Terei gosto em fazer o que puder. Deixe-me apresentá-la. Acho que ainda não conhece o Sr. Geraldo, ou já?

— A última vez que o vi, tinha dois anos. Jamais o teria reconhecido. Como vai, meu filho?

Apesar do tom amável, a presença daquela mulher o incomodava. Olhando-a de frente, tentando deixar de lado os ressentimentos por causa de Maria da Glória, antipatizou com ela. É falsa, pensou decepcionado.

Renata não tirava os olhos dele, com curiosidade. Não o achou tão mau como pensara. Os olhos de Carolina e a postura dos Marcondes. O queixo pronunciado do pai. Só a vê-lo sabia que realmente era da família.

— Vô bem, obrigado.

— Aceita lanchar conosco? Nos dará muito prazer — convidou Lucila, querendo colocá-los à vontade.

Enquanto Renata acomodava-se em frente a Geraldo, Maria da Glória, mais refeita da surpresa, a custo controlava a contrariedade. Devia ter percebido que a mãe não agüentava mais a curiosidade. Era óbvio que estava tentando uma aproximação com o sobrinho. De repente, a atmosfera ficou tensa. Geraldo emudeceu, Maria da Glória perdeu o assunto e tanto Lucila quanto Inês procuravam, com delicadeza, conduzir a conversação de maneira impessoal e agradável. Mas Renata estava decidida a falar com Geraldo. Mal tocou no chá beneficente que dizia pretender realizar, mas tentava conversar com o moço, que mal respondia a suas perguntas.

— Está gostando da cidade?

— Tô.

— Não estranhou o barulho?

— Não, senhora.

— Ah!... Tem passeado muito?

— Um pouco.

— Você é sempre assim tão pouco falante?

— Depende. Falo quando tenho vontade.

A voz do moço estava um pouco tensa. Maria da Glória interveio:

— Mamãe. Você está sendo um pouco insistente. Afinal, não veio tratar do chá?

— É sim, filha, vim. Mas como encontrei aqui o famoso sobrinho, de quem você fala tanto e tão bem, fiquei emocionada. Desde que chegou eu tinha vontade de visitá-lo. Afinal, você é da família, está só. Mas fiquei acanhada. Não quis incomodar. Você tem os mesmos olhos de Carolina. É mesmo muito parecido com ela.

Os olhos de Geraldo lampejaram por breves segundos. Decididamente, não gostava daquela mulher. Entretanto, não querendo magoar Maria da Glória, a quem apreciava muito, tentou ser mais amável.

— Minha mãe era muito bonita. Parecer com ela é uma alegria.

Renata serviu-se de alguns docinhos e comentou:

— Isto não é um lanche, é uma festa. Lucila, você tem excelente gosto.

— Hoje foi Geraldo quem nos ofereceu as guloseimas do lanche. O bom gosto é dele.

Renata realmente surpreendeu-se.

— Não me diga! — Não esperava que o caipira pudesse ter gosto tão requintado. Olhou-o com curiosidade. Até que ele era bonito. Se melhorasse os cabelos, podia até ser elegante. As roupas eram de muito boa qualidade e de classe. Os sapatos, de cromo alemão, que ela sabia caríssimos. Uma ponta de inveja a acometeu. Afinal, ele parecia arranjar-se muito bem sozinho.

O assunto arrastou-se forçado. A espontaneidade fora quebrada. Maria da Glória queria ir embora, levando a mãe, que parecia muito à vontade.

— Vamos mamãe. Acho que está na hora.

— Que é isso, menina, tão cedo! Está tão agradável aqui.

— Esteja à vontade, Renata. A casa é sua — ajuntou Lucila com delicadeza.

Maria da Glória, que se levantara, tornou a sentar-se. Não se iria deixando a mãe sozinha ali. Certamente seria inconveniente. Geraldo olhou-a, e havia certa malícia em seus olhos. Pareceu-lhe tão calmo que a moça, por sua vez, acalmou-se. Não queria aborrecê-lo. Vendo-o sereno, aceitou melhor a situação. Afinal, se acabasse o ressentimento dele com os seus seria melhor. Não confiava nas intenções da mãe, mas sabia que ele não era ingênuo. Seria divertido vê-lo sair-se das armadilhas que ela certamente desejava preparar-lhe.

Renata suspirava e encenava seu papel de esposa mártir e dedicada.

— Pobre do meu marido. Anda descontrolado, nervoso, teve ameaça de enfarte. Quase morreu. Ele tem trabalhado muito, sempre se sacrificou pela família. Mas sabem como são essas coisas, os filhos crescem e são ingratos.

— Você tem dois filhos excelentes, Renata — ajuntou Lucila com voz firme. Não lhe agradava ver aquela mulher dizer tudo aquilo na frente da filha, sensível e inteligente.

— É verdade. Não me queixo. Eles são maravilhosos, mas, sabe, estão crescidos, não aceitam mais nossos conselhos, querem fazer tudo sozinhos e isso é muito triste.

— Mamãe, mudemos de assunto. Falemos de coisas alegres.

— Vê o que eu disse? É assim. Nunca nos dão atenção. Não acha que tenho razão? — perguntou ao sobrinho.

— Fui criado na roça. Num entendo dessas coisas. Mas lá tem um ditado que diz: "Pela fala é que se conhece a madureza". Tem criança que fala como véio e tem véio que só fala como criança. Quem quisé sabê só da idade num carece ouvi, é só oiá os dente.

Renata quase engasgou com o chá. Maria da Glória a custo dominou o riso. Inês sentia vontade de dar um beijo em Geraldo. O moço falara manso e pausado e parecia até que carregando o sotaque caipira de propósito. Renata, de repente, desistiu de continuar e convidou o sobrinho para ir à sua casa, dizendo que o mal-entendido com o tio já fora esquecido.

Maria da Glória respirou aliviada quando a viu despedir-se.

— Não precisa vir comigo. Não vou para casa agora, tenho algumas compras a efetuar. Compreendo que queira ficar.

Lançou um olhar lânguido para o sobrinho e despediu-se amavelmente. Lucila acompanhou-a até a porta com gentileza. Maria da Glória suspirou e sentou-se dizendo:

— Lamento. Infelizmente não posso mudá-la.

Geraldo olhou-a sério.

— É sua mãe. Estar com a mãe é uma felicidade. Mesmo quando ela parece criança em vez de mãe.

Maria da Glória sorriu, descontraída.

— Tem razão. Minha mãe ainda não cresceu. É como uma criança mimada e estragada pelo luxo. Pena que ela não me deixe ajudar. Quer continuar criança. Quando procuro mostrar-lhe a verdade, recusa-se a enxergar. Tem medo.

— É preciso dar tempo ao tempo — comentou Lucila. — Paciência, minha filha.

Enquanto D. Lucila cuidava dos problemas domésticos, os três jovens continuaram conversando.

Renata chegou em casa satisfeita. Afinal, o diabo não era tão feio como pintavam. Seu sobrinho era moço bonito e de personalidade. Tinha berço, pensava com orgulho. Seu modo horrível de falar é que destoava, mas com o tempo certamente teria que melhorar. Também, com tanto dinheiro, podia ser até que ele lançasse moda. Em sociedade, tudo é possível.

Quando o Dr. Marcondes chegou, encontrou-a muito animada.

— Pelo que você me contou, pensei que ele fosse muito pior. Estava elegantemente vestido e bem posto. Parece que tem bom gosto.

— Bom gosto, aquele parvo?

— É. Cheguei à hora do lanche e a mesa estava coberta de iguarias finíssimas. Quando elogiei Lucila, ela fez questão de dizer que Geraldo trouxera o lanche.

— Por acaso, com certeza. Um sujeito inculto como aquele não pode ter bom gosto.

— Você não pode esquecer que ele tem berço. Isso conta muito, meu caro.

— Bem. Vejo que você veio muito entusiasmada por ele. Era só o que me faltava.

— Vim, sim. Tinha imaginado encontrar algo muito pior. E parece que tudo caminha muito bem. Estão se entendendo às mil maravilhas. Não me admiraria até se eles já estivessem namorando.

— Acha mesmo?

— Trocaram olhares entendidos e Maria da Glória nunca me pareceu tão cordata.

Dr. Marcondes deu de ombros.

— Acho bom se decidirem depressa. Se estoura uma dívida, não sei como vamos pagar. Jorginho não quer ouvir-me. Continua jogando.

— Coitado do menino. Está habituado a essa vida. Não aceita a nossa miséria.

— Estou desesperado, Renata. Se ele não aceitar, não sei onde vamos parar. Você já pensou nisso?

— Temos que dar um jeito.

— E se esse casamento não sair? E se demorar?

— Não seja pessimista, homem. Se eles resolverem casar, não precisam esperar. Geraldo tem tudo e muito dinheiro. Por que esperar?

— Não sei. Essa indecisão me irrita e preocupa. Ainda acho que Jorginho deveria casar. Assim, tudo se resolveria.

— Nosso menino, tão jovem!

— Você esquece que eu me casei quase com a mesma idade.

— Vamos aguardar um pouco mais.

E Renata teceu planos tão agradáveis que pareciam já em vias de realização.

Entretanto, naquela tarde, Geraldo saiu da casa de Lucila acompanhando a prima para deixá-la em casa. Assim que se acomodaram no carro, o moço indagou:

— Não vai me contar a causa da sua preocupação?

— Quer mesmo saber?

— Quero. Talvez possa ajudar.

— Refere-se à minha família. Meu irmão. Ele não é mau, mas muito sem juízo.

A moça contou ao primo suas preocupações, o problema financeiro dos pais.

— Ninguém conversou com ele sobre tudo isso?

— Eu. Mas parece que ele não quer aceitar. Está acostumado à vida que leva. Não acredita que tudo esteja acabado. Acha que papai sempre "dará um jeito".

— Então é mesmo verdade. Seu pai está arruinado.

— É. Temos com o que viver mas nenhuma reserva para os gastos extras e as loucuras de Jorginho. Preocupo-me com ele. Sei que não vai aceitar a pobreza e a desonra. Meu irmão é fraco. Temo pelo que possa fazer, pelas loucuras que possa cometer. Para ser franca, o dinheiro para mim não é tão fundamental, ou melhor, até acho que será salutar trabalhar para ganhar o necessário. Talvez meus pais deixem de lado tantas futilidades. E isso até pode melhorar nosso relacionamento. Mas Jorginho foi estragado pela educação errada, e agora temo que seja difícil evitar o pior.

— É. Eles tão vivendo de ilusões. É certo que um dia terão que encontrar a verdade. Ela vai trazer sofrimento, mas pode também ser o remédio da cura.

A moça olhou-o admirada.

— Você acha?

— Acho. Acredito que seu irmão, quando seu pai não pudé mais defendê ele pagando suas dívidas, vai senti o peso do que faz, e embora isso deixe ele arrasado, envergonhado, vai fazê dele um homem.

— Tenho medo de que ele faça besteira.

— O quê, por exemplo?

— Não sei. Que roube, que se suicide, sei lá; o desespero é mau conselheiro.

— Ocê conversa com ele. Ele é seu amigo. Isso é muito bom. Sua amizade pode fazê com que ele queira lutar e vencer. Nós na roça costumamo dizê que o homem sem amor é como cavalo do mato, num conhece disciplina nem obedece ordem. Corcoveia, dá coice e mata. Mas quando alguém o domina, então se torna dócil e obediente. Assim o amor. Quando a gente ama alguém, de verdade, uma mãe, uma irmã, uma esposa, um amigo, vale a pena disciplinar nossas vidas. Fazê esforço de ser obediente.

Maria da Glória comoveu-se.

— Geraldo, como você é bom. D. Lucila também me deu esse conselho. O amor cobre a multidão dos pecados. Você chega a ser sábio.

— Não é nada disso. Eu sei o que é isso. Minha vida teve sempre um vazio de amor. Minha mãe, família. Tive pai bom. Morreu. Fiquei inimigo do mundo. Num queria vê ninguém. Vim para cá para recolher o que restava de minha mãe e vingar-me de quem nos separou, me roubando a felicidade. E teria sido muito difícil suportar essa vida, esse mundo tão falso da cidade, se não tivesse o amor e a amizade que você, Inês e D. Lucila me deram. Eu mudei, prima; e, de duro e desconfiado, fiquei sentimental, e tudo quanto tenho feito, estudado, se deve mais ao amor de vocês três do que a outras coisas.

Maria da Glória estava muito emocionada. As palavras do moço tocavam fundo seu coração.

— Eu acho que seu irmão precisa de apoio e amor. Nós fazemos tudo, lutamos, sofremos, temos vontade de vencer quando alguém torce por nós e sofre conosco.

— Geraldo, você é admirável.

Num gesto espontâneo, a moça beijou-lhe a face morena. Geraldo enrubesceu um pouco; depois de alguns segundos, ajuntou:

— Em todo caso, se eu puder ajudar em qualquer dificuldade, me procure. Gostaria de conhecê esse menino. Quem sabe posso ajudá?

— É. É uma boa idéia. Vamos arranjar isso.

De qualquer forma, a moça sentia-se mais calma e mais segura. O apoio do primo dava-lhe tranqüilidade e confiança. Sempre se sentira divorciada da família. Seus pontos de vista nunca eram sequer examinados. A certeza de que não se enganara com relação ao irmão oferecia-lhe condições de continuar lutando a fim de ampará-lo melhor.

O carro parou em frente à casa e Maria da Glória desceu. Renata observava por uma fresta da janela e exultou vendo que o primo despedia-se da moça com afetuosidade. Com ar triunfante aproximou-se do marido, que lia os jornais, sentenciando:

— Não disse? Ele acaba de deixá-la aqui à porta. Acompanhou-a, naturalmente queriam estar a sós.

Dr Marcondes olhou-a desconfiado.

— Espero que você tenha razão.

Ia dizer mais alguma coisa, mas calou-se vendo a filha entrar na sala Realmente, a moça parecia muito bem. Deveria atribuir-se à amizade com o primo? Maria da Glória cumprimentou o pai e subiu para os seus aposentos. Queria evitar os comentários maternos sobre Geraldo e também uma possível discussão com ela. Estava mais interessada no irmão do que nas maquinações da mãe. Naquela noite esperaria por ele. Se tudo desse certo e ele fosse dormir em casa, poderiam conversar.

Era quase dia claro quando Jorginho chegou. Vendo luz na sala, aproximou-se admirado.

— Maria da Glória, acordada a esta hora? O que houve?

A moça abraçou-o com carinho.

— Estava sem sono. Peguei um bom livro, e nem vi o tempo passar. Já é muito tarde?

— Já passa das quatro — olhou-a curioso. — Preocupada?

— Não. Tudo vai bem.

— Sei... Mas você sempre se recolhe cedo.

A moça aproveitou o interesse dele.

— É. Mas hoje senti-me muito só. Queria deitar com bastante sono para dormir bem.

— Você está só porque quer. Sei de meia dúzia de almofadinhas que só esperam um gesto para preencherem sua solidão.

— Não exagere. São vazios e sem graça. Acha que se valessem a pena eu os deixaria escapar?

Jorginho riu divertido. Parecia de bom humor, e a moça resolveu tirar partido disso.

— Pelo que ouvi, mamãe preocupa-se com seu futuro. Já enumerou várias listas de candidatos que se transformariam em ricos e dedicados maridos. É só escolher.

— Com o "gosto" que ela tem, imagino o que me ofereceria.

— Não posso jurar, mas o último deles parece-me ser o nosso priminho caipira.

— O quê? — sobressaltou-se Maria da Glória. — Você tem certeza?

— Claro. E a ouvi convencendo papai de que seria a solução ideal para nossa fortuna. Não sabia?

A moça estava indignada. Por isso Renata fora até a casa de Inês. Seu rosto ruborizou-se de raiva.

— E papai, aceitou a idéia?

— Bem, o velho pareceu-me contrariado, mas ela usou o máximo argumento: o cifrão. Logo, ele resolveu concordar.

— Isso é um absurdo — desabafou ela. — Se ela tentar alguma das suas, vai se haver comigo.

— É mais do que absurdo. Um caipira analfabeto. Já pensou nas anedotas que fariam nossos amigos?

— Isso é o que menos importa. Nosso primo é homem bom e honesto. O que lhe falta em cultura sobra em inteligência. Qualquer mulher se sentiria feliz em ser amada por ele. Não se trata disso.

Jorginho olhou surpreendido e desconfiado.

— Por acaso você o aprecia?

— Muito. Gostaria que você o conhecesse para poder formar um juízo mais claro.

— Então... Se você o defende tanto, pode ser até que a idéia de mamãe não seja tão absurda.

— Entre apreciá-lo como amigo e como pessoa e amá-lo vai longa distância. Entre uma boa amizade de prima e um casamento falta muito.

Jorginho abanou a cabeça.

— Não a entendo. Você o defende tanto, tem-lhe amizade, isso não é fundamental no casamento?

— Não. Para mim não é. Precisa existir algo mais forte. Há que haver amor, e amor é coisa diferente. Geraldo é um excelente amigo, que me inspirou muita confiança pela sua integridade e pelo seu caráter. Confio nele mais do que em outras pessoas. E não quero que esses mexericos possam perturbar a espontaneidade da nossa amizade. Vou cortar isso logo, falar com mamãe antes que ele fique embaraçado. Esses mal-entendidos são muito desagradáveis.

— Mamãe, quando decide algo, é persistente. Você vai ver.

— Eu sei. Mas deixa comigo. Sei o que fazer. Gostaria muito que você o conhecesse. Não tem curiosidade?

— Tenho. As garotas vivem perguntando-me coisas sobre ele. As mulheres gostam dos mistérios. Chegam a achá-lo bonito. Veja só o que faz o dinheiro.

— Você o acha feio? — perguntou a moça, divertida.

— Sei lá! Nunca reparei. Não o conheço pessoalmente. Deve ser engraçado, caipira fantasiado de *gentleman*.

— Não o acho engraçado, mas, como sabe, ele é meu amigo. Admiro-o. Não quero falar muito, melhor conhecê-lo.

— Acabei ficando curioso. Você sempre foi tão exigente com as amizades! Como conseguiu ele conquistá-la?

— Se quiser, amanhã poderemos ir até a casa dele. Que tal?

— É. Pode ser. Amanhã não tenho nada para fazer. Vamos visitá-lo, vai ser interessante.

— Combinado. Vamos até a copa, posso fazer um lanche para você. Que tal um suco de laranja?

— Ótimo.

— E você, como anda com as garotas?

Enquanto providenciava algumas guloseimas, a moça procurava mostrar seu interesse pelos assuntos um pouco fúteis do irmão, feliz por sentir que ele recebera seu esforço de aproximação com boa vontade e retribuía.

No dia imediato pela manhã, às dez horas, Maria da Glória, acompanhada pelo jovem irmão, tocou a sineta da casa de Geraldo.

Jorginho estava impaciente. Apesar de impressionado com a opinião da irmã, não acreditava que o primo, criado de forma tão rude, pudesse ser muito interessante. Atendera ao convite mais para ter o que opinar quando os amigos mencionassem o assunto. Não gostava das indiretas e das anedotas entre seu pai e o primo. Principalmente o incomodavam as notícias humilhantes sobre sua situação financeira. Não acreditava tão ruim. Seria uma boa resposta seu bom relacionamento com o primo. Até que, se algum repórter os fotografasse juntos, seria ideal para tampar a boca aos maldizentes.

Antônio abriu a porta, cumprimentando-os com cortesia. Conduziu-os à sala de estar. Geraldo lia os jornais, e vendo-os levantou-se atencioso. Apertou a mão da prima com alegria e olhou de frente para Jorginho. O moço estendeu a mão, que Geraldo estreitou com firmeza.

— Ainda não tinha encontrado você, Jorge.

— É. Não tivemos oportunidade. Há muitos anos não venho a esta casa. Desde que...

— Desde que...

— Desde que eu era pequeno. Tia Carolina era ainda viva.

O olhar de Geraldo abrandou-se.

— Você se lembra dela?

— Claro. Era muito bonita. Seu rosto é difícil de esquecer. Depois, tratou-me sempre com atenção e carinho, apesar de que, pelos problemas da família, você sabe, não vivemos sempre juntos.

Geraldo ouvia encantado. Qualquer referência a Carolina o embevecia.

— Sentem, por favor. Jorge, continue, peço-lhe.

— Fale o que se lembrar. Geraldo adora saber de tia Carolina.

— Não tenho muito a contar. Enquanto vovô era vivo, mandava buscar-me regularmente para visitá-lo. Gostava muito de mim, mas não queria ir à nossa casa. Suas relações com papai e mamãe não eram muito boas. Eu era muito criança. Recordo-me perfeitamente dele conversando comigo como se eu já fosse grande, mostrando-me seus livros, sua coleção de gravuras, e tia Carolina abraçava-me e beijava-me e algumas vezes chorava, o que me preocupava muito. Eu gostava dela, era linda e muito boa. Tinha um perfume delicioso que sempre usava e que eu adorava. Tanto me agradavam que eu gostava muito dessas visitas. Minha mãe ficava enciumada, e se não fosse por causa da herança que eles esperavam receber, não teriam mais permitido minha vinda aqui. Quando vovô morreu, nunca mais pude voltar a vê-la. Hoje, estou recordando. Espero não tê-lo aborrecido.

— De modo algum. Também adoro o perfume dela que ainda está em suas roupas e seus guardados. Quer dizer que ela o apreciava.

— Às vezes, quando tinha lágrimas em seus olhos, e eu perguntava por quê, ela me falava das saudades do filho. Queria-o muito.

— Eu sei. Só lamento não ter sabido disso antes.

Jorginho era sincero. O primo lhe parecera pessoa simples e o acolhera com naturalidade. As lembranças também o tinham deixado um pouco emocionado. O carinho que recebera naquela casa o sensibilizara porque diferia do seu ambiente doméstico. Sua mãe, que o adorava, cumulava-o de guloseimas, mas raramente dispunha-se a ouvi-lo e a dar-lhe atenção. Apesar de mimado, a governanta, fria e formal, o irritava. Era como se estivesse sendo vigiado por um soldado que o impedisse de fazer o que quisesse, obrigando-o a coisas desinteressantes e desagradáveis.

O afeto do avô, sua atenção carinhosa e paciente conversando com ele e interessando-se em ouvi-lo, o carinho da tia, colocando-o no colo, contando-lhe histórias, fazia-lhe enorme bem. As horas naquela casa escoavam-se com rapidez, e na hora de ir embora ele sempre relutava. Aquela casa representava momentos felizes de sua infância, que parecia sepultada e distante. Jorge sentia-se sensibilizado; sem saber explicar o que lhe acontecia, tinha deixado esquecida por instantes sua indiferença habitual, seu verniz social.

Os olhos brilhantes e magnéticos de Geraldo estavam fixos nele com carinhosa atenção, e Jorge como que se deixava envolver mais e mais pelas lembranças.

— Afinal — ajuntou com certo acento de amargura na voz —, faz tanto tempo que até parece nunca ter acontecido.

— Mas aconteceu. Você teve a felicidade de ter estado aqui com eles enquanto eu, sozinho no mato, sofria a saudade sem remédio.

Jorge olhou-o admirado.

— Você se lembrava dela?

— Sim. Seu rosto estava sempre comigo, mas eu pensava que ela estivesse morta.

— Morta?! Não sabia que ela vivia aqui?

— Não. Meu pai dizia que ela tinha morrido.

Jorge franziu a testa, pensativo. Lembrando-se dos comentários desairosos que ouvia em casa, resolveu não insistir no assunto.

— Deve ter tido suas razões. Mas você se viu privado de tudo, no meio do mato, com tanto dinheiro por aqui, sofrendo privações e levando vida dura.

Geraldo olhou-o admirado.

— Nisso você se engana. A vida no mato é melhor do que esta. Só lamento a falta da mãe.

Jorge abanou a cabeça.

— Com isso eu não concordo. Comparar a cidade, o conforto, a civilização com a roça não tem cabimento.

Geraldo olhou-o com certa malícia.

— Não fale do que não conhece. A vida na roça é melhor do que na cidade. Aqui, ninguém faz o que gosta. O relógio comanda. O homem anda muito e caminha pouco.

Jorginho surpreendeu-se.

— Que quer dizer?

— Aqui, é tudo complicado. Pra você fazê alguma coisa, dá muito trabalho, dá muita volta. Anda muito e faz nada. Faz muito barulho mas aproveita pouco. Fala em felicidade mas não é feliz.

Maria da Glória ouvia com atenção. Jorginho ficou um pouco abespinhado.

— Não é bem assim. Quantas coisas boas temos aqui. O progresso, o avião, o telefone, o rádio, tudo... Se não fosse a gente de cultura da cidade, não teríamos nada disso.

Geraldo não se deu por achado.

— É, isso é verdade. Mas e a felicidade? O homem com tudo isso é mais feliz?

Jorginho sentiu-se abalado. Felicidade não era prato habitual no seu requintado ambiente. Ao contrário, a hipocrisia, a ostentação, a necessidade de ser aceito e subir socialmente, o reinado do dinheiro e da política não lhe mostravam nada de positivo quanto à felicidade. Com certa frieza ele retorquiu:

— Ser feliz é outro problema. Isso é uma utopia. Neste mundo, o que vale é o dinheiro, o poder, a força do que tem mais. O resto é ilusão. Se eu não tiver mais dinheiro, meu carro, nem posição, amanhã estarei sozinho. Acho que até as mulheres que me adulam vão sumir.

— É. Talvez. Eu vivia muito melhor sem dinheiro.

Jorginho riu, nervoso.

— Não acredito. Quer dizer que trocaria tudo pela roça?!!

— Claro. Talvez faça isso mais tarde. Na roça eu não precisava de nada. Tinha amigos, poucos, mas verdadeiros. Tinha o que comer, tinha roupa, me sentia rico. O tempo era todo meu para ver a natureza, aprender o que ela ensina, conhecer a vida como ela é. Sem as complicações da cidade. Não imagina como é bonito. Vê a vida brotar da terra, os bichos conversá, as plantas crescê e dá frutos. O céu, as estrelas, tudo tem uma conversa que você precisa ouvi pra entendê.

Geraldo, olhos perdidos nas lembranças de sua vida na roça, começou a falar descrevendo a linguagem rica da floresta, seus mitos, seu encantos, seus mistérios, os ciclos da vida, com tanta originalidade que, apesar do seu vocabulário simples, conseguiu fascinar a imaginação de Jorge, que o ouvia com admiração.

Para ele, que nunca olhara as coisas do campo com interesse, era como se tudo aquilo fosse novo. Geraldo parou e sorriu.

— Acho que estou aborrecendo vocês com minhas idéias.

— Não — fez Jorge —, de modo algum.

Maria da Glória olhava o interesse do irmão, surpreendida. Logo ele, tão metropolitano, tão social.

— Nunca tinha reparado nisso — disse o rapaz com interesse.

— Você precisa conhecer. É tudo perfeito. Tudo tem seu ciclo, sua linguagem, sua razão de ser. Se você acompanha a água da chuva, vai ver como ela procura jeito de achar sua corrente e caminhar para o leito do rio. Às vezes é difícil e você vê que ela pacientemente se infiltra na terra para procurar a veia, como chamamos, o que a levará ao rio. Sabe que nessas veias d'água existe uma corrente de força que leva ela e faz com que ela caminhe até onde precisa? No caminho vai dando vida nas raízes das plantas, matando a sede dos bichos e das árvores, e a nossa. Se você ficar olhando a água, vai aprendê muita coisa. Ela nunca pára. Se não puder andar, espera o calor do sol para se mudar em fumaça e subir até as nuvens. Quando esfria, volta a cair como chuva. Não é maravilhoso?

Jorge estava admirado. Nunca via essas coisas na água, elemento inodoro e sem graça, fora de moda e sem beleza.

— Acho que tô falando muito. Quando começo a lembrar da terra, fico emocionado. A vida é muito bela de se olhá!

— Não — protestou Jorge. — Nunca vi ninguém falar como você. Conte mais sobre a natureza. Uma coisa você tem razão: aqui a gente não sabe nada disso.

— Preciso contá como as plantas se casam.

— Plantas se casam? — fez Jorginho, divertido. — Será verdade?

Geraldo começou a descrever em sua linguagem simples a procriação das plantas machos e fêmeas, sua inseminação e suas particularidades. Jorginho estava empolgado. Sem perceber, deixara-se envolver pelo forte magnetismo do primo, suas idéias interessantes e sua vivência tão natural, bem diferente do que estava habituado. Maria da Glória interveio lembrando a hora, mas Jorge não estava com vontade de retirar-se. Ficaram para o almoço, e quando resolveram-se a ir embora, o rapaz estava bem-humorado e disposto. A conversa com Geraldo fizera-lhe enorme bem.

Já no carro, Maria da Glória olhou o rosto distendido do irmão. Seu rosto perdera o ar debochado e adquirira um aspecto mais jovem e infantil. A moça estava satisfeita. Conseguira entrosá-los. Seu irmão era influenciável e um tanto fraco. A amizade de Geraldo, homem de caráter e equilíbrio, só o podia beneficiar.

— Voltarei aqui amanhã para trazer-lhe um livro sobre as plantas que vi em casa. Quero que me explique mais sobre elas.

Geraldo acompanhou-os ao jardim.

— Nunca plantou nada? — perguntou.

— Não. Nunca. Acha que poderia?

— Claro. É emocionante preparar a terra, plantar, ver crescer, florir. É como se você fosse dono de grande poder. O de fazê-las multiplicar-se. Vê esse canteiro? Era vazio, eu o plantei. Juntei várias flores diferentes e agora está assim como você vê. Ajudei-as a viver e elas me cobrem com seu perfume e com sua beleza. Eu mesmo as alimento. Dou-lhes água todos os dias.

Jorginho olhava o primo boquiaberto. Tanta simplicidade o desarmava. De fato, o canteiro estava coberto de flores variadas de alegre colorido e odor delicioso.

— E então? O que achou dele? — perguntou alegre.

— Não existe. Parece diferente de todo mundo. É duma pureza impressionante. Tenho pena dele.

— Por quê?

— Tenho pena do que o dinheiro vai fazer com ele. Parece-me tão feliz com sua vida simples que os nossos lobos da sociedade vão devorá-lo, destruir tudo isso. Parece que estou vendo.

— Eu não penso assim. Ele é puro de idéias, mas é muito astuto. Mesmo sem saber ler, e nunca tendo vindo à cidade, saiu-se muito bem de todas as investidas que lhe fizeram. Inclusive a do nosso pai.

— É. Tem razão. É um homem de bem. É fascinante. Nem parece caipira. Só a linguagem ainda denota sua vida na roça. Vocês o civilizaram muito depressa.

— É muito inteligente. Aprende com rapidez. Sua personalidade é marcante, não nos deixa prestar muita atenção aos seus erros de linguagem. Você também o apreciou.

— É simples e informal. Recebeu-nos com simpatia. Creio até que se não tivesse gostado de mim, não se daria ao trabalho de dissimular.

— Isso é verdade. Já pude vê-lo diante de pessoas que ele não aceita. Que gostou de você, não tenho dúvidas. Você devia aproximar-se mais dele. Poderá ajudá-lo a adaptar-se melhor em nosso meio.

— Tem razão. Afinal, é nosso primo. Vai ser divertido ensinar-lhe as manhas da sociedade. As pequenas vão adorar.

— Veja lá o que vai fazer com ele!

Estava alegre e sorridente. Jorginho aceitara sua sugestão. Tocara-lhe a vaidade, fazendo-o acreditar que pudesse ensinar algo ao primo, quando o que pretendia era justamente o contrário.

Naquela tarde, na casa de Lucila, estava contente e mais serena. Foi com entusiasmo que comentou com Geraldo e as duas amigas as impressões de Jorginho e seu interesse pelo primo.

— Ele gostou de você. Não lhe será difícil influenciá-lo. Sou-lhe muito grata. Meu irmão precisa muito da sua amizade.

— Ele é sensível, mas está mal acostumado. Se deixa levar pelas pessoas. Farei o que puder, mas não tenho muita chance. Em casa, fora dela, todos contribuem para que ele seja assim como é. Se pelo menos ele pudesse se afastar dessas influências... mas não é fácil. Em todo caso, tem bom coração e nobreza de sentimento. Pena que tenha sido criado tão sem freio.

— É verdade — tornou Lucila com seriedade. — Mas sua influência será muito boa para ele, tenho certeza. Vamos confiar, porque quando pretendemos fazer o bem com desprendimento, nunca sabemos até que ponto Deus intervém e faz o resto.

— A senhora, que tem tanta fé em Deus, talvez saiba por que eu na minha infância, que tanto pedi e rezei, que confiei em Deus, nunca pude saber que minha mãe era viva. Por que tive que sofrer essa orfandade sem remédio?

— Tudo tem uma razão justa para acontecer. Deus não erra. É perfeito e sábio. Se dispôs assim, certamente foi por um bom motivo.

— Não creio que Deus o tivesse. Acho, isto sim, que ele se omitiu. Que pessoas tramaram a destruição da minha família e que ele não as impediu. Certamente não vai agora justiçá-las, e eu pretendo descobrir tudo e fazer justiça!

A voz de Geraldo estava amargurada, e seu rosto, entristecido. Lucila lançou-lhe um olhar afetuoso.

— Não pense assim, filho. Quem pode saber os desígnios de Deus? Quem pode conhecer a verdade que esconde através de vidas passadas e os compromissos que assumimos uns com os outros? Quem pode saber os sofrimentos e as provações que envolverão os que erraram no futuro próximo? Não basta confiar em Deus e esquecer o passado?

— Não, D. Lucila. Esquecer eu não posso. E o que digo cumpro. Vou descobrir tudo. Não descanso enquanto não souber o que aconteceu. E depois os culpados vão pagar, isso eu juro!

D. Lucila não insistiu, embora essa preocupação de Geraldo fosse lamentável. Confiava na ação do tempo, enquanto ela procuraria tirar aquelas idéias da sua cabeça. Era moço inteligente e bom, certamente mudaria de opinião.

Ele continuou:

— A senhora talvez possa me ajudar. Deve se lembrar de muitas coisas. Foi amiga íntima de minha mãe. Não acha que devia me contar tudo?

Lucila pousou no rosto do moço os olhos brilhantes, onde havia um reflexo de funda tristeza.

— Engana-se, meu filho. Fomos muito amigas, mas neste assunto jamais fui sua confidente. Nunca fiquei sabendo o que aconteceu de fato naquela trágica semana. Esse assunto era intocável. Só posso dizer que Carolina sofreu muito. Era inocente e afianço-lhe que soube sofrer. Nunca a vi desejosa de qualquer vingança. Acredito mesmo que ela jamais a tenha desejado. Em seu nome, e de acordo com seus desejos, eu peço: esqueça seus propósitos. Procure viver sua vida em paz. Afinal, o tempo passou e eles já partiram deste mundo. Estão em um lugar onde tudo se esclarece e se descobre. A morte arranca o véu de todos os enganos vividos no mundo e cada um descobre a sua verdade.

Geraldo a olhou um tanto admirado.

— A senhora acredita nisso? Pois eu acho que ela sofre por ter sido caluniada, por ter sido roubada em seus direitos de mãe. Quero lutar para esclarecer tudo. Quero que a verdade apareça aqui, para que todos saibam do seu valor e da sua pureza. Quero desfazer os enganos que turvam sua memória.

— Concordo quanto a isso. É nobre de sua parte essa intenção. O que não acho válido é a vingança. Tenho a certeza de que Carolina jamais aprovaria.

Geraldo cerrou os lábios firmes com determinação.

— É, pode ser. Ela era muito boa, mas eu não sou. Eles vão sentir o peso da minha revolta, por ter sido impedido de viver com ela toda minha vida.

— Deixemos de tristeza — ajuntou Inês, procurando desviar os dolorosos pensamentos que se refletiam no rosto emotivo de Geraldo.

— Vamos estudar, que hoje temos muito o que fazer. Você vai terminar aquele desenho e já tenho nova técnica para ensinar. Venha, quero mostrar-lhe.

Geraldo procurou sorrir. A graça de Inês sempre o alegrava. Quando os dois se dirigiram ao atelier da moça, Lucila comentou:

— Precisamos dissuadi-lo dessas idéias. Só lhe trarão prejuízo.

— Também acho, mas por outro lado sinto que ele tem razão. O que fizeram com eles foi brutal. A senhora acredita que tenham sido vítimas de algum plano maldoso?

— Acredito. Tudo leva a pensar que a tragédia tenha tido origem em alguma trama sórdida. Conheci Carolina. Nem por um segundo duvidei da sua sinceridade. Vivia para o amor do marido, a quem adorava, e do filho muito amado. Depois, era mulher de alto nível moral, jamais cometeria uma leviandade.

Maria da Glória balançou a cabeça, pensativa.

— Quem teria tramado tal crime? A senhora não desconfiou de ninguém?

— É difícil saber. Na vida em sociedade, a falsidade é uma constante. A inveja, a intriga, o boato, a malícia e o excesso de imaginação existem em toda parte. Como poderemos saber?

— É por isso que não gosto da vida em sociedade. Muitos desentendimentos com mamãe são por causa disso. Eles dão a vida para estar nesses ambientes falsos e frívolos, onde a futilidade e a hipocrisia são marcantes.

Faz bem. Um dia certamente eles também compreenderão isso. Precisamos dar tempo ao tempo.

Geraldo naquela tarde não estava muito disposto. A conversa com o primo fizera-o reviver a imensa saudade materna, e sentia certa inveja por ele ter podido usufruir do convívio de Carolina, ainda que durante pouco tempo. Quando saiu da casa de Lucila, ia pensativo e preocupado. Chegando em casa, chamou por Antônio e desabafou:

— Antônio. Precisamos fazer alguma coisa. Quero investigar tudo do tempo de minha mãe. Quero descobrir toda a história. Você vai me ajudar. Preciso saber de tudo!

— Não é fácil. O tempo passou e tudo ficou diferente.

— Tenho dinheiro. Com ele vai ser mais fácil descobrir. Li na revista que nas cidades tem detetive particular para descobrir os crimes. A gente paga, eles trabalham. Quero que você me arranje um desses.

— É preciso muito cuidado. Precisa ser alguém de confiança.

— Decerto. Você procura uma pessoa dessa e traz aqui.

Antônio olhou-o preocupado.

— E se descobrir tudo, o que vai fazer?

— Os culpados vão me pagar. Disso você pode estar certo.

Seus olhos brilhavam, enérgicos, e seu rosto se crispava, determinado. No dia seguinte, recebeu a visita de um agente que Antônio descobrira. Tratava-se de um moço de aparência discreta e bem vestido, a quem expôs seus objetivos. Depois das primeiras indagações, Geraldo o contratou. Como primeira providência, o investigador tirou pequeno bloco de anotações e realizou uma coleta de todos os dados possíveis. Durante mais de duas horas conversou com Geraldo, Antônio e sua mulher, procurando extrair todos os detalhes dos acontecimentos passados, principalmente aquela semana terrível. De início havia uma dificuldade quanto à data exata em que o Dr. Marcondes deixara o lar.

— É fácil — lembrou Antônio. — Podemos ir ao cemitério ver a sepultura do Dr. Álvaro Medeiros. Ele morreu pouco tempo antes da tragédia.

— Só sei que a guerra na Europa andava acesa. D. Carolina teve medo de que o Dr. Euclides fosse embora para a guerra.

O agente anotava, anotava. Geraldo o observava com atenção. Quando ele se deu por satisfeito, observou:

— Tenho pressa. Deixe tudo para trabalhá no meu caso. Eu pago. Antônio, dê ao Sr. Moreira dinheiro para as primeiras despesas. Quero que você trabalhe só para mim. Juro que não vai se arrepender de interessar-se bem para descobrir o que preciso saber.

Moreira olhou o rosto enérgico de Geraldo. Já tinha ouvido comentários sobre ele, mas nunca tinha imaginado conhecê-lo de perto. Era honesto e trabalhador. Apertou a mão de Geraldo com firmeza.

— Pode deixar comigo, Sr. Geraldo. Vou descobrir tudo, doa a quem doer. Começarei a trabalhar agora mesmo. Assim que tiver alguma coisa, voltarei.

— Dê notícias, mesmo que não descubra nada. Quero saber como vão as coisas.

— Todos os dias passarei por aqui. Quando não puder, telefono.

Quando o moço saiu, Geraldo sentiu-se mais calmo. Afinal, estava fazendo alguma coisa. Tinha um pouco de remorso porque, deslumbrado com a amizade das moças, de D. Lucila e com as coisas novas que estava aprendendo, demorara a tomar providências a fim de deslindar aquela trama, causa principal de sua permanência em São Paulo.

Na verdade, preferia sua vida simples da roça, mas sua curiosidade, aliada ao desejo de limpar a memória de sua mãe, fazia-o permanecer firme.

Durante dois dias Moreira limitou-se a telefonar, informando que coletava dados, e só no terceiro dia foi que apareceu. Geraldo recebeu-o ansioso. Acomodados na sala de estar, o moço perguntou:

— E então?

— Consegui algumas informações. A data da morte do Dr. Álvaro, a 20 de setembro de 1914. Pelos dados que colhi, houve uma suspeita em torno de D. Carolina com o Dr. Álvaro, que por isso o Dr. Euclides deixou o lar.

Geraldo ficou rubro.

— Como soube disso? Quem teve a coragem?

— Acalme-se. Estou trazendo os fatos que colhi com pessoas da sociedade daquela época que estavam ao par dos mexericos.

Geraldo cerrou os punhos.

— Quero descobrir tudo! A verdade tem que ser mostrada a toda gente.

— O senhor vai me desculpar, mas estou investigando e preciso usar de franqueza. Sinto que o senhor fique tão magoado. Mas quanto à verdade, haveremos de chegar lá, isso eu prometo. Vamos ao caso. Sendo assim, resolvi investigar a família do Dr. Álvaro e descobri que ele tentou matar a mulher por adultério. O caso está registrado nos jornais da época, e o processo, arquivado. Precisamos de um advogado para ler o processo e saber tudo como aconteceu. Só os advogados podem fazer isso.

— Isso é fácil. Antônio, telefona ao Dr. Olavo. Pede para ele vir aqui agora.

Enquanto o empregado dirigia-se ao telefone, Geraldo continuou:

— Você acha que eles podem ter alguma coisa com o nosso caso?

— Acho. Pense bem, o Dr. Álvaro tentou matar a mulher e depois quis suicidar-se. Veio para cá para o Dr. Euclides cuidar dele. Aí já temos dois suspeitos, a família do homem que ele matou e era seu rival e a da esposa, que não deve ter se conformado com o escândalo.

Soube que a família dela era gente da mais alta sociedade. Um escândalo desses...

— É — fez Geraldo, pensativo. — De fato, pode ser. Que mais descobriu?

— Por agora, quase nada mais. Preciso dados mais completos no processo, saberemos os nomes completos dos implicados. Assim poderei investigar cada um, e depois tiraremos nossas conclusões.

Antônio voltou, esclarecendo:

— Ele não estava. Deixei recado para ele vir aqui urgentemente.

— Então, eu vou indo — concluiu Moreira. — O senhor faz o seguinte: pede para seu advogado conseguir tirar o processo do arquivo e trazê-lo aqui. Amanhã cedo eu telefono para saber a que horas ele o trará. Virei aqui para anotar tudo que preciso.

Quando o investigador se foi, Geraldo ficou pensando, pensando. Estariam na pista certa? Estava indignado. As pessoas da sociedade julgavam sua mãe leviana. Haveria de provar o contrário.

Era quase noite quando o advogado o procurou. Atrás do amável sorriso havia um brilho curioso no olhar. Não podia queixar-se de Geraldo, que pagava regiamente os seus honorários, as despesas que ele estipulou, as viagens para localizá-lo, etc. Mas, no fundo, a decepção ainda o machucava. Pensava ter descoberto a mina, mas o caipira soubera colocá-lo no devido lugar. Ainda por cima, tinha que suportar a ironia e os gracejos de Juvenal, que não conseguira muito dinheiro de Geraldo mas ganhara bem com a reportagem que fizera sobre o assunto. Continuava a trabalhar para Olavo, era seu homem de confiança, e ao mesmo tempo escrevia seus artigos para os jornais e os vendia a quem melhor pagasse. Seja para políticos influentes, seja para os jornais da crônica policial que apreciavam os assuntos criminais.

Geraldo foi direto ao assunto.

— Mandei chamar o doutor porque preciso dos seus serviços.

Estou às ordens Geraldo.

Enquanto tomava assento, o advogado observava o caipira, admirado. Nem parecia o mesmo homem que trouxera do mato. Fazia dois meses que não o via e encontrava-o bastante mudado. As roupas elegantes, as maneiras, e até a linguagem estava bem melhor. Olhou-o curioso.

— Vejo que está progredindo — arriscou, bem-humorado.

Geraldo nem pareceu ouvir.

— O problema é o seguinte: estou investigando o passado. Quero saber por que meu pai foi pro mato e me levou junto. Contratei um detetive. Precisamos do processo do Dr. Álvaro de Medeiros.

Olavo olhou-o admirado.

— Para quê?

— Investigar. Sei que só advogado é que pode trazer ele aqui. Você vai fazer isso.

— Não é fácil. Precisa ser localizado e preciso justificar meu pedido para poder obtê-lo. Sabe que é contra a lei.

— Ora, Dr. Olavo, você sabe o jeito de fazer isso. Traga o processo aqui o quanto antes. Precisamos dele pro detetive anotar tudo.

— Vou ver o que posso fazer. Mas... afinal, por que remexer tudo isso?

— Eu quero. Vou saber tudo.

— Pode descobrir coisas desagradáveis. Não é melhor deixar como está?

— Se não quer fazer isso, arranjo outro advogado. Num tenho medo da verdade. Tenho a certeza de que minha mãe é inocente. Você sabe de alguma coisa que não me contou?

O olhar de Geraldo, cravado no rosto do advogado, tentava penetrar o fio de seus pensamentos.

— Nem pense nisso! Tudo que sabia já contei. Mas remexer velhos processos nem sempre é boa escolha.

— Deixe comigo. Vou até o fim, doa a quem doer.

— Se é assim, vou fazer o que me pede. Se lhe apraz dissecar defuntos, que seja.

Geraldo estava ansioso. No dia seguinte, na casa de Lucila, à tardinha, comentou com ela o assunto.

— A senhora sabe alguma coisa sobre isso?

— Pouco. Lembro-me bem dele, moço bonito e bom. Foi muito infeliz. Amava a mulher com desespero. Conheci o casal em casa de Carolina. Eram muito amigos. Dr. Álvaro e seu pai estimavam-se como irmãos.

— E a mulher do Dr. Álvaro, como era ela?

— Muito bonita, muito fina. De família requintada. Gostava da vida em sociedade e participava ativamente de festas, espetáculos, vida social. Era alegre e bem-humorada. Dr. Álvaro morria de ciúmes, mas ao mesmo tempo orgulhava-se dela. Era um belo casal.

— E ela, onde está agora?

— Na ocasião do escândalo, assim que se recuperou, foi para a Europa com a filha. Porém eu soube que, depois que o Dr. Álvaro morreu, ela voltou ao Brasil; parece-me que se casou novamente, com um homem muito rico.

— Não sabe o nome dele?

— Não sei. Aliás, eu nem procurei saber. Não gosto da vida social, nunca mais a vi depois da tragédia.

— Acredita que ela ou sua família possam ter alguma coisa a ver com o que houve com minha mãe?

Lucila sacudiu a cabeça, pensativa:

— Não sei. Não os conheço bem. Você acha que ela possa estar envolvida?

— Por enquanto não sabemos, mas estamos investigando. Se ela teve, vou descobrir.

— Às vezes Deus nos oculta a verdade para nos poupar.

— Não deve dizer isso. Não posso admitir que minha mãe seja considerada leviana.

— Tem razão quanto a isso. Sua memória é sagrada. Ela foi uma mulher superior.

— Preciso provar isso a todos que duvidaram.

— É nobre de sua parte. Só não acho bom pensar em vingar-se. Não crê que Deus distribua a justiça melhor do que nós?

— Acho que não. Ele permitiu que isso acontecesse. Que duas pessoas inocentes sofressem. Eu também era criança e paguei por um crime que não fiz.

Lucila respirou fundo. O rosto de Geraldo estava determinado, e seus olhos, profundamente tristes.

— Meu filho, você acredita em reencarnação?

— Reencarnação? O que é isso?

— Já tenho algumas vezes mencionado isso. Você crê que a vida continua depois da morte?

— Certamente. Acredito que minha mãe deve estar em algum lugar. As almas dos que morreram costumam rodear os vivos. No mato se sabe dessas coisas.

— Você sabe o que estamos fazendo no mundo? Por que Deus nos mandou para cá?

— Acho que é pra sofrê. E é isso que eu num posso entendê. Nesse mundo, tanto sofrimento, tanta injustiça. Uma vez vi um padre falá que os filhos pagam pelo pecado dos pais. Achei ele burro. Se Deus fosse bom, não ia fazê essa injustiça. Que culpa tenho eu do pecado dos meus pais?

— Nenhuma. Mas se eu lhe disser que Deus é bom e justo e dá a cada um segundo merece, você duvidaria?

— Duvido. Esse é o ponto de minha briga com Deus. O que ele fez comigo não foi justo. Criança não tem pecado. É inocente. Acredita em tudo, tem vontade de ser boa. Tudo isso acaba com as maldade dos homens.

— Você está vendo só a vida atual. E antes?

— Antes, como?

— Antes de você nascer no mundo, você nunca fez nada de mal? Foi sempre bom e confiante?

— Isso num sei. Como posso saber? Num lembro de nada. Acho que não existia antes.

— Geraldo, pense nisto: você admira a natureza, sabe como é bela e perfeita. Deus é o criador de tudo. Criou também as almas dos homens e as colocou neste mundo para aprenderem a ser boas e perfeitas. As almas dos maus são almas crianças que vão aprender com o tempo. Há já aquelas que aprenderam e são bondosas. Mas qualquer aprendizagem para a alma requer tempo e vivência. Por isso, os que viveram e morreram na Terra voltam a nascer de novo para continuarem a aprender.

— Quer dizer que minha mãe pode nascer de novo?!!

— Certamente. Em outro corpo novo, de um bebê, sua alma se encarna e nasce na Terra.

— É difícil acreditar!

— Se observar os fatos, verá que não. Não vê como as pessoas são diferentes umas das outras? É porque umas são almas mais velhas e mais experientes, e outras não.

— Se é assim, por que não lembramos de nada?

— Porque Deus é bom e nos permite esquecer o passado. Quer que nos amemos como irmãos e não guardemos nenhum ressentimento.

— Num é justo esquecer o que me fizeram de mal. Assim o culpado vai ficá sem punição, vai abusá mais.

— De maneira alguma. Se você esquece o que lhe fizeram noutra encarnação, também o que você fez aos outros fica temporariamente esquecido, e o peso do remorso e do arrependimento se ameniza. Mas se os homens esquecem temporariamente o passado, as leis de Deus que cuidam do equilíbrio de tudo regulam os acontecimentos e ajudam cada um a aprender novos conceitos mais elevados, bem como permitem a quem errou refazer o mal.

— Parece complicado.

— Não é. A vida na Terra, além de educar a alma, ainda lhe permite refazer o que em sua ignorância destruiu.

— Mas não é justo. Agora eu não me lembro. Como vou saber?

— No seu caso mesmo. Nunca lhe ocorreu que, embora possa ter havido alguém que provocou a tragédia de vocês, Deus não tenha corrigido esse erro enquanto sua mãe viveu?

— Isso prova que ele não tem pena do nosso sofrimento.

— Prova mais, que vocês precisavam passar por essa prova dura em resgate de alguma falta que, se não foi cometida na vida atual, pode bem ter sido em outra antes desta.

— Quer dizer que nós merecemos passar tudo isso? — perguntou ele assustado.

— Por mais que eu respeite sua mãe, por mais que eu o estime, acho que Deus é justo. Se vocês não precisassem passar por tudo isso, ela certamente o teria encontrado antes. Nunca lhe ocorreu isso?

— Sempre me revoltei por causa disso. Como aceitar essa injustiça?

— Com calma você verá que só pode ter sido assim. Se Deus é equilíbrio e perfeição em tudo, se dispõe das forças da natureza com tanta sabedoria, por que só com os homens seria diferente? Só porque o homem tem livre escolha nos caminhos da Terra já se acha auto-suficiente? A morte acaba com essa ilusão de um sopro.

Geraldo baixou a cabeça, pensativo. Aquela teoria o perturbava muito. Por outro lado, não duvidava da existência de Deus, que aprendera a respeitar ao contato com a vida simples do mato. Mas com os homens, tudo se complicava.

— A senhora crê mesmo nisso? Acha que podemos já ter sido outro em outro corpo?

— Não acho que fomos outros, mas que somos sempre os mesmos, usando diferentes corpos, como uma roupa que vestimos e tiramos quando não nos serve mais. Acha que pode entender de outra forma o mundo em que vivemos? Onde as crianças nascem aleijadas, surdas, mudas, disformes, enquanto que outras são lindas, inteligentes, ricas e parecem privilegiadas?

— Isso é verdade.

— Olhando o gênio e o imbecil, como entender a vida na Terra sem a reencarnação? De acordo com sua vida passada, com o que você fez de bom ou de ruim, você reencarna na Terra. Vai aprender de novo.

— Quer dizer que, no seu entender, eu mereci o que passei.

— Em princípio, se aconteceu, só pode ser por uma razão justa. Se a causa não está na vida atual, só pode estar nas vidas anteriores.

— O que terei feito para merecer tudo isso?

— Quem pode saber? O abandono de filhos na orfandade, a desvalorização da família, da mãe, do lar. Quanto a isto, só quando voltarmos para o outro lado da vida é que poderemos saber.

— O que me disse é novo. Precisamos conversar mais.

— Sempre que quiser, meu filho. Essa teoria tem me ajudado a viver em paz e deu-me muita força. A cada dia, quanto mais penso nela e analiso os acontecimentos, as pessoas que nos cercam, mais ela se confirma. Jamais foi desmentida pelos fatos. A justiça de Deus jamais falha. Se parece-nos omissa, é porque não enxergamos além da vida presente. Se possuíssemos uma visão do conjunto passado, presente e futuro, veríamos que ela é perfeita e sempre dá a cada um segundo suas obras.

— Gostaria de entender, sua paz sempre me fez bem. Adoro sua casa, conversá com a senhora; talvez algum dia eu também tenha essa certeza. Por enquanto é difícil. A revolta me deixa inconformado. Eu preciso descobrir a verdade.

— Que Deus o proteja. Conversaremos quando quiser. Gostaria de contar-lhe algumas histórias que Jesus contava. Qualquer dia desses, falaremos sobre isso. As meninas estão ansiosas. Não as faça esperar.

Capítulo 8

Na tarde do dia seguinte, Geraldo não foi à casa de D. Lucila. Impaciente, esperava, juntamente com o detetive, a presença do Dr. Olavo. Moreira não conseguira mais nenhuma descoberta, e aguardavam esperançosos a presença do advogado a fim de conhecerem os detalhes do caso do Dr. Álvaro.

Eram já quatro e meia quando o Dr. Olavo chegou. Trocados os cumprimentos, Geraldo foi direto ao assunto.

— Então, Dr. Olavo?

— Consegui. O processo está aqui comigo. Não foi fácil, tive que escorregar a nota, mais ei-lo aqui — exibiu uma pasta meio descorada, e um tanto volumosa. — Pelo que pude ler — continuou ele —, a situação resumiu-se no seguinte: o Dr. Álvaro, desconfiando do comportamento da esposa, seguiu-a e viu-a entrar em uma casa em local retirado. Esperou certo tempo e, tomando a arma que trazia, deu volta à casa, conseguindo acesso pela porta dos fundos, escondeu-se e viu quando sua mulher, na sala, conversava com um homem, surpreendendo-os em idílio amoroso. Não suportando mais, saiu de onde estava e atingiu a tiros os dois amantes. Depois, desatinado, tentou o suicídio. Não conseguiu seu intento. Eis aí os fatos resumidos.

— Deixe-me ver o processo, doutor. Quero fazer minhas anotações. Posso ficar com ele hoje?

— Sinto muito, Sr. Moreira. Preciso devolvê-lo. Sou responsável por ele e não posso emprestá-lo. É contra a lei retirá-lo dos arquivos. Pode dar até cadeia.

— Conheço a lei, doutor. Sei como vocês trabalham — disse ele sorrindo. — Não importa, vou trabalhar aqui mesmo. Deixe-me ver. Só que o doutor vai ter a bondade de esperar.

— Vai anotar tudo isso? — fez ele com ironia.

— Se precisar, vou. E agora, se me permitir…

Pegou a pasta e dirigiu-se a uma mesa a um canto da sala. Colocando ao lado seu caderno de notas e um lápis, começou a ler os autos do processo.

Enquanto isso, o Dr. Olavo procurou manter conversação com Geraldo. Não lhe passava despercebida a grande modificação que o moço sofrera. Enquanto saboreava a xícara de cafezinho que Elisa lhes servira, não escondia a curiosidade.

— Vejo com prazer que você se acostumou muito bem na cidade.

— É — fez Geraldo —, por enquanto.

— Eu me lembro de que você não queria vir. E ainda que pretendia ver-se livre do dinheiro e voltar o quanto antes para o mato. Eu sabia que você iria mudar! O dinheiro tem grande poder.

— Continuo gostando mais do mato. Dinheiro não me faz falta. O que me segura é descobrir a verdade. Juro que ainda descubro, e quando conseguir, ai daqueles que foram os causadores da nossa desgraça!

Geraldo disse isso com tanta veemência que Olavo ajuizou:

— Não gostaria de estar na pele deles.

— Melhor não.

— E como pretende se vingar? Já pensou que pode estar enganado?

— Já. Mas, a cada dia, mais e mais vejo que não estou. A vingança vai sê dura, isso eu garanto!

— Não freqüenta ainda a sociedade? Meus amigos têm me perguntado sobre você. As moças, principalmente. Nunca aceitou um convite nosso para freqüentar nossa casa. Marilda está muito sentida.

— Ora, doutor. Eu num vô mesmo. Num aprecio essas coisa. Quero vida sussegada.

— O povo tem falado que você não sai da casa de D. Lucila. Comentam até que você namora a filha dela.

Geraldo irritou-se.

— Ninguém tem nada com a minha vida, ou com meus amigos. Diga também a Juvenal que eu li o artigo que ele escreveu no jornal e ele num precisava falá tantas mintiras.

Olavo surpreendeu-se:

— Já sabe ler?

— Estou aprendendo.

— Ele não fez por mal. Todo repórter exagera um pouco. Mas até que ele falou bem de você.

— Num carece fantasiá. Pra quê? O que ele queria mesmo era que o povo lesse pra ele ganhar mais dinheiro. Num acho que ele fez isso por mim.

Olavo sorriu.

— O que lhe falta em instrução sobra em inteligência. É pena que não pense em ficar na cidade. Tenho a certeza de que em pouco tempo poderia progredir muito. Mas eu acredito que você ainda resolva ficar. Quem sabe uma moça bonita possa segurá-lo.

— Num quero nada com mulher. Já tenho muito problema.

Eram quase seis horas quando o Moreira, a instâncias do Dr. Olavo, entregou o calhamaço que manuseara.

— Pode levá-lo, doutor. Se eu precisar dele novamente, aviso.

— Não acha que anotou o bastante? O que espera encontrar em um caso tão simples?

— Não me parece tão simples. Veremos.

— Vocês detetives vêem mistérios em tudo. Exageram muito. Também há que valorizar o seu trabalho, não é?

— Em investigação, não se pode deixar escapar nenhum detalhe. Quase sempre resolvem a questão.

— Pois eu acho que neste caso é tempo perdido. Além de fazer muito tempo, o que dificulta tudo, ainda os interessados diretos estão todos mortos. Depois, eu pessoalmente acho que o que aconteceu não foi planejado por ninguém. De que adianta remexer coisas mortas e passadas?

— O doutor conheceu D. Carolina, não é?

— Certamente — fez Olavo com ênfase.

— Disse ao Sr. Geraldo que foram amigos.

— É...

— O que sabe sobre a separação do casal?

O advogado riu um pouco forçado:

— Ora. Quase nada. Sei o que todos sabem. Era amigo de D. Carolina mas não tinha intimidade. Era uma pessoa muito retraída, nosso relacionamento foi social apenas. Quanto aos seus problemas íntimos, não os conheci. Sei o que todos sabem.

— Mais tarde, gostaria de falar mais um pouco sobre o assunto. Quando eu tiver mais informações do caso.

— Nada há a acrescentar. O que sabia já disse.

Sobraçando a grossa pasta, despediu-se apressado. Pensativo, Moreira tornou:

— Acho que ele sabe mais do que disse. É homem matreiro, e pelo que sei tem fama de raposa.

— Não confio nele nem um pouco.

— Nem deve, Sr. Geraldo. Mas vou descobrir. Pode deixar comigo. Quanto ao caso, anotei os nomes completos de todos os envolvidos e vou investigar tudo. O homem que o Dr. Álvaro matou era pai de família. Tinha esposa e dois filhos. Família de classe média.

— Acha que eles podiam ter alguma coisa com o nosso caso?

— Ainda não sei. Esse homem morreu assassinado. Sua família tinha bons motivos para querer vingar-se do Dr. Álvaro.

— Isso é verdade. Mas ele era culpado. Estava roubando a mulher de outro.

— Pouca gente se interessa pelo que é justo. A morte de pessoa da família é golpe duro.

— É. Pode ser. Mas onde entra minha mãe nisso?

— Seus pais ajudaram o assassino. Estavam do lado dele. Isso são suposições. Só o futuro pode dizer. Agora vou indo. Tenho material para continuar meu trabalho. Assim que tiver notícias, eu volto.

— Não agüento ficar esperando. Quero saber tudo.

— Virei sempre.

Quando Moreira se foi, Geraldo ficou pensativo. Nem se deu conta de que a noite descera, e somente voltou à realidade quando Antônio acendeu as luzes, convidando-o para jantar.

Nos dias que se seguiram, Geraldo permaneceu preocupado. Nem a tertúlia fraterna em casa de D. Lucila, nem as aulas sempre tão apreciadas conseguiram apagar dos seus olhos aquela melancolia e aquela ansiedade.

A boa senhora fez o que pôde para fazê-lo sair daquela faixa mental, mas o moço, embora amável e atencioso, demonstrava continuar pensando da mesma forma.

Quando Moreira o procurou, foi com presteza que o recebeu.

— Tenho alguns informes. Estive em casa da viúva do Sr. Eurico, o homem que o Dr. Álvaro matou. Falei com ela. A princípio não queria me atender. Ficou muito assustada. Disse que não gosta da polícia. Mas a custo consegui saber que seu marido era vendedor de uma firma e ganhava bem; embora não fosse homem de muita cultura, era o que as mulheres chamam de atraente. Bonitão e bem falante, vestia-se com muito apuro, gostava de perfumar-se e adorava a vida noturna. Festas, teatros, bailes, etc. Não levava a mulher e viviam sempre brigando. Apesar disso, ela gostava muito dele e sofreu com sua morte. Quanto aos familiares dele, se resumiam ao pai, velho e doente, à mãe, que visitava de vez em quando desde que se separara do marido, e a uma irmã casada morando em Minas Gerais.

— Que acha?

— Acho que dali não me parece que tenham aparecido complicações. A mulher de Eurico não me pareceu vingativa, e inclusive lamenta a sina triste do Dr. Álvaro. Diz que tem pena dele. Parece sincera.

— É... — fez Geraldo, pensativo. — Dali acho que num foi.

— Em todo caso, estão sob observação. Tentei uma entrevista com D. Aurora Sampaio Viana, pivô do crime. Sua secretária atendeu-me e, informada dos motivos da minha visita, não me quis receber. Como eu insistisse, ela mandou dizer que ficou traumatizada com o caso e que não quer falar do assunto. Sua secretária tentou convencer-me de que será inútil. D. Aurora, segundo ela, ficou longo tempo em tratamento em uma casa de repouso na Suíça, e seu médico aconselhou-a a esquecer. Foi o que fez e não quer mais voltar a um assunto doloroso, que considera encerrado. Achei melhor não insistir. Tratei de investigar a família. Dr. Afonso, seu marido, é homem respeitado, engenheiro; sua filha mais velha, filha do Dr. Álvaro, Maria Luísa, é moça bonita e requestada na sociedade. Até aí nada de mais. Porém, há o velho Dr. Sigifredo de Arruda Sampaio, médico, pai de Aurora, que pareceu-me odiar o Dr. Álvaro profundamente. Consegui localizá-lo. Apesar da idade, é catedrático em medicina e, embora não lecione mais, ainda presta assistência aos professores. Fui até a faculdade e encontrei-o lá. Recebeu-me sem saber do que se tratava e apresentei-me, oferecendo-lhe meu cartão.

— *Sr. Moreira* — fez ele, admirado. — *Detetive. Acho que está enganado. Não é a mim que procura.*

— Fez um gesto para tocar a campainha chamando a secretária.

— *Engana-se, doutor. É o senhor mesmo.*

— *O que deseja? Seja breve. Estou muito ocupado.*

— Serei breve. Estou investigando o caso do Sr. Geraldo Marcondes. Sei do seu relacionamento com a família do Dr. Euclides Marcondes, pai do meu patrão, médico como o senhor.

— Conheci o Dr. Marcondes de forma superficial. Nem sequer fomos amigos ou nos relacionamos. Não vejo em que possa ser-lhe útil — ele falava secamente, mas sua voz pareceu-me irritada.

— Seu genro, Dr. Álvaro, e D. Aurora eram seus amigos íntimos.

— Ele levantou-se indignado.

— Não me fale nesse assassino que arruinou a minha família.

— Desculpe se a recordação o aborrece. Mas no meu trabalho eu preciso mencionar os fatos.

— Nem sei por que eu estou ouvindo-o. Mas já que quer saber, posso informar que esse cidadão que em má hora desposou minha filha, e que felizmente já morreu, atirou lama na esposa para cobrir sua própria maldade. Veio para falar da mancha que carregamos com a calúnia levantada contra Aurora, mas eu posso atirar no rosto desse Geraldo uma verdade de que ele não vai gostar!

— Que verdade, doutor?

— Carolina era amante desse cavalheiro desclassificado. Tanto que, se você quer saber, o Dr. Euclides descobriu tudo e largou dela, foi-se embora e nunca mais voltou.

Geraldo ouvia pálido, trincando os dentes com força para segurar a indignação.

— Sinto, Sr. Geraldo, mas precisamos saber a verdade. Por isso estamos investigando. Não posso recear ofendê-lo neste caso. Estamos ouvindo o que os outros dizem.

— Esse homem é um mentiroso — murmurou ele, enraivecido.

— Eu diria um exaltado, que odeia muito. Se continuarmos as investigações, sei que o senhor vai aborrecer-se. Essas intrigas sociais são muito desagradáveis, mas sem isso nunca chegaremos à verdade.

Geraldo suspirou.

— Tem razão. Pode falar, num vô me importá com isso. Melhor conhecer a verdade. E eu sei que eles vão se arrependê do que falaram.

— Muito bem. Vi que o Dr. Sigifredo estava pálido e muito nervoso, mas eu queria aproveitar para arrancar dele o que pudesse.

— *O senhor lembra-se de como as coisas aconteceram?* — perguntei interessado.

— Eu estava ainda indignado com a morte daquele pobre pai de família e com a saúde de Aurora, cuja bala perfurara o abdômen e por pouco não lhe causou a morte. Minha filha ficou arrasada. Só fazia chorar de vergonha e de pena do pobre homem. Temia que o patife do marido morresse. Pobre filha, tão boa e dedicada! Faz-me mal recordar essas coisas, mas se eu o faço é para que a verdade se restabeleça. Esse moço quer saber como seus pais separaram-se. Que seja. Euclides foi inocente. Acreditou nas mentiras de Álvaro e levou-o para casa. Mas ele ignorava que Álvaro amava Carolina.

— Como sabe disso?

— Andavam sempre juntos. Várias vezes preveni Aurora de que não devia sair e deixá-los sozinhos em casa. Mas ela era confiante. Até que descobriu tudo. Ficou desesperada.

— Mas o que eu sei é que o Dr. Álvaro surpreendeu-a com outro homem.

— Calúnia. Pobre filha. Arranjou aquela entrevista para enciumar o marido, mas por causa de Carolina. Depois, ele fingiu acreditar nessa história porque lhe convinha. Mas ele era amante de Carolina. Todos sabiam e comentavam. Essa foi a tônica do desquite.

— D. Aurora desquitou-se?

— Claro. Enquanto ela refazia-se na Europa, providenciei o desquite.

— Foi amigável?

— Acha que poderia? Foi litigioso. Infelizmente não consegui evitar que ele recebesse parte da nossa fortuna, o que não foi justo. Mas depois da sua morte Maria Luísa herdou tudo. Como vê, a justiça de Deus tarda mas não falha. O canalha morreu, como um cão, minha filha desposou um homem bom e honesto e hoje tem um lar feliz.

O senhor foi amável em receber-me. Agradeço-lhe muito.

— Não gosto de recordar esses assuntos. Mas esse jovem precisa saber a verdade. Ouvi dizer que ele viveu no mato com o pai durante todo esse tempo.

— É verdade.

— Euclides nunca perdoou a mulher!

— Gostaria de conversar com D. Aurora, não me recebeu. Se o doutor pudesse ajudar-me...

— *Impossível. Minha filha ficou traumatizada. Não seria bom para ela. Receio pela sua saúde. O que tinha para ser dito, já disse.*

— *Muito obrigado, doutor. Passar bem.*

— Essa foi a nossa conversa.

— Não acredito no que ele disse.

— Ele mente em vários pontos. Quer inocentar a filha, mas pelo que consta e ficou demonstrado nos autos, D. Aurora vinha mantendo encontros com o amante havia vários meses. Segundo depoimento da caseira, era comum eles encontrarem-se ali duas vezes por semana.

— Por que não lhe disse isso?

— Não convém irritá-lo. Queria ver até onde ele ia.

— Acho que eu num dava prá investigá. Num tinha ficado quieto.

— É preciso. Se ele pensar que acreditamos em sua história, quem sabe intercede com a filha em receber-me.

— Pode ser. Estou impaciente pra descobrir tudo.

— É difícil penetrar nesses ambientes na sociedade. Todos desconfiam de um detetive. Se eu pudesse freqüentar a sociedade sem que ninguém me conhecesse... Poderia descobrir muita coisa!

— Se o Sr. Geraldo freqüentasse, o senhor poderia ir com ele, como secretário ou amigo — ajuntou Antônio, pensativo.

— Seria ótimo!

— Eu num gosto dessas coisa. Num sei como fazê nesses lugar.

— E se sua prima ou D. Lucila ajudar? Elas são bem relacionadas.

— Seria bem mais fácil — aduziu o detetive. — Poderia conversar com todos sem que soubessem minha profissão. Garanto que descobriria tudo em pouco tempo.

— Se é assim, concordo. Num vejo a hora de desmascarar os culpados.

O detetive fitou Geraldo bem nos olhos e, colocando a mão em seu braço, tornou com voz grave:

— Não tem medo de se machucar?

— Não — respondeu Geraldo com voz firme. — Tenho a certeza de que meus pais são inocentes.

— Muito bem. Iremos até o fim. A verdade aparecerá.

Naquela tarde Geraldo conversou com D. Lucila sobre seus planos. Ela objetou:

— Meu filho, a vida em sociedade é cheia de tentações. Acha que poderá enfrentá-las?

— Claro.

— Sei que tem caráter, mas falta-lhe traquejo para safar-se do envolvimento que isso ocasiona. Não será melhor deixar que o detetive faça o trabalho sozinho?

— Estou ansioso. Quero ajudar. Não agüento mais ficar parado esperando sem fazer nada. Sei que não tenho jeito nem finura para isso, mas quero tentar.

— Nesse caso, tudo farei para ajudá-lo. Temo por sua segurança.

— Não se preocupe. Sei como fazer as coisas.

— Deve pedir ajuda das moças, principalmente de Maria da Glória, que é muito bem relacionada. Ela o ajudará.

— Foi o que pensei. Hoje mesmo falo com ela.

A moça ouviu-o atentamente e ponderou.

— Posso ajudar. Acha que agüentará?

— Pra descobrir o que quero, faço qualquer coisa.

— Quando pretende começar?

— O quanto antes.

— Preciso conhecer o Sr. Moreira. Acha que saberia portar-se em sociedade sem que ninguém desconfie de sua profissão?

— Como assim?

— Ela quer saber se ele é um homem bem arrumado, educado — esclareceu Inês.

— É — tornou Geraldo. — É moço e bem vestido. Fala muito bem.

— Preciso conhecê-lo. Prepará-lo para freqüentar nossa roda. Não pode chamá-lo aqui?

— Agora?

— É. Tem telefone?

— É difícil. Posso conseguir que venha aqui amanhã, e então combinaremos tudo.

— Enquanto isso, precisamos pensar numa maneira de fazer isso. Primeiro deve aceitar os convites para jantar na casa do Dr. Olavo; Jorginho deverá levá-lo para conhecer seus amigos, e eu, às confeitarias, cinemas e chás com as amigas. Vamos fazer uma lista.

Naquele dia, apesar dos planos novos, Maria da Glória não deixou de ministrar sua aula, dobrando a lição para casa.

No dia imediato, quando Moreira chegou, o grupo já estava reunido. Depois de apresentado, comentou:

— Precisamos falar. Tenho novidades.

— Fala. Não tenho segredo para elas.

Vendo a indecisão dele, elas queiram afastar-se, mas Geraldo impediu.

— Se estão me ajudando, acho que precisam conhecer tudo. Fala, Moreira.

— Está bem. Concordo que, se vamos trabalhar juntos, precisamos estar todos acompanhando o caso. Mas proponho que nossa conversa não saia daqui. Para o tipo de investigação que pretendemos, todo sigilo é pouco. Se descobrem nossa intenção, tudo terá sido inútil.

— Concordo — tornou Maria da Glória. — Da minha parte, serei um túmulo.

— Tem razão — concordou Lucila. — Nós também guardaremos segredo.

— Muito bem. Sabem quem foi o advogado do desquite de D. Aurora com o Dr. Álvaro? Foi o nosso Dr. Olavo!

Geraldo saltou da cadeira.

— Claro. Tenho um cartão dele. Fui conhecer o processo de desquite. Arranjei um amigo advogado e fui com ele. Conseguimos descobrir várias coisas. O Dr. Olavo foi advogado de D. Aurora. E o advogado do Dr. Álvaro foi um famoso causídico, que não só foi o instaurador do processo como teve amplo ganho de causa. A briga foi séria, a tônica do Dr. Olavo em sua defesa foi a tentativa de envolver a moral do Dr. Álvaro para justificar o comportamento leviano de sua cliente, que ficou demonstrado no decorrer do processo.

Geraldo estava pálido.

— Miserável! Disse que tinha sido amigo de minha mãe. Talvez tenha sido o autor da calúnia. Bem que eu não gosto de sua cara de raposa!

— Calma, meu filho. Se quer descobrir os fatos, não pode deixar-se levar por impulsos que podem dificultar o conhecimento da verdade.

— Esse cachorro me paga! — tornou Geraldo, trincando os dentes.

Seus olhos expeliam chispas.

— D. Lucila tem razão. O Dr. Olavo é homem interesseiro. Por dinheiro é capaz de tudo. Foi regiamente pago para defender os interesses do Dr. Sampaio.

— Mas quando falamos do Dr. Álvaro, por que ele não contou que conhecia eles?

— Naturalmente quis evitar que o senhor descobrisse e se desgostasse. Afinal, é seu cliente, ele não quer perdê-lo.

— Não dou mais um tostão para aquele patife.

— Se vamos trabalhar, não pode fazer isso agora. Não quero que ele saiba que já descobrimos isso. Vamos ver o que mais ele está ocultando.

— É. Pode ser que o malvado esteja encobrindo mais coisa.

— O pior é que ele sabe que eu trabalho como detetive. Gostaria que pensasse que nós desistimos de investigar.

— Levante-se, Sr. Moreira — tornou Maria da Glória, olhando-o fixamente.

O moço olhou-a sem compreender.

— Levante-se e deixe-me ver.

Ele levantou-se, meio encabulado. Ela olhou-o de alto a baixo, fê-lo virar e caminhar um pouco. O moço, pouco à vontade:

— O que foi?

— É — tornou ela em tom formal —, acho que dá para passar.

— Para passar o quê? — fez o moço, admirado.

— Estou pensando em prepará-los para o *début*. É moço, tem postura, olhos interessantes. Creio que, melhorando o guarda-roupa e os cabelos, vai dar certo.

O moço olhava-se um pouco chocado. Sempre primara pela elegância e julgava-se muito bem parecido. Sentiu-se ofendido, mas a moça falava com seriedade e em seus olhos não havia nem o mais leve sinal de caçoada.

— Acha que estou mal vestido? — fez ele meio sem jeito.

— Não quis dizer isso — argumentou ela. — Mas nas rodas em que vamos os moços dão muita importância à etiqueta da loja, à procedência das roupas, ao calçado, às combinações de cores, ao perfume francês. É preciso não destoar para não chamar a atenção.

— Isso é uma bobagem — tornou Geraldo, irritado. — Perfume!

Se quer freqüentar, é bom estar de acordo. Pessoalmente não ligo para essas coisas, mas eles acham essencial. Em primeiro lugar, têm que procurar um bom barbeiro. Os cabelos dos dois estão fora de moda.

— Meu cabelo eu mesmo corto — fez Geraldo, teimoso.

— Pois eu gosto do meu corte de cabelo — rebateu Moreira.

— Como é o seu nome? — fez Maria da Glória.

— Humberto.

— Não é mau. Vamos fazer assim. Vou falar com meu irmão, que vai acompanhá-los e organizar um bom guarda-roupa para os dois.

— Tenho roupa de sobra — protestou Geraldo.

— Olha, Geraldo, se quer que eu o ajude nisso, tem que atender o que é preciso.

— Ela tem razão — ponderou Lucila, divertida com a atitude deles.

— Jorginho está sempre ao par de tudo e pode nos ajudar. Só que não vamos contar-lhe nosso plano. Ele fala muito e não guarda segredo. Vou dizer-lhe que você desistiu de descobrir a verdade, não conseguiu nada e agora quer esquecer o passado, divertir-se, usar o dinheiro. Em se tratando de gastar, ele é mestre. Humberto pode ser-lhe apresentado como um amigo recém-chegado do Rio.

— Precisamos arranjar uma história para ele — tornou Inês, pensativa. — Vão perguntar. Precisamos combinar para não haver contradição.

— É — concordou Lucila.

— Já sei — tornou Maria da Glória. — Ele está sozinho em São Paulo, onde veio esquecer um amor impossível. Será um sucesso! O mistério, o ar de tristeza, vai ser maravilhoso.

— Acho que exageram — protestou Moreira, meio assustado.

— Nem um pouco. Você brigou com a família, interrompeu os estudos na faculdade e veio para São Paulo esquecer sua amada.

— E onde entro eu? — perguntou Geraldo, achando graça no jeito da prima.

— Você é o homem rico. Pode ser o que quiser, será sempre original. Tudo combinado?

— Farei como quiserem — admitiu Humberto. — Se acham que é preciso, o que eu quero mesmo é poder trabalhar e chegar ao nosso objetivo.

— Então deixem comigo. Hoje mesmo convoco Jorginho, que vai gostar muito, já que se tornou seu amigo.

— Quando começamos? — interveio Humberto.

— Assim que estiverem prontos, transformados em almofadinhas, com brilhantina nos cabelos e alfinete na gravata.

Naquele dia a aula foi um pouco diferente. As moças, com toda seriedade, deram aulas de etiqueta que foram do coquetel ao banquete de gala com mesa posta e tudo. Ensinaram a sair com uma dama e quase não continham o riso vendo a figura de Geraldo, indócil e personalíssima, tentando transformar-se em um educado cavalheiro. No final da tarde, D. Lucila, ao despedir-se do moço, olhou-o com muito carinho.

— Meu filho, acha que tudo isto é necessário? Não seria melhor deixar as coisas a cargo da providência divina, que tudo sabe, tudo prevê e tudo pode?

— Não — fez Geraldo com seriedade. — Para isto ainda estou aqui. Só descansarei quando souber de tudo. Quero desmascarar os culpados. Vingar-me!

— É isso o que me preocupa. Você vai levantar um véu que a vida achou prudente colocar por agora. Não acha que vai remexer segredos de criaturas que já partiram deste mundo para um lugar onde tudo se sabe, e que a esta altura possivelmente estarão em situações diversas das que viveram neste mundo?

— D. Lucila, a senhora é como uma mãe. Procure entender. Minha vida só tem sentido por causa desse segredo. Tenho direito de saber o que aconteceu.

— Não duvido. Mas a vingança, meu filho, tira ao vingador o crédito da justiça e o torna tão culpado quanto o adversário. Pense bem. Jamais sua mãe aprovaria esse sentimento. Vai com Deus, meu filho.

Ele beijou-a com carinho. Comovia-o seu interesse amoroso e solícito. Mas não podia atender-lhe a rogativa. Sempre que pensava no assunto, revoltava-se e não podia conter os ímpetos de vingança.

No dia imediato começaram os preparativos para pôr o plano em prática. Jorginho aceitou com entusiasmo. Maria da Glória pintou para ele a figura de Moreira como a de um jovem tímido, cerceado pelos pais, que, vitimado por uma paixão impossível, fugira para São Paulo para dar o brado de liberdade. Conhecia o irmão e tocou-lhe o ponto fraco.

— Dê um banho de atualidade nele — aconselhou. — Parece antiquado e sem traquejo. Quanto ao Geraldo, acho que não precisa mudar muito. Será um original.

— Isso é verdade. As moças têm vindo perguntar por ele e, por incrível que possa parecer, acham-no bonito!

— Mas ele é encantador! — tornou ela, entusiasmada. — É por isso que não precisa mudá-lo. Vai agradar em cheio.

— Você parece-me entusiasmada.

— Adoro Geraldo. Mas como um irmão.

— Isso é que não sei.

— Pois pode saber. É meu maior amigo. Hoje eles o esperam para os primeiros planos.

— Ainda bem que ele esqueceu as idéias de descobrir o passado. O melhor mesmo é viver e aproveitar a sorte que Deus lhe deu.

— É. Espero que ele não se deixe arrastar demais.

Nos dias que se seguiram os preparativos foram intensos, e no domingo Geraldo ofereceu um almoço aos amigos como teste final.

Na chegada, foram recebidos por Antônio, transformado em mordomo, que os conduziu à varanda, onde, à chegada das três mulheres, os dois rapazes levantaram-se. Jorginho não comparecera para deixá-los agir normalmente, a fim de as três ajuizarem o aproveitamento.

Humberto fixara residência no palacete, e, vendo-o, as três quase não o reconheceram. Pareceu-lhes mais alto e mais esbelto. A mudança do corte dos cabelos, agora penteados, assentados e brilhantes, tão ao gosto da época, tinha ressaltado o tamanho dos seus olhos castanhos e profundos. As mãos, manicuradas e com um anel de extremo bom gosto no dedo mínimo, pareciam mais longas e finas.

— Meu filho, como você mudou! — tornou D. Lucila, admirada.

— Melhorou!

— Bastante!

Corado com os comentários das três, ele não soube o que dizer e todos riram alegremente.

— Profissão, a que me obrigas! — tornou ele, tentando controlar a inibição.

— E eu? — fez Geraldo dando uma volta.

— Você, acho que deve já lavar sua cabeça. Não gosto do que lhe fizeram. — Maria da Glória a custo continha o riso. O primo não ficava bem com aquele tipo de cabelo requintado mas tão distante da sua personalidade. Ele suspirou aliviado.

— Num gostei, mas como num entendo disso...

Sentiu-se muito melhor quando tirou a brilhantina e deixou seus cabelos revoltos e soltos como sempre usara.

O almoço decorreu alegre e ultimaram os planos para a estréia durante a semana. Iriam aos lugares públicos freqüentados e aceitariam o convite do Dr. Olavo. Depois de certa resistência, Geraldo concordou com o plano do detetive, para usar com o Dr. Olavo as mesmas armas dele, a astúcia e a mentira, para descobrir mais.

O advogado, avisado por Antônio de que Geraldo pretendia ingressar em sociedade, reiterou prazerosamente o convite sempre renovado para um jantar em sua casa e comentou com Marilda.

— Eu sabia que ele ia ceder. Ninguém resiste à tentação do dinheiro. — Vendo-a concordar, continuou. — Afinal, esse matuto saiu-se mais esperto do que eu julgaria. Não se apressou. Primeiro preparou-se e agora vai lançar-se. É... ele sabe fazer as coisas!

— Como você quer esse jantar?

— Pouca gente, mas muito importante. Não viriam à nossa casa se não fosse pela curiosidade de conhecer o homem mais famoso e comentado dos nossos meios. Não vou perder essa oportunidade. Preciso aumentar meu prestígio.

D. Renata não conteve sua alegria quando viu os preparativos da filha, esmerando-se em escolher com cuidado seu guarda-roupa, ocupando-se com detalhes de elegância. Finalmente Maria da Glória interessava-se pela vida social, comentou com o marido.

— José, acho que as coisas caminham melhor do que esperávamos. Finalmente Geraldo vai freqüentar a sociedade, e Maria da Glória e Jorginho vão ciceroneá-lo. Não é ótimo?

Dr. Marcondes pareceu animar-se.

— Menos mau. Pode ser que isso melhore nosso crédito, que anda baixo. E vão acabar com os boatos e as gracinhas que fazem sobre essa malfadada herança.

— Só isso? Não vê que Maria da Glória está interessada nele? Nunca a vi esmerar-se tanto, estava linda. Disse-me que ia tomar chá na Vienense com o primo, Inês e um amigo dele do Rio que ele hospeda. Acho que logo estarão comprometidos. Mal posso esperar!

— Tudo vai bem, mas não sei, não! Ele é bronco e vai conhecer lindas mulheres. Pode virar a cabeça!

— Isso é. Mas Maria da Glória é inteligente. Não vai perder a parada.

— Assim espero. Porque Jorginho anda fazendo das suas. A custo vou tapando os buracos.

— É só uma fase. Vai passar.

Naquela noite, após o chá, reuniram-se em casa de D. Lucila, alegres e sorridentes. A entrada dos quatro na confeitaria elegante chamou a atenção geral. Geraldo sentiu-se meio ridículo diante do *maître*, mas as moças, muito à vontade, logo quebraram o impacto, com discrição e naturalidade, escolhendo a mesa onde se instalaram. À noite, Maria da Glória contava a D. Lucila com entusiasmo o interesse despertado por eles.

— Amanhã vão chover os telefonemas para minha casa. Espero convites também. Mas vamos esperar um pouco para aceitá-los.

— Por quê? — perguntou Geraldo, admirado. — Não estamos indo bem?

— Estamos. Mas precisamos valorizar nossa presença. Vamos deixá-los insistir um pouco e depois iremos.

— Isso mesmo — aprovou Inês. — Mas as moças ficaram muito interessadas. Acha que vão resistir?

— Não reparei nisso — ajuntou Geraldo, sério. — Não estou interessado. Só quero cuidar do nosso assunto.

— Ainda bem. Elas podem atrapalhar tudo — fez Maria da Glória, um pouco preocupada.

D. Lucila sorriu e considerou:

— Claro que vocês chamaram a atenção. São quase desconhecidos, jovens e bem-postos. Mas acho que estão exagerando. Com o tempo, tudo se tornará natural e vocês poderão trabalhar à vontade.

— Assim espero. Nunca tive um caso tão intrincado. Amanhã é o jantar na casa do Dr. Olavo.

— Nesse irão apenas os dois. Nós não somos convidadas. Acho que tudo vai sair bem. — Maria da Glória sorriu e continuou: — Espero que se divirtam!

— Você está caçoando. Conhece a mulher dele? — reclamou Geraldo.

— D. Marilda é a digna representante do marido.

— Pois é. Não gosto dela. Como vou agüentar esse jantar? Acho que, se me provocar, sou capaz até de dizer uns desaforo.

— Pelo amor de Deus, Geraldo. Não ponha tudo a perder. Se vai representar, tem que fazer tudo direitinho.

O moço olhou a prima com ar assustado.

— Mas que vai ser duro isso, vai.

Todos riram do ar desamparado do moço. Maria da Glória ficou séria, e colocando a mão no braço de Humberto, olhando-o fixamente, tornou:

— Confio em você. Cuide de vigiá-lo para não pôr tudo a perder. Sabe controlar-se melhor.

O moço sorriu.

— Pode deixar.

Foi com ansiedade que as três mulheres aguardaram as novidades no dia seguinte. Logo à entrada dos dois rapazes elas levantaram-se. Maria da Glória foi logo indagando:

— E então? Como foi tudo?

— Mal —disse Geraldo. — Gente aborrecida e perigosa.

— Mal? — tornou a moça, assustada.

Foi Humberto quem esclareceu:

— Mal porque foi aborrecido e Geraldo não gostou das pessoas. Mas muito bem quanto aos nossos planos.

As três suspiraram aliviadas.

— Que susto, Geraldo!

— Não gostei. Gente cheia de nove-horas e muito diferente de vocês.

— Geraldo ainda não se acostumou à etiqueta formal. Foram muito amáveis e alguns ofereceram a casa, até insistiram para irmos.

— Quem estava? — perguntou Lucila.

— Eis a relação dos nomes que tive o cuidado de anotar.

Humberto apresentou uma lista, que a velha dama percorreu com o olhar.

— Gente da alta. Conheço-os todos. Posso afirmar que o advogado aproveitou o prestígio de Geraldo para projetar-se nesse meio, onde nem sempre é bem-visto.

— Mas ninguém me conhece — protestou Geraldo. — Por que tenho prestígio?

— Seu nome, sua família, seu dinheiro, sua história, tudo provoca a curiosidade e desejo de conhecê-lo.

— Esse povo da cidade é mesmo abusado!

Eles riram e Geraldo ficou um pouco encabulado por ter usado aqueles termos. Tinha tanta finura de observação que percebia sempre quando voltava a expressar-se com a ingenuidade matuta do que fora.

— E o Dr. Olavo? — perguntou Maria da Glória. — Não estranhou sua presença?

— A princípio sim — tornou Humberto, animado —, mas eu o chamei em particular e pedi sua colaboração. Disse-lhe que ganhava mal como detetive e que Geraldo resolvera desistir daquele projeto de vingança; vendo-me aborrecido, desempregado, propusera-me o posto de cicerone, ou melhor, de um secretário que o ajudasse a entrar na sociedade. Agora, o que ele queria era esquecer o passado e aproveitar o dinheiro.

— E ele? — tornou a moça,

— Aceitou logo. Deu-me palmadinhas amistosas nos ombros e, olhando-me com malícia, afirmou: "Isso mesmo, rapaz! Fez muito bem. Aproveite a chance, que é única. Ser investigador é para gente que não tem a sua classe. Não resta dúvida de que é homem de sorte. Pode contar comigo. É claro que conto também com a sua colaboração. Sabe, o Geraldo não entende bem as coisas. Se você ajudar-me, faremos grandes coisas!"

— Que patife! — comentou Geraldo com raiva. — Nunca gostei dele.

— O mundo está cheio de oportunistas — fez Lucila. — Ainda bem que você é inteligente e astuto.

— Tive que concordar. Interessa saber até onde ele vai — considerou Humberto. — Penso até em simular que concordo. Se ele acreditar que pode tirar vantagem da situação, vai dar o serviço todo.

— Cuidado, Humberto — tornou Inês, pensativa. — Esse homem é perigoso.

— De malfeitores sei cuidar muito bem — sorriu o moço.

— Devia sorrir mais amiúde — tornou Maria da Glória com seriedade.

O moço perdeu o jeito, e ela continuou:

— Tem um belo sorriso, magnético, e bons dentes.

— Você deixa ele sem ação — comentou Geraldo, divertido.

— Falo sério. Se tenho que torná-lo elegante, preciso salientar seus ângulos favoráveis.

— Mas ele é um jovem que esconde um amor contrariado. Precisa ser triste — comentou Inês, divertida.

A moça não se deu por achada.

— É. Mas pode sorrir um sorriso meio triste. Fica romântico. Essas mocinhas tolas vão gostar muito.

Humberto irritou-se.

— Não pretendo agradar mocinhas tolas. Vou fazer um trabalho sério e pretendo desempenhá-lo bem. Não espero conquistar as mocinhas, que me irritam e que parecem avezinhas à espera de uma serpente que as engula.

— Calma — disse Maria da Glória sem alterar-se. — Não estamos exigindo tanto nem perguntando se gosta delas. Seus sentimentos não entram. Mas se quer obter êxito no que se propõe, não pode prescindir da amizade delas, que lhes vão abrir não só as portas das casas em que quer entrar como dar todas as novidades e boatos dos salões.

— Desculpe se me irritei. Não gosto de ser observado como você faz, como um objeto. Deixa-me nervoso. Reconheço que não tenho esse direito. Peço-lhe desculpas. Não vai acontecer de novo.

— Assim espero. Sabe que faço isso por causa do nosso objetivo. Já que estou participando, quero fazer tudo direitinho.

— Vamos tomar nosso chá — tornou Lucila, conciliadora.

Conversando animadamente, o grupo dirigiu-se à saleta onde seria servido o lanche.

Os dias que se seguiram foram de intensa atividade para eles. Geraldo tinha saudades das tardes calmas da casa de D. Lucila, quando apenas interessava-se em aprender a ler. A moça continuava a ministrar-lhe aulas, que ele aproveitava ao máximo, apesar dos horários tão diferentes dos que gostava e do torvelinho em que se metera.

Jorginho estava no auge do entusiasmo. Era tarde de gala no Jockey e eles não podiam perder. Já os tinha levado para assistir às corridas e Geraldo entusiasmara-se com a beleza do espetáculo. Quanto ao jogo, simplesmente abominava. Mas, aconselhado por Humberto e pelas moças, resolveu apostar, dispor de uma quantia que ele achou enorme mas as moças julgaram razoável à sua posição. Jorginho ofereceu-se para orientar nas apostas.

— Pode deixar que eu faço o jogo. Olha, no primeiro vai dar 12 na ponta e 23 na dupla.

Enquanto o moço foi ao balcão das apostas, os dois moços olhavam enlevados a beleza do espetáculo. A assistência requintada, belas mulheres, elegantes cavalheiros, o gramado, tudo parecia uma gravura colorida de um grande pintor.

— Que beleza! — comentou Geraldo.

— É um grande espetáculo.

— Só o jogo estraga tudo.

— É ele quem sustenta esse cenário, os empregados, tudo. Sem jogo, nada disso podia existir.

Geraldo comentou:

— Tudo que o homem faz é belo por fora e podre por dentro.

— Não está sendo muito severo?

— Dinheiro de jogo é dinheiro malvado. Tem quem deixa a família sem nada por causa do vício.

— Isso é. Mas só joga quem é fraco. Eu, por exemplo, não tenho dinheiro e não gosto de jogo. Dificilmente ele me levaria o dinheiro.

— É. Mas quem se deixa iludir está perdido. Veja o Jorginho. Quero ver se tiro o vício dele. Mas agora, até eu tô precisando jogar. Pode ter situação mais besta?

Humberto riu, divertido. A convivência com Geraldo tinha-lhe feito enorme bem. Habituado a lutar muito em ambiente adverso para poder progredir, tinha se tornado desconfiado e fechado. Jamais se abria com quem quer que fosse. Havia aprendido a desconfiar das pessoas. Mas com Geraldo era diferente. Sua franqueza às vezes até rude, sua ingenuidade, seu coração bondoso, sua simplicidade acompanhada da retidão de caráter e sua inteligência arguta tinham de início conquistado seu respeito, mas agora já ia da simples admiração até um profundo sentimento de amizade. Integraram-se tanto no papel que pretendiam desempenhar que acabaram por descobrir que apreciavam-se e era com prazer que trabalhavam juntos.

— Conhecer o mundo dele vai torná-lo mais seu amigo. Isso pode facilitar as coisas para você. Acha que se lhe fizesse sermão contra o jogo ele aceitaria?

— Isso não. Está apaixonado pelo vício. Ficaria com raiva de mim. Mas jogar também é demais!

Jorginho voltava eufórico. Suas mãos tremiam e seus olhos brilhavam dominados pela emoção.

— A outra vez, você não jogou. Agora vai ver realmente o que é emoção. Vamos ver, que já vai largar.

Segurando a pule, Geraldo observou o espetáculo e disfarçadamente olhava o rosto contraído do jovem primo. Jorginho suou, gritou, torceu as mãos, para cair extenuado e abatido.

— Era barbada. Não entendo como perdeu.

— Hum — fez Geraldo. — Eu entendo. Aquela égua jamais ganharia essa carreira.

— Mas agora, deixa comigo. O próximo é nosso. Sei com certeza quem vai ganhar.

— Se você não se importa, eu num gosto de botar dinheiro fora. Se não vê o bicho, num aposto.

— Você não conhece os cavalos. Deixe comigo. Sei tudo sobre eles.

— Está bem. Mas antes quero ver os bichos que você vai escolher.

— Vamos dar uma volta. Quero ver se tem alguém conhecido.

— Num grande prêmio, quem não está? — comentou Jorginho com ênfase.

Saíram. O hall fervilhava, murmúrios, flertes, palpites. A presença dos três provocava comentários por onde passassem. As moças cochichavam e sorriam para Jorginho, querendo que o rapaz parasse para falar-lhes. Mas o moço estava imerso em sua paixão e não podia pensar em nada naquela hora que não fosse o próximo páreo.

Aproximaram-se da entrada das cavalariças, onde os cavalos já alinhavam-se, encaminhando-se nervosos para a pista. Alguns até já dirigindo-se para os boxes de largada. Geraldo olhou fixamente para eles.

— Então — disse Jorginho. — Vamos apostar antes que seja tarde. Agora, vai ganhar o número sete e na dupla o cinco.

Geraldo sacudiu a cabeça.

— Qual nada. Esse cavalo num está muito bem. Nem parece disposto a correr.

— Isso não. Já ganhou vários prêmios e é o favorito.

— Pois o meu dinheiro você bota no 3 e no 9.

Jorginho assustou-se.

— No 9? Esse nunca vai ganhar. Todas as opiniões são contrárias. Estava mal no treino de ontem.

— Já disse, o meu dinheiro você joga nesses dois.

— Está bem — suspirou Jorginho, conformado. — Afinal, é seu o dinheiro.

Enquanto o moço foi fazer a aposta, os dois retornaram a seus lugares. Humberto olhava Geraldo, divertido. Podia ser que os cavalos perdessem, mas não podia deixar de reconhecer que ele tinha forte personalidade. Era essa firmeza, essa confiança em si mesmo que ele muito apreciava. Geraldo estava muito à vontade, olhando tudo com tranqüilidade.

Humberto tornou:

— Tem certeza de que eles vão ganhar?

— Pelo menos eram os melhores. Cavalo é preciso conhecer. São como gente. Tem dia que estão bem e com vontade de lutar, e tem dia que estão desanimados, cansados.

— Pode ser. Mas como ver tudo isso assim, numa olhada?

— Já lidei muito com cavalos. Posso até dizer que durante muito tempo eles foram para mim os únicos amigos.

— Não sabia que entendia disso.

— Gosto deles. Por isso acho que os homens judiam muito e se aproveitam dos pobres animais. Quando menino, soltei muito cavalo de peão malvado e de fazendeiro ruim. Nunca mais acharam eles.

Jorginho voltava. O páreo ia começar e os alto-falantes já anunciavam a largada.

— Tome suas pules. Você quem pediu.

— Você apostou?

— Claro. Mas não nesses.

Foi anunciada a largada e o suspense começou. A multidão sôfrega, e o clamor aumentava à medida que eles disputavam os primeiros lugares. Jorginho vibrava com seu cavalo na frente, mas seu entusiasmo esmoreceu ante a avançada dos concorrentes. Gritou, ficou rouco, torceu, mas enrubesceu de raiva. Ganharam o 3 e o 9: Geraldo acertara em cheio.

— É muita sorte. É o que eu digo, dinheiro chama dinheiro. Foi isso. Puro acaso de novato. Não é possível.

Geraldo continuou impassível.

— Sabia que eles iam ganhar.

— Como? Como pôde?

— Foi fácil. Eles tinham garra. Logo vi. Estavam felizes.

Jorginho explodiu na risada.

— Felizes?! Veja, Humberto, cavalos felizes! E dizer que deu certo.

— Já disse que cavalo é como gente. Se trabalha feliz, rende tudo que pode.

— Vamos receber e fazer as apostas.

Para Geraldo isso não era muito importante. O que o preocupava era a fisionomia do primo, sua avidez, a volúpia apaixonada de seus olhos, suas mãos nervosas e trêmulas. Sentiu imensa pena dele. Conseguiria arrancá-lo do vício? O moço parecia mergulhado até o fundo.

Enquanto Jorginho foi retirar o dinheiro, Geraldo comentou:

— Preciso dar um jeito nele. O pobre menino está possesso.

— Não vai ser fácil — comentou Humberto. Profundo observador, ele também temia pelo futuro do moço, notando-lhe o ricto nervoso e o mergulho nas emoções descontroladas.

— Vou ganhar a confiança dele. Preciso jogar hoje e ganhar para ele me admirar mais. Assim, vai fazer o que eu disser.

Humberto sorriu:

— Você entende de psicologia. Como, eu não sei. Mas para ganhar todos os páreos, precisa ser até adivinho. Acha possível?

— Vou tentar. Vou olhar os bichos. Acho que posso ver quais os melhores. Palpite, eu sempre tive bom. Olho uma pessoa e sei se presta ou não. Os cavalos são a mesma coisa. Olho e sei se são bons ou não.

Não tinha lógica, mas Humberto divertia-se a valer. Geraldo era um tipo raro. Quanto ao seu "faro", parecera-lhe sempre fino e apurado, porquanto, apesar de criado no mato, ninguém conseguira ludibriá-lo.

Jorginho, que da outra vez duvidara, agora não comentou. Ouviu a opinião de Geraldo e apostou nela. Ficou eufórico. O primo parecia ter um raio X no olhar. Batia o olho e dava o palpite. Tudo certo. Da dúvida passou à extrema alegria. Tinha descoberto uma mina de ouro.

Com o primo ao lado, ganharia uma fortuna. Devolveria ao pai o dinheiro que ele perdera e ainda construiria seu futuro.

Enquanto o primo não percebia nada além dos animais e das corridas, Geraldo observava as pessoas ao redor nas sociais onde estavam. Divertia-se imaginando que tipo de pessoas seriam. Muito bem vestidas, procurando dar um ar divertido às fisionomias, mas nem todos felizes. Mais atrás, uma senhora em companhia de um cavalheiro e uma moça, cuja beleza atraiu a atenção de Geraldo. Há algum tempo que a observava. Parecia indiferente ao que se passava na raia. Seu olhar parecia ansioso, e com certa insistência, que buscava dissimular, fixava as fisionomias como se procurasse por alguém.

Tipo moreno, pele delicada, cabelos escuros quase negros, apesar de penteados com cuidado, deixava perceber suas ondulações suaves. Parecia triste e angustiada. O que teria? Geraldo olhava-a curioso, e quando seus olhos se encontraram em instante rápido o moço não pôde esconder sua admiração, sem saber se diante do azul profundo daqueles olhos enormes ou do contraste exótico que formavam naquele rosto moreno. Fixou-o com indiferença, mas o moço pôde perceber com a argúcia que lhe era peculiar que ela parecia distante, como que procurando alguém, e Geraldo sentiu mais do que viu a ansiedade da moça.

Devia ser moça fina, pensou ele, vestia-se muito bem e era lindíssima. Não estava feliz, embora tentasse controlar-se. Por quê?

Enquanto isso, Jorginho, no auge do entusiasmo, gritava na torcida, e até Humberto, entusiasmado com o palpite de Geraldo, vibrava contente. Só ele estava distraído, observando a moça disfarçadamente enquanto que ela, com um binóculo, parecia acompanhar o desenrolar do páreo.

De repente, ele a viu estremecer. Sua boca linda e bem desenhada contraiu-se em um ligeiro ricto de susto, enquanto que lhe pareceu que ela titubeava.

Seguiu-lhe a direção do binóculo e procurou perceber o que a incomodava. Não era o páreo em andamento, com certeza. Não conseguiu descobrir o que a agitava tanto. O local regurgitava, era difícil distinguir quem a emocionava a ponto de fazê-la quase perder o controle.

Jorginho o abraçou eufórico:

— Ganhamos, Geraldo! Ganhamos! É sensacional. Um corpo e meio na frente! Puxa, que sorte!

Pulava feliz e Geraldo sorriu. Parecia em forma com seu palpite.

— Agora, o último páreo, o mais importante. Não podemos perder. Vamos lá ver os bichos.

No seu entusiasmo, Jorginho chegava a falar como Geraldo.

— Não vai receber? — perguntou Humberto, divertido.

— Claro. Mas antes vamos ao próximo palpite.

Jorginho foi, arrastando o primo entre a multidão. Conformado, Geraldo procurou examinar os animais e deu sua opinião. Dessa vez, até Humberto apostou. Geraldo, enquanto os outros dois dirigiam-se aos guichês, foi andando pelo interior do clube. No hall, divisou a moça dos olhos azuis e imediatamente foi atrás. Não tencionava abordá-la. Era apenas curiosidade. No bar, um rapaz muito requintado. Ela dirigiu-se a ele. Parecia descontrolada. É um almofadinha, pensou Geraldo. Não podia ouvir o que diziam, mas pareciam discutir. Ele tentando explicar, ela nervosa. Geraldo observava-os discretamente.

Saíram para o jardim e o moço, como que atraído por um ímã, seguiu-os. Procuraram um canto solitário e sentaram-se em um banco sob uma árvore.

Geraldo, oculto sob um arbusto, observava-os. De repente, o almofadinha retirou-se, deixando-a só. Ela, que até então se controlara, depois que o rapaz a deixou caiu em pranto convulso, lutando para abafar o som dos soluços que teimavam em sacudir-lhe o peito oprimido.

Penalizado, Geraldo não sabia o que fazer. Não suportava ver gente sofrer. Ficou acanhado, mas, não podendo resistir, aproximou-se comovido.

— Posso ajudar?

Com ligeiro grito de susto ela tentou voltar-lhe as costas, procurando dissimular. Mas a emoção era muito forte e a moça não podia controlar o tremor, embora engolisse o pranto envergonhada.

Geraldo, com calma, tomou o lenço e ofereceu-o. A moça olhou seu rosto expressivo e sério. Apanhou o lenço, escondendo o rosto nele.

— Desculpe — tornou ela com voz trêmula. — Foi mais forte do que eu. Mas já vai passar.

— Pois chore à vontade. Nesse mundo louco, todos temos vontade de protestar. Às vezes, é nosso único direito, chorar! Desabafe que faz bem. Eu também já chorei muito. Sei que alivia.

A moça, como que confortada pelas palavras do moço, chorou sentidamente. Ele observava-a discretamente, condoído pelo seu desespero. Quando serenou, ela observou com voz triste:

— Preciso retocar a pintura. Minha mãe não pode saber. Ele, muito menos.

Tomou a bolsa e apanhou o estojo de pó-de-arroz, abrindo-o e olhando-se no espelho.

— Que lástima. Meus olhos estão vermelhos. Como fazer?

— Pode dizer que entrou cisco.

— É. Vou colocar óculos de sol.

Enquanto a moça refazia a maquilagem, Geraldo a observava curioso. Era mais linda de perto, apesar do rosto um pouco descomposto.

— Que tal estou? — perguntou olhando-o de frente. — Dá para perceber?

— Eu já tinha visto sua ansiedade quando você estava lá dentro, mas como se controla muito bem acho que ninguém vai perceber.

— Deve pensar que sou desequilibrada — tornou ela, envergonhada.

— Pelo contrário. Nunca vi tanto controle. Você esteve o tempo todo procurando alguém.

— Notava-se tanto?

— Não. Pode ficar sossegada. Mas eu estava perto. Não gosto muito de carreiras; por isso, olhava as pessoas,

Ela observou-o um pouco curiosa. Que tipo raro! Roupas finíssimas, rosto muito simpático, mas não sabia o que era diferente nele. Nunca o tinha visto antes, o que de certa forma confortava-a. Se alguém conhecido a tivesse visto, que vexame!

— Por que veio, então? — indagou mais por polidez e para dar tempo de se controlar e voltar para o lado dos pais.

— Porque meu primo está viciado neste negócio e eu quero ver se ajudo ele.

"Que linguagem diferente!", pensou ela. Querendo distraí-la de suas preocupações, ele continuou:

— Pois é. Preciso tirar o vício dele, mas não é fácil. Perdeu toda a fortuna do pai e agora está afundando a família.

— O jogo é uma desgraça. Sem querer desanimá-lo, acho difícil.

— Eu também. Hoje tentei um plano para ganhar mais a confiança dele. Achei que se acertasse todos os páreos ele me ouviria.

Ela não pôde deixar de sorrir, apesar de sua tristeza. Que original! Estaria divertindo-se à sua custa?

— Claro, num é muito fácil. Mas eu acho que vou conseguir. O primeiro ele escolheu, e como é a primeira vez que aposto, deixei. Mas como ele perdeu, fui ver os cavalos e assim é fácil ganhar. Acertei todos os outros. Só falta esse que está correndo agora.

— Tem muita sorte — tornou ela, admirada. Estaria dizendo a verdade? Olhando o rosto sério do moço, ela viu que ele não brincava. Tentou ser amável.

— Vem aqui pela primeira vez?

— É.

— Nunca quis vir antes?

— Não. Eu morava no mato. Vivi em Mato Grosso muitos anos. Por isso conheço cavalos, mais do que gente.

A moça compreendeu por que ele era diferente.

Preciso ir levantou-se. — Muito obrigada pela ajuda. Desculpe a cena desagradável.

— Ainda é cedo. Não aprecia a minha conversa?

A franqueza do moço deixou-a surpreendida.

— Pelo contrário. Você é muito agradável. Mas minha mãe espera-me, deve estar me procurando. Não quero que ela perceba o que houve. Por isso, preciso ir.

— Pelo menos posso saber seu nome? O meu é Geraldo. Tenho cartão. Se você quiser um amigo para desabafar, lembre-se de mim. Já sofri muito na vida, sei o que é sentir solidão.

— Como sabe que me sinto só? Vivo com meus pais.

— Tem mais sorte do que eu, que sou órfão. Mas, ainda assim, acho que se sente só. Ficaria contente em ver você de novo e em ter sua amizade.

O olhar do moço era tão franco e simples que ela apanhou o cartão, apertou-lhe a mão com cordialidade e disse, gentil:

— Foi bom conhecê-lo, ainda que numa hora difícil da minha vida. Agradeço-lhe o interesse. Sei que nos veremos de novo. Sou Maria Luísa. Muito obrigada por tudo.

Geraldo, olhando dentro daqueles olhos azuis, sentiu-se bem. A moça parecia-lhe sincera. Vendo-a afastar-se elegante, deixando uma onda de perfume no ar, ele pensou:

— Quem diria que carrega tanto sofrimento no coração!

Apesar da euforia do primo tendo ganho o grande prêmio, e das comemorações e brincadeiras, onde Geraldo a custo procurou impedi-lo de consumir todo o dinheiro ganho, e que era quase uma pequena fortuna, o rosto da moça não lhe saía do pensamento. Quanta emoção naquele rosto diferente. O que fizera-a chorar tanto? Um caso de amor? Talvez, porquanto surpreendera o moço que discutira com ela ao lado de uma jovem muito bonita, que estava languidamente pendurada em seu braço, não deixando dúvidas quanto ao relacionamento amoroso entre eles. Seria esse o problema? Traição? Ciúme? Abandono? Haveria de descobrir.

— Jorginho — apressou-se a perguntar —, conhece aquele moço?

— Qual? O de terno cinza?

— Sim.

— Conheço. É o Roberto. Por quê?

— Curiosidade. O que ele faz?

— É de muito boa família. Estuda Direito.

— E a moça, o que é dele?

— Deve ser novata. Não a conheço, mas parece namorada, pelo jeito. Gostou dela?

— Não é isso. Só queria saber.

Quando conseguiram desvencilhar-se do primo eufórico, já era noite, e Geraldo foi para casa com Humberto.

— Geraldo. O que houve com você hoje lá?

Geraldo sorriu, alegre.

— Não nega que você é detetive. Num escapa nada.

— É. Acho que aconteceu alguma coisa. Você ficou pensativo, sério. É segredo?

— Nada disso. Você é meu amigo. Não tenho segredo nenhum.

Geraldo relatou seu encontro com a moça. — Você precisava ver. Nunca vi tanta coisa nos olhos de uma mulher.

— Cuidado com ela, Geraldo. Pode abalar seu coração.

— Qual o quê. Estou só curioso. Depois, num posso ver gente sofrer. Ainda mais ela, tão bonita.

— Por que não perguntou o sobrenome? Poderíamos procurá-la. Não gostaria de revê-la?

— Claro. Mas acho que isso vai acontecer. Dei meu cartão a ela.

— Quando nos interessamos por alguém, é melhor não perder de vista. São Paulo é muito grande. Você corre o risco de não mais a encontrar. E se ela não o procurar?

— É verdade. Ela vai lembrar-se de mim. Acho que ficamos amigos.

Humberto sacudiu os ombros.

— Com você, tudo pode acontecer. Depois do que fez hoje, não duvido de mais nada.

— Aquilo dos cavalos foi pura sorte. Conheço os bichos, mas não tinha certeza se podia acertar tudo.

— Agora, prepare-se. Seu primo não vai mais sair de perto. Acha que encontrou uma mina de ouro!

— Isso ele pensa! Deixe comigo. Vou dar um jeito nele.

— Estou começando a pensar que com você ninguém pode. É bem capaz de vencer a parada. Aliás, eu faço votos e ajudo se puder. Viu como ele tremia de emoção?

— Vi. Vai ser duro mudar. Mas gosto dele. Não é ruim, e depois, Maria da Glória pediu. O que ela quer é ordem.

— Você gosta dela?

— Claro.

— Está apaixonado por ela?

Geraldo olhou-o com ar matreiro.

— Gosto dela como de uma irmã. E você?

— Não brinque. Sou um pobre coitado sem eira nem beira. Jamais poderia pensar nela.

— Por quê? Só pelo dinheiro?

— Não é só isso. Não tenho nome, posição, cultura, nada. Ela nunca me aceitaria, se eu a amasse.

Geraldo olhou-o de frente.

— Fala sério? Gosta dela?

— Esqueça o que eu disse. Por favor. Foi um pensamento bobo.

— Num acho. Você anda pensando nela. Confesse.

— Na verdade, nunca vi uma mulher como ela, linda, culta, inteligente. Sabe o que quer, tem opinião. Franca, sincera, valente.

Geraldo riu, divertido.

— Você já caiu no laço.

— Não brinque. Isso seria impossível. O que posso oferecer?

— Você é bom e trabalhador. Conheço minha prima. Se ela gostar de você, não vai pensar em mais nada.

— Mas ela não gosta. Nem sequer me olha. Sempre pensei que estivesse apaixonada por você.

— Engano seu. Nos queremos muito bem, mas amor é outra coisa que eu nunca senti e ela nunca teve. Se gosta dela, trate de lutar por isso.

— Você se esquece de que a família dela é muito importante e o Dr. Marcondes jamais consentiria nosso amor.

— Já pensou nisso, pelo jeito — gracejou ele.

— Não. Acho que não. Foi um pensamento que me ocorreu agora.

— Sem razão de ser. O que é ele, senão um homem arruinado? Acho que até está pobre. Depois, se ela quiser, ninguém vai impedir.

Humberto suspirou.

— Se ela quiser! Para ela eu nem sou gente. Não vê como me trata?

— Não vejo, não. Parece-me que ela o aprecia.

— Você é meu amigo. Vê tudo com bons olhos. Preciso tirar isso da minha cabeça.

— Às vezes eu gostaria de conhecer o amor. Mas qual, o melhor é não me deixar levar. Pobre de minha mãe, como sofreu. E meu pai, então?! Não. Acho que eu nunca vou amar. Não vale a pena.

E o moço, pensativo, fechou os olhos, enquanto que pelo seu íntimo começou a reviver as cenas dolorosas de sua vida. Esqueceu a moça, os primos, tudo, para lembrar-se apenas de que precisava descobrir a verdade para poder se vingar.

Capítulo 9

Jorginho chegou em casa cedo naquela noite. Ia feliz e excitado. Encontrou os pais na sala. Dr. Marcondes lendo os jornais e D. Renata folheando uma revista de moda. Vendo-o, admiraram-se. O moço nunca voltava cedo para casa.

— Meu filho! O que aconteceu? — inquiriu Renata, levantando-se.

O moço abraçou-a, radiante.

— A fortuna, mamãe. Estamos feitos. De agora em diante voltaremos a ter dinheiro como antes.

Dr. Marcondes deixou o jornal, interessado.

— Como assim? — indagou ela.

— Descobri um jeito de ganhar sempre.

— Ah! É isso — resmungou Dr. Marcondes, desanimado. Não acreditava em vitória no jogo. Fora dessa forma que atirara todo seu dinheiro fora, e só parara porque o filho o tinha superado na queda vertiginosa.

— Falo sério! Hoje ganhei em quase todos os páreos. Olha!

Alegre, tirou um maço de notas e jogou-as displicentemente sobre a mesinha.

— Hoje, por acaso — fez o pai, descrente. — Mas amanhã esse dinheiro volta para eles. Pode crer. Eu joguei mais de vinte anos e nunca vi ninguém enriquecer com o dinheiro de jogo. Com exceção dos banqueiros. Mas vi muitas fortunas consumidas e alguns suicídios escandalosos. Foi só. Por isso, parei.

— Comigo será diferente. Descobri um meio de ganhar sempre. De agora em diante, tudo vai mudar.

Renata, feliz com a alegria do moço, tornou, conciliadora:

— Deixa seu pai. Conta o que aconteceu. Como é essa forma de acertar sempre?

— Foi o primo. Ele parece que tem um raio X nos olhos. Olha os "bichos", como ele fala, e zás, vem o palpite. Não errou uma vez sequer. Acertou até as barbadas.

— Como pode ser isso?

— Não sei. A princípio, foi no meu palpite e perdemos, mas do segundo páreo em diante não errou um, e eu, claro, fui no palpite dele. Acreditem, achei uma mina de ouro!

Renata estava boquiaberta. Esse homem parecia ter parte com o diabo.

Dr. Marcondes irritou-se:

— Isso foi porque ele era neófito. Quero vê-lo repetir a façanha. Depois, o miserável tem tanto dinheiro e tanta sorte que é capaz de ganhar mesmo.

— Você fala dele de um jeito que eu não gosto. Geraldo é meu amigo e eu o aprecio.

— Um caipira analfabeto e ignorante — resmungou o pai, enraivecido.

Jorginho enervou-se:

— Pode ter vindo do mato e não conhecer a cidade, mas garanto que ele conhece coisas que você nem pensa e tem tanta inteligência que não admira se em pouco tempo ele se tornar o homem mais importante desta cidade. No clube, no Jockey, em todos os lugares, ele tem feito muito sucesso. Todos estão ansiosos por conhecê-lo de perto, e quando o conhecem o admiram.

— Também, com tanto dinheiro! É claro que vão beijar o chão onde ele pisa!

— Não é só por isso, não. Ele é único, original, e vocês sabem como no meio de tanta gente banal um original pode liderar. Não dou muito tempo para os almofadinhas copiarem seus modos, seu corte de cabelo, seu jeito. Vocês vão ver. Ainda mais agora, que ele desistiu de vingar-se e vai viver em sociedade.

— Ele pretendia vingar-se? De quê?

— Ele queria descobrir quem foi o culpado pela separação de seus pais. Acha que alguém planejou tudo de propósito.

— Que idéia! — fez Dr. Marcondes com voz trêmula.

— É. Contratou até um detetive particular para investigar.

— Não diga! — admirou-se Renata. — E o que descobriu?

— Nada. Desistiu. Achou melhor levar a vida e aproveitar o dinheiro. Afinal, ele é moço!

— Fez muito bem. O passado foi claro e não há nada para descobrir. Foi uma idéia maluca — tornou Renata com frieza.

— Isso não importa. O que é bom é ter dinheiro, e isso agora vai ser fácil.

— Não tenho o seu otimismo — tornou o pai, desanimado.

— Pois você verá. Tome mamãe, este dinheiro. É um presente. Compre o que quiser.

Renata apertou o maço de notas com orgulho. Era o primeiro dinheiro que seu filho lhe dava. Iriam as coisas melhorar? Sorriu, satisfeita. Finalmente. Quando o moço, cantarolando alegre, subiu para seus aposentos, Renata permaneceu absorta por alguns minutos. Depois, tornou:

— Que bom, José. Finalmente parece que as coisas vão mudar.

— Parece-me muita fantasia. Pura sorte. Isso eu não nego que ele tem. Mas a sorte é caprichosa, varia muito. Nunca vi ninguém ganhar sempre.

— Eu acredito. Ele pode ser vidente. Ter o sexto sentido.

Dr. Marcondes riu nervosamente.

— Essa não! Só a sua brilhante inteligência podia pensar nisso. Vidente! Isso não existe. É alucinação. O mundo está cheio desses charlatões e você já deu muito dinheiro a eles para saber o nosso futuro. Alguém viu algo de bom para melhorar nossa vida?

— Isso não é assim como você pensa. Você não acredita, só eu que vou fazer as consultas. Mas já tirei você de muitos embrulhos na casa de D. Mariquinhas.

— Coincidência. Pura coincidência. Por que ela não dá o número do bilhete da loteria? Assim, todos os nossos problemas se resolveriam. Qual, não acredito nisso. É coisa de gente ignorante. Ela mesma mora no subúrbio. Por quê? Não consegue nem melhorar a própria vida. Como pode ajudar os outros? Levou nosso dinheiro, isso sim.

— Não adianta falar com você sobre isso. Ela acertou muita coisa. O dinheiro era preciso para ela comprar o material. Você não quer que ela financie seu futuro! Seria demais. Depois, ela tem que viver. Se trabalha, deve ganhar. Acho justo.

— Pois eu acho besteira. Isso serve de nada. Essa então do primo ganhou! E você ainda aceita! Não vê que não vai dar certo?

— Pois eu acho que vai. Ele pode mesmo ter o sexto sentido. Ver o cavalo que vai ganhar. Na França tem um homem que conseguiu isso. Eu li na revista.

— Está bem, não vamos discutir. Seria até bom que fosse verdade. Já nem digo para ganhar sempre, mas que pelo menos ele conseguisse não perder. Porque na verdade, Renata, se ele perder agora uma só quantia mais volumosa, não vou poder pagar. Até nem sei se terei dinheiro para pagar todas as letras e as contas deste mês.

— Para as despesas da casa eu tenho, do meu, é claro, graças aos meus queridos pais. Porque de você só espero desgostos. Também, com o seu pessimismo! Pobre Jorginho, não tem apoio do pai para nada.

Enraivecido, o Dr. Marcondes apanhou o jornal e mergulhou nele; porém, seus pensamentos de revolta e de ódio alcançaram a figura do próprio pai nos acontecimentos passados e acabaram na figura de Geraldo, em quem ultimamente se concentrava o seu rancor. Se ele não tivesse aparecido... Se ele não tivesse voltado, todos os seus problemas estariam resolvidos.

Os dias que se seguiram deixaram o Dr. Marcondes mais acabrunhado. Na verdade, não gozava de grande conceito como advogado. Ganhar dinheiro com uma profissão da qual não gostava muito e pouco uso fizera era-lhe difícil. As causas que lhe apareciam eram de alguns clientes pobres e mal lhe proporcionavam verba para cobrir as despesas. Precisava arranjar um sócio. Talvez unindo-se a outro pudesse melhorar suas condições. As coisas iam de mal a pior.

Jorginho, entretanto, estava feliz, gastando por conta da fortuna que iria ganhar. Tal era seu devaneio que mal podia esperar. Quando no sábado Geraldo disse-lhe que não iria ao hipódromo no domingo, ficou muito nervoso.

— Como? Não quer ir? Geraldo, você está na fase boa da sorte, tem que aproveitar!

— Você sabe, primo. Não gosto de jogo. Fui só conhecê, fazer-lhe companhia.

— Você conseguiu a maior façanha do século e desiste? Não acredito no que estou ouvindo. Não pode ser verdade!

— Mas é. Eu não gosto mesmo de jogo. Que tal fazermos outro passeio? Você vem almoçar comigo e depois vamos a um cinema. Gostaria também que você conhecesse algumas amigas minhas.

Jorginho a custo continha a decepção.

— Olha, Geraldo, eu estou precisando de dinheiro e contava ganhar amanhã. Você podia ir comigo à tarde ao Jockey e depois, na saída, iríamos ver seus amigos.

Fitando o rosto ansioso do primo, Geraldo tornou, conciliador:

— Bem, amanhã ao almoço resolveremos. E hoje, aonde vamos?

— Gostaria de ir ao teatro?

— Isso. Acho que Humberto vai apreciar.

— Procópio Ferreira está no Boa Vista com *Deus lhe Pague*. Vale a pena. Eu já vi, mas irei novamente com prazer.

Jorginho evitou falar novamente no assunto que lhe interessava. À noite poderiam voltar a ele, e guardava a esperança de convencer Geraldo a acompanhá-lo às corridas.

À noite, a platéia do teatro regurgitava, casa lotada. Em uma frisa os três moços conversavam animadamente. Binóculo nas mãos, Jorginho perpassava os rostos femininos da platéia.

— Veja, Geraldo, quanto moça bonita!

Geraldo tomou o binóculo e curioso percorreu os rostos para, surpreendido, fixar-se em dois enormes olhos que já conhecia. Interessado, perguntou ao primo.

— Conhece aquela moça de vestido azul, sentada na frisa à esquerda?

— Deixe ver... — apanhou o binóculo. — Qual, a que está com o Dr. Viana?

— A moça morena, de grandes olhos azuis.

— Já sei, é a Maria Luísa.

— Esse é o nome dela. Você a conhece?

— Claro. É moça da sociedade. Tem olhos maravilhosos.

— Fale-me dela.

O primo riu.

— Interessado?

— Conversamos no outro dia. Quero saber quem é.

— É filha de D. Aurora. Aliás, por coincidência os pais dela foram amigos de seus pais.

— Como assim?

Humberto interveio.

— Ela é filha do Dr. Álvaro, cujo drama todos conhecemos?

— Exatamente.

Geraldo empalideceu.

— O que sabe sobre isso? — perguntou, tentando encobrir a ansiedade.

— Pouco. Na ocasião, eu nem tinha nascido. Sei o que ouvi comentar. D. Aurora foi apanhada com outro pelo marido, que atirou em ambos. Quando ela melhorou, foi para a Europa com a filha, que tinha meses, e o outro morreu. O Dr. Álvaro tentou o suicídio. Aliás, foi seu pai quem tratou dele. Era muito seu amigo. Houve quem insinuasse que Maria Luísa não era filha do Dr. Álvaro. Mas tiveram que dobrar a língua, porque a menina é parecida com ele, de quem herdou esses olhos azuis maravilhosos.

Geraldo procurou controlar sua emoção.

— E as outras pessoas que estão na frisa?

— São os pais dela. D. Aurora e o segundo marido. Aliás, um engenheiro muito respeitado. O Dr. Viana é muito conceituado. E Aurora, depois do escândalo do primeiro casamento, tem sido irrepreensível. Hoje, tudo foi esquecido, e se alguém menciona o caso, põe em dúvida sua veracidade, achando que o Dr. Álvaro pode ter se enganado ou, quem sabe, armado uma farsa.

Foi com esforço que Geraldo manteve o controle. O primo não devia saber que ele continuava investigando o passado. Era afoito, poderia por tudo a perder. Apesar de a peça ser envolvente e Geraldo fingir-se interessado, não conseguia tirar o pensamento da moça. Quando Jorginho no intervalo afastou-se um pouco para cumprimentar alguns amigos, Geraldo comentou:

— Precisamos nos aproximar deles. Como fazer?

— Você já conhece a moça, o que foi muita sorte. Pode mostrar-se interessado por ela e ninguém desconfiará de nada. Afinal, você não vai mentir mesmo.

— É. Ela é diferente. Mas o que me interessa é descobrir o passado. Acha que devo procurá-la?

— Claro. A ocasião é única. Olha, ela está saindo do camarote, talvez seja a ocasião.

Levantaram-se rápidos e saíram por sua vez para o hall, onde as pessoas trocavam idéias e cumprimentos. Geraldo dirigiu-se à moça com firmeza.

— Como vai, Maria Luísa?

Ela parou, surpreendida.

— Você! Que surpresa!

— Por que, não esperava ver-me?

— No teatro, confesso que não. Gosta de teatro?

— É engraçado. Gente grande brincando de faz-de-conta.

Ela riu, divertida.

— Fiquei esperando, você não me telefonou.

— Sinto muito. Sabe que estou com seu lenço? Pretendia devolvê-lo, mas fiquei acanhada de incomodá-lo. Esperava um encontro casual para isso. Andei com ele na bolsa e, por incrível que pareça, não o trouxe esta noite.

— Pois eu quero o lenço e vou buscá-lo em sua casa.

A moça surpreendeu-se. Respondeu delicada.

— Certamente. Terei muito prazer em recebê-lo e apresentá-lo à minha família. Contudo, posso mandá-lo por um portador.

— Sabe por que não mandou? Porque eu não ia gostar e você sabia que eu preferia conversar pessoalmente. Você não me aprecia? Não aceita minha amizade?

A moça riu, desarmada. Geraldo tinha o dom de quebrar a formalidade e ser natural. Olhou-o firme nos olhos. Ele parecia-lhe bom e leal. Estendeu a mão.

— Claro. Somos amigos.

Ele apertou a mão nervosa da moça.

— Desejo muito sua amizade. Quase toda a minha vida tenho vivido só, no mato. Cheguei aqui e não conheço quase ninguém. Agora, estou fazendo amigos.

— Certamente.

Maria Luísa abriu a bolsinha delicada e retirou um cartão.

— Eis meu endereço. Vá em casa tomar um chá conosco. Às quintas-feiras sempre recebemos amigos. Apareça às cinco horas.

— Certo. Irei com prazer.

A moça despediu-se e o coração de Geraldo batia descompassado. Humberto aproximou-se:

— Então?

— Estou emocionado. Quinta-feira iremos a um chá em casa dela. As coisas estão começando a dar certo.

— Ótimo. Precisamos não despertar suspeitas. Controle-se.

— Tem razão.

— Cuidado. Nunca vi olhos tão bonitos.

— Parece uma gata. Nunca vi ninguém assim.

Humberto riu.

— Vamos, que vai iniciar o segundo ato.

Durante o resto do espetáculo, Geraldo, embora fixasse o palco, tinha a atenção voltada para frisa de Maria Luísa. Sua mãe era uma bela mulher, conservada e fina. O padastro, um homem distinto, cabelos grisalhos, fisionomia austera porém agradável. Maria Luísa, porém, estava mais linda. O brilho de seus cabelos, o penteado, o vestido azul-escuro realçando a cor de seus olhos, os brilhantes que enfeitavam suas orelhas, o tom aveludado de sua pele, faziam-na parecer uma gravura ou um quadro de um grande artista.

Ia ser difícil para Geraldo esperar o dia aprazado. Jorginho, por sua vez, só pensava em como levar o primo às corridas no dia seguinte. Resolveu não contrariá-lo. Afinal, sem ele, nada adiantaria. O primo era teimoso, tinha que ter paciência e ser jeitoso.

Foi almoçar com ele conforme o combinado, e na varanda, enquanto saboreavam o café, voltou ao assunto. À medida que o horário se aproximava ia se sentindo nervoso.

— Geraldo, vamos agora até o hipódromo. Passaremos uma tarde agradável e eu resolvo meu problema financeiro. Estou sem dinheiro para passar a semana. Acho que preciso libertar-me de meu pai. Que diabo, sou um homem!

— Concordo plenamente — disse Geraldo. — Você precisa libertar-se financeiramente.

— Então. Se me ajudar a ganhar, vou fazer minha independência.

— Não acredito.

Jorginho se doeu. Não estava habituado a ser contrariado; pelo contrário, sua mãe alimentava suas fantasias.

— O que fez da pequena fortuna que ganhou no domingo? Tinha o suficiente para passar bem não só a semana como vários meses.

O moço perturbou-se.

— Não foi muito. Tinha dívidas a pagar e dei para minha mãe. Contava ganhar hoje.

— Não acha que está contando com o ovo antes da galinha botar?

— É... Acho que me precipitei. Mas também nunca vi ninguém como você. Juntos, vamos quebrar a banca.

— Jorginho, isso é ilusão. O jogo é caprichoso. A sorte muda.

— Não com você. Está com a bola branca. Vamos lá, primo, só hoje e eu prometo que não gasto o dinheiro à toa. Fiquei eufórico, nunca vi ganhar desse jeito.

— Olha, Jorginho. Hoje não. Proponho a você irmos ver minhas amigas. Podemos passar a tarde com elas e à noite veremos o que fazer.

Fingindo não ver a palidez do primo e sua decepção, Geraldo mudou de assunto decididamente. Jorginho estava profundamente abatido. Ia perder a grande chance.

Humberto, vendo-o desconsolado e abatido, segredou-lhe piedoso:

— Quem sabe no próximo domingo.

— Isso — pensou ele —, no próximo domingo. — Não devia irritar nem contrariar o primo. Era caprichoso e teimoso. Se se mostrasse dócil, poderia conseguir obter o alvo. Procurou sorrir.

— Está bem, Geraldo. Se quiser, posso ir com vocês ver seus amigos.

— Amigas.

Jorginho animou-se:

— Conheço?

— Acho que sim. Quem você não conhece?

Eram três horas quando tocaram a campainha da casa de D. Lucila. Inês abriu a porta e recebeu-os com alegria.

— Conhece meu primo Jorge?

— Claro. Como vai? Sua irmã está aqui.

— Não sabia que era reunião de família — fez ele, bem-humorado.

A moça conduziu-os à sala de estar, onde Lucila palestrava com Maria da Glória. Levantaram-se, trocaram cumprimentos e a conversa animou-se, alegre, amena. Jorginho, bem-disposto e conversador, acercou-se de Inês.

— Faz tempo que não nos vemos. Na última vez, creio que usava tranças e vestido curto.

A moça riu, divertida.

— Faz muito tempo isso.

— Confesso que ele foi bom para você.

Ela abanou a cabeça.

— Não precisa ser amável. Você é o irmão da minha melhor amiga. Pode ser sincero.

— Está certo. Serei. Você está muito bonita, Inês. Em criança não prometia isso. Quer maior sinceridade?

— Maria da Glória, ele é sempre assim?

— Não sei, não. Mas cuidado com ele.

A moça sentia-se feliz porque ter o irmão ali àquela hora era realmente um milagre. Geraldo o conseguira. Nada para ele era tão importante quanto as corridas. E a moça estava ansiosa para saber como o primo tinha alcançado semelhante vitória. Quando achou oportunidade, chamou Inês e pediu:

— Inês, precisamos fazer tudo para tornar esta tarde maravilhosa para Jorginho. É muito importante, compreende?

— Claro, farei o que puder. Deixe comigo.

Enquanto Lucila providenciava o lanche, Inês tomou o braço de Geraldo e Jorginho, dizendo:

— Venham comigo. Quero mostrar-lhes algo no atelier.

Seu rostinho delicado refletia alegria, espontaneidade, e foi com prazer que eles se deixaram conduzir. Quando Humberto ia acompanhá-los, Maria da Glória o deteve.

— Espere um pouco.

Ele parou.

— Como foi que Geraldo conseguiu isso?

— Isso?

— É. Jorginho a esta hora por aqui! Estou surpresa.

Seu rosto irradiava alegria. O moço aproximou-se, olhando-a fixamente.

— Você é linda — tornou, absorto.

A moça perdeu o jeito. Procurou conter-se.

— Estou perguntando sobre meu irmão — repetiu.

Ele pareceu acordar.

— Desculpe. Estava pensando. Geraldo recusou-se a ir ao prado e convenceu-o a vir para cá. Foi isso.

A moça, que já tinha se recuperado da surpresa e estava feliz com o problema do irmão, perguntou:

— Você costuma sempre pensar em voz alta?

Ele perturbou-se.

— Por quê?

— Para um detetive, não acho prudente.

— Disse alguma coisa que a ofendesse?

— Não. Você não disse nada. Vamos ter com os outros.

Humberto sentiu-se triste. Não conseguira sentir alegria, apesar de o ambiente estar festivo e calmo. Inês procurou entreter os rapazes, brincou, versejou, desenhou caricaturas de todos os presentes e surpreendeu Humberto e Geraldo, que tinham-na em conta de moça discreta e simples. Jorginho estava deliciado. Não se cansava de olhar para a sua caricatura e ria a valer. A moça desenhara-o de corpo inteiro, salientando o brilho dos sapatos, o cuidado com o lencinho de bolso e com as mãos, e realmente esses eram os pontos de que Jorginho mais cuidava em sua aparência. Ela, de um só golpe, captara essas particularidades e as transportara para o papel.

Depois, ela pediu à mãe para tocar piano e D. Lucila atendeu com prazer. E para surpresa dos rapazes, ela conhecia todas as músicas em voga. O ambiente era tão alegre que Jorginho cantou um foxtrote com voz melodiosa e delicada. E Humberto, animado, cantou com voz grave e agradável uma valsa romântica. Entre risos e entretenimentos as horas se escoaram rapidamente, e o lanche saboroso coroou aquele dia feliz. A noite desceu e eles ainda se entretinham na palestra amena.

Geraldo, em voz baixa, contava a Lucila os últimos acontecimentos. Jorginho brincava no piano com Inês, imitando cantores americanos, e ela o acompanhava. Maria da Glória aproximou-se de Humberto.

— Está triste. Por quê?

— Eu? Não. Sou assim mesmo.

A moça sentou-se a seu lado no sofá.

— Deve ser aborrecido para você trabalhar sem ter folga. Afinal, você é um profissional. Nunca faz o que gosta?

— Não precisa lembrar-me disso. O fato de Geraldo tratar-me como amigo não me faz esquecer minha humilde posição. Sei que continuo sendo um pobre detetive particular, sem eira nem beira. O luxo, o ambiente não me subiram à cabeça, se é o que quer dizer.

— Por que é tão agressivo? Acaso o ofendi?

— Isso não importa. Sei o meu lugar.

— Por acaso o fato de ser pobre o irrita?

Humberto olhou-a admirado. Ela ia direto ao assunto e não admitia circunlóquios.

— Se quer saber, sempre ganhei o suficiente. Para ser franco, não invejo dinheiro e posição de ninguém. Prefiro a paz de espírito e a liberdade de ser o que sou, sem precisar servir aos preconceitos e preceitos sociais.

— Então, por que está tão amargo? Simplesmente perguntei se você gostaria de estar em outro lugar.

— Como assim?

— Parece infeliz. Estamos alegres. Você se isola. Tive a impressão de que por causa da sua profissão está aqui a contragosto. Talvez preferisse outro lugar, outras pessoas.

Ele colocou a mão nervosa sobre o seu braço.

— Foi isso? Naturalmente engana-se. Não trocaria este dia por nenhum outro, nem a companhia de você por nada no mundo, mas eu não tenho o direito de participar. Não sou da mesma condição social. Não posso iludir-me. Sou humano, compreende? — apertou o braço dela com força. — Até quando vou poder isolar-me? Até quando vou poder dominar meus sentimentos?

A moça olhou-o firme.

— Os sentimentos, quando bons e sinceros, não precisam ser escondidos. Depois, acho que deve deixar de lado os preconceitos sociais. Diz que por ser pobre não lhes presta obediência. É mentira. Você tem preconceitos e por isso divide as pessoas pelas classes a que pertencem. Não penso assim. Divido as pessoas pelo caráter e pelas qualidades morais que possuem.

— Você diz isso, mas o mundo não pensa assim.

— Você dá importância aos outros a ponto de ignorar sua razão e sua própria consciência?

Os olhos da moça brilhavam enérgicos e ele sentiu-se profundamente emocionado. Em seus olhos brilhou uma lágrima.

— Você é um homem de caráter e eu o aprecio muito — tornou ela, sem desviar o olhar.

— Eu a amo — tornou ele.

O coração dela bateu descompassado.

— Era por mim que estava se amargurando?

— Era. Desculpe. Não quero ofendê-la. Não fui encorajado para dizer-lhe isso. Pelo contrário. Não pude conter-me. Acho que não vai mais acontecer.

— Envergonha-se de gostar mim?

— Não é isso. Não quero molestá-la. Não pude evitar. Aconteceu. Lutei e perdi.

Ela sentiu uma onda de ternura por aquele rosto perturbado e enrubescido. Tomou a mão dele e apertou-a com força.

— Seu amor foi o presente mais belo que já recebi. Acredite que me aquece o coração.

— Não está zangada? Não pretendia confessar, foi sem querer.

— Humberto, não sei o que é, mas sinto muita ternura por você.

Ele apertou a mão que tinha entre as suas, levando-a aos lábios com delicadeza.

— Maria da Glória, gostaria de abraçá-la e beijá-la muito. Mal posso conter-me. Se estivéssemos a sós!

— Calma.

— Queria conversar a sós com você. Vamos dar uma volta pelo jardim?

— Não acho prudente. Outro dia conversaremos melhor.

— Sairá comigo para isso?

— Sim.

— Quando?

— Depois falaremos.

— Custa-me deixá-la. Queria trocar idéias. Agora há tanto que dizer!

Não se apresse. Quem ama sabe esperar. Outro dia falaremos.

Humberto sentiu uma onda de alegria banhando o coração. Aquela realmente tinha sido uma tarde diferente. Havia um encantamento grande no ar.

Era já noite quando Geraldo conseguiu arrancá-los de lá. Estava satisfeito. Seu plano estava dando certo. Sabia que Jorginho não iria resistir ao encanto daquelas criaturas, tão diferentes das mocinhas dengosas que ele conhecia. Enquanto levava Jorginho e Maria da Glória para casa, Geraldo perguntou:

— Que tal, como foi a sua tarde?

— Maravilhosa. Nunca vi gente tão alegre. Por isso Maria da Glória vive aí com elas.

— Cansei de convidá-lo a vir comigo — tornou a moça, bem-disposta.

— É. Mas mamãe sempre fala de D. Lucila por ser amiga da tia Carolina. E eu fazia dela idéia diferente. Dizem até que ela lida com Espiritismo!

— O que é isso? — perguntou Geraldo.

— É uma seita que acredita que se possa falar com os mortos.

— Como?

— A história é complicada, Geraldo. Ela evoca os espíritos dos mortos e conversa com eles.

— E eles vêm?

— Não acredito — tornou Jorginho, com ar superior. — Mas ela acha possível.

— D. Lucila num mente. Se ela diz, é porque é verdade.

— Que idéia! Você, tão inteligente, pensando nisso? Se fosse verdade, quando seu pai foi embora ela podia ter sabido onde vocês estavam. Nunca descobriu.

Geraldo ficou pensativo.

— Jorginho, acho que você não deve falar sem conhecer. D. Lucila é pessoa muito séria e digna. Se afirma isso, eu acredito. Depois, no mato, a gente ouvia contar muitas histórias de espíritos. Eu acredito neles. Nalgum lugar hão de estar e de viver. Se não estão aqui, devem ter outro mundo onde moram, porque tenho a certeza de que o espírito vive depois que morre na Terra. Minha mãe tem que estar em algum lugar esperando-me.

— Geraldo tem razão — tornou Humberto, sério. — Não tenho família. Vivo só. Mas acredito firmemente que meus pais continuam existindo num outro lugar.

— Olha, não discuto, mesmo porque depois de um dia tão gostoso o assunto é muito tétrico. Não me atrai.

Humberto abanou a cabeça.

— É tétrico porque você pensa na morte como tragédia, velório, velas, panos pretos. Isso o homem criou. Penso nos meus pais como vivos, com a mesma alegria de sempre e iguaizinhos ao que eles eram. Por que seria diferente?

— Eu também — anuiu Geraldo. — Lembro-me de minha mãe como quando era viva, e de meu pai também.

— É, mas esse assunto dá-me calafrios. Veja como estou gelado.

— Está gelado e tremendo. Por quê?

— Quando eu falo nessas coisas, dá-me esse negócio. Por isso vamos mudar de assunto.

O moço tremia como se tivesse febre, e a irmã segurou suas mãos para aquecê-lo. Ficou preocupada, porquanto na infância Jorginho tivera alguns ataques inexplicáveis, que os médicos não tinham sabido diagnosticar. Preocupada, ajuntou:

— Fazia tempo que não via Inês, que tal?

— Encantadora. D. Lucila também. Não as tinha imaginado assim, caso contrário teria aceitado seu convite.

Geraldo sentiu-se satisfeito. Finalmente, Jorginho parecia ter encontrado outros entretenimentos e outros assuntos que não as corridas.

Humberto também parecia feliz. Geraldo, ao ver-se em seu quarto, sentiu-se profundamente só. Mas precisava continuar até descobrir o que queria. Se os mortos podem falar aos vivos, por que sua mãe não vinha para conversar? Ela, que o esperara tantos anos, agora sabia onde ele estava e podia ajudá-lo a descobrir a verdade. Por que não vinha? Naquela noite, custou-lhe adormecer. Seus sonhos foram repletos de pesadelos e ele acordou angustiado. Precisava conversar com D. Lucila.

No dia seguinte, pela tarde, foi procurá-la.

— D. Lucila, estou angustiado. Tive pesadelos, e uma idéia persegue-me.

— De que se trata?

— A senhora acha que o espírito de quem morreu pode vir conversar conosco?

— Acho, em certas circunstâncias eles fazem isso.

— Foi o que me disseram. Então eu quero conversar com minha mãe. Preciso falar com ela.

— Não é tão simples assim.

— Por que não? Acha que ela não gostaria de falar comigo?

— Pelo contrário. Acho que gostaria muito. Mas, meu filho, ela está do outro lado da vida, num mundo diferente, e precisa submeter-se às condições desse mundo. Nem tudo lhes é permitido fazer.

— Acha que não deixariam ela vir ver-me?

— Não sei. Carolina sofreu muito e era uma mulher muito boa, equilibrada. Deve desfrutar de um mundo feliz. Mas intervir na vida das pessoas é outra coisa.

— Mas os espíritos vêm perturbar. Na vila tinha uma mulher que caía tomada de espírito. Passava mal. Todos diziam que ela era possessa.

— Pois é. Os espíritos doentes desobedecem à Lei de Deus e não respeitam os homens, mas os bons agem diferente. Só vêm se for para o seu bem, e se Deus permitir.

— Pede para ela vir. Quero conversá com ela!

— Podemos fazer uma sessão. Mas não posso afirmar que ela virá. Podemos evocar e esperar. Se Deus permitir...

— Claro que virá. Ela estava ansiosa por me ver, falar comigo.

— Isso era naquele tempo. Agora ela vê tudo diferente.

— Quer dizer que não gosta mais de mim?

— Isso não. O amor vai conosco até depois da morte.

— Então ela deve vir e falar comigo. Pode me contar tudo quanto quero saber.

— Para quê? Para vingar-se?

— Claro. Hei de punir os culpados.

— Tenho certeza de que não virá. Para isso, não.

— Por quê?

— Porque ela não quer vingança. O que ela passou na Terra só Deus sabe a razão. E mesmo que alguém tivesse tramado tudo, se ela não tivesse que passar por isso, as coisas teriam sido diferentes. Ela deve saber o que realmente aconteceu, porque está no mundo da verdade, onde podemos lembrar o que fizemos em outras vidas.

— Outras vidas? Fala sério?

— Falo. De que outra forma pode explicar o que aconteceu a vocês?

— Explico muito bem. Foi a maldade de alguém que vou descobrir.

— Esse foi o meio que Deus não produziu mas depois aproveitou, revertendo-o em benefício.

— Benefício?!

— Sim. Nós cremos em reencarnação. Já vivemos outras vidas na Terra em corpos diferentes. Já falei sobre isso. Repito. Nascemos, crescemos, vivemos, envelhecemos, morremos, vamos para outro mundo, voltamos a nascer conforme a necessidade.

— É estranho!

— A gente troca de corpo conforme as necessidades do espírito. Cada vida é progresso, aprendizagem, esforço, reajuste. Se vamos mal, cometemos erros, precisamos corrigi-los. Para isso Deus criou o mundo, para o espírito aprender e progredir.

— Essas coisas me confundem. Minha mãe teria tido outras vidas?

— Certamente. Ela, eu, você, todos. Esquecemos por misericórdia de Deus, para que o reajuste seja menos doloroso e mais eficiente. Nós dois certamente já nos conhecemos há muitas vidas, pois nossos laços de amizade são profundos e sinceros.

— Acho que isso é verdade. Parece que sempre conheci a senhora.

— Tudo isso é regulado por leis de Deus que funcionam sempre perfeitas e nos conduzem de acordo com as nossas necessidades. Deus é bom, perfeito. Se passamos por provações, é para reajustar nossos espíritos, corrigindo erros passados.

— Minha mãe era tão boa! Como foi castigada?

— Não se trata de castigo, mas de necessidade de progresso do espírito, que muitas vezes solicita a prova antes de nascer.

— Acha que ela tinha pedido isso?!

— Por que não? Era um espírito abnegado. Se não precisava resgatar erros passados, deve ter se sacrificado para que vocês pudessem resgatar, ou, quem sabe, alguém, por sua causa, tenha sido abandonado ou ferido em sua honra. Quem pode saber, senão Deus?

— Ah! Isso não. Recuso-me a crer que ela tivesse sido capaz disso.

— Ela, como é agora, ou como a conhecemos, realmente não seria capaz. Mas não se esqueça de que o espírito, quando é mais jovem, é mais inexperiente, e não há ninguém na Terra que em tempos passados, em encarnações mais remotas, não tenha cometido erros.

— A senhora acha que ela poderia ter feito algo errado?

— Sem dúvida. Ninguém é criado perfeitamente desenvolvido. Deus cria o espírito como uma semente que a vida vai trabalhar para germinar e que tem a inteligência e o raciocínio para usar as oportunidades que lhe vêm às mãos e as leis de Deus para controlá-lo e reconduzi-lo de volta ao equilíbrio sempre que se transviar. Somos todos iguais na dor. Todos necessitamos experimentá-la nas lutas da carne para saber e compreender que não devemos causar mal a ninguém.

Geraldo abanou a cabeça, confundido.

— Nesse caso, então, os que fizeram as maldades contra nós não têm culpa? Não posso aceitar isso!

— Claro que, se realmente alguém deliberadamente prejudicou vocês, sendo responsável por tudo quanto aconteceu, vai responder por isso. A justiça de Deus jamais deixa impune um culpado. Mas por outro lado, apesar de tudo, o mal poderia ter sido sanado logo. Tudo poderia ter sido esclarecido se no passado de vocês não houvesse erros que justificassem esses sofrimentos.

— Quer dizer que Deus aprovou o que nos fizeram?

— Não se trata disso. Deus é amor e o bem supremo. O mal nunca foi criação dele. Jamais ele o aprovaria.

— Não posso entender.

— Olhe. Vou mostrar-lhe.

D. Lucila foi à escrivaninha, apanhou um vidro de tinta de escrever, um pedaço de vidro e outro de papel. Simplesmente colocou os dois sobre a mesa. Abriu o vidro de tinta e derramou algumas gotas sobre a superfície do vidro, e depois algumas gotas sobre o pedaço de papel. Geraldo olhava-a atento. Calma, ela apanhou o mata-borrão e o imprimiu sobre a tinta derramada. O vidro ficou limpo e sem mácula; mas no papel, a mancha de tinta permaneceu.

— Que quer dizer com isso? — tornou Geraldo, admirado.

— Que os erros nossos cometidos no passado tornam-nos permeáveis ao mal tanto quanto o papel à tinta, que depois de derramada não mais poderá ser tirada completamente. Se não tivéssemos pecado, seríamos como o vidro. O mal nos atingiria superficialmente e poderíamos alijá-lo com facilidade. Tanto quanto a tinta que derramei sobre ele e não o penetrou. E note que a tinta é a mesma, igual; a diferença está no corpo ou local em que ela é derramada.

Geraldo estava pensativo. A lógica de D. Lucila deixava-o sem argumentos. Ela prosseguiu:

— Note que somos livres na Terra para escolher. Podemos ser como o papel ou como o vidro, é só questão de comportamento.

Geraldo ficou mudo, cismando, cismando. Depois tornou:

— Esta história é muito complicada. Mas de tudo isso, o que eu quero mesmo é falar com minha mãe. Acha que virá?

— Não sei. Podemos pedir.

— Espero que me conte tudo quanto aconteceu.

Lucila balançou a cabeça.

— Pode crer que só falará o que quiser, ou puder.

— Quando poderemos fazer isso?

— Amanhã à noite. Venha jantar conosco. Depois faremos a sessão. Vamos ver. Mas desde já não podemos prometer nada. Espero que você evite pensamentos angustiosos de revolta. Podem dificultar o nosso trabalho.

— Farei tudo que disser. Não vejo a hora. Finalmente poder falar com ela! Que felicidade.

Lucila sorriu com ternura.

— Isso. Alegria e bons pensamentos.

Conversaram durante mais algum tempo, e quando Geraldo saiu estava mais calmo. No dia seguinte, Maria da Glória preparava-se com esmero. Jorginho, vendo-a, perguntou alegre:

— Vai sair?

— Vou. À casa de Inês. Quer vir comigo?

— Hum... Estou sem programa mesmo. Acho que vou aproveitar. Não vou incomodar?

A moça sorriu, alegre.

— Nem um pouco. Inês disse-me que Geraldo e Humberto vão jantar lá e convidou-me.

— Será que não interrompo?

— O quê?

— Não sei. Inês é moça bonita. Não está comprometida?

— Nem um pouco. Não há nada que eu saiba.

Jorginho olhou-a um pouco malicioso.

— Que diabo, Geraldo e o secretário não saem de lá. Pode ser que um deles a esteja cortejando.

— Acho que quem está interessado não é nenhum dos dois...

— Não respondeu à minha pergunta.

— Não há nada. Se quer saber, Humberto interessa-se por mim. E Geraldo nunca demonstrou nada além de amizade.

— Não gostaria de magoar o primo.

Maria da Glória sorriu, bem-disposta.

— Pois não magoa. Ele não pensa senão no passado. Tem grande amizade por nós três, que o ensinamos a adaptar-se na nova vida. Mas seu coração ainda não sabe o que é o amor. Vamos embora, que dará grande alegria aos nossos amigos.

— Acha mesmo?

— Claro. Geraldo tem grande estima por você. Acha-o capaz de fazer grandes coisas.

— Ele é meu amigo. Bem diferente desses almofadinhas que querem explorar-me.

A moça admirou-se. Antes ele não via que andava em péssima companhia. No caminho, a moça tornou:

— Hoje parece uma ocasião especial. Geraldo, por causa da nossa conversa de domingo, insistiu com D. Lucila e quer falar com tia Carolina.

Jorginho pulou.

— Está brincando! Por acaso ele acredita nisso?

— Acredita. Para dizer a verdade, eu acho impossível. Mas D. Lucila disse que vai tentar. Depois do jantar vai fazer uma sessão.

— Você sabe que não me dou bem com essas coisas. Melhor eu voltar.

— Pois eu quero ver o que acontece. D. Lucila é pessoa séria. Não nos vai enganar. Se tia Carolina vier, eu quero ver.

— Isso é bobagem. Não se deve perder tempo com essas coisas. Vou-me embora.

— Se não acredita, de que tem medo?

— Medo, eu?

— É, medo sim.

— Você sabe que eu me sinto mal com essas coisas. Sabe também que fiquei assim por causa daquela babá que me contava histórias de assustar.

Maria da Glória deu de ombros.

— Você é quem sabe. Mas o que eu acho mesmo é que um homem como você devia vencer esse medo. Agora já não é mais criança. Por que deixar-se escravizar por terrores supersticiosos?

Jorginho suspirou fundo.

— Tem razão. Na verdade, também gostaria de ver o que vai acontecer. Será que ela vai aparecer ali, para nós?

— Não sei. Acho que vai falar. Também estou curiosa.

O jantar em casa de Lucila transcorreu alegre, embora a expectativa estivesse no ar. D. Lucila explicou:

— O jantar foi leve de propósito. Não é conveniente alimentos muito pesados antes de uma sessão. Depois poderemos tomar um lanche. Ainda são sete horas, temos portanto uma hora para conversar antes da reunião. Podemos ouvir música.

Geraldo comentou:

— Não podemos começar mais cedo?

— Não. Ficou combinado às oito horas e certamente nossos benfeitores espirituais estarão prontos nesse horário.

Lucila falava com segurança, o que diminuía a ansiedade dos presentes. Interessados na reunião de logo mais, tornaram o assunto tema de interesse geral, e Lucila procurou elucidar todas as indagações.

— Tia Carolina vai aparecer? — indagou Jorginho, tentando aparentar calma.

— Não temos médium de materialização. Logo, ela não vai aparecer fisicamente entre nós. Mas Inês é médium, e se Carolina puder, manifestar-se-á através dela.

— Como assim? — perguntou Maria da Glória, curiosa.

— Os que já partiram estão separados de nós apenas porque estão vivendo fora do alcance dos nossos cinco sentidos. Sabemos que existem muitas coisas que não podemos pegar, ver, ouvir, cheirar ou comer. Simplesmente porque nossos órgãos físicos não alcançam. Mas há pessoas que possuem o sexto sentido. Uma sensibilidade que as coloca em ligação com esse mundo, do qual todos viemos para o mergulho na carne e ao qual voltaremos quando nosso corpo morrer.

— Inês pode sentir isso? — inquiriu Geraldo, admirado.

— Pode. Mas tem suas limitações. Uns podem sentir mais, outros menos. Ela pode anular sua própria vontade ou personalidade e deixar que um espírito que tenha esse desejo se expresse através de sua voz. Mas não devemos nos esquecer de que só o farão se desejarem. Os espíritos são seres independentes, com vontade própria, iguais a nós, que vêm até nós apenas quando querem ou podem. Têm seus afazeres, suas limitações, e devem obediência às leis de organização do mundo onde estão.

— Parece incrível — ajuntou Jorginho. — Como pode ter certeza disso?

— Já li um ótimo livro — aduziu Humberto, sério —, que esclarece o assunto amplamente. Foi escrito por um grande educador francês do século passado, que usou o pseudônimo de Allan Kardec. Chama-se O *Livro dos Espíritos*. Se você o ler, verá como tudo é lógico e possível.

— Realmente — aduziu Lucila, satisfeita. — É a obra mais completa sobre o assunto. E, segundo o autor, ela foi escrita e revisada pelos espíritos. Ele formulava as perguntas e os espíritos as respostas.

— De que forma? — perguntou Jorginho, interessado.

— Através de vários médiuns em diferentes lugares. Kardec as selecionava pela lógica, pelo bom senso e pela coincidência de respostas.

O assunto prosseguiu, e o grupo perguntando, D. Lucila respondendo.

— Estamos na hora. Vamos preparar-nos.

Jorginho sentiu arrepios pelo corpo, enquanto que suas mãos tornaram-se geladas. Não se conteve.

— D. Lucila, por que todas as vezes em que se fala em espíritos sinto-me mal? O médico garantiu-me que é um trauma provocado pela minha babá, que assustava-me contando histórias de terror.

Lucila fixou-o com olhar sereno.

— Depois da sessão conversaremos sobre isso; por enquanto, procure acalmar-se. Não deve sentir medo. Vou ficar do seu lado o tempo todo. Saiba que estamos protegidos por espíritos bons e que nada acontecerá de mal. O que você precisa para acalmar-se é não fugir do problema. Deve enfrentá-lo. Deixar acontecer, seja o que for, ir até o fim, saber a causa de tudo. Garanto-lhe que se sentirá bem melhor depois disso.

A voz segura de D. Lucila infundiu coragem ao moço. Afinal, ela estava com a razão. Por que fugir do problema? Não seria melhor vencê-lo? No fundo, Jorginho sentia despertar um lado curioso. E se tudo fosse verdade? Queria saber, ver o que ia acontecer.

Convidados pela dona da casa, tomaram assento ao redor da mesa, onde sobre delicada toalha havia uma jarra com água. Apanhando um exemplar de *O Evangelho Segundo o Espiritismo*, D. Lucila abriu-o ao acaso e leu "Amai os vossos inimigos". Quando terminou, murmurou fervorosa prece, pedindo a presença dos espíritos e, se fosse possível, a comunicação de Carolina. Todos os presentes encontravam-se atentos. Geraldo, profundamente emocionado, pensava no doloroso exílio a que se vira obrigado. Lágrimas rolavam por seus olhos ansiosos. Estavam na penumbra. Humberto sonolento, Jorginho agitado, sem conseguir dominar o tremor, lutava para manter o equilíbrio. Maria da Glória, assustada com a agitação do irmão, começou a rezar um pouco mecanicamente, dividida entre o receio do que pudesse se passar com ele e a necessidade que sentia de pedir a ajuda de Deus. Inês, serena, concentrava-se em prece.

A certa altura, Jorginho tornou:

— Quero ir embora. Não posso ficar aqui. Preciso ir embora.

Maria da Glória ia responder, mas um sinal de Lucila a conteve.

— Jorginho, tenha calma. Procure orar em seu coração. Jesus o ajudará.

O moço, pálido, transpirava, e sua respiração tornava-se ofegante. Até que, de repente, deu violento murro sobre a mesa, enquanto gritou:

— Vou acabar com isso! Vou acabar com todos vocês. Malditos!

— Ninguém se preocupe. Vamos orar em favor dele — tornou Lucila com voz serena, porém firme. Dirigindo-se a ele, continuou: — Por que está tão zangado?

— Ele não devia vir aqui. Até que eu já tolerei muito. Mas, previno, chega de interferências. Ele é meu. Somos companheiros de muitos anos.

— O que deseja dele? Por que o segue?

Vingança Jorginho riu com voz cava. — Vingança, entendeu bem? Estou cobrando os meus direitos.

A voz dele estava rouca e diferenciada. Maria da Glória tremia assustada, enquanto balbuciava preces automaticamente. Geraldo olhava admirado, sem entender bem. Só Humberto e Inês estavam serenos e em prece.

Lucila objetou:

— Não acha que a justiça pertence a Deus? Que só ele tem competência para julgar?

— Deus está longe, se é que existe, e eu vou cobrar o que me pertence. Há muitos anos espero por este momento. Agora que estou conseguindo, ninguém vai me afastar dele. Ninguém. Quem se puser entre nós sofrerá o peso do meu ódio.

— Por que não deixa ele escolher livremente o seu caminho? Deus dá a cada um segundo suas obras. Quem fere as leis de Deus certamente será compelido pela vida a se modificar. Não tem medo de prejudicar deliberadamente a vida de Jorge?

O moço riu nervosamente.

— Não. Ele é o culpado de tudo. Foi ele quem me fez perder tudo quanto eu tinha de bom e de mais sagrado. Jamais o perdoarei. Por causa dele tornei-me a sombra que sou. Por causa dele sofro as agruras do inferno. Ainda tem coragem de me condenar?

— Não estamos condenando ninguém. Longe de nós a idéia de julgar, mas sabemos que não devemos interferir no livre-arbítrio alheio sob pena de sermos responsáveis pelo que vier a acontecer. Tememos pela sua felicidade e desejamos sinceramente que você aprenda a reencontrá-la.

— Não adianta. Para mim, tudo está acabado. Vou afastá-lo daqui; é lá no jogo que ele vai se destruir! Ninguém vai me impedir. Vou arrasar com a família toda. Não adianta.

— Vamos orar — tornou Lucila com doçura. — Todos vamos mandar pensamentos amorosos ao nosso visitante.

Enquanto ela proferia sentida rogativa em favor dele, Jorginho agitou-se e depois caiu sobre a mesa. Lucila, orando ainda, colocou sua mão sobre a testa do moço, que aos poucos foi serenando até parecer tranqüilamente adormecido.

— Vamos agradecer a Jesus por essa oportunidade de ajudar, e continuemos em prece silenciosa.

Fundo suspiro saiu do peito de Inês, enquanto que ela, ereta, parecia ter se tornado mais alta. Seu rosto sereno, olhos abertos e extáticos, refletia paz. Em voz clara e firme, tornou:

— Jesus vos abençoe. Amai vossos inimigos. Ensina-nos o Evangelho. E nós verificamos que a vingança é faca de dois gumes, que fere tanto a vítima quanto o agressor. Não julgueis, disse-nos o Mestre, porquanto não estamos de posse de toda a verdade e por isso mesmo inabilitados para proceder a um julgamento justo. Quantas vezes temos nos enganado na rede ilusória das aparências? Quantas vezes temos nos deixado arrastar pelas paixões e nos transformado em meros escravos do ódio, unidos aos nossos desafetos, infelizes e amargurados, ao peso do crime e da injustiça? Quanto tempo levaremos para entender que só o perdão liberta, constrói e nos leva à felicidade almejada? Meditemos em torno do assunto e busquemos orar por nossos inimigos, que hoje nos buscam o coração carregando o peso dos nossos enganos de ontem, sem condições de pronta libertação. Roguemos a Deus por eles! Que Deus vos abençoe.

Inês calou-se. Falara com voz firme e mais grossa do que o usual, e Geraldo olhava-a admirado, pois ela lhe parecia outra pessoa, mais alta e mais forte. Teve momentos em que a via vestida com roupas de um azul muito claro, diferente. Abriu os olhos para ver melhor, mas já agora tudo tornara-se como antes. Fora alucinação? Certamente.

— Continuemos em prece — tornou Lucila com voz calma.

O silêncio fez-se absoluto e a expectativa era grande. Jorginho agora estava tranqüilo, cabeça pendida, parecendo adormecido. De repente, seu corpo foi sacudido por um estremecimento. Remexeu-se na cadeira, enquanto dizia angustiado:

— Carolina! Carolina! Onde está você? Onde? — a voz de Jorge tornara-se rouca e um tanto fanhosa. Geraldo estremeceu, tocado de emoção.

— Continuemos em prece — pediu Lucila com voz serena.

— Carolina — gemeu Jorginho —, eu quero ver você. Estou arrependido. Não pode perdoar-me? — Ele soluçava desolado e Geraldo olhou para Lucila, assustado; mas ela, dirigindo-se a Jorge, pediu:

— Acalme-se.

— Como posso acalmar-me? Como posso entender esse pesadelo terrível? Não vê que sofro muito? Ele não me deixa em paz. Vem cobrar-me a dívida. E ela? Onde estará? Oh! Deus, eu enlouqueço. Por que não me detive naquela noite? Por que não se abateu sobre minha mão a justiça de Deus me destruindo? Oh! Como sofro! Ela, tão boa, tão nobre, tão bela. Como pude? Quem me poderá ajudar?

— Vamos orar, meu amigo. A prece nos ajudará a receber o que necessitamos.

— Mas eu não posso orar. Eu sou um assassino! O que posso esperar? O que posso querer, senão o fogo do inferno? É justo que eu pague pelo meu crime. Mas ele não me deixa em paz e persegue-me sem cessar. Por favor, ajude-me. Esta noite de angústia será eterna! Jamais serei libertado.

Jorginho soluçava, enquanto lágrimas corriam pelas faces de Geraldo, tocado de emoção, embora a curiosidade o ferisse fundo. Quem era aquela criatura? Por que chamava por Carolina e se dizia assassino?

— Vamos orar — pediu Lucila. Com voz comovida, murmurou sentida rogativa por aquela criatura infeliz. Jorginho pareceu acalmar-se e murmurou:

— Conheço sua voz. Onde estou?

— Em casa de amigos que o querem ajudar.

— Lucila! É você! Depois de tudo quanto fiz, não me odeia? Você que tudo sabe e a amava tanto, não me odeia?

— Não. Quem sou eu para julgar? Vejo seu sofrimento e lastimo. Mas sei que Deus jamais nos desampara. Se você tiver paciência e lutar, conseguirá refazer sua vida. Não desanime.

— Estou arrependido. Deus sabe como me arrependo! Mas agora é tarde. Ela se foi para sempre e jamais me quererá ver. Eu a amo! Tanto!... Sempre a amei, e agora, pelo meu crime, devo ser castigado. Sei que não poderei vê-la mais.

— Deus é quem sabe. Lute, trabalhe no bem, ajude a quem prejudicou e certamente um dia verá que tudo passou.

— Deus a abençoe por isso. Suas palavras me fazem grande bem. Estou mais calmo, embora a ferida ainda sangre. Você não me acusa, mas eu não posso perdoar-me. Fui louco e destruí tudo. Como pude?

Lágrimas rolavam pelas faces de Jorge, e Geraldo, emocionado, lembrava a figura do pai, como se ele estivesse ali, chorando desesperado.

— Não voltemos ao passado por agora. Busquemos forças para caminhar rumo ao futuro. Se você quiser, certamente nossos benfeitores espirituais o ajudarão. Vai em paz e que Deus o abençoe.

Enquanto Jorginho, com um ligeiro estremecimento, parecia acordar, Geraldo foi tomado de súbita emoção. Seus olhos arregalaram-se enquanto que de seu peito partiu um grito angustiado:

— Mãe! Você veio!

Foi um instante breve, mas a figura luminosa de Carolina apareceu diante dele. Com o rosto delicado refletindo emoção e amor, enquanto que seus braços abertos e estendidos queriam abraçá-lo. Geraldo levantou-se, mas seus braços em vão procuraram a figura de Carolina. Caiu sobre a cadeira, dizendo emocionado:

— Não me deixe de novo, mãe. Não me deixe! Fica comigo! Quero abraçá-la, vê-la, falar-lhe. Não vá embora. Estou tão só!

Sacudido por soluços, Geraldo não continha a emoção. Vira-a. Era ela! Tão linda como sempre. Aos poucos foi sentindo uma aragem delicada envolvendo seu rosto e foi se acalmando, sentindo ainda o olhar amoroso de Carolina.

Lucila, com voz um tanto embargada, tornou:

— Senhor Jesus! Hoje recebemos a dádiva sublime do vosso amor. Tão grande é a vossa bondade que não temos palavras para vos agradecer. As bênçãos desta noite enriquecem-nos o espírito e nos acalentam o coração. Que possamos merecê-las, Senhor.

Murmurando sentida prece, encerrou a sessão. Acendeu a luz. Jorginho estava calmo, embora um tanto pálido. Maria da Glória, curiosa e emocionada. Coisas estranhas se tinham passado ali. Seu irmão jamais iria prestar-se a uma farsa. O que teria acontecido?

Geraldo ainda estava preso de intensa emoção.

— D. Lucila — disse emocionado —, ela estava aqui! Eu a vi! Como pode ser isso? Teria sido uma alucinação?

— Certamente que não, meu filho. Carolina esteve aqui realmente.

— Como posso ter certeza? Foi tão rápido. Não seria fruto da minha imaginação? Não seria o meu desejo de vê-la que me faria imaginar tudo?

— Isso seria possível se as coisas fossem diferentes. Você emocionou-se muito, e se ela realmente não estivesse aqui, você não teria sentido o que sentiu. Conte como a viu.

— Linda. Foi um instante. Parecia uma fotografia. Só que de lindas cores. Ela olhava-me com amor e me estendia os braços. Quis atirar-me neles e abracei o nada.

— Naturalmente. Carolina não é tangível para você. Não tem mais o corpo de carne. E nós não temos médium de efeitos físicos. Mas ela veio e certamente o abraçou.

— Por que não falou comigo como os outros? Eu estava tão ansioso! Queria perguntar tantas coisas.

— Não sabemos por quê. Mas posso afirmar que tudo é disposto em nosso favor.

Jorginho remexia-se na cadeira, inquieto.

— D. Lucila, o que aconteceu comigo? O que eu tive foi uma catarse? Eu estava ouvindo as bobagens que eu dizia, queria parar e não podia. Sentia também muitas emoções diferentes.

— Lembra-se de tudo quanto falou?

— Acho que sim. Estou ficando louco. Como posso ter ódio de mim? Será algum trauma? Senti tanto ódio que desejei me ver arrasado, mas ao mesmo tempo tinha medo e queria fugir. Como pode ser isso?

— Você é médium, Jorge, e foi envolvido por um espírito que deseja vingar-se de você por causa de desentendimentos que tiveram em vidas passadas.

— Isso não é possível. Nunca fiz mal a ninguém!

— Agora, talvez não. Mas em outras encarnações com certeza vocês tornaram-se inimigos, e agora ele quer vingar-se. Deseja arruiná-lo e usa o jogo para isso.

Jorginho passou as mãos trêmulas pelos cabelos um pouco desordenados, tentando ajeitá-los.

— Absurdo. Não sou um viciado. Jogo porque gosto. Quando quiser parar, eu paro.

— Certamente, meu filho. Estou apenas repetindo palavras dele que você deve ainda estar lembrado. Não convém desafiar nossos inimigos. Antes, você deve orar por ele para que o perdoe.

— E o outro, quem era? — perguntou Humberto, interessado. — Falou em D. Carolina e em um crime, o que pode ajudar nossas investigações.

Lucila tornou séria:

— Ele não se identificou, respeitemos seu silêncio. Trata-se de alguém que sofre muito. Não vamos remexer sua ferida.

— Mas ele disse que ama minha mãe. Lembrou-me meu pai, que durante muitos anos eu ouvi chorar às escondidas. Mas meu pai não cometeu nenhum crime. Como entender?

Um brilho de emoção luziu nos olhos de Lucila.

— Como eu já disse, só Deus pode julgar. Nós desconhecemos toda a verdade. Lembremo-nos dele com carinho e façamos preces em seu favor, sempre que possível.

— Mas foi estranho, D. Lucila. Enquanto eu falava aquelas coisas, sentia pungente sofrimento, via em minha mente a figura de tia Carolina e a amava com desespero. Como explicar isso? Estarei ficando louco?

Lucila sorriu.

— Você é médium, Jorge, repito. Os espíritos aproximam-se de você e usam-no como um instrumento para comunicar-se conosco. E como eles se unem ao seu sistema nervoso, há um entrelaçamento das emoções. Você sentiu o que ele estava sentindo naquela hora, e ele certamente também, à sua maneira, sentiu o que você pensava. É tudo muito simples e natural.

— Para a senhora. Mas eu continuo achando tudo muito estranho. Por que não pude controlar-me? Tudo me parece incrível. Não será apenas uma ilusão dos sentidos? Afinal, quem falou tudo aquilo fui eu.

— Certo. Foi você, mas não expressou seus próprios pensamentos. E o fez sob a ação de outra vontade que se impôs à sua, de maneira irresistível. É claro que o espírito ia usar sua voz. Ele não dispõe mais de um corpo de carne, com órgãos vocais para utilizar. Além da sua voz, deve utilizar as palavras do seu vocabulário, que representa o material que ele tem ao seu dispor nesse contato.

— Mas, nesse caso, como saber que não sou eu quem está falando?

— Porque você não consegue produzir o fenômeno quando quer e como quer. Ele acontece independente da sua vontade e às vezes contra ela e termina quando eles querem. Alguma vez conseguiu impedir os arrepios e as emoções que sente sempre que se fala neste assunto?

— Isso é verdade. Mas posso ser sugestionado.

Lucila sorriu.

— Vamos dar tempo ao tempo. Por ora posso dizer apenas que deve estar atento a esses envolvimentos, porque podem arrastá-lo a crises emocionais e atitudes impensadas que o farão arrepender-se mais tarde. Seria bom estudar o assunto, lendo, meditando, para poder preservar-se do desequilíbrio.

— Estes assuntos não são do meu gosto. Acho melhor esquecer tudo. O que eu quero mesmo é gozar a vida. As coisas sérias são boas para os mais velhos.

Lucila sorriu com bondade, embora por seus olhos perpassasse leve onda de tristeza. Geraldo estava pensativo. Tornou, impressionado:

— Como é que Inês ficou tão diferente? Ela me pareceu ter crescido e ficado mais gorda. Seu vestido ficou azul e parecia um guarda-pó de viagem. Por um momento, pareceu-me ver outra pessoa sentada ali.

— Geraldo, você parece-me possuir o dom da visão.

— O que é isso?

— O que muitos chamam de vidência. É a facilidade de poder enxergar o outro lado da vida e os espíritos.

— A senhora acha? — tornou ele, admirado.

— Acho. Primeiro viu o espírito de Joana, a dedicada amiga que nos visita sempre e que já foi vista por mim da mesma maneira que você a descreveu. Foi ela quem se comunicou através de Inês. Depois, viu seu pai e por fim Carolina. Não acha o bastante para o primeiro dia?

— Mas eu sempre via vultos quando era criança, e na mata várias vezes vi luzes e claridades que me davam muito bem-estar.

— Naturalmente sempre pôde ver, embora não se preocupasse com isso. Agora vamos ao lanche, acho que precisamos dele.

Enquanto Lucila, na copa, providenciava a mesa e o café, na sala cada um estava imerso em seus pensamentos.

Inês, aproximando-se de Jorge, sorriu com gentileza.

— Jorge, agora vamos voltar ao nosso mundo. Esqueça. Cada coisa tem a sua hora.

Ele olhou-a pensativo.

— Tudo me parece estranho!

— Por certo. Você deve estar se sentindo bem. Mais calmo, mais tranqüilo.

— É. Estou um pouco cansado, mas parece que muito feliz. Principalmente agora, que você está por perto.

Inês sorriu, maliciosa.

— Você já voltou ao normal. Vamos até o piano: quero mostrar-lhe uma música nova. Uma amiga trouxe-me ontem dos Estados Unidos e hoje eu já a tirei para você.

O rapaz corou de prazer. A gentileza dela era cativante. Sua doçura fazia-lhe grande bem. Enquanto a ouvia embevecido, Humberto conversava com Maria da Glória.

— Estou preocupada com Jorge.

— E eu com você. Não suportava mais as saudades. Afinal, nunca podemos estar a sós. Preciso falar-lhe.

Maria da Glória olhou-o séria.

— Eu também senti sua falta.

Ele tomou sua mão e levou-a aos lábios.

— Eu a amo! O sapo e a estrela!

— Não diga isso.

— Preciso falar-lhe. Aceita tomar chá comigo amanhã à tarde? Precisamos conversar. Tenho tanto a dizer!

— Está certo. Amanhã. Passarei em casa de Geraldo e falaremos.

— Certo. Esperarei ansioso.

— Agora, Jorge me preocupa. Está em perigo. Aquele espírito falou em vingança, quer arruiná-lo no jogo. Apesar de dizer-se dono da sua vontade, nós sabemos que não é verdade. Ele está enterrado no vício de corpo e alma. Se estiver dominado por um espírito que quer deliberadamente destruí-lo, como poderá resistir? Temo pelo seu futuro. Jorge não é mau. É meu irmão, quero-o muito. Como ajudar?

Nos olhos da moça brilhava uma lágrima. Humberto apertou-lhe a mão com força.

— Houve tempo em que eu julguei-a insensível. Enganei-me. O perigo existe, e estou disposto também a fazer tudo para ajudar. Não só por ser seu irmão, mas porque também o aprecio e desejo vê-lo feliz.

Ela olhou-o emocionada.

— Você me compreende. Seu apoio conforta-me e infunde coragem. É difícil lutar contra essas forças desconhecidas que escapam à nossa compreensão.

— Conversaremos com D. Lucila. Certamente nos esclarecerá e ajudará. Tenho certeza. Trata-se de uma mulher superior e de grande bondade. Além do mais, entende dessas coisas. Podemos contar também com Geraldo, para quem Jorge representa um irmão mais novo, sem falar da força maior que é Inês. Veja como está feliz.

Realmente, seus rostos jovens e descontraídos refletiam alegria. Cantavam procurando modular as vozes harmoniosamente.

— Ela é minha esperança — tornou Maria da Glória. — É um amor de menina. Quero-a como a uma irmã. Tem a alma pura e delicada, sensível e boa. Se Jorge a conquistar, estará adquirindo uma pérola rara.

— Parece que se entendem muito bem.

— O que me deixa muito feliz.

Geraldo, na copa, não escondia sua preocupação.

— A senhora acha que podia ser o espírito de meu pai?

Lucila olhou-o muito séria.

— Por que pergunta?

— Porque vim aqui pensando só em minha mãe. Não que eu não o estimasse, mas tenho certa mágoa por ele nos ter separado, e não sinto tantas saudades dele como dela. Meus pensamentos são todos para ela. Por que enquanto Jorginho falava aquelas coisas eu só lembrei dele? Parecia que eu o via falando aquilo tudo. Como pode ser?

— Meu filho, não adianta querer contornar. Se não falei antes, foi em respeito ao seu sofrimento. Ele está em grande dor.

— Ele sofreu muito. Por que ainda continua sofrendo? Não chegam os anos de solidão que passou? Será justo ainda no mundo dos mortos continuar nessa angústia?

— Não devemos nos esquecer da bondade de Deus. Tudo quanto faz é justo. Seu pai sofreu muito porque foi precipitado. Seu orgulho cegou-o e o ciúme o fez insensível à dor e ao sofrimento de Carolina e ao seu próprio. Seu exílio foi voluntário. Ele poderia ter regressado, mas não o fez. Privou você dos carinhos de mãe e Carolina da suprema ventura de reencontrar o filho muito amado. Agora, no mundo da verdade, sabe que ela sempre foi inocente e sofre a dor do remorso. O que podemos fazer, senão orar por ele?

— É de fato terrível! Pobre pai. Mas ele falou em crime, um assassinato, por quê? Haverá algum mistério que o forçou a isolar-se naqueles matos?

Lucila olhou Geraldo com firmeza.

— Quando Deus achar oportuno, revelará toda a verdade. Por outro lado, ele poderia estar falando em sentido figurado. Não foi crime a calúnia contra Carolina, e não foi crime afastar seu único filho?

— Pode ser. Mas ele falou da perseguição do assassinado.

— Não leve assim tão a sério as palavras dele. Na situação de perturbação em que se encontra, pode ter misturado as coisas. Seu remorso é grande. Quer ver Carolina e não a pode encontrar. Note que foi a custo que me reconheceu, e nem sequer viu você.

— É muito estranho. Estará meio louco?

— Não é isso, mas a perturbação é natural, depois da morte, naqueles que não conseguiram perdoar e compreender. É por isso, meu filho, que lhe peço para evitar a vingança. Só o perdão nos liberta do erro e do mal.

Geraldo permaneceu calado, pensando, enquanto D. Lucila ia e vinha, ultimando os arranjos da mesa.

— D. Lucila, quando a gente morre não se encontra com os nossos que já morreram?

— Certamente.

— Então por que meu pai ainda não se encontrou com ela? Faz cinco anos que morreu!

— É que o outro mundo é muito grande, é infinito. E as moradas são diferentes, de acordo com o nosso grau de perfeição. Quanto mais evoluídos e melhores, mais linda e feliz será nossa morada. Quanto mais infelizes e rebeldes, mais tristes e pesados os locais onde viveremos. Compreende? Deus assim dá a cada um segundo suas obras.

— Então existe o inferno, o purgatório e o paraíso?

— Existem locais diferentes para cada alma que deixa a Terra, onde elas colhem conforme plantaram em vida, mas nem os mais infelizes estão isentos da bondade de Deus. Assim que se modificam aprendendo as lições do amor e assumem seu trabalho em favor do bem, redimem-se e alcançam os mundos felizes. Nenhuma ovelha do rebanho se perderá, disse Jesus. Assim, não há ninguém destinado ao eterno sofrimento, porque um dia sentirá o apelo do bem e emergirá das trevas para a luz

— Como é admirável tudo isso. Como aprendeu essas coisas?

— São ensinamentos dos espíritos bons que nos assistem.

— Gostaria de saber mais.

— É um estudo gratificante. Se quiser, pode vir todas as semanas e estudaremos juntos.

— A senhora foi o anjo bom que Deus colocou em meu caminho. O que seria de mim sem vocês?

Ela sorriu com alegria.

— Deixe de ser piegas. Vá chamar os outros antes que o café esfrie.

Naquele lar abençoado, aquela foi uma noite feliz.

Capítulo 10

O carro rodava pelas avenidas e Geraldo, um tanto impaciente, remexia-se no assento.

— Calma — tornou Humberto. — Ninguém deve desconfiar das nossas intenções.

— Posso disfarçar muito bem — respondeu o moço, um pouco preocupado.

— Acha que os pais dela vão estar presentes? — tornou Humberto, pensativo.

— Num sei. O pai deve estar trabalhando, mas a mãe, pode ser...

— Esse chá em casa de D. Aurora foi muita sorte.

— Acho que ela não ia convidar, mas eu insisti. Estou ansioso para conhecer a mãe dela. Será que vai implicar comigo?

— Não sei. Dr. Viana tem horror ao passado da mulher. Foge do assunto como o diabo da cruz. Você deve fingir que não sabe de nada e que está interessado em Maria Luísa, para que ela não desconfie. De início, não vamos poder investigar. Precisamos nos tornar amigos da casa. Assim, no momento oportuno, saberei agir.

— Não sei como se namora. Nunca tive uma namorada. Acha que ela vai caçoar de mim?

Humberto olhou para Geraldo.

— Acho que não. Você está muito elegante e bem vestido. É rico e sabe portar-se, mesmo tendo sido criado no mato.

— Como devo fazer para agradar a uma mulher? Não tenho jeito para olhar com olhos melosos nem dizer versinhos ridículos.

— Essas coisas ninguém precisa ensinar. Seja como você é, sem fingir, sincero e franco, e certamente isso agradará mais do que fingir o que não é. Aliás, as mulheres têm se interessado muito por você. Se ainda não tem namorada, é porque não quer.

Geraldo sacudiu os ombros.

— Tenho coisas mais importantes em que pensar. Depois, essas mocinhas sem graça e embonecadas não me interessam. Nem todos têm a sorte de conhecer uma Maria da Glória.

Humberto sorriu, malicioso.

— Então você aprova nosso amor?

— Ontem vocês ficaram na varanda conversando muito tempo. Espero que tenham se entendido.

— Conversando muito. Ela confessou que gosta de mim. Isso encheu-me de felicidade. Fez-me por momentos esquecer a distância que nos separa.

— O importante é que vocês se entendam. Se o amor existe, então o resto será fácil.

— Nem quero pensar na hora em que o Dr. Marcondes souber. Acho que vai querer me matar.

— Deixe comigo. Isso arranjo eu.

— Nós contamos com seu apoio. Tenho até pensado em retomar os estudos. Deixar essa vida aventureira. Preciso ter o que oferecer a ela.

O carro parou em frente a um elegante palacete.

— Chegamos — tornou Geraldo, ansioso.

O jardim, perfumado e bem cuidado, circundava a casa, muito bonita e elegante. Recebidos pelo mordomo com sotaque estrangeiro, foram imediatamente introduzidos a uma sala onde já várias pessoas conversavam.

Maria Luísa levantou-se e com um sorriso dirigiu-se a eles.

— Você veio! Que prazer! Como está?

Vestia elegante vestido branco de corte impecável, que fazia ressaltar ainda mais o tom moreno de sua pele e a cor dos seus enormes olhos azuis.

Depois dos cumprimentos e de Geraldo apresentar Humberto como amigo, a moça com gentileza os apresentou a duas moças finas e educadas, a dois rapazes almofadinhas com ar enfadado e a três senhoras muito empoadas, que os examinaram com curiosidade. D. Aurora levantou-se para o cumprimento e indagou, um pouco assustada:

— Como é mesmo o seu nome?

— Geraldo Tavares de Lima.

— Ah! — tornou ela, um pouco admirada. — Muito prazer.

A Geraldo não passou despercebida a emoção de Aurora. Tentando parecer indiferente, perguntou:

— A senhora me conhece?

Ela sorriu, amável.

— Não. Acho que ainda não nos encontramos.

— Certamente, senhora. Tenho vivido ausente desde a infância e só agora, depois da morte de meu pai, voltei a São Paulo.

— Pois eu já ouvi falar muito em você, meu rapaz — tornou a outra senhora, com interesse. — Estava mesmo com curiosidade de vê-lo de perto.

Geraldo ficou embaraçado, e Maria Luísa, tomando-o pelo braço, pediu licença para apresentá-lo aos outros. Aurora respirou aliviada. Quando estava esquecida de tudo, eis que o passado invadia-lhe a casa, mergulhando-a nas dolorosas lembranças que lutava para esquecer. Estava angustiada e triste. Por que força do destino aquela criatura lhe buscaria a casa? Saberia alguma coisa sobre a tragédia de suas vidas? Com habilidade, Aurora não deu a perceber o que lhe ia na alma, mas ardia de curiosidade para falar com ele, ver até onde ele conhecia a verdade e poder medir o perigo que a ameaçava. Não queria tomar uma atitude drástica. A filha o conhecera e o convidara, e ela não podia dar a perceber sua angústia. Sempre fizera todo o possível para evitar que Maria Luísa descobrisse a verdade. Havia conseguido em parte, mas até quando poderia ocultar? Até quando conseguiria esconder a própria culpa e o próprio arrependimento?

Aurora lutava com a emoção. Refizera a vida decentemente. Amava o marido, que a ajudara a não sucumbir no remorso e na dor. Criara a filha com zelo e dedicação. Tornara-se modelo de virtudes e dama respeitada por todos. Teria isso sido inútil? Um dia sua filha iria descobrir a verdade e condená-la? Aurora pediu licença e recolheu-se ao toucador. Procurou acalmar-se. Afinal, não havia motivo para assustar-se. Ouvira comentários sobre o filho de Carolina e, ao que parecia, não estava muito interessado em desenterrar os defuntos. Suspirou fundo. Durante anos controlara as relações da filha, temerosa. Se até ali havia conseguido o que queria, certamente não tinha motivos para temer. Depois, se Geraldo tivesse conhecimento do passado, certamente teria dado a perceber. Ele parecia natural e indiferente. Certamente, seu receio era infundado.

Ajeitou os cabelos e voltou à sala, onde o chá já ia ser servido. Geraldo, ao lado de Maria Luísa, conversava tranqüilo. Em seus olhos um brilho de admiração, que de certa forma tranqüilizou Aurora. Estava habituada ao entusiasmo que a exótica beleza da filha despertava. Por certo, esse era o motivo da presença em sua casa do filho de Carolina. Aproximou-se do rapaz, que se levantou.

— Espero que esteja à vontade — tornou, com voz amável.

— Tem uma casa muito acolhedora, senhora — respondeu ele cerimoniosamente. Aprendera as lições de etiqueta com a prima.

— Obrigada. Mas você disse o seu nome e eu agora é que juntei as coisas. Você por acaso é filho de D. Carolina?

— Sim — tornou Geraldo com alegria. — Por acaso conheceu minha mãe?

Aurora fez um gesto vago.

— Por certo. Na mocidade. Mas estive muito tempo fora do País e sem freqüentar a sociedade. Ao que sei, a senhora sua mãe não gostava de vida social. Assim, não mais nos vimos.

— Minha mãe ficou desgostosa com a partida de meu pai, que me levou com ele. Procurou-me durante toda sua vida. Só vim a saber disso depois que ela tinha morrido.

Aurora procurou tornar sua voz natural quando respondeu:

— Naturalmente acompanhei o seu caso pelos jornais. Você herdou enorme fortuna.

— Preferia ter encontrado minha mãe. Mas como isso é impossível, agora preciso viver a minha vida, embora tenha muitas saudades dela.

— Não descobriu as causas do gesto de seu pai, abandonando o lar?

— Ele nunca me contou. Disse que minha mãe tinha morrido. Eu acreditei. Agora, nunca vou saber a verdade.

Aurora sorriu, aliviada.

— Melhor assim. O passado pode ser doloroso. Melhor esquecer.

Geraldo concordou.

— É verdade. Sofri muito, e agora só quero esquecer. Por isso estou freqüentando a sociedade. Para fazer amigos e construir minha vida. Humberto está me ajudando a aprender tudo. É meu amigo e sabe viver em sociedade. Minha prima ensinou-me a ler e agora contratei professores. Quero esquecer o tempo perdido.

— Faz muito bem. Você é rico e moço. Vai conseguir.

Aurora tranqüilizou-se. O moço ignorava tudo. O encontro com Maria Luísa fora casual. Não devia interferir. Se proibisse o relacionamento, com certeza eles desconfiariam, o que seria perigoso. Geraldo parecia só ter olhos para a bela Maria Luísa.

— Geraldo, as minhas amigas querem conversar com você. Estão curiosas. Você é o novo bom partido. Não quer ser amável com elas?

Geraldo olhou-a sério.

— Não gosto do jeito delas. Me olham como um bicho na jaula. Se for conversar com elas, não posso ser educado.

Maria Luísa riu, divertida.

— É sempre franco assim?

— Gosto de falar o que penso. Elas não me agradam, prefiro conversar com você.

— Por quê? — indagou a moça, entre séria e divertida.

— Não sei. Gosto de olhar para seu rosto, que me lembra as onças lá do mato onde eu vivi. Eram perigosas, mas lindas. Nunca vi nada mais lindo do que elas. Andavam macio, pele brilhando ao sol, olhos sem igual.

— Você está se saindo muito bem. Onde aprendeu a ser assim namorador?

— Eu, namorador? Se você não contar para os outros, posso até dizer: nunca tive namorada.

— Por quê? É contra as mulheres?

Geraldo calou-se, pensativo.

— Era. Meu pai me ensinou a fugir delas. Eu obedeci. Até que vim para cá e conheci três mulheres maravilhosas e comecei a mudar.

— Quem são? Por acaso está apaixonado?

Geraldo sorriu.

— Não se trata disso. Quando cheguei, conheci D. Lucila, a amiga de minha mãe, sua filha Inês e minha prima Maria da Glória. A elas devo tudo. Sao como minha família.

— Não está apaixonado por uma delas?

— Isso não. Nunca me apaixonei. Isso não vai acontecer comigo. Posso dominar meus sentimentos.

A moça suspirou, triste.

— Quisera ser como você.

— Por quê, está apaixonada?

— Estou derrotada, se é o que quer saber. Para você, que viu tudo, posso confidenciar. O homem que eu amo deixou-me por outra mulher. Vai casar-se com ela. E eu não consigo esquecer, deixar de odiar minha rival, que o roubou de mim.

Os olhos de Maria Luísa faiscavam. Todo seu rosto se transformara.

— Esse é o ponto a que eu não vou chegar — tornou ele com voz firme. — O amor arrasa as pessoas e as torna infelizes. Jamais hei de amar alguém.

— Você é forte. Mas eu não tenho essa coragem. Quando os vejo juntos, quase morro.

Falavam em voz baixa, e o chá ia ser servido, requerendo a atenção da moça. Só mais tarde, quando as circunstâncias permitiram, Geraldo, sentado ao lado dela no sofá, retomou a conversa.

— Você sofre muito, pelo que observei. Precisa esquecer.

— Bem que eu quero esquecer. Mas como? Quando os vejo, minhas pernas ficam moles, meu coração dispara, minhas mãos ficam geladas. Não consigo controlar-me.

— Posso ajudar?

— Como? Ninguém pode. Tenho que sair disso sozinha, mas não consigo.

— Deixe comigo. Se quiser minha amizade, acho que posso mudar tudo. Vai conhecer meus amigos, vai distrair-se e lutar para esquecer. O amor é uma pedra de tropeço em nosso caminho.

— Acha que nunca vai tropeçar?

— Acho — ajuntou ele com voz firme. — Não tenho ilusões. Não pretendo casar-me. Quando cansar disto aqui, volto para o mato e vou viver minha vida sossegado.

Ela olhou-o admirada. Havia sinceridade em sua voz, e segurança.

— Acho que podemos ser bons amigos. Aceito sua ajuda. Ninguém sabe o meu problema. Você guarda meu segredo?

— Claro.

Quando meia hora mais tarde se despediram, os dois rapazes iam contentes e esperançosos. Tudo correra muito bem. No carro, Humberto comentou:

— Você assustou D. Aurora.

— Como assim?

— Ela ficou muito preocupada quando ouviu seu nome. Fez tudo para esconder.

— Ela foi me fazer perguntas e fingiu que não tinha ligação com minha mãe. Elas foram muito amigas.

— Eu sei. Mas foi melhor você aparentar ignorar tudo. Se ela descobre nossas intenções, não mais seremos recebidos em sua casa. Parece que ela tem horror a tudo quanto se liga ao passado.

— O que estará por trás disso?

— Até certo ponto, é natural. Ela sofreu muito. Teve que mudar de terra. Agora tem boa posição e não quer que o passado tolde essa felicidade.

— Será só por isso?

— Pode ser. Afinal, ela foi surpreendida em adultério. Houve um crime, escândalo. Acha pouco?

— Não. Mas acho que tem mais coisa que nós ainda vamos descobrir.

— Você foi bem com Maria Luísa.

— Não procurei namorar. Não tenho jeito para essas coisas. Fui franco com ela, fora do nosso problema de investigação, é claro. Ela sofre um drama de amor e quer esquecer. Eu vou ajudar como amigo. Assim, nosso plano se irá cumprindo e eu poderei ajudar essa moça. Ela sofre por uma bobagem. Tenho certeza de que ela vai esquecer esse moço que gosta de outra.

Humberto olhou, admirado.

— Ela é linda. Pensei que estivesse interessado. Fiquei até com medo por você. Ela pode virar a cabeça de qualquer um.

Geraldo tornou, seguro:

— É verdade. Mas não eu. Não sou como vocês. Não quero amar ninguém. Quero ser livre. O amor escraviza e faz sofrer. É besteira. A hora que resolver meus problemas aqui, vou embora. Volto pro mato, vou viajar. Correr mundo. Quero fazer o que me dá vontade sem ninguém que me prenda, me faça sofrer, que me atraiçoe e me torne um assassino. Não. Não nasci para o amor. Sou livre e não me deixo prender.

— Ninguém ama porque quer e quando quer.

— Não eu. Tenho força de vontade. Antes que a fraqueza me tome, eu curo a doença. Não tem perigo.

Os dois, rindo e pilheriando, chegaram em casa, satisfeitos com o resultado do primeiro contato.

Nos dias que se seguiram, Geraldo procurou Maria Luísa e convidou-a para sair com seus amigos. Apresentou-a aos primos, que a conheciam superficialmente, levou-a à casa de Lucila, que a recebeu com muito carinho. A moça sentiu-se bem nesse ambiente fino porém simples, junto a pessoas que pareciam ter encontrado o segredo da amizade bem cultivada, onde havia sinceridade e gentileza, carinho e respeito. Muito diferente das casas que freqüentava, onde a futilidade era assunto habitual. Naquele lar tudo era calmo, ameno e agradável.

— Sua casa é um oásis, D. Lucila — comentou ela emocionada.

— Obrigada, minha filha. Nossa casa é sempre a morada que fazemos para nós.

— Como assim?

— Para que ela seja agradável, cabe-nos cultivar bons pensamentos e só preocuparmo-nos com o bem. Dessa forma, estaremos sempre serenos.

— Interessante. Por que os outros não pensam assim?

— Cada um tem o direito de escolher. Quem cultiva a maledicência não pode viver em paz, da mesma forma que quem não distribui amizade não pode ser amado.

— Nunca ouvi isso antes. Acho que tem razão. Se todos pensassem assim, que bom seria o mundo!

— Se todos fossem como D. Lucila — tornou Geraldo —, seria o paraíso.

— Se vocês são tão bons e me estimam tanto, como não sermos amigos? Mas hoje não temos música? — tornou ela, com voz alegre.

Logo Inês foi para o piano, Jorginho estava cantando, Humberto dançando com Maria da Glória. Geraldo aproximou-se de Maria Luísa.

— Gostou dos meus amigos?

A moça sorriu.

— Maravilhosos. Você tem faro, como bicho-do-mato. Sabe escolher.

— É mesmo. Só tenho medo mesmo é de onça, isso eu tenho.

A moça riu, divertida.

— Você não dança?

— Eu não sei. Acho estranho mexer o corpo feito macaco. Não tenho jeito para isso.

— Eu ensino. Já que você é um farejador e só vai pelo que sente, tem que sentir a música. Levante-se, feche os olhos.

Geraldo obedeceu.

— Você já ouviu esta música?

O piano tocava um foxtrote choroso, e Geraldo respondeu:

— Não, eu não presto atenção nisso.

— Mas vai prestar. Você imagine um luar bonito, o céu, as estrelas, as árvores balançando suavemente. O cheiro das flores, e você no meio de tudo, girando ao som dessa música, girando, girando.

Geraldo pensou na mata, na árvore que amava na beira do rio, nas noites de lua, no cheiro inconfundível do mato, das flores, e sentiu que girava, girava entre elas, e a música de repente estabeleceu um ritmo no seu girar e ele entregou-se, revivendo o amor à terra, ao seu mundo. Até que tudo parou e ele, meio aturdido, abriu os olhos, e todos estavam rindo.

— Você dançou com ela — tornou Jorginho com alegria. — E saiu-se bem. Quem diria!

Ele estava encabulado.

— Você me enfeitiçou — disse ele para Maria Luísa, que o olhava maliciosa.

— Não fui eu. Foi a magia da música. Para que ela nos emocione é preciso saber ouvir, sentir, interpretar. Essa música me transporta para um jardim enluarado. Viu como ela levou-o também?

— A música tem esse poder? — perguntou Geraldo.

— A música tem esse e outros poderes. É grande e pode levar-nos a encontrar emoções sublimes. Vou ensiná-lo a ouvir música. Verá a que mundo maravilhoso ela pode levar-nos.

Geraldo ficou ansioso. Pensava conhecer razoavelmente a vida, e eis que novos caminhos abriam-se à sua sensibilidade, arrastando-o a sensações diferentes.

— Quero aprender mais — tornou ele, animado.

— Toque outra canção suave — pediu Maria Luísa —, vamos darlhe outra lição de música.

Inês iniciou uma romântica balada e Maria Luísa tornou com voz persuasiva:

— Feche os olhos, Geraldo — tomou a mão do moço e colocou-a em volta da sua cintura, segurou a outra mão puxando-o para si. Depois murmurou ao seu ouvido: — Esta música é diferente, toca-nos as fibras da alma. Sente como é suave e delicada sua melodia, como nos embala, conduzindo-nos a um mundo de sonhos e de beleza. Mergulhe nela, Geraldo, sinta como ela nos acaricia o coração.

Geraldo sentiu-se preso de emoção diferente, um misto de receio e de plenitude. A voz agradável da moça, o piano em suaves acordes, a música se revelando, acordando em seu íntimo emoções nunca sentidas, o perfume suave de Maria Luísa, o calor de seu corpo jovem, tudo fez com que ele, envolvido e arrebatado, esquecesse onde se encontrava e dançasse quase que inconscientemente até o fim.

Humberto e Maria da Glória, mergulhados no doce sentimento de amor que os unia, também dançavam enlevados, o que fez Jorginho observar em tom jocoso:

— Quem vai tocar para nós? Também quero sentir a música e dançar com você!

Inês sorriu, enquanto respondia:

— Deixe estar, que teremos nossa vez. Não sabe esperar?

— Não — respondeu ele com voz que a emoção baixava. — Quando desejo algo, tenho que obter logo. Não sei esperar.

— Pois não sabe o que perde. Esperar por vezes é mais saboroso do que alcançar.

— Não acredito. Se não prometer sair comigo amanhã, a sós, vou abraçá-la aqui mesmo.

— Não confunda minha cabeça, senão vou errar a música e estragar tudo.

— Vai sair comigo?

— Depois conversaremos.

Geraldo, enlevado, acompanhava os acordes da música, e estava tão absorto que, quando ela acabou, custou-lhe recuperar o equilíbrio e voltar à realidade. Continuou abraçando Maria Luísa de olhos fechados. A moça delicadamente soltou-se dele, que abriu os olhos.

— Você é muito sensível — tornou Maria Luísa com seriedade.

— Não sei. Nunca senti a música deste jeito. Queria sentir de novo. É muito diferente. Parece que a gente está sonhando.

— Você vai saber apreciar a boa música. Só tem que aprender a ouvi-la.

— Engraçado, eu sempre ouvi música, mas nunca senti nada.

— Ouviu sem penetrar seus encantos. Agora sentiu aonde ela nos pode levar.

— Também quero sentir a música. Quem toca para eu dançar com Inês?

A risada foi geral.

— Eu toco — tornou Maria Luísa com alegria.

Sentou-se ao piano com elegância, e seus dedos começaram a correr pelo teclado. A princípio brincando com as notas, em pedaços de canções em voga; depois, seu rosto transformou-se, parecendo absorta e vibrante, enquanto que suas mãos deslizavam pelas teclas arrancando sons puríssimos de rara beleza. A música encheu o ar, e à surpresa seguiu-se a admiração e à admiração seguiu-se o enlevo dos presentes. Maria Luísa tocava com rara sensibilidade. A música era viva, sentimental, vibrante, emotiva e envolvente. Ela tocava, tocava, como que envolvida por uma energia especial, até que no clímax da emoção chegou ao fim, deixando-se pender extenuada sobre o teclado. Aplausos entusiastas ecoaram, enquanto que Lucila, emocionada, abraçava-a com carinho.

— Minha filha, foi um privilégio ouvi-la! Que beleza!

Envolvida pela emoção, a moça estremeceu e levantou a cabeça. Tinha lágrimas nos olhos.

— Queiram perdoar-me. Não pensei que fosse acontecer.

— Perdoar?! — admirou-se Jorginho. — Jamais ouvi execução como esta. Ainda estou arrepiado. E a música, então? Que maravilha! Você é um gênio.

Maria Luísa, presa de funda emoção, não continha as lágrimas.

— Tenho que ir embora. Não pensei que fosse acontecer de novo. Há tempos que eu não tinha a crise.

— Crise? — perguntou Jorge.

— Acalme-se. Sei o que se passa com você. Não há razão para preocupar-se. Tudo é natural.

A moça sacudiu a cabeça negativamente.

— Aí é que a senhora se engana. Não é natural. Como acontece isso comigo? Aprendi piano, mas via de regra toco regularmente. Certinho, mas não tão bem quanto Inês. Porém, algumas vezes algo parece apossar-se de mim, uma força estranha, e eu mudo completamente. Transformo-me em outra pessoa. Nessa hora, toco desse jeito, sinto a música, e o pior é que não posso parar.

— E essa música — perguntou Inês, interessada —, não a conheço. É linda.

— Eu também não a conheço — respondeu a moça com voz embargada. — Como pode ser isso? Minha mãe já levou-me a grandes médicos, mas sem resultado. Isso não tem cura, e eles acham até que eu sou doente.

— Calma, minha filha. Você é tão saudável como qualquer de nós. Seu caso é simples e não precisa assustar-se.

— D. Lucila, será o que estou pensando? — tornou Geraldo, admirado.

— Você é sagaz, Geraldo. Acho que já percebeu. Maria Luísa é nesses instantes envolvida pelo espírito de um grande músico, que a usa como instrumento para manifestar-se de novo entre os homens. Não há nada de sobrenatural. Os espíritos são uma força da natureza. Venha, minha filha, vamos conversar. Agradeçamos a Deus ter permitido hoje aqui a presença de tão brilhante criatura que nos brindou com música celeste. Já pensaram na bondade de Deus?

A moça acalmou-se e todos acompanharam D. Lucila, que se sentou no sofá. Os demais acomodaram-se ao redor, divididos entre a emoção experimentada, o respeito por aquela mulher que exercia sobre eles doce fascínio e a curiosidade sobre esses assuntos que ela dominava com tanta segurança.

— Acha que foi um espírito de um músico que a envolveu e a fez tocar? — indagou Maria da Glória, admirada.

— Você pode dar outra explicação ao que acabamos de assistir?

— Mas ela sabe tocar piano — tornou Jorge — desde a infância. Deve tocar muito bem. Não pode ter-se inspirado?

— Você pensou o que vem a ser a inspiração? Por que será que ela não obedece à nossa vontade?

— Quer dizer que toda a inspiração dos poetas, dos músicos, dos artistas é produzida pelos espíritos? — indagou Humberto, interessado.

— Não é bem assim — explicou ela, serena. — A inspiração pode ser provocada por um espírito que ajuda o homem a buscar novas idéias, mas pode também ser colhida pela própria criatura cujo espírito busca encontrar novas fontes de conhecimentos e de emoção, de beleza e de elevação, colocando-se em sintonia com mundos superiores, onde vibram criações mentais de grandes e purificados espíritos, trazendo-as até nós.

— E por que a inspiração não obedece à nossa vontade? Por que o artista não consegue inspirar-se, ou ir buscar essa inspiração nessas fontes superiores quando quer? — inquiriu Humberto, interessado.

Lucila respondeu serena:

— Porque para que isso aconteça torna-se preciso haver sintonia. Essas fontes fluem normalmente nesses mundos onde os seres já são melhores e mais evoluídos, mas para que alguém da Terra as sinta é preciso que sua mente ou seu espírito consiga um potencial que lhe permita alcançá-las. Na Terra isso é muito difícil porque o meio ambiente é denso e absorvente. Todos somos ainda carentes de superioridade, e tão imperfeitos que somente nos sensibilizamos com forças menos delicadas. Porém, algumas criaturas conseguem, desenvolvendo um determinado setor da sua sensibilidade, sintonizar-se com faixas dessa beleza sublime dos mundos superiores e procuram desesperadamente transmiti-las aos outros homens. Verificando a vida dos grandes artistas, músicos, pintores, legisladores, cientistas, inventores, percebemos bem que se desgastam exaustivamente a vida inteira para conseguir essa sintonia a que chamam de inspiração, lutando por retê-la ao máximo e transmiti-la ao restante da humanidade. É interessante notar que raramente estão satisfeitos com o que conseguem reproduzir ou trazer, porquanto é muito difícil enquadrar o belo, o sublime, o maior, à estreita visão humana, e sensibilizar a embotada consciência do homem terrestre. Contudo, alguns, apesar disso, nos legaram patrimônios de arte, elevação e sabedoria.

— É interessante esse ponto de vista — murmurou Humberto, pensativo.

— Quer dizer que eles já encontraram tudo pronto? — perguntou Jorge, admirado. — Nesse caso, onde está o mérito de cada um?

— A sintonia, ainda que esporádica, com as fontes de inspiração divina, em mundos superiores, é conseguida com esforço, e muitas vezes essas criaturas pagam por ela um preço bastante alto em sofrimentos pessoais, renúncia, desprendimento, devendo neutralizar a densidade do nosso meio ambiente que nos atrai com muita força, pois a ele pertencemos. Vão buscar a essência e trabalham com ela, transformando-a em um código que os outros homens poderão sentir e entender. E nesse esforço em adaptar o sublime, o indescritível, a essência superior, à frase do homem comum, desgastam-se e criam, manipulam e dão de si. É por isso que os grandes gênios estão sempre insatisfeitos com sua obra e sempre à procura de maior perfeição. Já pensaram no sofrimento de um ser que penetra as profundezas inenarráveis do sublime, as belezas das cores em gradações e nuanças diferentes, tendo que trazê-las à materialidade da nossa natureza, e vendo-as empobrecer-se, diminuir, obscurecer-se para que o homem possa penetrá-las?

— Puxa, D. Lucila, nunca tinha pensado nisso. Deve ser um tormento. Por isso os gênios são inquietos e denotam insatisfação, sofrimento — tornou Maria da Glória.

— Penetrando nesses mundos onde a emoção é sublime, devem ter momentos de êxtase que ninguém pode imaginar — anuiu Humberto.

— É verdade. Por isso são diferentes da maioria. E o povo sente neles essa diferença e os admira.

— Quer dizer que Maria Luísa é inspirada? — perguntou Jorge, interessado.

— O caso dela é muito diferente. Como eu disse, a inspiração pode ser do próprio espírito da criatura, que consegue sintonia com outras fontes de vida, mas pode também ser provocada por um agente que, através da telepatia, transmitiria suas idéias. Isso os espíritos fazem.

— É o caso dela? — perguntou Geraldo.

— Eu diria que é mais do que isso. No caso dela, o agente, isto é, o espírito, a inteligência que se aproxima dela, consegue envolvê-la tanto que não só lhe transmite as idéias como domina seus pensamentos, seu sistema nervoso, seus gestos e tudo. Ele conduz Maria Luísa como quer, anulando sua vontade e manipulando sua parte motora. Confesso que é um processo delicado e pouco comum, mas que ele consegue com muita propriedade.

— Estou toda arrepiada, D. Lucila — tornou Maria Luísa, emocionada. — Mas se isto é verdade, o que ele deseja de mim? Por que vem fazendo isso comigo? Eu não gosto, fico desorientada, nervosa e com medo.

— Sente-se mal nessas horas?

— Não. Pelo contrário, parece que enquanto está acontecendo fico serena. Tudo fica mais claro e o mundo parece-me mais belo e colorido, mas ao mesmo tempo temo enlouquecer. Quero escapar desse domínio e não tenho forças.

— É inútil lutar contra a força das coisas. O melhor será captá-las a seu favor.

— Como assim?

— Não sei por que ele escolheu você como instrumento pelo qual quer manifestar-se aos homens, mas é fácil deduzir que se ele pode fazer isso, se ele consegue fazer isso com você, é porque você tem afinidade com ele.

— Por que tudo isso? Não vê que eu sofro?

— Fácil dizer isso olhando apenas o mundo material, mas o que ele quer é justamente mostrar-lhe as belezas da vida superior. Quer darlhe o sentimento sublime que o anima, quer ajudá-la a vencer seus problemas na vida.

— Não entendo, D. Lucila. Se eu sofro quando isso acontece?

— Esta noite, quando ele nos trouxe através de suas mãos a música sublime, acordou em nós sentimentos de beleza e de paz. Mas, acima de tudo, queria nos dizer que em nosso mundo tudo é efêmero e transitório. Que a vida não se acaba no túmulo, que ela continua em outras dimensões, onde mantemos nossa individualidade e continuamos a amar, sofrer e progredir. Minha filha, o que podem representar alguns anos de luta e sofrimento na Terra diante da grandeza da eternidade?

A voz comovida de Lucila calou-se e ninguém quis quebrar o silêncio por alguns instantes, cada um mergulhado em meditação. Por fim, Maria Luísa suspirou com certo alívio.

— Estou mais calma. Por que sinto medo?

— É natural. Você está imersa em forças que não consegue controlar, e isso provoca insegurança. Mas se estudar o assunto e aceitar sua sensibilidade, procurando discipliná-la, canalizando-a para forças superiores da vida, então verá que o medo dará lugar a uma fé esclarecida, a uma certeza absoluta da eternidade do espírito e da justiça de Deus, que a tornará forte para vencer todos seus problemas do dia-a-dia, por mais difíceis que possam ser. Não sentirá medo de nada, porque sabe que Deus está no leme de tudo, dando a cada um segundo suas obras.

— Como é bom ouvir essas coisas! Nunca ninguém falou-me assim. Como lhe sou grata!

A voz de Maria Luísa estava emocionada, e Jorginho aduziu, alegre, querendo quebrar um pouco a solenidade da moça:

— Será que eu não posso também pedir a um gênio da música para inspirar-me? Já pensaram, eu sentado ao piano e Chopin tocando pelas minhas mãos? Eu seria o maior músico da nossa época.

Todos riram, e D. Lucila objetou:

— Chopin sofreu muito com a saúde, você suportaria sentir uma crise de pulmão?

Jorginho admirou-se:

— É possível?

— Claro. Ao aproximar-se da Terra, ele emociona-se e pode reviver essa fase de sua vida com tal intensidade que transmitiria ao médium com o qual se ligasse todas essas sensações.

— Mesmo a de dor? — perguntou Humberto, interessado.

— Claro. Mas isso é uma hipótese. Poderia ocorrer ou não, dependendo da mente dele na hora. Mas o que ele sentir, isso o médium sentirá.

— Não estou mais interessado — desconversou Jorge, o que aumentou o volume das risadas.

— Vamos, está na hora do lanche.

Quando Maria Luísa despediu-se, duas horas depois, abraçou D. Lucila com muito carinho.

— Desculpe o abuso. Esqueci das horas. Ficaria por aqui com muito prazer. Hoje excedi-me. Desculpe-me mais uma vez.

— Venha sempre. Terei o máximo prazer em tê-la como mais uma filha.

— A senhora não sabe como fez-me bem essa tarde aqui. Realmente gostaria de voltar.

— Pois venha quando quiser, e nos dará muita alegria.

Maria Luísa estava sendo sincera. Sentia-se aliviada, serena, a presença de Lucila fazia-lhe muito bem. Naquelas horas conseguira esquecer o drama de sua vida, a dor que lhe ia na alma. Ao abraçá-la, Lucila ajuntou:

— Sinto que precisamos conversar. Quando sentir isso, venha aqui e poderemos trocar idéias. Temos muito a nos dizer.

Maria Luísa assentiu com a cabeça e, sem poder pronunciar palavra, beijou-a na face com carinho. Geraldo dispôs-se a acompanhá-la e Jorge resolveu ficar mais um pouco. Humberto saiu com Maria da Glória.

No carro, Geraldo permaneceu silencioso. Em seu coração vibravam emoções contraditórias, mas D. Lucila aparecia para ele como figura sublime. Sua admiração crescia a cada dia.

— Mulher extraordinária — comentou Maria Luísa, pensativa.

— Também acho. Tem me ensinado tudo quanto já sei, além de ler e escrever. Quando me revolto com a minha saudade, ela me anima.

A moça olhou-o admirada. O rosto dele estava conturbado e refletia muita amargura. Era afortunado, invejado, comentado, bajulado, tinha tudo. Por que sofria?

Colocou a mão sobre o seu braço.

— Não se sente feliz?

Geraldo, naquele momento, lembrava-se apenas da sua vida frustrada, sem carinho nem amor.

— Nunca me conformei em perder minha mãe. Ela era a mais doce, a mais meiga, a mais carinhosa de todas as pessoas. Foi duro perdê-la. Enquanto pensei que tivesse morrido, meu sofrimento era suportável, mas desde o dia em que descobri o que tinham feito comigo não consigo esquecer. Sabê-la viva, sofrendo por mim, procurando por toda parte, angustiada e aflita, enquanto que eu chorava amargurado sua saudade, é muito cruel.

O moço, sem querer, olhos perdidos nas lembranças, abria o coração, extravasando sua dor, e procurava conter as lágrimas que teimavam em brilhar, rolando incontidas pelas suas faces.

Maria Luísa, sensibilizada ainda pelas emoções que experimentara naquela tarde diferente, estremeceu de emoção, que procurou vencer.

— Sei como se sente. Arrancar do coração alguém que amamos é cruel e machuca muito. Sei o que é isso. Compreendo sua dor.

— Desculpe. Você não tem nada com isso. Meu caso não tem solução. Não quero deixar você triste.

Ela olhou-o com doçura.

— Você é meu amigo. Sei que é. Gosto muito de você. Levou-me a conhecer seus amigos, deu-me apoio. Sinto que agora tudo em minha vida vai mudar. Não estou mais sozinha. Você perdeu a mãe, eu perdi meu pai muito cedo. Minha mãe, muito doente, foi para a Europa, onde fiquei longe de todos, em um colégio. Pouco convivi com ela. Tem sido boa para mim, mas não sei explicar, parece que há uma barreira entre nós. Alguma coisa nos separa. Meu padrasto é bom, e dentro da sua maneira de ser é muito digno e correto, mas no colégio, longe daqui, em meio a pessoas estranhas, também chorei muito a perda de uma mãe que me afastou de si por vários anos. Ia visitar-me duas vezes por ano, levava-me presentes, mas como dizer-lhe que o que eu mais desejava era estar com ela em casa? Pedi para voltar, mas ela alegava sempre sua saúde, e eu, vendo-a abatida, nervosa, não tinha coragem de insistir. Voltei para casa aos dezoito anos, depois de completar os estudos. Foi aí que me aconteceu o pior. Conheci um homem que me envolveu com seu amor. Começamos o namoro. Ele, belo e inteligente, solicitado por todas, rico, festejado, e eu me apaixonei perdidamente. Até que veio a mudança, ele foi esfriando, afastando-se. Até o dia em que falou-me francamente. Não estava mais apaixonado por mim. Acabou o amor. Pensei enlouquecer. Ele era tudo quanto eu tinha. Supria minha necessidade desesperada de amar. Você viu, ele agora está com outra, vai se casar. Não fosse você confortar-me, não sei o que faria.

Lágrimas rolavam pelos olhos dela, e o moço, penalizado, abraçou-a alisando-lhe os cabelos com carinho. Podia compreender sua dor. Querer alguém e não poder estar junto. O "nunca mais" machucando o coração, revolvendo a ferida. Aconchegou-a ao peito como faria a uma criança assustada, sentindo imenso carinho por ela.

— Você não está só — murmurou emocionado. — Nem eu. Estamos juntos. Pode contar sempre comigo. Sou seu amigo.

A moça aconchegou-se, sentindo-se mais calma; uma paz imensa a envolveu. Suspirou fundo. O carro parou. Geraldo desceu e ajudou-a a descer.

— Não quer entrar? — perguntou ela.

— Não, obrigado. Vou para casa. Já está tarde.

Ela ergueu-se na ponta dos pés e beijou suavemente a face morena de Geraldo.

— Deus o abençoe pelo bem que me fez. Boa noite.

O moço sentiu uma onda de calor aquecer-lhe o coração. Os belíssimos olhos dela o fixavam com doçura e ele sentiu um choque por dentro e um certo receio, mas ao mesmo tempo uma onda de alegria. Tomou sua mão, beijando-a com carinho.

— Num vou esquecer esta tarde — disse como que para si mesmo.

— Por quê?

— Porque você me ensinou a dançar. Boa noite.

Maria Luísa sorriu, e foi com alegria que abriu a porta da casa para entrar. Aurora esperava-a preocupada.

— Filha, como demorou. Nem veio para o jantar. Não acha que está abusando?

A moça olhou-a surpreendida.

— Não sabia que era tarde. Hoje conheci gente maravilhosa, nem vi o tempo passar.

— Algum romance?

— Não fale nisso. Não é assunto que me agrade. Conheci uma família e adorei.

— Como é o sobrenome?

— D. Lucila é o nome. Era muito amiga de D. Carolina, mãe de Geraldo.

Aurora estremeceu.

— O que você foi fazer lá?

— Visitá-la. É uma mulher maravilhosa. Sua filha tem minha idade e é muito agradável. Passei um dia maravilhoso. Ficamos muito amigas.

Aurora perturbou-se.

— Pois eu não gosto dessa gente e me desagrada muito você ter ido lá. Gostaria que não voltasse a vê-los.

Maria Luísa admirou-se.

— Por quê? São da sociedade mais fina da cidade, embora não a freqüentem. Tem alguma coisa contra elas?

Aurora procurou controlar-se, vencer o medo terrível que a assaltava quando a moça se aproximava de alguém que conhecia seu passado.

— Não é nada pessoal, mas os comentários... Dizem que elas são excêntricas, não freqüentam a igreja, e isso me preocupa.

— Você?! Algum dia se preocupou com religião?

— Cumpro meus deveres.

— É. Vocês vão à missa de vez em quando. Pode ter certeza, mamãe: se alguém comenta alguma coisa, se fazem intriga contra D. Lucila, certamente não tem fundamento. Se as conhecer, verá como são infundadas suas preocupações.

— Em todo caso, quero pedir-lhe que não volte mais lá.

A moça olhou a mãe com espanto. O que haveria por trás de tudo isso?

— Sinto, mamãe, mas não posso atender. Não vejo razão para sua preocupação. Gostei delas, estou interessada em cultivar essa amizade. Gostaria muito que as conhecesse. Podemos ir juntas visitá-las um dia destes.

Aurora deixou escapar suspiro fundo. Tentou disfarçar. Não podia insistir sem despertar suspeitas. Até quando iria pagar pelo seu erro? Tanto sofrimento teria sido vão? Tentou sorrir.

— Não tenho curiosidade em conhecê-las. Não me peça esse esforço.

Maria Luísa fixou o rosto conturbado da mãe.

— Talvez lhe fizesse imenso bem. Como a mim. D. Lucila possui uma força interior, uma grandeza de alma e uma bondade que fizeram-me bem ao coração, cansado da falsidade dos salões. Talvez conhecê-las lhe fizesse muito bem, acalmasse seus nervos.

— Vou pensar nisso.

Aurora desconversou e, pretextando qualquer coisa, afastou-se. A moça não se preocupou com ela. Seu avô lhe havia contado que a doença da mãe era nervosa e que era preciso ser paciente com seus problemas. Habituara-se a olhá-la por esse ângulo e não estranhava suas crises de depressão, quando se trancava no quarto sem querer ver ninguém por vários dias, só suportando a presença do marido, dedicado e paciente ao extremo.

Mas Aurora sentia-se extremamente assustada. Não via com bons olhos a amizade da filha com Geraldo. Se o moço ignorava o passado, o mesmo não acontecia com D. Lucila, amiga da família e testemunha da tragédia toda. Impossível que ignorasse tudo. Como evitar que elas falassem sobre isso? Como impedir Maria Luísa de ir até lá sem despertar suspeitas, se ela se recusava a atender seu pedido? Estava aterrada. Mal dormiu à noite e, na manhã do dia seguinte, mandou o chofer preparar o carro e ordenou que a levasse à casa de Lucila.

Conhecera-a de perto naqueles tempos. Temia procurá-la. Certamente defenderia Carolina. As duas eram como irmãs. Tocou a sineta e esperou. A criada conduziu-a à sala de estar, onde Inês a recebeu com delicadeza.

— Sou Inês. Minha mãe já vem. Tenha a bondade de sentar-se.

Aurora, apesar de habituada a controlar-se, estava tensa e pálida. Sentou-se na ponta da poltrona sem dizer palavra. Lucila veio tirar Inês do embaraço, aproximando-se. Vendo-a tornou, um pouco admirada:

— Aurora! Como vai?

— Perdoe-me vir aqui a esta hora da manhã. Não é de bom-tom. Mas meu assunto é urgente e preciso conversar com você.

— Certamente. Esteja à vontade.

— O assunto é particular. Gostaria de falar-lhe a sós.

— Naturalmente. Passemos para a sala ao lado. É meu gabinete; lá estaremos a sós e ninguém nos interromperá. Tenha a bondade.

Aurora seguiu Lucila, acomodou-se à sua frente, começou nervosa:

— Sei que vai estranhar minha vinda aqui. Certamente, não esperava.

— É verdade.

— Pois bem. Vim para pedir-lhe um favor. Custa-me muito esse pedido. Sei que a seus olhos sou uma assassina, causei a morte de dois homens e talvez tenha estragado a vida de Carolina, mas, apesar de me arriscar a ser mal recebida, vim, não por mim, mas pedir por minha filha.

Aurora falava devagar e com extrema dificuldade. Era-lhe muito difícil estar ali, dizendo aquilo. Lucila olhou aquele rosto ainda bonito, transformado em ricto de dor, e tornou com voz calma:

— Aurora. Por favor. Não se atormente remexendo sua dor.

— É preciso — tornou ela com voz amarga. — Eu errei, fui leviana, traí o amor de um homem belo, bom, amado, não pude resistir à paixão e destruí nossas vidas. Como esquecer? Como?

Condoída, Lucila murmurou:

— Esquecer é difícil. Mas de que vale agora atormentar-se com o que já passou? Que utilidade tem agora cultivar o arrependimento e a sensação de culpa?

A outra, mergulhada nas próprias emoções tantas vezes represadas, sentindo o olhar bondoso daquela mulher que em vez de acusá-la parecia querer ajudá-la, não conseguia conter o que lhe ia na alma atormentada.

— Lucila — tornou ela com voz embargada —, você foi testemunha de nosso amor. Você viu como Álvaro era bom e me amava, e o quanto éramos felizes. Entretanto, eu não tinha condições para compreender o tesouro que tinha nas mãos. A paixão que sentia por ele me atormentava. E eu sofria, não queria que ele sequer atendesse ou falasse a uma mulher. Ele suportava tudo com calma. Eu, irritada, nervosa, ele contornando, dando-me amor, dedicando-se ao máximo, mas o ciúme me cegou. Sofria quando ele atendia a uma mulher em seu consultório, e várias vezes causei embaraço fazendo cenas e obrigando-o a passar vexames. Ele procurava trazer-me à razão, falava, explicava e tudo passava, e eu sentia crescer minha paixão, meu amor, minha loucura. Até que um dia, isso você não sabe, alguém escreveu-me uma carta dizendo que ele me traía. Fiquei como louca. Procurei essa pessoa, que prometeu ajudar-me e arranjar um detetive particular para segui-lo. Pareceu-me a solução ideal, e eu, então, esperei. Até que alguns dias depois ele me procurou, com um relatório dando hora e local onde eles costumavam encontrar-se. Fiquei descontrolada.

Aurora fez uma pausa, rosto crispado, mãos apertando nervosamente a bolsa que segurava, voz traduzindo a força da emoção e carregada de lembranças. Lucila, ansiosa, acompanhava o relato, tantas vezes imaginado, nunca confirmado, dos fatos que envolveram dolorosamente tantas criaturas. Aurora prosseguiu:

— Ele me dizia que Álvaro estava apaixonado por Carolina. Nós éramos muito amigas. Eu a estimava sinceramente. Apesar de ela ser linda e Álvaro ter por ela muita deferência, nunca me ocorrera essa hipótese. Ela parecia amar muito o marido e eles eram extremamente felizes. Viviam, como você sabe, como dois namorados, e nós, que privávamos da sua intimidade, sabíamos disso. Carolina parecia só ter olhos para Euclides, e ele a adorava. Foi um tremendo choque. Você pode imaginar como me senti.

— Aurora, apesar do que me conta, eu não acredito nessa infâmia. Estive com Carolina até o último suspiro e afianço-lhe que ela era inocente. Isso foi uma tremenda calúnia.

— Hoje me pergunto se isso foi ou não verdade. Confesso que não procurei averiguar mais. A palavra do detetive, que não tinha interesse em enganar-me, que eu estava pagando para averiguar, não me deixou nem sequer pensar na hipótese de ele ter se enganado ou me enganado. Pintou-me fatos que não davam margem à dúvida. Encontros clandestinos às escondidas em um apartamento. Fiquei cega de ódio. A custo consegui esconder de Álvaro meu rancor e minha revolta. Eu precisava vingar-me. Tinha que encontrar um meio para fazê-los pagar pelo que eu estava sofrendo. Enganada, traída duas vezes, pelo homem amado e pela melhor amiga. Nem sei como pude suportar tanta dor sem perder a razão. Pretextando doença, guardei o leito durante vários dias, pensando como fazer para realizar minha vingança. O melhor seria responder com a mesma moeda. Fazer com que ele sofresse na carne o mesmo que eu estava sofrendo. Devolver-lhes a dor, rasgar-lhe o coração, a honra, reduzi-los a nada, destruí-los. Animada por esse pensamento, consegui erguer-me do leito e retornar à vida diária. Não podia suportar a dedicação de Álvaro. Tinha vontade de atirar-lhe no rosto a verdade, mas calei. O ódio me fortalecia. Suportei até a presença de Carolina, lutando contra o desejo de lançar-lhe no rosto o que me ia no coração.

Aurora soluçava, e Lucila, penalizada, esperava que ela se acalmasse.

— Você sofreu muito, Aurora.

— Sofri o que o diabo determinou. Uma pessoa ajudou-me a suportar a dor. O mesmo que me havia prevenido, arranjado o detetive e sabia de tudo. Disse-lhe do meu plano de vingança e ele prometeu ajudar-me. Arranjou um encontro com um conhecido seu no mesmo local onde Álvaro encontrava a amante, e compareci lá, prometi bom dinheiro para que ele estivesse ali em dia e hora que eu ia marcar, para encontrar-se com uma mulher. Ele perguntou interessado: — *Ela é bonita?*

— *É muito bonita* — respondi com raiva. — *Você precisa retê-la aqui o mais possível.*

— *A madame sabe que isso é perigoso. O marido pode saber, e aí minha pele não vale nada.*

— *Não tenha medo. Não é o marido dela que vai vir aqui. É o meu.*

— O outro riu, malicioso, e eu tive vontade de bater nele.

— *Se não quer, fale logo que arranjo outro. O Dr. Olavo se encarrega. Se tem medo, paciência. Ao meu marido não interessa o escândalo. Se o marido dela souber, ele é que vai ficar mal. Quero vingar-me. Quero que ele pense que ela o trai também. Entendeu?*

— Ele riu, despreocupado.

— *Entendo. Pode confiar que darei conta do recado.*

— Saí dali saboreando a vingança. A armadilha seria feita e Carolina certamente estaria ali na hora exata. Combinamos a importância, e no dia seguinte, no mesmo horário, eu lhe entregaria o dinheiro. Em casa, planejei tudo. Escrevi uma carta anônima para Álvaro cujas palavras ainda estão vivas em minha memória: "Se quer saber onde sua amada passa as horas, vá a tal apartamento no dia tal, a tantas horas, onde ela costuma estar sempre em muito boa companhia". Antegozava a hora de, no dia aprazado, telefonar a Carolina, atraindo-a ao local combinado. Apesar de ser vultosa a quantia, consegui levantá-la, e no dia imediato fui ao encontro do Sr. Eurico, homem que eu contratara. Ele já me esperava no apartamento que eu alugara e viera disposto a arranjar as coisas de modo a aparentar o que eu queria. Desfiz a cama, arranjei copos com bebidas e até flores. Lembro-me de que ele me olhava divertido e arriscou uma brincadeira: "Sempre tive medo de mulher ciumenta. São o diabo!" Não respondi, não tive tempo; naquela hora, sem que eu soubesse como, Álvaro, transtornado, apareceu na porta do quarto e, vendo-nos, gritou desesperado:

— *Vocês! É verdade! Miseráveis, traidores! Como puderam?! Aurora, você me traiu. Hipócrita. Ciumenta! Mentirosa!*

— *Álvaro* — balbuciei aterrorizada —, *o que está pensando?*

— Ele nem me ouviu. Puxou de uma arma e abateu Eurico ali mesmo; voltou a arma contra mim, que gritava minha inocência e atirava-lhe no rosto sua traição, e ele, olhos terríveis, pálido, fora de si, apontando a arma, gritou:

— *Você destruiu nossas vidas; morre, infeliz!*

— A bala me atingiu no peito, mas eu só percebi quando o sangue brotou. Quis gritar, a voz não saiu. A vista turvou-me e eu, antes de desmaiar, ainda o vi voltar o revolver contra o próprio peito e dar no gatilho. Desfaleci.

Aurora chorava convulsivamente e Lucila correu a abraçá-la, compadecida. A tragédia se consumara.

— Chore, Aurora. Alivie o seu coração do peso do remorso.

— Eu não quis provocar aquela tragédia. Juro que não pensei que Eurico pudesse morrer e que Álvaro chegasse a tanto. Nunca imaginei que ele pudesse nos surpreender. Ah, Lucila, é difícil lembrar o que ocorreu depois. Estive no hospital, passei mal, mas Deus poupou-me a vida porque assim eu sofreria muito mais e pagaria pelo meu erro. Mas eu tinha razão, eu era a vítima. Ela, Carolina, estava impune. Amada, festejada, feliz. Eu fora destruída. Ela veio ver-me no hospital, e se eu pudesse falar naquele dia, teria gritado meu ódio. Soube que Álvaro não morrera. Nosso nome enxovalhado, o lar destruído e a família de Eurico sem arrimo. Quando pude falar, contei tudo a meu pai. Ele tomou conta do caso, decidido a quebrar os vínculos do meu casamento com Álvaro. A meu pedido contratou o Dr. Olavo, meu amigo e conselheiro, e iniciamos o processo de desquite. Prestei depoimento, acusando Álvaro e Carolina, mas as evidências eram contra mim. Eu fora encontrada com um homem no apartamento, não ela. Como provar a verdade? Apesar de o Dr. Olavo arrolar o testemunho do detetive, esse não teve valor porquanto foi provado que o homem era seu assalariado, o que invalidou seu depoimento, e Álvaro compareceu no processo como inocente e vítima, enquanto que eu era a leviana, a falsa, a adúltera, a devassa. Não me conformei. Quando o pesadelo do desquite acabou, meses depois, não me contive. Ia para a Europa com minha filha, como uma sombra vencida, esconder minha vergonha e preservar Maria Luísa inocente, mas queria a todo custo destruir Carolina. Para isso procurei o Dr. José Marcondes, irmão de Euclides, e chorando relatei com detalhes minha verdade; ele prometeu ajudar-me entregando ao irmão a carta que eu escrevera relatando os fatos. Fui embora para a Europa. Soube que Álvaro suicidou-se, talvez corroído de remorsos, e Euclides largou a esposa, provando que eu estava certa.

— Nunca lhe ocorreu que Carolina podia estar inocente? Nunca pensou que vocês podem ter sido vítimas de interesses escusos, de pessoas sem escrúpulos, interessadas em destruí-los?

— Não. Ultimamente tenho pensado muito e acho que deveria ter procurado surpreendê-los em flagrante. Mas eu não suportava a idéia de vê-los juntos, compreende?

— E por isso desencadeou toda essa tragédia. E se seu marido for inocente? E se Carolina for inocente? Quantas vidas seu ciúme destruiu!

— Nem posso admitir essa hipótese. A única coisa que me conforta é pensar que eu era a vítima. Eu a traída. Não. Não posso pensar nisso.

Aurora passou a mão pela testa, como querendo afastar essa idéia terrível. Depois, fazendo um esforço, continuou:

— Sempre lutei para afastar minha filha de tudo isto. Sofri muito afastando-a de mim, eduquei-a na Europa na esperança de que o tempo apagasse a lembrança e o escândalo fosse esquecido. Morreria de vergonha se ela descobrisse a verdade.

Lucila olhou-a penalizada.

— Você não conseguiu esquecer.

— Jamais conseguirei. Meu pobre Afonso tem feito o possível para ajudar-me. Mas a dor, a vergonha, o remorso me consomem os dias. A insônia, os pesadelos, a cena trágica, o desfecho terrível voltam constantemente, e eu não os posso evitar. Nesses dias permaneço no leito, sacudida pela dor, e temo enlouquecer. A figura de Eurico assassinado, ensangüentado, me aparece, vingativa e cruel, acusando-me, jogando o dinheiro em meu rosto, e nesse pesadelo, como no caso de Judas, as notas transformam-se em sangue.

Aurora, pálida, tremia, e as lágrimas desciam em avalanche sem que ela pudesse contê-las. Lucila olhava-a condoída, deixando-a desabafar. Quando ela pareceu acalmar-se, Lucila tornou:

— Compreendo seu receio. Agora sei por que veio. Quanto a isso, pode tranqüilizar-se. Em nossa casa, Maria Luísa jamais ouvirá a mais leve insinuação ou referência ao passado. Dou-lhe minha palavra e respondo por minha filha. Conhecemos Maria Luísa ontem e ela é uma moça maravilhosa. Bela, de corpo e de alma. Pode ter certeza de que a apreciamos muito.

Aurora levantou os olhos vermelhos e molhados.

— Morreria de vergonha se ela viesse a saber.

— Não acha que essa posição é muito dolorosa? Não seria melhor ter-lhe contado tudo? É uma moça inteligente, saberia compreender.

— Não diga isso — Aurora remexeu-se na cadeira, aflita. — Prefiro morrer a dizer-lhe tantas coisas cruéis. Apesar de ter tido pouco convívio com Álvaro, ela o adora. Cultua sua memória com veneração. Odiar-me-ia certamente.

— Aurora, a verdade sempre faz menos mal do que a mentira. Se você lhe contasse tudo, ela saberia entender, compreenderia seu sofrimento, sua fraqueza; mas se ela vier a descobrir pelos outros, mal informados, além de ter uma versão falsa corre o risco de revoltar-se por ter sido enganada. Isso a afastaria de você, ao passo que, se você mesma lhe abrisse o coração, tenho a certeza de que ela estaria do seu lado, ajudando-a a esquecer.

Aurora sacudiu a cabeça, desalentada.

— Jamais terei forças para fazer isso. Se consegui mantê-la longe da tragédia até agora, acredito que posso fazê-lo até o fim. Hoje poucos se recordam do meu drama; meus amigos cooperam e ninguém o menciona jamais. Por isso, peço-lhe que não toque nesse assunto.

— Pode ficar tranqüila. Você é a única pessoa que tem o direito de contar-lhe a verdade. Nós jamais o faremos. Fique em paz. Sua filha esteve aqui, apreciamos muito sua amizade e gostaríamos de mantê-la. Pareceu-me haver reciprocidade, o que virá nos alegrar a vida. Inês e eu sabemos apreciar uma boa amizade. Pode crer que jamais mencionaremos o que se passou.

Aurora suspirou aliviada.

— Agora estou calma. Mas tive tanto medo! Sempre que ela se aproxima de alguém que conhece a verdade, me atormento.

Lucila ajuntou, serena:

— Tudo seria diferente se você vencesse esse medo.

Aurora sacudiu a cabeça.

— Não posso. Apesar de tudo, alegra-me saber que você não me acusa. Sei que gostava de Carolina como de uma irmã. Temia não ser bem recebida. Foi muito difícil vir aqui.

— Vocês viveram um terrível drama, cujas profundezas sou incapaz de entender. Só Deus, que conhece a causa de tudo, tem condições de julgar. Avalio o que você tem sofrido como única sobrevivente desse doloroso romance. Todos os outros personagens já partiram. Lá onde se encontram, acredito que estejam de posse da verdade, onde certamente cada um tem uma parcela de culpa. A justiça de Deus é perfeita, e se nós cometemos erros, se nós destruímos, ele sempre nos dará ocasião de recomeçar, de construir, de refazer. Para isso usa os recursos do tempo, através das reencarnações.

Aurora olhou-a admirada.

— Acredita nisso?

— Plenamente.

— Acha que Álvaro sabe que sou inocente, que jamais o traí?

— É provável. Acho também que Euclides já descobriu que Carolina também sempre lhe foi fiel.

— Acredita mesmo nisso?

— Tenho absoluta certeza. Acompanhei o seu martírio. Conheço todas suas lutas, seus sofrimentos. Era mulher admirável.

— Se ela era inocente, como deve ter me odiado!

— Jamais ouvi de seus lábios alguma referência maldosa sobre você. Ao contrário, costumava lamentar sua atitude e tentou vê-la várias vezes para esclarecerem tudo, o que jamais o Dr. Sigifredo consentiu. Acompanhamos o sofrimento de Álvaro, e ela muitas vezes levantava dúvidas quanto à sua traição. Acho mesmo que ela descobriu parte da verdade, porque disse-me que a conhecia bem e sabia que o seu caráter era firme. Recusava-se a crer que você tivesse traído Álvaro com aquele conquistador barato. Um dia que ambas conversávamos, ela comentava o sofrimento de Álvaro. Euclides, receoso de nova tentativa de suicídio, o levara para a própria casa, onde ele tinha sérias crises de depressão e perambulava como um fantasma pálido e sofrido.

— Pobre Álvaro — tornou Aurora, comovida. — Conte-me tudo, anseio saber.

— Pois bem. Naquela tarde, eu e Carolina estávamos na varanda quando Euclides veio ter conosco e pediu:

— *Vão ter com Álvaro, ele está péssimo. Recusa-se a levantar e nem reage. Não conversa e eu não consigo tirá-lo desse estado. Vocês certamente farão melhor do que eu. Não posso vê-lo desse jeito! Temo que duma hora para outra tente de novo.*

— Olhamo-nos assustadas.

— *Vamos, Lucila* — tornou Carolina. — *Você pode ajudá-lo mais do que nós.*

— Quando entramos no quarto, ele, vestido, estava estendido no leito, olhos fixos no teto, alheio a tudo. Magro, pálido; olheiras fundas sulcavam-lhe as faces.

— Pobre Álvaro — suspirou Aurora, soluçando.

— Prefere que eu pare? Não quero molestá-la.

— Não, por favor. Preciso saber. Tenho anseios de conhecer a verdade. A dúvida me enlouquece. Continue, peço-lhe.

— Aproximamo-nos do leito. Carolina olhou com bondade e tornou:

— *Dr. Álvaro, Lucila veio visitá-lo. Interessa-se por sua saúde.*

— Ele, sem desviar os olhos do teto, respondeu:

— *Obrigado.*

— *Não vai me estender a mão?*

— *Perdoe-me* — tornou ele —, *tornei-me um selvagem.* — Olhou-me e apertou minha mão rapidamente.

— *Se não se importa, vou sentar-me por alguns minutos a seu lado.*

— *Esteja à vontade* — tornou ele com voz apagada.

— Sentamo-nos. Eu ao lado da cama e Carolina na outra cama que havia no quarto. Fiquei calada, olhando o seu rosto moreno e triste. Depois de alguns minutos, ele tornou:

— *Desculpe-me, mas não sou boa companhia. Acho que desperdiça seu tempo vindo ver-me.*

— *Sempre fomos amigos, Dr. Álvaro, e o seu sofrimento nos faz sofrer também.*

— Ele fez um gesto desalentado:

— *O mal é sem remédio. Não desejo preocupar os amigos.*

— *Mas preocupa. Permanecer nesse estado, sem vontade de lutar, viver, sem reagir, realmente não vai solucionar o problema nem contribuir para aliviar sua dor.*

— *Sinto, mas não posso ser diferente. Estou acabado. A tempestade passou por mim e destruiu tudo.*

— *Depois da tempestade, tudo se refaz, a atmosfera se limpa e as plantas brotam de novo; é preciso conservar a esperança!*

— *Para mim, tudo acabou.*

— *Tem Maria Luísa, ela o ama muito e precisa do seu amor!*

— Álvaro emocionou-se; lágrimas brotaram dos olhos macerados.

— *Minha filha, meu biscuí.*

— Era assim que ele a chamava — tornou Aurora, com voz embargada.

— Ele continuou:

— *É a única coisa que me resta. Mas agora, eles até isso me tiraram. Não mais a vi. Apesar de ter sido absolvido, ela ficou com a filha e impede-me de vê-la. Nada mais me resta neste mundo.*

— Carolina aproximou-se:

— *Dr. Álvaro* — *tornou com voz doce* —, *posso dizer-lhe o que sinto?*

— Ele concordou com a cabeça, ela prosseguiu: — *Recuso-me a crer na culpa de Aurora.*

— *Por favor* — respondeu ele com voz rouca. — *Não falemos nesse assunto!*

— *Mas eu preciso falar o que sinto. Conheço Aurora desde a infância. Fomos amigas sinceras. Não creio que ela o tivesse traído com aquele homem.*

— *Pois eu vi com meus próprios olhos. Quando recebi aquele bilhete anônimo dizendo que minha amada me traía, fiquei como louco. Eu a amava muito. Era e sempre foi a única mulher de minha vida. Não agüentei esperar pelo dia marcado. Passei a segui-la e surpreendi-a entrando naquele prédio. Estava louco de ciúme e armado. Quando mexi no trinco, a porta estava aberta e olhei a cena. A cama desfeita, os copos com bebida e ela, a minha mulher, a mãe de minha filha, a mulher que eu amava com loucura, olhando para ele. Como duvidar? Como não compreender a verdade? Uma nuvem toldou minha vista. Conforme planejara, atirei nos dois e tentei matar-me.*

— Álvaro chorava convulsivamente, enquanto que eu orava a Jesus pedindo para ele a ajuda de Deus. Foi uma cena dolorosa, que jamais se apagou da minha mente.

Aurora chorava emocionada, e, colocando a mão no braço de Lucila, pediu:

— Por caridade, continue.

— Ele continuou com voz embargada: — *Sem Aurora e sem Maria Luísa, a vida não vale mais a pena. Só lamento terem me salvado.*

— *Dr. Álvaro, como pode pensar que Aurora, que tanto o amava, tenha-o traído com um conquistador barato como aquele? Eu a conheço bem e recuso-me a crer* — Carolina falava com voz firme.

— *Mas eu os vi!*

— *Você viu os dois, vestidos e conversando. Nem sequer os deixou explicar, falar o que estava acontecendo. Não acha que se precipitou?*

Aurora murmurou, admirada:

— Ela me defendeu assim? A mim, que a acusara no processo e lhe lançara no rosto o que eu pensava?

— Carolina era uma mulher lúcida e sublime. Verá que tenho razão. Mas Álvaro continuou: — *Você a defende? Você, a quem ela, na ânsia de justificar-se, procurou enlamear?*

— Carolina olhou-o, e me recordo que havia muita doçura nesse olhar:

— Aurora era uma pessoa doente. Seu ciúme era uma chaga sempre dolorosa, mas jamais teve ciúmes de mim. Para mim, se quer saber, esta história não está bem contada. Há algo nisso tudo que é preciso esclarecer e descobrir. Apesar da tragédia, acho que vale a pena averiguar, porque a verdade pode ser outra e vocês podem estar enganados. Alguém pode ter usado seu ciúme, atiçando-a contra mim, para destruí-los. Aurora, ciumenta e apaixonada, pode ter sido envolvida.

— Não acredito. Para mim, tudo está claro. Olavo é um patife que me odeia, e pode ter inventado essa calúnia a nosso respeito, em que ninguém acreditou, só para tentar justificar a atitude leviana de sua cliente. Isso é comum nessa profissão, nos homens sem caráter como ele.

Aurora surpreendeu-se:

— Eles não se davam? Álvaro disse isso?

— Estou relatando palavra por palavra. Gostaria mesmo que descobrisse a verdade. Talvez pudéssemos encontrá-la juntas. Eu também acho que as coisas jamais se tornaram claras. Hoje conheci mais um pedaço da história e vejo que Carolina pressentiu a verdade. Você foi ludibriada em sua boa-fé por esse advogado, homem sem escrúpulos que, por alguma razão que desconhecemos, queria prejudicar seu marido.

Aurora abriu os olhos, assustada:

— Meu Deus! Será possível? Esse homem teria sido tão vil?

— Não o estou acusando, mas foi ele quem lhe mandou a carta sobre a suposta traição de Álvaro com Carolina.

— É, foi.

— Foi ele também quem arranjou o "detetive", que era um seu assalariado. E foi nesse homem que você acreditou. Essas foram as suas "provas". Tudo partiu dele. Não acha que pode ter sido conduzida por ele, que, explorando seus ciúmes, usou-a para destruir seu marido?

— Isto é uma monstruosidade. Por que ele o odiaria a tal ponto?

— Só Deus sabe. Parece-me que os fatos nos fazem levantar essa suspeita.

— Por Deus! Isso é horrível. Teria tudo sido um engano? Álvaro era inocente?

— Tenho plena certeza disso. Não só com Carolina como com qualquer outra mulher. Ele amava-a profundamente.

— Meu Deus — soluçou ela —, que tragédia! Meu ciúme, minha estupidez, minha loucura. Tenho medo de saber, mas ao mesmo tempo preciso conhecer a verdade. Como? Quem me poderia ajudar?

Lucila olhou-a bem nos olhos.

— Aurora, está na hora de você lutar para refazer sua vida. Você tem sofrido muito e se amargurado. Isso não melhora a situação. Precisa conhecer a verdade, ir até o fim. Não tenha medo. Você foi vítima também. Um dia tudo virá à tona e você ficará aliviada.

— Só não quero que Maria Luísa saiba.

— Ela ficará fora disso. Só você decidirá quanto a isso. Mas se quer descobrir a verdade, lutaremos juntas.

— Como assim?

— Conheço alguém que foi vítima inocente desse drama e tem interesse em desvendar o mistério.

— Quem é?

— Geraldo. Ele acredita que os pais foram vítimas de uma trama e deseja descobrir a verdade. Você pode ajudá-lo contando tudo quanto me disse hoje.

Aurora assustou-se.

— O filho de Carolina? Pensei que ignorasse tudo.

— Ele sabe por alto o que lhe contaram. Trabalha para descobrir a verdade. Eu não pretendo contar-lhe nossa conversa. Não tenho esse direito. Contudo, ele é um moço bom e inteligente; se vocês se unissem, se você lhe contasse tudo, talvez pudéssemos encontrar a verdade. Sinto que agora é um bom momento para isso.

— Acho que ele não vai me odiar? Não quererá vingar-se de mim? Afinal, eu separei seu pai de sua mãe. Ele não vai entender. Pode até vingar-se em Maria Luísa, contar-lhe tudo... Não, isso não.

— Acalme-se, Aurora. Geraldo é correto e respondo por ele. Jamais seria capaz disso. Aprecia Maria Luísa, eu diria que com muito calor.

Aurora suspirou.

— Mesmo assim, tenho medo.

— Isso você decide, é claro. Porém, juntos com Humberto, que tem investigado o caso, poderiam encontrar melhor o rumo. Tudo será feito em sigilo, como até aqui. O fato de você ter escrito a carta para Euclides não quer dizer que essa tenha sido a causa do rompimento dele com Carolina. Afinal, na carta você apenas repetiu o que fizera no processo. Ele já sabia da sua versão. Acredito que, para ele fazer o que fez, teve um motivo mais forte.

— Acha mesmo? Agora que estou aceitando mais a idéia de que ela era inocente, repugna-me tê-los separado.

— Por isso é preciso encontrar a verdade, para que possam viver em paz. Só o que me preocupa é que Geraldo pretende vingar-se do responsável. Espero convencê-lo da inutilidade desse gesto. Antes eu achava que ele deveria esquecer tudo, mas agora sinto que as coisas estão acontecendo, como que fazendo a verdade surgir. Saibamos encará-la com coragem e fazer dela uma lição para o futuro.

— Quando vim aqui, estava atormentada; agora, estou aliviada. Nunca pensei encontrar justamente aqui tanta compreensão e tanto apoio. Sei que será difícil esquecer o que fiz no passado. Espero que me perdoe, não me queira mal.

— Gostei de vê-la, Aurora. Lavei a alma conversando com você. Gostaria que viesse mais vezes. Mesmo para conversar sobre outros assuntos. Poderemos reatar nossa amizade antiga.

Aurora comoveu-se.

— Você me aceitaria?

— Você me aceitaria? — repetiu Lucila.

— Isso me faz enorme bem. Tanto tempo faz que eu não me sentia tão calma. Posso pedir-lhe um favor?

— Certamente.

— Fale-me de Álvaro. Gostaria de saber o que aconteceu depois. Jamais ficou claro para mim. Afinal, ele suicidou-se e isso me dilacera a alma, agora supondo-o inocente. E, ao mesmo tempo, enche-me o coração de calor. Foi por mim! É um misto de remorso, mas ao mesmo tempo de amor! Ele me amava, e isso me inebria o coração e apavora-me.

— Como sabe, tenho minhas convicções, sou espírita. Achei que podia ajudar Álvaro, oferecendo-lhe um pouco da minha crença, onde o conforto e a compreensão dos sofrimentos costumam propiciar alívio e esperança. Falei com Álvaro sobre a justiça de Deus, sobre a vida após a morte, sobre a relatividade da vida física, mas tentando mostrar-lhe a inutilidade e o crime do suicídio. Passei a visitá-lo diariamente, e aos poucos, para nossa alegria, ele foi se tornando esperançado e menos triste. Começou a interessar-se pela filosofia espírita; eu empresteilhe livros para que ele se ilustrasse e discutíamos sobre o assunto. Apesar de guardar a fisionomia ainda triste, ele passou a interessar-se mais pelas coisas, a participar mais da vida; ia ao jardim, cuidava das flores com Antônio, e eu cheguei a pensar que sua recuperação era questão só de tempo. Chegou a arrepender-se de ter tentado o suicídio, e algumas vezes preocupava-se, aflito, pelo espírito do homem que havia matado. Fazendo perguntas sobre a vida dos que morreram, etc.

— Mas ele se suicidou. Como explica isso?

— Não explico. Na véspera de sua morte, fui visitá-lo e ele pareceu-me muito melhor. Falou-me que logo pretendia comprar uma casa, onde iria morar, porque achava que abusara da hospitalidade dos amigos e queria recomeçar a vida. Pediu-me para ajudá-lo nessa tarefa, na organização da casa, e prontifiquei-me a tudo, inclusive a contratar os empregados. Não sei como ele pode ter mudado tanto.

— Como aconteceu?

— Fui embora feliz e tranqüila. No dia imediato, recebi o recado de que Álvaro ingerira forte dose de calmantes e estava morto. Jamais pude compreender sua atitude. Fomos ao enterro, e Carolina estava tão chocada quanto eu. Euclides, pálido e emocionado. Foi uma surpresa. É um mistério. Euclides ficou transtornado. Tudo fizera para salvar o amigo. Oito dias depois, sumiu de casa, levando o filho, para desespero de Carolina.

— Nunca descobriram o motivo?

— Nunca.

— Não teria sido pela minha carta?

— É pouco provável. Nem sabemos se ele a recebeu. Pode até ser que José não a tivesse entregue. Depois, Euclides sabia sua versão e jamais a aceitara.

— É curioso. Tem razão. Essa conversa fez-me muito bem, embora tenha descoberto coisas terríveis. Quero contar-lhe um segredo que guardo durante tantos anos sem jamais contar a quem quer que seja: continuo amando Álvaro com loucura. E isso me tem feito sofrer muito. A lembrança dos tempos felizes, do amor que vivemos, e, apesar de tudo, agora saber que ele sempre me amou, aquece-me o coração. Meu marido é bom e eu o estimo, mas amor, mesmo, é o Álvaro. Como pude ser tão leviana? Como pude ser tão cruel? Quero saber, mas como suportar o peso da minha culpa, do meu ciúme que destruiu toda nossa vida?

— Aurora, a vida na Terra é um ponto diminuto diante da eternidade. Acalma seu coração. Álvaro continua vivo do outro lado da vida, na vida verdadeira, eterna. Ele a ama, sabe agora que você não o traiu. A união de vocês é questão de tempo e depende muito do que vocês fizerem daqui para a frente.

Os olhos de Aurora brilharam com esperança.

— Acredita mesmo? Acha que algum dia em algum lugar estaremos juntos de novo?

— Tenho certeza e gostaria que você também tivesse. Mas isso vai depender do merecimento de vocês. Ambos têm muitos erros a expiar, mas sofreram muito. Se lutarem para compreender os outros e perdoar, procurando aceitar a vontade de Deus, certamente alcançarão o que desejam. O amor é a maior força da vida.

— Ah, Lucila, faz-me bem ouvi-la. Também quero aprender a conhecer essas coisas.

— Terei prazer em recebê-la e em conversar sobre o assunto.

Aurora distendeu a fisionomia.

— Não diga a Maria Luísa que estive aqui. Ela mesma convidou-me a visitá-las. Virei qualquer dia desses como se fora a primeira vez depois de muitos anos.

Lucila sorriu:

— Como queira. Gostaria que pensasse na idéia de conversar com Geraldo e relatar-lhe tudo.

— Quanto a isso, não. Tenho medo.

— Não insistirei. Faça como achar melhor. Mas procure conversar com ele, conhecê-lo. Verá que pode confiar nele. Por certo que isso fica a seu critério. De minha parte, nada direi a ninguém.

— Obrigada, Lucila. Acredite, você é admirável. Pensei ser acusada e vim pensando em defender-me. Entretanto, você oferece-me compreensão e amizade. Mostra-me novos aspectos do nosso drama nos quais eu jamais pensara, e ainda se propõe a ajudar-me! Não sei como agradecer...

Lucila olhou-a, tranqüila.

— Esqueça, Aurora. Todos nós precisamos uns dos outros. Eu e minha filha vivemos vida simples, e embora não apreciemos o bulício a vida social, apreciamos muito a amizade e a boa companhia. Maria Luísa nos conquistou com facilidade, não só pela beleza física como pelas qualidades da alma, e você, sofrida e cansada, abalada e vivendo dolorosa experiência, toca-nos o sentimento. Desejo oferecer nossa amizade como um ponto de apoio, de fortalecimento, e a certeza de que dias melhores virão quando a força da tempestade houver passado.

Aurora, emocionada, fixando o rosto sereno de Lucila, não conteve as lágrimas. Levantou-se e abraçou-a com carinho, beijando-lhe levemente a face.

— Obrigada, Lucila. Não imagina o bem que me fez. Há quanto tempo não sinto o calor sincero de uma boa amizade. Tenho vivido como fera acuada sob o verniz das conveniências e a futilidade dos salões.

Lucila apanhou um lenço e ofereceu com simplicidade.

— Vamos, Aurora. Agora enxugue os olhos. Chorar não é bom. Em nossa idade, precisamos tomar cuidado com as rugas!

Aurora enxugou os olhos, enquanto tentava sorrir.

— Tem razão. Devo estar com os olhos vermelhos e inchados.

— Um pouco. Mas isso passa logo. Você há muitos anos não vem à minha casa. Fizemos algumas mudanças, embora eu procure manter o tradicional. Aprecia decoração?

— Muito.

— Então venha. Quero mostrar-lhe algumas das nossas inovações.

Aurora a acompanhou. Com delicadeza e naturalidade, Lucila percorreu a casa, conversando e chamando a atenção ora sobre uma planta, ora sob um quadro, ora sob um móvel, e a outra a ouvia com prazer, encantada com o bom gosto e a finura de tudo. Inês mostrou-lhe seus quadros, conversaram sobre arte, poesia, literatura, tomaram refresco na copa e foi com ligeiro susto que Aurora percebeu o adiantado das horas.

— Onze e meia! Acho que me excedi. Não pensei que fosse tão tarde.

— Fique, almoce conosco — convidou Lucila.

— Não posso! Saí sem avisar ninguém. Não pensei demorar tanto. Voltarei um outro dia. Isto aqui é um oásis! Não pensei que existissem ainda lugares assim.

— Gostaria que viesse passar uma tarde conosco. Poderíamos tocar, seria ótimo — tornou Inês, amável.

— Obrigada, minha filha. Virei com Maria Luísa qualquer dia destes. Só que... por favor... não lhe digam que estive aqui hoje. Sua mãe lhe explicará o porquê.

Aurora despediu-se com carinho. Seu rosto, embora refletisse um brilho de tristeza no olhar, estava distendido e sereno.

Vendo-a afastar-se, Lucila tornou, emocionada:

— Inês, é fora de dúvida que Geraldo tem razão. Eles todos foram vítimas de uma tragédia provocada e urdida por pessoas interessadas em destruí-los. Que Deus tenha piedade deles!

— Pobre D. Aurora. Senti sua tristeza, e pareceu-me que seu coração está despedaçado.

— Tem razão. Sofre terrivelmente. A tragédia que ajudou a provocar permanece viva em seu íntimo, como um alerta quanto ao perigo das paixões descontroladas, onde o ciúme excessivo e doentio desvirtua o raciocínio, conduzindo-nos ao erro de conseqüências imprevisíveis. Hoje conheci parte da verdade sobre a tragédia a que temos assistido. Venha. Vou contar-lhe tudo. Mas isso você guardará como segredo inviolável. Não nos pertence. Quero que conheça a verdade porque você vai ajudar-me a levar a esses corações sofridos um pouco de paz, de fé e de esperança. Eles precisam de nós, e que Deus nos ajude.

Inês abraçou a mãe e juntas sentaram-se no sofá, onde Lucila, olhos brilhantes de emoção, voltou à cena de momentos antes e começou a contar.

Aurora chegou em casa apressada. Maria Luísa esbarrou com ela no living e tornou:

— Bom dia, mamãe. Que milagre! Saiu tão cedo.

— Hoje resolvi sair. Fui fazer umas compras. Preciso renovar nosso enxoval. Há umas toalhas modernas que preciso comprar para o chá.

— Comprou?

— Nada. Não gostei de nenhuma. Na próxima semana vão chegar novidades. Vou esperar.

Maria Luísa fixou o rosto da mãe com atenção.

— Deveria levantar-se cedo todos os dias. Fez-lhe muito bem.

— Você acha?

— Está bem-disposta e até um pouco corada. O ar da manhã é muito bom.

— Vou tentar fazer isso sempre. Acho que tem razão.

Satisfeita, Aurora dirigiu-se aos seus aposentos. Fechou a porta e atirou-se no leito, olhos fixos no teto sem ver, mergulhada em seus pensamentos.

Álvaro! Pensou com paixão. Ele não a traíra. Ele a amara sempre! O coração de Aurora parecia crescer em seu peito e saltar pela boca.

Álvaro a amava. Meu Deus! Que loucura. Um arrepio sacudiu-lhe o corpo. O que fizera de suas vidas? O quê? Por que acreditara naquele homem, sem procurar sequer confirmar a verdade?

Num relance, teve consciência da sua ingenuidade. O ciúme! Seu louco e doentio ciúme destruíra suas vidas. A vingança tramada contra pessoas inocentes fustigara a si mesma. Deus com sua justiça a atingira! Ela não fora vítima, mas instrumento útil de um homem sem escrúpulos contra seu próprio lar, o homem que amava e sua felicidade.

Como pudera ser tão ingênua? Como pudera ser tão mesquinha? Álvaro poderia algum dia perdoar?

Lucila afirmou-lhe que a vida continua e ela sempre acreditou nisso, embora sem procurar pensar no assunto. Agora, queria ver Álvaro. Nunca como naquela hora precisava da sua presença, do seu afeto e, mais ainda, do seu perdão.

— Álvaro — murmurou agoniada —, onde você está? Preciso tanto de você! Eu o amo tanto! Creio em sua inocência. Agora eu creio. Pode me perdoar?

Mas esse apelo aflito não teve resposta. Entretanto, Álvaro estava ali, pálido, mudo, sofrido. Encostado na parede do quarto.

— Aurora — pensava ele — agora é tarde. Seu ciúme doentio, louco, maldoso, nos destruiu a todos. Quando acabará esta loucura? Quando poderemos esquecer? Quando não mais verei minhas mãos manchadas com o sangue daquele homem inocente?

Comovido, o espírito de Álvaro ajoelhou-se e suplicou por entre lágrimas:

— Jesus, tem piedade de nós. Oferece-nos a bênção da redenção dos nossos erros, mas ajuda-nos com o esquecimento. Ampara-nos o espírito cansado. Não quero vingança, mas perdão. Tem piedade, senhor!

Enquanto Álvaro orava, uma forma luminosa aproximou-se, e quando ele terminou, murmurou surpreendido:

— Carolina!

Ela estava ali. Seu rosto remoçado refletia a luz que lhe brilhava no íntimo.

— Álvaro! Quantas vezes tenho procurado mostrar-lhe a verdade! Por que querer macerar-se desse jeito? Por que não admitir os erros como lição preciosa e reiniciar corajosamente o caminho da redenção? Por acaso sua obstinação em permanecer ao lado de Aurora vai melhorar as coisas? Não vê que Deus, em sua sabedoria, encarrega-se de mostrar a verdade no momento oportuno, dando a cada um segundo suas obras?

— É verdade! Finalmente hoje, após tantos anos, Aurora sabe que somos inocentes. Estou aliviado. Mas a que preço! Quantas vítimas do seu ciúme doentio! Você mesma perdeu tudo quanto tinha de felicidade. Como pode ser tão forte e aceitar sua dor!

— Confio em Deus, que é Pai amoroso. Se nós erramos, usando nosso livre-arbítrio, Ele nos ensina a ser melhores convertendo nosso erro em aprendizagem no bem.

— Admiro-a muito. Mas às vezes culpo-me pelo seu drama. Euclides continua fugindo de mim. Não consigo dizer-lhe que esqueci o passado. Ele estava tão transtornado quanto eu. Seu desespero justifica-se.

Carolina fixou nele o olhar lúcido e brilhante.

— Como você é nobre perdoando!

— Como posso julgá-lo? Eu, que matei um inocente? Eu, que o vejo sempre a perseguir-me esvaindo-se em sangue?

— Euclides está transtornado. Não consigo ajudá-lo. Se me torno visível a ele, foge apavorado, recusa-se a ouvir-me.

— Quero ajudá-lo, apesar de tudo. Sempre foi meu amigo dedicado. Gostaria de dizer-lhe que compreendo seu gesto. Ele nunca quis ouvir-me. Foge apressado cada vez que o procuro, e reconheço que mereço porque eu também fiz o mesmo. Julguei sem comprovar, matei sem averiguar melhor... Carolina, até quando sofreremos esta tragédia?

— Álvaro, Deus é Pai. Não devemos perder a esperança. Todos reconhecemos o quanto temos errado. Por que permaneceremos alimentando o que já foi, com o drama de nossas vidas, ao invés de procurarmos refazer nossos caminhos? Hoje, Aurora começou a encontrar a verdade. Lucila saberá assisti-la com sua bondade, e nós precisamos nos preparar para fazermos nossa parte. Seus pensamentos angustiados ferem a sensibilidade de Aurora e de Maria Luísa. Não acha que deveria vir comigo? Posso levá-lo a um local agradável e em meio a pessoas amigas, que vão ajudá-lo a refazer-se para ajudar seus entes queridos.

— Acha que poderei?

— Acho. Mas é preciso submeter-se a uma aprendizagem e buscar o equilíbrio. Verá como Deus é bom.

— Carolina, você sempre foi nosso anjo bom. Que Deus a proteja!

Ela sorriu, alegre.

— Não pense isso. Preciso muito de vocês para ajudar o Euclides. Vamos, que se faz tarde.

Álvaro estremeceu e tornou, com doloroso acento:

— Já? É muito difícil deixar esta casa!

— Eu sei. Mas é preciso. Se permanecer, jamais estará em condições de ajudá-las.

— Antes eu tivesse ouvido seus conselhos. Talvez não tivesse perambulado tanto tempo e sofrido tanto. Mas eu mereço. O que fiz foi imperdoável.

— Por agora, é melhor esquecer. Quando for o tempo adequado, a vida lhe dará oportunidade de refazer o prejuízo. Agora vamos.

Álvaro aproximou-se de Aurora. Seu rosto conturbado refletia angústia e amor.

— Aurora — tornou emocionado —, apesar de tudo, eu ainda a amo! Gostaria que pudesse ouvir. Eu a amo! Vou embora, mas voltarei. Quando Deus permitir, eu voltarei. Reze por mim, para que eu consiga retornar logo.

Aproximou-se dela, beijando-lhe a testa com carinho. Aurora estremeceu e abriu os olhos. — Por um momento — pensou ela — julguei ver o rosto de Álvaro. Que loucura. De tanto vê-lo, imagino coisas!

Álvaro abraçou-a, comovido.

— Sou eu mesmo, Aurora. Não vê que este tormento é insuportável? Estamos tão perto e ao mesmo tempo tão longe!

Carolina tocou-o de leve no braço:

— Não se deixe levar pelo desespero. Controle a emoção. Confiemos na bondade de Deus.

— Sim — tornou ele com voz triste —, só Deus me pode dar forças e ajudar. — Afastou-se de Aurora, procurando conter-se. — Permita-me beijar Maria Luísa. Pobre filha, vítima inocente dos nossos erros.

— Ninguém é inocente no momento em que a vida está cobrando, mas ninguém está desamparado. Maria Luísa tem condições de vencer sua prova.

— Você vai ajudá-la enquanto eu estiver fora?

— Sabe que ela me é muito cara. Procurarei assisti-la dentro das minhas possibilidades e prometo dar-lhe notícias amiúde. Não fique preocupado. Talvez você não se ausente por muito tempo.

— Acha mesmo?

— Acho. Depois, para nós, espíritos eternos, que importância tem isso?

Tomando o braço de Álvaro, foram ao quarto de Maria Luísa e, depois de ele tê-la beijado com muito amor, saíram rápidos. Dentro em pouco, seus vultos desapareceram no horizonte.

Capítulo 11

O relógio já dera as onze horas e a noite estava calma. Renata, sentada em confortável poltrona, lia sua revista de moda com pouco interesse quando o Dr. Marcondes chegou. Trazia o cenho franzido e o rosto marcado pela contrariedade:

— Onde está Jorge? — perguntou irritado.

Renata fixou-o com frieza.

— Pelo menos, boa noite. Sabe que já deu onze horas?

Ele nem pareceu ouvi-la.

— Preciso falar com Jorge. Mande chamá-lo.

Renata surpreendeu-se. Apesar de suas divergências, José sempre se mostrara educado. Curiosa, sufocou a contrariedade.

— Você sabe que a estas horas ele não está em casa.

— Já saiu. Por acaso sabe por onde ele anda?

— Como vou saber? Ele é um homem!

— Só é homem para meter-se em confusão. Na hora de estudar ou trabalhar, é apenas uma criança.

— O que deu em você? Por que está assim? Por acaso Jorginho está em apuros?

— Em apuros fico eu se ele continuar em má companhia.

— Jogo?

— Certamente andará jogando, mas não se trata disso. É pior. Meteu-se com gente que eu detesto e isso pode prejudicar-me.

— Pobre filho. Até que tem se portado bem. Não tem mais perdido tanto dinheiro. Ele tem o direito de escolher os amigos.

— Mas não exatamente os meus inimigos.

— Como assim?

— Ele não lhe contou com quem anda se metendo?

— Anda muito metido com o primo. Isso só nos favorece. Espero que Maria da Glória se case com ele.

— Aí vem você com suas ilusões. Isso nunca dará certo. Mas o que sei é que eles estão sendo vistos, e a Maria da Glória também, freqüentando a casa de Aurora e saindo com a filha daquele assassino.

Renata empalideceu:

— Será verdade? Tem certeza?

— Claro. Eles estão todos se reunindo na casa daquela antipática Lucila. Já pensou o que pode acontecer?

Renata deixou-se cair na poltrona de novo.

— Que horror! A filha daquela mulher que desprezo tanto. José, é preciso fazer algo. Não podemos permitir.

— Eu sei. Eles parecem que estão mancomunados. O filho de Carolina, aquele caipira ignorante, conseguiu reunir todos e passam horas e horas na casa daquela detestável mulher, que sempre foi nossa inimiga. E se descobrem tudo?

— Nem fale nisso. Acho que ninguém está mais pensando no passado. Afinal, tudo quanto poderia ser dito já o foi. Mesmo reunidos, o que podem descobrir? Que Aurora foi adúltera? Mas isso é do domínio público.

— Temo que aquele caipira do inferno se ponha a indagar o passado. Já pensou o que pode acontecer?

Renata sacudiu os ombros.

— E daí? Acho que você está com medo sem razão. Afinal, já se vão vinte anos.

— Eu nunca disse nada sobre aquela noite, mas eles podem desconfiar.

— Bobagem. Nossos filhos nada sabem sobre o assunto. Certamente, não há motivos para preocupação. Pensando bem, acho mesmo que podia haver coisa pior. Afinal, você está tão nervoso que nem conseguiu raciocinar com lógica.

José sentou-se em frente à mulher, conservando o ar de preocupação.

— Não sei. Ninguém até algum tempo atrás podia pensar que este caipira existia. Ele veio, foi tomando conta de tudo e tem se saído tão bem que não duvido nada que consiga o que quiser. Sua ignorância virou originalidade e as mulheres o disputam publicamente.

— Também, com tanto dinheiro!

-- É, isso é, mas ele lá está. Detestável! Onde aparece, fica logo sendo alvo das atenções.

— Curiosidade. Afinal, ele é diferente de todos nós.

— Tem muita sorte. Isso ele tem.

— Maria da Glória o aprecia muito. Acho que qualquer dia destes a boa nova virá.

— Não sei, não... Afinal se isso desse certo nos tiraria dos apertos, mas por outro lado teríamos que tê-lo como genro. É intolerável.

Renata sorriu.

— Acha mesmo? Pois eu não. O dinheiro apaga todos os defeitos. Pretendo tratá-lo muito bem. Aconselho-o a fazer o mesmo.

— Vai ser difícil. Cada vez que o vejo, sinto vontade de quebrar-lhe o nariz.

Renata riu, irônica:

— Por que não tenta? Ouvi dizer que ele é forte como um touro.

José desconversou:

— O importante é impedir nossos filhos de se relacionarem com aquela adúltera.

Renata franziu o cenho.

— Vou falar com Jorge, porque Maria da Glória jamais me daria atenção.

— Você não sabe controlar sua própria filha.

— Por que não experimenta você mesmo?

Maria da Glória descia as escadas e dirigia-se à copa. Dr. Marcondes tornou:

— Minha filha. Vem a propósito. Preciso falar-lhe.

— Agora?

— Já. Queira sentar-se.

Isso era tão inusitado que a moça sentou-se, pousando nele o olhar indagador. Ele prosseguiu:

— Você e seu irmão precisam acautelar-se com as novas amizades. São jovens e por certo ignoram o risco que correm.

— Risco? Como assim?

— Cultivando amizades perigosas. Isso depõe contra vocês. Fica mal.

— Do que está falando? — perguntou a moça, admirada.

— Eu soube que vocês têm se relacionado com pessoas de má fama.

— Por favor, papai, seja objetivo. De quem está falando?

— Da filha daquela mulher que foi causa da maior tragédia e da vergonha de nossa família.

— De D. Aurora?

— Sim. Dela, que fez do marido um assassino e ainda mais, enxovalhou o nome de Carolina, o que fez meu pobre irmão fugir para esconder a vergonha de marido traído.

— D. Aurora sofreu muito. Até hoje tem os nervos abalados. Mas eu mal a conheço.

— Vocês estão saindo com a filha dela, e muito me admira o Geraldo fazer amizade com a filha da mulher que ocasionou o drama de sua vida.

— Maria Luísa é moça fina e inatacável. Não é responsável pelo passado dos pais. Acho mesmo que ela ignora completamente. Você está sendo injusto dizendo isso.

— Como se atreve a falar-me com essa falta de respeito? Não vê que sou seu pai?

A voz da moça estava cheia de irritação, que ela tentava conter.

— Não estou faltando com o respeito. Só que eu acho que Maria Luísa é uma moça cuja amizade prezo e espero continuar a manter.

— Você não sabe o que está dizendo. E sua reputação?

— É incrível que pense dessa forma! D. Aurora, apesar do seu passado, do qual não participei e não tenho condições para julgar, é dama muito respeitada e freqüenta a nossa melhor sociedade. Seu marido é homem correto e distinto. Todos os respeitam. Não vejo nenhum motivo para sua preocupação, que chega a me parecer excessiva.

— Estou zelando pela moral dos meus filhos.

Maria da Glória o fixou pasma.

— Você pensa mesmo isso?

— Por certo — tornou ele com firmeza.

— Então, por que não impediu Jorge de freqüentar amigos viciados? Por que deixou que ele se tornasse um jogador?

Dr. Marcondes ficou apoplético. Mal podia falar, tal o estupor.

— Você está se excedendo. Não tem o direito de meter-se nos meus assuntos e muito menos pedir-me conta dos meus atos. Exijo que se afastem daquela gente. Com certeza, a maluca da Lucila anda pondo besteiras em suas cabeças.

A moça levantou-se e disse com voz fria.

— Estou cansada e vou deitar-me. Mas desde já afirmo que não vou atender a suas exigências, que ferem a minha maneira de pensar. Não concordo e não o farei. Acho que Jorge dirá o mesmo. Não adianta insistir.

— É minha filha, deve-me obediência.

— Devo-lhe amor e respeito, mas também os senhores me devem a mesma coisa. E por isso deixo bem claro: só farei o que minha consciência exigir. Estou disposta a agir assim, aconteça o que acontecer.

— Obriga-me a puni-la.

— Não pode. Se insistir em agredir-me, dou queixa à polícia. Sou maior de idade. Se não me quiser aqui, é só dizer que arranjo um emprego e me mudo. Agora, boa noite. Estou cansada.

A moça subiu as escadas, e Marcondes, imobilizado pela surpresa, não teve nada a dizer. Olhou para Renata, que aproveitou:

— Não lhe disse?

— É inacreditável! Viraram-lhe a cabeça. Mas eles me pagam. Você verá.

— Bem que o avisei. Maria da Glória não atende à ponderação. Quando quer uma coisa, não adianta.

— Mas isso não pode ficar assim. Ela não respeitou minha autoridade! Nesta casa mando eu!

Renata olhou o marido com frieza. Perguntou apenas:

— O que vai fazer?

— Vou cortar-lhe a mesada.

— Muito bem. Ela arranjará um emprego. Aí todos dirão que estamos arruinados. Nossa única filha precisando trabalhar.

Marcondes tornou-se rubro.

— Essa maluca é bem capaz de fazer isso!

— Não tenho dúvida nenhuma de que fará. E se você fizer pressão, irá embora de casa. Já pensou no escândalo?

Ele não se conformou:

— Parece incrível a que ponto chegamos. Eu, dominado por minha própria filha! É o fim do mundo!

Renata aduziu, calma:

— Nem tanto. Nossa filha tem idéias próprias, mas se você não quiser conduzi-la, jamais nos dará problemas. Deve reconhecer que goza de excelente reputação. É moça de comportamento exemplar. Depois, e se ela se casar com Geraldo e nós ficarmos de fora?

— Isso é loucura que só existe em sua cabeça.

— Você que pensa. Ela ficou amiga da filha de Aurora porque Geraldo também é. Isso em Maria da Glória é sintomático. Ela faz o que ele quer, por quê?

— É... Não tinha pensado nisso. Será?...

— Acho que sim. Por que ela o atenderia? O melhor é não nos metermos nisso. Deixe tudo por conta dela. Sabe o que está fazendo.

— E meu orgulho de pai? — insistiu ele com raiva.

— Não nos dará a fortuna de que precisamos — aduziu ela com calma.

— Talvez tenha razão. Mas e se Aurora puser tudo a perder?

Renata deu de ombros.

— Não viu que ela oculta tudo da filha? Já ouvi dizer mesmo que a moça nada sabe. Aurora nada dirá a ninguém. É a maior interessada em que tudo continue como está.

— Tem certeza disso?

— Claro. Não ouviu Maria da Glória dizer que a moça ignora o passado vergonhoso de sua mãe?

— É... Se isso for verdade, representa para nós um grande trunfo.

— Por isso não devemos nos preocupar. Deixemos o barco correr.

— Um dia ainda vou mostrar à nossa filha como deve me respeitar.

Renata deu de ombros. Estava alegre. Chegara a apreciar a atitude da filha. Seu marido sempre dera ordens; agradava-lhe que alguém o contrariasse, mostrando claramente sua limitação.

Maria da Glória recolheu-se ao quarto pensativa. Seu pai nunca se preocupara com suas amizades. Por que o faria justamente com Maria Luísa? Quem lhe contara a respeito? Por que estava tão interessado em romper essa amizade?

No dia seguinte, à tarde, dirigiu-se à casa de Geraldo, à procura de Humberto, e, sentados na varanda, expôs seus pensamentos, terminando:

— Estranhei esse comportamento de papai. Ele nunca interessou-se por nossas amizades. Sempre que o fez, foi sob o aspecto social, nunca moral. A prova disso é que nunca impediu Jorginho de se relacionar com jovens viciados ou depravados, porque eram filhos de gente importante. Sempre justificou qualquer ato, por pior que fosse, quando praticado por gente da alta. Por que teria mudado, e justamente com Maria Luísa? Ela goza de ótima reputação e sua família também, apesar do passado. Ele insistiu que rompêssemos, e com muita veemência.

— Parece que ele está com medo. Não acha?

— Talvez. Mas medo por quê? O que poderia vir a acontecer?

— Não sei. Ele pode bem... não sei se devo dizer...

— Claro. Se eu o procurei, foi porque isso me causou mal-estar. Não gostei da sua atitude. Pareceu-me incoerente. Papai pensa muito diferente de mim, mas considero-o homem inteligente. Não teria dito o que disse se não estivesse realmente preocupado. Não tenho medo. Se ele está envolvido nessa história, quero saber.

— Não diria que ele está envolvido. É uma hipótese que poderia explicar sua atitude. Não quer seu relacionamento com D. Aurora porque tem medo de alguma coisa. Mas o quê? Acha que ele poderia realmente ter mágoa por causa do irmão e da cunhada?

— De modo algum. Sempre detestou Carolina. Nunca se deram bem. Meu tio não o apreciava e tinham cortado relações, ou melhor, seu relacionamento resumia-se ao indispensável pelos negócios de família. Meu avô tomou as dores de Euclides, e ele não se conformava.

— Então, se ele temia o relacionamento de vocês, não pode ser por causa da moral, ele deve ter outro motivo. Mas qual? Talvez D. Lucila nos possa esclarecer. Agora, falemos de nós.

Humberto tomou a mão da moça e beijou-a com carinho.

— Estava muito saudoso.

— Eu também.

— Se seu pai insistir, você realmente sai de casa?

— Claro. Não tenho medo. Arranjo um emprego e pronto. Sou capaz de ganhar minha vida.

— Gostaria que isso acontecesse. Assim, eu poderia levá-la comigo com papel passado e tudo...

— Só vai pedir-me em casamento quando meu pai puser-me porta afora?

— Estou falando sério. Ele nunca me aceitará como genro. Eu a amo muito.

A moça olhou-o bem nos olhos.

— Se nós nos amarmos o bastante para chegarmos ao casamento, ele não conseguirá impedir. Só faço o que acho certo.

— Casar com um joão-ninguém como eu será certo?

— Se eu o amar, sim. Porque terei encontrado as qualidades de caráter que aprecio, e isso para mim vale mais do que tudo.

— Você já me ama?

— Estou averiguando — brincou ela com malícia.

— Falo sério. Tenho pensado muito. Quando terminar meu trabalho com Geraldo, vou recomeçar meus estudos e arranjar emprego fixo. Tenho boas amizades. Não será difícil, e então poderemos nos casar. Preciso saber se você quer.

A moça aproximou-se e beijou levemente os lábios dele, olhando-o com doçura. Humberto abraçou-a com carinho, beijando-lhe os lábios repetidamente. Não havia resposta melhor.

A tosse de Geraldo fê-los tomar conhecimento de sua presença e os dois ficaram embaraçados, enquanto que o moço olhava-os divertido.

— Estamos acertando algumas coisas... — resmungou Humberto sem jeito.

— Não se preocupem comigo. Não quero interromper.

— Vim falar com vocês um assunto urgente — tornou a moça.

— E eu aproveitei para garantir meu futuro. Quero que participe dos nossos planos. Você é nosso melhor amigo. Não o considero como patrão. Estamos pensando em nos casar, isto é, depois que resolvermos o seu caso eu voltarei a estudar e arranjarei emprego fixo; então nos casaremos, mesmo contra a vontade da família dela.

— Muito bem —tornou ele.

Maria da Glória relatou os últimos acontecimentos. Ao fim, Geraldo indagou:

— Por que você não recomeça os estudos já? Se acha importante, por que não já?

— É que agora estamos empenhados no seu caso e acho que vai indo bem, embora devagar.

— Também tomei gosto em saber das coisas. Tenho vontade de aprender.

— Acha que eu já não posso ensinar? — perguntou a prima, bem-humorada.

— Não é isso. Você tem mais o que fazer. Eu estou pensando em contratar professores e estudar.

— Isso é ótimo — aprovou a moça, entusiasmada. — Posso dar uma sugestão?

— Certo, você é minha mestra.

— Conheço bons professores que viriam dar aulas para vocês.

— Seria bom para Geraldo, que não precisa do diploma. Já tem posição, nome, mas eu preciso ganhar meu pão e o diploma será indispensável.

— Não importa — tornou a moça com graça. — Eles preparam vocês para os cursos que escolherem, e quando chegar a hora poderão prestar os exames e conseguir o diploma.

— Isso é possível?

— É. Só que, naturalmente, são professores catedráticos, cujas aulas são caras; por isso são pouco procurados.

— Não importa — tornou Geraldo. — Nessa hora gosto de ser rico. O que você quer estudar?

— Direito. Gosto muito de Direito.

— É bom. Porque assim já está contratado. Vai cuidar de todos os meus negócios.

Humberto ficou emocionado.

— Você está me dando uma grande prova de confiança. Sou-lhe grato, mesmo que não possa aceitar.

— Por quê? Por acaso não gosta de trabalhar comigo?

Humberto fez um gesto vago.

— Isto nem é trabalho. Você é meu amigo. Abriu-me sua casa, paga-me regiamente e ainda tem uma prima especial. Não posso abusar mais do que isso.

Geraldo sacudiu a cabeça.

— Ou o meu dinheiro serve para fazer os amigos felizes ou não vale nada. Sem falar aí da prima que eu quero muito bem e que me ensinou a ler. Isso não tem dinheiro que pague. Depois, já pensou a cara do tio quando tiver que aceitar você como genro?

— Ele nunca vai aceitar — tornou Humberto, preocupado. — Por isso quero estudar, trabalhar muito, para oferecer a Maria da Glória o conforto que ela merece.

— Está resolvido. Você arranja os professores e nós vamos estudar. Eu tinha vergonha de ir à escola; assim, tenho companheiro e me sinto melhor. Fica aqui, almoça e depois vamos à casa de D. Lucila. Temos que conversar.

A moça olhou o rosto calmo do primo e, levantando-se sem que este pudesse prever, beijou-lhe a face de leve.

— Você é o meu melhor amigo e eu o quero muito. Hoje fez-me muito feliz.

Geraldo sentiu um nó na garganta, e de pronto não soube o que dizer. Não estava habituado a demonstrações de afeto. A moça, abraçada a Humberto, fixava-o com olhos brilhantes, e Humberto, por sua vez, refletia no rosto a alegria e a emoção.

Combinaram alguns detalhes onde havia muitos planos do jovem par para o futuro. Naquela mesma tarde trocaram idéias com Lucila, que tanto quanto eles não achou natural a atitude do Dr. Marcondes.

— Embora nada possa afirmar de concreto, algo sempre me disse que o José tinha participação nessa tragédia. Desculpe-me, Maria da Glória, mas essa atitude confirma minha suspeita.

— Não se preocupe comigo, D. Lucila. Sei o quanto papai é capaz de fazer. Não o aprovo. Pode falar, que não me ofende.

— José não suportava Carolina e não gostava nem do irmão. Sei que ele mesmo espalhou a calúnia que o ciúme de Aurora lançou. O que estará querendo impedir?

— Acho que Aurora poderia nos dizer — aduziu Geraldo. — Talvez, se ela não nos evitasse tanto! Gostaria de falar-lhe sobre o assunto.

— É difícil. Pode pôr tudo a perder. Ela fica apavorada. Pode romper relações conosco — disse Humberto, preocupado.

— Aurora veio procurar-me.

Os três olharam-se admirados. Lucila continuou:

— Ela tem pavor de que a filha saiba a verdade. Tudo fez para impedi-la de descobrir, e conforme pude perceber, quer sepultar o assunto por causa disso.

— O que lhe disse ela? — perguntou Humberto, interessado.

— O bastante para fazer-me sentir o quanto ela sofreu e sofre com a tragédia. É vítima triste do ciúme e dos erros que cometeu. Tem horror de que a filha descubra o passado. Fará tudo para impedir.

— Ela é maldosa. Enlameou o nome de minha mãe injustamente.

— Eu não seria tão severa com ela. Aurora era doente de ciúmes, e no momento em que acusou Carolina julgava mesmo que isso fosse verdade.

— Quer dizer que ela pensou mesmo essa infâmia? — Geraldo estava pálido.

— Sim, meu filho. Aurora era uma mulher doente de ciúmes, e isso deforma e modifica tudo.

— Então, pode ser que alguém a tenha induzido a pensar nisso. Alguém usou o ciúme dela contra Carolina.

— Aconselhei-a a contar tudo à filha. Não tem coragem. Maria Luísa ignora completamente o drama. Por isso a internou em colégio na Europa, até os dezoito anos. Eu ainda lhe pedi que confiasse em você e lhe contasse tudo quanto sabe.

— E ela? — fez Geraldo ansioso.

— Recusa-se. Teme que você a julgue com muita severidade e conte tudo a Maria Luísa. Eu, porém, adiantei-me e disse-lhe que você jamais iria fazer isso. Que ela poderia confiar. Que você não trairia sua confiança. Ela, porém, tem medo, recusa-se.

— O que fazer? Essa mulher nunca falará.

— Pois eu acho que tudo vai indo muito bem. Ela não quer que a filha saiba de sua vinda aqui, mas acho que consegui captar-lhe a confiança. É uma pobre e sofredora criatura. Se propôs a vir nos visitar outras vezes. Sentiu-se confortada aqui. Então, vocês poderão estreitar essa amizade, e ela, conhecendo-o melhor, se abrirá.

— Não sei se terei paciência — resmungou Geraldo com raiva. — Ela era culpada e não teve remorso de jogar isso em cima de minha mãe, que era sua amiga e a quem ela devia conhecer muito bem.

— Geraldo, não julgue as pessoas, por mais culpadas que nos possam parecer. Aurora errou e tem pago muito caro pelo seu erro. Tem sofrido muito; para que fazê-la sofrer ainda mais?

— Minha mãe sofreu a vida inteira e era inocente.

— Nem sequer sabemos como as coisas se passaram ao certo. Carolina era inocente, mas aceitou com coragem o sofrimento e nunca a vi referir-se a Aurora senão com muita compaixão. Lastimava-a sinceramente. Jamais a acusou do que quer que fosse. Ao contrário, sempre a defendeu. Quando Álvaro, arrasado, acusava-a de tê-lo traído, ela a defendia dizendo-a incapaz de uma traição.

— Minha mãe era uma santa. Isso revolta-me. Sofreu sem se defender.

— Sua mãe era uma mulher. Uma sublime mulher que não precisava de defesa. Impunha-se pelo caráter, pela bondade, pela moral. Mas ela sabia compreender as fraquezas humanas. Espero que você não lhe dê essa tristeza de tornar-se acusador onde ela defendeu e vingativo onde ela perdoou.

— D. Lucila, eu não posso ser como ela!

O rosto de Geraldo estava transtornado.

— É preciso, meu filho. Você quer saber o passado, mas se Deus permitir que levantemos o véu que o encobre, que você saiba ter calma para serenamente aceitar os fatos, sabendo que, mesmo quando o homem erra e agride seu próximo, nada acontece sem a ação da justiça de Deus. Eu disse a Aurora que podia confiar em você. Estava enganada?

Geraldo fixou o belo semblante de Lucila, que refletia certa energia nos olhos brilhantes e lúcidos.

— O que deseja de mim?

— Que se ela o procurar para pedir ajuda, disponha-se a ouvi-la e abstenha-se de julgar.

— É difícil. Acha que serei capaz?

— Acho. Confio no seu caráter. Temo só que não tenha paciência para ouvir, e ela, receosa, não possa expressar-se.

— Claro que ele vai ouvir — tornou Humberto, calmo. — Afinal, estamos trabalhando há tanto tempo para ganhar-lhe a confiança. Haja o que houver, Geraldo deve aparentar pelo menos que está calmo.

— É. Isso é. Será que ela vai me procurar?

— Não sei. Sinto que é questão de tempo. As coisas estão acontecendo. Sinto no ar. Resta-nos esperar.

— Estou ansioso por saber — murmurou Geraldo, nervoso. — Por mim, iria procurá-la agora mesmo.

— Poria tudo a perder — atalhou Humberto, firme. — Se quer ir até o fim dessa história, precisa de muita calma. A impaciência pode destruir nossas esperanças.

— Farei o possível.

— Agora, vamos ao nosso cafezinho. Falemos de coisas mais alegres — pediu Lucila, com suave expressão a reluzir em seus olhos calmos.

A campainha da porta soou; Inês a abriu, e logo depois a figura elegante de Maria Luísa apareceu na sala. Foi com alegria que todos a abraçaram. Apesar do ar jovial e da amabilidade, Geraldo notou que a moça estava nervosa e inquieta. Seus olhos azuis pareciam refletir fundas emoções; estavam escuros e carregados.

— Que bom encontrá-los todos juntos. Estou precisando de um pouco de alegria — declarou a moça, lutando para falar com naturalidade e encobrir a emoção.

— Estou contente porque hoje todos vocês se lembraram de nós — tornou Inês com gentileza.

Enquanto Lucila pessoalmente cuidava do cafezinho sempre muito bem acompanhado de deliciosas guloseimas, a conversa generalizou-se, alegre. Contudo, Geraldo estava triste. Especialmente naquela tarde, o assunto o ferira fundo, pensando no sofrimento de sua mãe, inocente e boa, sem que ele pudesse ter feito nada para suavizar.

Calado, pensamento voltado ao passado, quando todos passaram para sala de música, deixou-se ficar, alegando que iria em seguida, e deu asas aos seus pensamentos dolorosos. Por que tinha sido assim? Por quê? Sentiu raiva de tudo, de todos, perdido na consciência da própria impotência.

A voz de Maria Luísa o arrancou desse estado de alma.

— Está triste? — perguntou ela com seriedade.

O moço sacudiu a cabeça.

— Não se incomode. Isso passa.

— Alguém o magoou?

Ele fez um gesto vago.

— A vida. Não tem remédio. Vamos deixar isso de lado.

A moça sentou-se ao lado dele no sofá. O rapaz a olhou. Tinha olheiras fundas e a fisionomia sombria. Penalizado, o moço pensou: "Ela ignora tudo! Pobre criatura. Se soubesse, que vergonha!" Ela era vítima tanto quanto ele. Vítima da maldade. De quem? De Aurora? Talvez. Um dia teria que magoá-la para vingar sua mãe? O moço sentiu um aperto no coração. Não seria injustiça com ela, inocente e vítima?

Precisava saber tudo, e o culpado iria pagar, fosse quem fosse.

A moça fixou-lhe os olhos admirada.

— Por que me olha assim? Vejo certa animosidade no seu olhar... Geraldo, está magoado comigo?

Ele baixou os olhos, sem jeito. Ela colocou a mão trêmula em seu braço e mal podia conter as lágrimas.

— Geraldo, por favor. Você é meu único amigo. Confio na sua amizade. Estou sofrendo tanto! Preciso de você. Por favor. Não me deixe só.

Geraldo fixou-lhe o rosto transtornado. Estranha emoção o acometeu. Não saberia dizer o que sentia, um misto de remorso e dor, ao ver-lhe a fisionomia abatida onde as lágrimas estavam prestes a cair.

— Maria Luísa! Você também sofre. Claro que sou seu amigo.

Vendo-a estremecer, lutando com o pranto, Geraldo abraçou-a aconchegando-a ao peito, acariciando-lhe a cabeça como a uma criança. A moça desatou em sentido pranto, e Geraldo, sentindo as lágrimas quentes molhando-lhe a camisa, não sabia o que fazer. Deixou-a soluçar livremente, acariciando-lhe os cabelos enquanto murmurava palavras de calma e reconforto.

O moço estava emocionado. Nunca tivera uma experiência dessas. O perfume suave da moça, o calor do seu corpo, sua emoção, deixavam-no meio tonto, e Geraldo, a certa altura, sem poder conter-se, abraçou-a com mais força, beijando-lhe o rosto delicado e molhado, e à medida que o fazia sua emoção crescia, tornando-se incontrolável. Teve ímpetos de beijar-lhe os lábios e apertá-la mais. A moça, um pouco assustada, murmurou:

— Não, Geraldo. Contenha-se.

Ele olhou-a, ainda perdido em meio à emoção.

— Perdoe-me — tornou ela, alisando-lhe o rosto com carinho mas afastando-se com delicadeza. — Não pude conter-me. Esqueci que você é meu amigo, mas é um homem. Não vamos estragar nossa amizade. Eu o estimo muito.

Geraldo a custo dominava o tremor.

— Maria Luísa, acho que me excedi. Não devia ter feito isso. De repente você pareceu-me tão infeliz, tão só, que eu tive vontade de apertá-la em meus braços e dizer-lhe que eu também me sinto assim, só e triste. — Respirou fundo. — Emocionei-me. Sou eu quem deve pedir-lhe perdão.

Estendeu a mão e tocou de leve em seus cabelos.

— Esse seu perfume é delicioso. Nem as flores do mato na primavera têm esse cheiro tão bom.

A moça sorriu.

— Vou dar um vidro para você.

— Ainda não disse por que está triste.

— Agora passou. Deixemos isso de lado.

— Não confia mais em mim?

— Você não me disse por que estava triste.

— Não preciso... Você sabe, minha tristeza se prende ao passado.

— Você sabe meu drama. Eu os vi juntos e felizes. Marcaram casamento para o começo do mês. Estou muito infeliz. Talvez eu vá viajar, para a Europa, não sei.

Geraldo olhou-a um pouco magoado.

— Você gosta mesmo dele? Não vê que não vale a pena?

— Eu sei, Geraldo, mas o que posso fazer? O amor é assim. Não tem lógica.

— Eu nunca vou amar — tornou ele com raiva. — Veja a que desatinos leva as pessoas.

— Gostaria de ser forte como você. Mas aconteceu. Que fazer para esquecer?

— Não sei. Se amasse alguém e não fosse amado, conseguiria esquecer.

— Pena que você não possa me ensinar como. Afinal, nunca aconteceu.

— Nem vai acontecer.

— Venham ao café — convidou Lucila da porta.

— Estou muito feia? — perguntou ela em voz baixa.

— Muito — respondeu Geraldo fixando-lhe o rosto formoso. — Tome o lenço.

A moça ajeitou a maquilagem e parecia mais alegre quando entrou na copa. A tempestade passara. Entretanto, Geraldo sentia uma impaciência que não podia explicar, uma insatisfação que o deixava inquieto. Não conseguia como de hábito acompanhar a alegria geral. Tinha ímpetos de ir-se embora, mas ao mesmo tempo queria ficar. Por quê?

Lucila aproximou-se do moço, e em seu olhar havia carinho e delicado respeito. Tornou em voz baixa:

— Sente-se bem?

Geraldo sorriu encabulado.

— Hoje não estou bom. Não sei o que é.

Lucila, tomando a mão do moço, disse em voz alta:

— Vem comigo. Preciso mostrar-lhe algo.

Geraldo levantou-se e a acompanhou. Na saleta, a sós, Lucila o fez sentar-se e disse-lhe com naturalidade.

— Tem fé em Deus?

— Eu brigo com ele, mas acho que está lá em cima, muito ocupado, e muito longe. Esqueceu-se de nós aqui embaixo.

— Não se lamente. Você hoje está angustiado. Vou pedir a ele que o fortaleça e ajude.

Colocou a mão sobre a cabeça do moço e cerrou os olhos, parecendo dormir. Geraldo a princípio sentiu grande mal-estar. Vontade de gritar, brigar, chorar, vontade de sair dali, fugir, aumentando seu desespero. Lutou para controlar-se. Afinal, era um homem, não uma criança. Aos poucos e a custo conseguiu dominar-se. Enorme tristeza o acometeu, e lágrimas incontidas rolavam-lhe pelas faces. Aos poucos, porém, tudo foi passando. Uma aragem branda e agradável o envolveu e o moço sentiu grande bem-estar.

Fundo suspiro escapou-lhe do peito e tudo voltou ao normal. Estava sereno.

— Está melhor? — indagou Lucila.

— Muito melhor. O que fez comigo? Como conseguiu?

— Eu? Nada. Só o desejo de o ajudar e a prece pedindo a Deus que o beneficiasse.

Geraldo estava surpreendido.

— Não sei se Deus está nisso, mas estou melhor. A senhora deve ter lá em cima seus amigos que fizeram isso. Senti um ventinho diferente, igual àquela noite da nossa sessão.

— Todos temos amigos, Geraldo. Acha que Carolina, quando Deus o permite, não viria para assisti-lo?

Geraldo entusiasmou-se:

— Ela esteve aqui? Foi ela?

— Acredito que sim. Carolina o quer muito. Preocupa-se com você. Pode ler todos os seus pensamentos. Gostaria que você não pensasse em vingança. Perdoa, meu filho. É melhor.

— Não posso.

— Deixa a Deus a ação da justiça. Só ele tem esse direito.

— Mudemos de assunto. Não quero desgostar ninguém. A senhora é uma santa, e na Terra é como minha mãe.

Lucila sorriu com doçura:

— Está bem, meu filho. Voltemos à sala.

Foi com boa disposição que se integraram à alegria geral. A angústia de Geraldo havia passado. Estava calmo. Maria Luísa olhou-o e sorriu. Geraldo aproximou-se e juntos conversaram animadamente.

Era noite já quando Maria Luísa se despediu e Geraldo ofereceu-se para acompanhá-la. Na porta da casa da moça, ele perguntou:

— Como se sente?

— Muito melhor. Foi um momento de fraqueza. Passou. Ninguém pode obrigar alguém a amar. Tenho que esquecer, custe o que custar. Você me ajuda?

— Claro. Podemos sair, passear. Você ensina-me as coisas e nos distraímos.

— Certo. Amanhã mesmo podemos ir ao clube. Sabe nadar?

— Sou como um peixe. Não vejo o rio há muito tempo.

— Amanhã vamos nadar. Você pede a Antônio para arranjar tudo que precisa. Ele sabe. Espero-o às nove horas.

Geraldo sorriu.

— Tarde assim? O bom é madrugar. Ver o sol nascer.

— Não aqui. O clube está fechado. Ninguém vai tão cedo. Se você passar às nove horas, está bem.

— Seja — tornou o moço, resignado. — Vocês da cidade são preguiçosos. Não aproveitam o melhor.

Maria Luísa levantou-se na ponta dos pés e beijou a face morena de Geraldo.

— Até amanhã. Muito obrigada por tudo — olhou-o nos olhos e passou a mão delicada por sua face com meiguice. — Não sei o que faria sem você.

— Até amanhã — respondeu ele, um pouco sem jeito.

Ao sair dali, Geraldo sentia-se muito feliz. A noite era linda e o perfume de Maria Luísa lhe recordava o cheiro de flores que tanto amava.

Naquela noite, Maria Luísa não tomou seus calmantes habituais. Estava determinada a esquecer o passado. Geraldo iria ajudar. Deitou-se e, depois de tantos meses, pela primeira vez conseguiu dormir em paz.

Capítulo 12

Nos dias que se seguiram, eles se entregaram a novas atividades, ocupando o tempo. Pela manhã, Geraldo e Humberto estudavam com interesse. Geraldo contratara dois professores que iam três vezes por semana ministrar-lhes aulas, e enquanto Humberto interessava-se pelos assuntos da advocacia, Geraldo sentia-se fascinado pelas ciências naturais, onde a botânica representava seu ponto de maior atração. À tarde freqüentavam as casas de chá, a matinê de cinema elegante, os clubes, e à noite os jantares na roda de amizades de Maria Luísa, e por toda parte eram os dois assíduos ao lado das duas moças. Tornaram-se inseparáveis.

A princípio o Dr. Marcondes preocupou-se com a súbita mudança da filha, mas D. Renata via com bons olhos, achando que Geraldo estava interessado na prima. Dr. José mostrava-se irritado com a presença de Maria Luísa sempre por perto de Geraldo. Apesar de estar certo de que a moça nada sabia, temia a proximidade de Aurora ao lado do sobrinho.

Aurora aos poucos foi se aproximando de Geraldo e procurando manter conversação com o moço. Era-lhe grata, porquanto percebera sua solicitude com Maria Luísa e observava que jamais a moça se mostrara tão feliz, tendo deixado os calmantes e se tornado alegre e descontraída. Surpreendia-se vendo-a discorrer com brilho sobre os assuntos, segura de si, tão diferente da moça fria e distante, de olhos tristes, em que se transformara nos últimos tempos. Estava claro que Geraldo a influenciara. Os olhares que surpreendera, a freqüência com que estavam juntos, tudo contribuía. A princípio, desejou que o moço se afastasse. Desgostava-a tê-lo na intimidade de sua casa. Mas, aos poucos, a freqüência à casa de Lucila, com quem reatara a velha amizade, e a atitude discreta e atenciosa de Geraldo, o respeito com que tratava as pessoas, foram deixando-a menos preocupada.

Às vezes, o moço, quando sorria, lembrava o rosto de Carolina. E Aurora sentia vivo o aguilhão do remorso lancinando o coração. Nessas ocasiões mergulhava em dolorosas reminiscências, onde se mesclavam a dor, a angústia, o arrependimento. Recolhia-se e entrava em depressão, da qual custava-lhe sair.

Um dia conversara com Lucila sobre isso. Contara-lhe suas mágoas, e Lucila aconselhara o cultivo da prece, oferecendo-lhe o *Evangelho Segundo o Espiritismo* para ler.

— Não posso orar, Lucila. Sou culpada de vários crimes. Por minha causa, dois lares foram destruídos. Tenho vergonha de procurar lenitivo na oração!

— Não diga isso. A prece nos dá forças para enfrentar nossos problemas. Jesus jamais condenou ninguém. Verá como pode sentir-se mais forte.

Aurora, de repente, tomou o braço da outra e murmurou, aflita:

— Lucila, você que entende dessas coisas, acha que Álvaro me perdoou?

Lucila sorriu.

— Certamente. Lá onde se encontra, já deve ter conhecimento da verdade. Sabe que você jamais o traiu.

Aurora suspirou, angustiada.

— Ah! Se eu pudesse ter essa certeza! Se eu pudesse ao menos vê-lo por alguns segundos! Sentir que não me odeia...

Lucila olhou-a serena.

— Álvaro a ama. Jamais deixou de amá-la. Ele também sofre por vê-la angustiada e aflita sem que possa fazer nada.

— Como sabe?

— Carolina.

— Como?!

— Carolina tem vindo algumas vezes conversar comigo. Disse-me que Álvaro durante muitos anos permaneceu a seu lado, angustiado, querendo conversar, contar tudo, dizer que sabia a verdade. Que se arrependia do crime cometido, sofrendo com seu sofrimento, ouvindo seus pensamentos dolorosos sem conseguir comunicar-se.

— Será possível? Será possível que ele tenha estado comigo tanto tempo sem que eu o visse?

— É possível, sim. O mundo espiritual onde vivem os que morreram para a Terra é coexistente com o nosso. Se interpenetram.

— É incrível!

— Nada tem de incrível. Apenas eles estão em uma faixa de energia que a pobreza dos nossos cinco sentidos não consegue perceber. Para isso, há que ter o sexto sentido, há que ser mais sensível. Muitas pessoas têm essa sensibilidade e podem perceber, ver e até dialogar com eles.

— Como eu gostaria de ver Álvaro! Poder dizer-lhe tudo quanto vai dentro de mim. O quanto eu o amo ainda!

Lágrimas brotavam-lhe dos olhos angustiados, descendo-lhe pelas faces.

— Ele sabe disso, Aurora. Não se atormente. Durante todos esses anos você tem mergulhado no arrependimento, na angústia, na queixa e na depressão. No entanto, não será dessa forma que conseguirá redimir-se do passado. Tem, com isso, levado ao nosso Álvaro tristeza e preocupação. Ele gostaria que você lutasse para mudar. Ele sabe que vocês erraram muito. Deus oferece sempre a chance de conseguir o melhor, de refazer os prejuízos, de reparar os erros. Alguma vez já pensou nisso?

Aurora olhou-a admirada.

— Como posso eu, inútil e culpada?

— Aí é que se engana. Quanto mais você recordar a culpa e mergulhar na depressão, mais estará dificultando o reajuste e se separando de Álvaro.

— Não entendo.

— Quando dois seres se amam como vocês, embora tenham se separado, certamente quando as barreiras ruírem voltarão a encontrar-se e tentarão o novo acerto. Sei que Álvaro, arrependido do crime passado, reiniciou, sob a proteção luminosa de Carolina, o duro caminho da regeneração. Prepara-se para trabalhar no socorro dos aflitos, como enfermeiro a serviço de Jesus. E tenho a certeza de que conseguirá, porque, afora seu drama pessoal, guarda preciosa folha de serviços prestados na Terra como médico humanitário, onde socorreu muitas pessoas necessitadas sem pensar em retribuição.

— Isso é verdade. Álvaro foi sempre humanitário e bondoso. Jamais deixou de socorrer alguém por falta de dinheiro.

— Isso revela a excelência do seu coração e o coloca em condições de continuar a serviço do bem.

— O que me conta surpreende-me. Os mortos trabalham?

— Embora os preguiçosos sonhem com o paraíso indolente, a lei do trabalho vigora em todos os cantos do Universo e ninguém poderá estar inerte, sob pena de arcar com dolorosos sofrimentos. Mas como pensa que eles socorrem os que sofrem na Terra? Como pensa que eles abrigam os que morrem aqui, chegando lá, doentes da alma, sofridos, angustiados, perdidos e desajustados? Acha que a misericórdia de Deus seja tão pobre?

— Eu sabia disso vagamente, mas nunca tinha pensado assim de forma tão concreta.

— Deve começar a pensar. Acho mesmo, Aurora, que sua fase ruim passou. Você deve agora procurar melhorar seu íntimo. O que passou não pode ser modificado. Que adianta alimentar erros dolorosos? Por acaso poderá modificá-los?

— Quem dera eu pudesse esquecer!

Você pode atenuar essas lembranças. Elas deverão representar para você apenas uma lição dolorosa, para evitar a reincidência no futuro. Mas isso não a impede de construir o bem, procurando realizar algo em benefício dos que prejudicou. Teme a presença de Geraldo; entretanto, ele sofreu muito a perda da mãe e até hoje sua ferida sangra. Não foi em vão que Deus o aproximou do seu convívio.

Aurora estremeceu, assustada. Lucila continuou com voz firme:

— Por que você não abre a ele seu coração? Por que não o recebe como um filho, procurando dar-lhe um pouco do amor de mãe que lhe foi negado?

— Não sei. Tenho medo de que ele esteja apaixonado por Maria Luísa. Ela está tão diferente. Ele tem sido bom.

— É um excelente rapaz, a quem estimo. Guarda lealdade e pureza de sentimentos.

— Sinto o quanto ele tem sido bom com Maria Luísa, que o estima de verdade.

— Então, por que não amá-lo como um filho? Dessa forma, Carolina a abençoaria e você se sentiria menos culpada.

— Mas se é justamente sua presença que me lembra o erro cometido!

— Pode ser. Sua consciência está acordada. Mas sempre que der a ele seu carinho, sua atenção, estará pelo menos devolvendo um pouco do que inconscientemente lhe tirou.

— É verdade. Não tinha pensado nisso.

— Pois pense. Aproxime-se dele sem medo. E verá que se sentirá melhor.

Aurora baixou a cabeça, pensativa. Afinal, o que fizera para reparar o mal? Nada. Achou que se sentiria bem em começar.

A partir daquele dia, Aurora aproximou-se de Geraldo, que se surpreendia percebendo nos olhos dela um ar mais amistoso e um carinho especial.

Ele ainda sentia por ela certa repulsa, lembrando-se de que por sua causa Carolina fora envolvida na torpe calúnia. Contudo, Humberto o vigiava, aconselhando-o a que se contivesse, e Geraldo procurava dissimular, o que era-lhe sumamente difícil. Outro motivo o impulsionava: não queria que Maria Luísa soubesse a verdade. O que pensaria a moça se soubesse que ele procurara sua amizade para investigar o passado? Que ele a utilizara para aproximar-se de Aurora? Por isso lutava com a raiva e procurava disfarçar seus sentimentos. Aurora, entretanto, olhava-o agora de forma diversa. Ele fora vítima inocente e ela queria fazer algo para redimir-se. Não sabia como começar. Sentia-se inibida, não encontrava a forma de melhorar o relacionamento com ele.

Certa tarde, na varanda da casa de Maria Luísa, os quatro jovens, reunidos após o chá, conversavam animadamente. Humberto empolgava-se com os estudos e Geraldo fazia-os rir com os comentários sobre as aulas, que aproveitava ao máximo, revelando insaciável curiosidade. Aurora aproximou-se e imediatamente Humberto levantou-se, convidando-a a fazer parte do grupo. Um pouco acanhada, ela sentou, desculpando-se:

— A alegria de vocês faz-me bem. Quero ver se apanho um pouco dela para mim.

Um brilho singular refletiu-se nos olhos de Geraldo antes que ele pudesse dominar. Uma coisa ele sabia. Aquela mulher não era feliz. Como poderia, depois do que fizera? Humberto sorriu ao responder:

— É que nós somos alunos especiais. E tudo o que nos acontece é engraçado.

A conversa prosseguiu, mas Geraldo não sentia a mesma espontaneidade. Conservou-se calado, enquanto Humberto e Maria da Glória tudo faziam para manter a alegria do grupo. Aurora, a certa altura, olhou Geraldo e pareceu-lhe perceber o ressentimento do moço. Fixando-o com doçura, comentou:

— Nunca é tarde para aprender. Fazemos muitas coisas por ignorar. O esclarecimento nos faz ver melhor nossos erros.

Geraldo estremeceu. O olhar dela era súplice, mas para o moço como que reativou o ressentimento. Esquecendo-se de dissimular, objetou com frieza:

— Bom é não errar, porque certos erros não têm remédio. Não adianta se arrepender.

Aurora empalideceu. Humberto disfarçadamente tocou o pé de Geraldo para chamar-lhe a atenção, enquanto que Maria da Glória procurava dissimular falando sobre as provas na faculdade, dos erros e das "colas". Mas Aurora sentia-se arrasada. Como dizer-lhe que queria dar-lhe um pouco do seu afeto para tentar refazer o mal que lhe fizera? O moço não lhe perdoara. Sentia-lhe no olhar e na voz. Teve medo. E se ele quisesse vingar-se? Tinha tudo nas mãos, sua filha, seu segredo, tudo. Fizera mal em permitir sua presença ali. Por outro lado, ele também sofrera a orfandade e a dor de Euclides. Era vítima inocente. Quem lhe devolveria os anos perdidos no mato, ignorante e só? Sentia-se arrasada. Um frio enorme a envolveu, enquanto que, trêmula, procurava controlar-se. Vendo-lhe a palidez, Humberto tornou:

— D. Aurora, sente-se bem?

— Mamãe, o que tem?

— Nada...

Mas seu aspecto era mau. Seu rosto branco e gotas de suor bordejando, seus olhos refletindo pavor, querendo controlar-se; foi quando ela olhou para Geraldo e viu Carolina. O rosto suave e belo refletindo amor e piedade. Estendendo-lhe os braços e sorrindo. Foi demais.

— Carolina! — gritou assustada. — Carolina! Você está aí! Carolina! Perdão.

E antes que os presentes pudessem sair da surpresa, perdeu os sentidos.

Geraldo, assustado, sentia arrepios pelo corpo. Ela vira sua mãe! Carolina estava ali! Lágrimas rolavam-lhe pelas faces, sem que as pudesse conter, enquanto que os outros três socorriam Aurora, estendendo-a no sofá da sala. Maria Luísa correu em busca dos remédios, enquanto que Maria da Glória procurava afrouxar-lhe as vestes, tentando reanimá-la.

Colocada a pílula embaixo da língua, esperaram. Geraldo estava chocado. Humberto, entretanto, procurava acalmá-lo.

— Melhor seria levá-la para o quarto — comentou Maria Luísa.

Humberto tomou-a nos braços e, acompanhado pelas duas moças, conduziu-a ao leito. Ao retornar, vendo Geraldo só, comentou:

— Você tem que se controlar. Vai estragar tudo. Agora que ela quer se chegar!

— Não deu para evitar. Ainda não sei ser falso.

— Tenho pena dela. Tem sofrido muito.

— Feliz ela não é. Viu minha mãe. Acha que ela está aqui?

— Acho. Sua mãe deseja que vocês vivam em paz.

— Acha que ela esqueceu?

— Esquecer, não sei, mas perdoar, isso ela fez. D. Lucila acha que ela quer ajudar Aurora.

— Isso é que não entendo.

— Você deve esforçar-se para perdoar. Afinal, não sabemos ainda como tudo aconteceu.

— Ela pediu perdão. Acha que não é culpada?

— Não sei. O que eu acho é que julgar não nos cabe.

— Fala como D. Lucila.

— Tenho pensado muito. Não vale a pena conservar ressentimentos. Não podemos mudar o passado. Só podemos melhorar o presente.

Maria da Glória entrou aflita, dizendo:

— Ela acordou e só faz chamar por D. Lucila. Quer vê-la imediatamente.

— Vamos buscá-la. Certamente virá.

Enquanto os dois saíam apressados, a moça retornava ao quarto. Aurora chorava, inconsolável. Maria Luísa perguntava:

— O que foi, mãe? Por que viu D. Carolina?

— Ela estava ao lado dele. Linda e bondosa como sempre. Sorriu para mim e estendeu-me os braços. Foi demais!

— Por que pediu-lhe perdão? O que lhe fez?

Aurora olhou-a, e havia tanta dor que Maria da Glória, condoída, objetou:

— Deixe D. Aurora, ela está em choque. Depois, certamente, explicará. — Levando a amiga para o canto, murmurou-lhe aos ouvidos: — Com certeza ela pensava que Carolina fosse culpada de adultério, como meus pais pensam ainda. E vendo-a, teve remorsos desse mau juízo.

— Pode ser. Mas ela sempre me disse que conheceu pouco D. Carolina.

— Em sociedade, você sabe, todos se conhecem.

— É... Pode ser.

Quando Lucila chegou, Aurora pediu:

— Deixem-nos a sós.

As duas foram reunir-se aos rapazes, enquanto Lucila procurava confortá-la.

— Eu a vi, Lucila. Estava ao lado dele. Nunca pensei que fosse possível. O que me disse é verdade: os mortos voltam. Só que ela não veio para pedir-me contas. Sorria e me estendia os braços. Lucila, ela me perdoou!

— Claro, Aurora. Eu lhe disse. Carolina ainda em vida a tinha perdoado. Jamais lhe teve rancor.

— Oh, Lucila, como posso esquecer? Ela me perdoou, mas eu não me perdôo. E Geraldo também não consegue. Senti no seu olhar que guarda ressentimento. Tenho medo. E se ele contar tudo a Maria Luísa? E se quiser vingar-se de mim?

— Acalme-se, Aurora. Não nego que Geraldo ainda não conseguiu esquecer o passado. Foi muito machucado, foi ferido fundo em seus sentimentos, mas é um moço leal e de caráter. Não seria capaz de vingar-se em Maria Luísa. Isso eu sei.

— Tem certeza?

— Tenho. Você deve continuar a lutar para destruir a barreira que existe entre vocês dois. Deve reconhecer que o ressentimento dele é natural e foi causado pelos seus atos passados.

— Isso é verdade.

— Então. Se quer mesmo refazer os prejuízos que causou, comece por esse.

— Mas eu não sei como. Eu tentei, mas ele não me aceita.

— Por que não lhe conta a verdade?

— Eu?!

— É. Só você pode fazê-lo. Abra-lhe seu coração e verá que se sentirá melhor.

— E se ele contar a Maria Luísa?

— Acha que se ele quisesse fazer isso já não o teria feito?

— É... Acho que é. Lucila, me ajude, peça a Deus coragem!

— Deus vai ajudar, e Carolina também.

Lucila murmurou ligeira prece, ao fim da qual Aurora concordou:

— Seja. Vou falar. Chame-o aqui. Mas... e Maria Luísa?

— Não se preocupe. Não vai desconfiar. Deixe comigo.

— Fique perto, senão perco a coragem.

Geraldo entrou pálido. Pressentia que ia conhecer alguma coisa nova. Isso deixava-o tenso. Sentou-se ao lado do leito, e Aurora, pedindo para segurar a mão de Lucila, começou:

— Geraldo, quero que me perdoe. Vou abrir-lhe meu coração, relatar o meu drama e o papel triste e vergonhoso que fiz, o meu crime, e só lhe peço uma coisa; se não puder perdoar-me, pelo menos poupe Maria Luísa. Ela não sabe nada! Peço-lhe pelo amor de Deus! Diga-me que não vai contar nada a ela. Prometa-me isso. É só o que quero.

Geraldo olhou aquela mulher, reduzida a terrível expressão de dor na fisionomia. Estava pálida e trêmula.

— Jamais toquei nesse assunto com ela e não pretendo magoá-la. De minha parte, jamais o farei.

Então Aurora mergulhou nas lembranças e contou todo seu drama, sem omitir detalhe algum. Lágrimas corriam pelas faces do moço enquanto penetrava a tragédia da qual fora vítima. O papel do Dr. Olavo fazia-o tremer de revolta, e a atitude digna da mãe enchia seu peito de calor.

— Então foi ele! — murmurou por fim. — Ele! Que criou todo esse drama com mentiras. Por quê? Qual a razão desse seu ódio a Álvaro? Qual a causa que o impulsionara a tão vil calúnia? Nunca descobriu?

— Nunca. Nem sequer desconfiei. Só agora, quando Lucila me fez ver certas coisas, foi que percebi. Eu estava cega! Cega e louca de ciúme. Meu Deus! Como poderei esquecer? Quando conseguirei me perdoar?

Geraldo, amargurado, olhou aquela pobre criatura e teve que reconhecer que ela fora de certo modo vítima.

Ela continuou:

— Se eu pudesse voltar atrás, se eu pudesse refazer o que destruí, me arrastaria aos pés de Carolina para que me perdoasse. Contaria a Euclides toda a verdade, e ele com certeza regressaria ao lar. Mas todos eles estão mortos, e eu nada mais posso senão chorar de arrependimento. Só você está aqui, e eu lhe peço perdão pelo mal que lhe causei. Seja meu amigo, por favor. Não me expulse do seu coração. Sei que não mereço, mas gostaria de saber que não me odeia e que me compreende.

Tomara a mão do moço e a apertava com força, olhando-o com tristeza infinita. Geraldo sentiu sua raiva esvair-se. Com voz repassada de amargura, tornou:

— A senhora foi quase uma vítima. Aquele patife! Certamente foi ele a causa de tudo. Ele e o amor, esse sentimento terrível que torna os homens cegos e violentos. Veja o que o amor fez com você, veja o que fez com meus pais e o que fez comigo.

— Meu filho, não diga isso. O amor é o mais belo sentimento que existe — esclareceu Lucila com energia.

— Para mim, não. Ele muda as pessoas e as transforma em loucos ou sofredores.

Aurora sentia-se exausta, porém calma. Com voz sumida, repetiu:

— Você me perdoa? Pode ser meu amigo?

Geraldo olhou-a sério.

— Agora sei o que lhe aconteceu, e só posso lamentar. Não lhe guardo rancor.

— Mas não quer minha amizade, não é?

— Ele não disse isso, Aurora — suavizou Lucila. — Está muito emocionado.

— Estou abalado. Mas acho que a verdade ainda está para ser descoberta. A senhora foi uma vítima. Apesar de tudo, tem me recebido em sua casa e permitiu que Maria Luísa se tornasse minha grande amiga, a quem quero muito bem. Tenho sido muito teimoso, mas se a senhora também me perdoar, acho que podemos ser amigos.

Geraldo olhava com sinceridade e Aurora apertou-lhe a mão, enquanto que brando calor a invadia. Seu rosto distendeu-se e sua expressão tornou-se mais suave.

— Deus o abençoe, meu filho.

Havia tanta emoção em sua voz que Geraldo estremeceu. Foi com voz ligeiramente trêmula que disse:

— Juntos poderemos investigar o caso, porque acho que deve existir aí algo que desconhecemos e que forçou a partida de meu pai.

Ele sabia da sua suspeita sobre minha mãe com o Dr. Álvaro. Parece que não acreditou. Por que então teria deixado o lar? O Dr. Olavo deve saber de tudo!

— Não sei. Mas preciso relatar-lhe algo. Disse-lhe que, inconformada com o resultado do julgamento, onde eu aparecera como adúltera e Álvaro como marido ultrajado, imaginando que os dois, ele e Carolina, estivessem rindo à minha custa, amando-o ainda, fui procurar o Dr. José Marcondes. Tive com ele uma conversa longa. Abri-lhe meu coração. Ele reavivou meu ciúme, dizendo que tinha observado a intimidade excessiva entre Carolina e Álvaro e que eu ficasse tranqüila, que ele, José, saberia defender os interesses da família. Que viajasse em paz. Recordo-me que não gostei da expressão do seu rosto, e perguntei:

— *O que pretende fazer?*

— *Vou fazer Euclides saber da verdade. Se ele duvida, armo-lhe um laço bem armado, do qual certamente não poderão sair.*

— No dia imediato saí do Brasil, e ainda em viagem fui surpreendida com a notícia do suicídio de Álvaro; duas semanas depois, recebi carta de meu pai, relatando o abandono de Carolina.

— Então foi ele! Meu tio José!

— Pode ser — concordou Lucila. — Sempre cobiçou a fortuna do irmão. Com o seu desaparecimento, contava com ela. Sei que seus credores eram mantidos nessa esperança.

— Como saber? — ajuntou Geraldo.

— Por isso ele não queria que Maria da Glória estivesse perto de Aurora, tentou impedir a amizade — disse Lucila.

— Então, deve ter culpa mesmo. Nunca gostei da sua cara. Seja o que for, vou descobrir.

— Eu também gostaria de saber. Fui usada por eles e pelo meu ciúme. Quero beber minha taça de fel até o fim.

— Você sairá redimida, Aurora, tenho a certeza. Seu sofrimento, seu arrependimento, lhe darão condições. Álvaro deve estar satisfeito com você.

— Álvaro! Carolina! Ela estava linda! Rosto suave, sorrindo, estendendo-me os braços.

Geraldo murmurou:

— Por que não posso vê-la? Por que não sinto seus braços à minha volta?

Lucila sorriu e explicou:

— Essa é uma dificuldade sua, que não a impede de estar a seu lado e de abraçá-lo sempre com o mesmo amor. Como é grande a bondade de Deus!

Geraldo sentiu um ligeiro perfume, muito seu conhecido, enquanto que ligeira brisa o envolvia.

— Carolina!

E o moço sentiu descer sobre seu espírito angustiado uma inesperada sensação de paz.

Capítulo 13

Naquela mesma noite, na sala de estar de Geraldo, ele trocava idéias com Humberto sobre o ocorrido. Preferira fazê-lo a sós, porquanto Maria da Glória poderia magoar-se com a suspeita sobre o pai. Fora fácil D. Lucila explicar os nervos de Aurora com a presença de Carolina, justificando assim a longa conversa de Geraldo a sós com as duas mulheres, pela necessidade de esclarecer-se o que o espírito da mãe de Geraldo queria.

Humberto, a par dos fatos, também reconhecia que os suspeitos eram dois: o Dr. Olavo e o Dr. José Marcondes. Ao que constava, eram inimigos um do outro. Pensativo, tornou:

— Álvaro e Olavo eram inimigos, mas a causa não sabemos. Por sua vez, Olavo e o Dr. Marcondes também se odeiam. E o motivo, ignoramos. Devemos partir daí. Precisamos descobrir o que aconteceu entre eles para que tivessem se tornado inimigos. A chave do problema pode estar aí.

— É... Mas como poderemos descobrir?

— Deixe comigo. Amanhã mesmo começo a trabalhar nisso. Agora já temos boa pista, que me parece segura.

Geraldo, contudo, mal podia esperar. Tinha ânsias de saber, e agora que suas suspeitas já estavam em parte justificadas, pensava em como poderia castigar os adversários.

No dia imediato, Humberto afastou-se pela manhã e as horas custaram a passar. Quando voltou para o almoço, o moço mal podia esconder a curiosidade.

— E então? — perguntou assim que o viu.

— Tenho algumas novas. Procurando por velhos amigos, lembrei-me de um advogado, agora já aposentado e que militava na época em que o Dr. José Marcondes iniciou a carreira jurídica. Obtive pelo menos o motivo do ressentimento dele contra Álvaro. Ocorre que o Dr. Alberto, seu avô, quando o filho se bacharelou, passou-lhe a gestão de vários bens de família, incluindo as duas fazendas de café em Itu e em Campinas e algumas propriedades também na comarca de Itu. Entretanto, o Dr. José se mostrava inábil; o velho Dr. Alberto o chamava à ordem, sem contudo conseguir fazê-lo melhorar. O Dr. José, entre o jogo e a bebida, belas mulheres e cavalos de raça, dilapidava com rapidez os bens de família. O Dr. Alberto, ao vê-lo bacharelar-se, acalentara a idéia de reajustá-lo, e para isso dera-lhe esses encargos, querendo incentivá-lo na profissão. Vendo que não conseguia, após violenta discussão rompeu com ele, dando-lhe a parte que lhe cabia dos bens e colocando toda sua fortuna em nome do outro filho, Euclides, o oposto do irmão, que aliás fez o possível para evitar o desfecho. Eu soube que ambos já estavam casados nessa época. E Álvaro com a esposa freqüentavam a casa, sendo íntimos amigos. E foi o Dr. Álvaro, preocupado com a avultada quantia que José perdera no jogo, quem colocou o Dr. Alberto ao par da situação, o que lhe valeu o ódio mortal de José.

— Quer dizer que ele nunca prestou. É por isso que eu não gosto dele, nunca me engano!

— O que pude saber foi isso. O Dr. Alberto o chamou, as coisas se precipitaram e ele soube que Álvaro tinha contado seu segredo. Nunca perdoou.

— Se ele fosse amigo do Dr. Olavo eu poderia entender; mas não, eles se odeiam. Será que tem alguma coisa a ver com o caso?

— É o que pretendo descobrir.

— Tenho medo por causa de Maria da Glória. Acha que ela vai sofrer?

— Acho. Mas acho também que ela prefere saber a verdade. Já tem dito isso. Não confia nos pais. Pelo contrário.

— Será que foi por isso que ele não gostava do Dr. Álvaro?

— Parece que sim. Um fraco como ele fica furioso quando alguém o desmascara. Pretendia iludir o pai. Sem enxergar que cedo ou tarde ele iria descobrir.

— É verdade.

— Agora, vou tentar pegar a outra ponta da meada.

— Como assim?

— O Dr. Olavo. Pelo que sei sobre ele, acho que vamos descobrir grandes patifarias.

— Ele não presta. Desconfio até que tem muita culpa em tudo isso. O caso do desquite de Aurora ainda não está claro. Por que ele tentaria destruir o Dr. Álvaro? Pelo que sabemos, eles nem parentes eram.

— É o que preciso saber. Pode deixar comigo. Vou trabalhar em cima disso.

Os dois continuaram conversando, estabelecendo hipóteses e tentando ligar os fatos. Os dias que se seguiram foram de intensa atividade para eles. Com a freqüência em rodas sociais mais representativas da elite, eles por sua atitude discreta, Geraldo por sua curiosa história e por representar um nome dos mais ilustres, e ainda por sua simpatia pessoal, tinham conseguido ótimo relacionamento.

Era do plano deles estabelecer essa relação principalmente com os mais velhos, que poderiam prestar-lhes esclarecimentos sobre o passado, de modo que redobravam as atenções com todos quantos viveram na sociedade daqueles tempos, o que os tornava sumamente bem recebidos numa sociedade onde os jovens já começavam a modificar os costumes, liberando-se da disciplina rígida dos pais. Mas foi com um mordomo que Humberto conseguiu descobrir uma nova pista.

Estavam numa festa em casa dos Albuquerque e Humberto, na sala de fumar, saboreava seu cigarro quando o mordomo, sóbrio e circunspecto, aproximou-se oferecendo-lhe uma bebida.

— Obrigado. Agora não.

Estavam sós e Humberto começou a conversar com ele, comentando sobre as pessoas importantes que estavam presentes. Lisonjeado, ele começou a falar e Humberto descobriu que durante dez anos ele trabalhara na casa do Dr. Olavo Rangel.

— Sabe — explicou ele —, ele pagava mais do que os outros e eu tinha uma dívida para pagar. Precisava do dinheiro, senão não tinha trabalhado lá tanto tempo.

Humberto descobriu que na época que lhe interessava ele trabalhara lá. Habilmente conversou e percebeu que o criado não apreciava o ex-patrão, e que, assim que se desobrigou dos sérios compromissos que possuía, deixou o emprego.

— Meu amigo Geraldo pretende descobrir algumas coisas daquele tempo e gostaríamos que você fosse à nossa casa prestar algumas informações. Talvez possa nos ajudar. Vá e não se arrependerá. Além de muito rico, ele é muito generoso.

Os olhos do mordomo brilharam. Sentiu-se importante.

— Amanhã à tarde é minha folga. Estarei lá. O que quer saber?

— O local aqui não é apropriado e você está ocupado. Amanhã falaremos.

Humberto mal podia esperar. No dia imediato, às dez horas em ponto ele era introduzido na sala de Geraldo, que com o amigo aguardava-o ansioso. Iriam descobrir mais alguma coisa?

Acomodaram Estêvão em agradável poltrona e Humberto começou:

— Sabemos que o Dr. Olavo metia-se em negócios não muito honestos, e não tem escrúpulos para atingir seus fins. Você conheceu o caso do Dr. Álvaro e D. Aurora?

— Se conheci! Eu conheci também o Eurico, que morreu inocente nisso tudo!

— Conte-nos o que sabe. Por que inocente?

— O Eurico era um apreciador de vida mole e de boas mulheres. Vivia sempre enrolado com elas.

— Freqüentava a casa do Dr. Olavo?

— Era uma espécie de escravo dele. Valia tudo. Servia de testemunha quando ele precisava, fazendo tudo quanto o Dr. Olavo mandava. Era olheiro, e quando precisava sabia intimidar as pessoas, embora não fosse de briga. Era amado pelas mulheres e a Ivete morria por ele.

— Ivete?

— A esposa. Mas ele tinha outras. A Áurea até hoje chora sua morte. Elas acreditavam que ele fosse amante de D. Aurora, mas apesar disso o amavam. Ele não largava da Áurea, que era a predileta. Dr. Olavo tinha dito a ele que se aquele caso desse certo, ele entraria em grande bolada e que lhe daria grande quantia. Eurico pretendia viajar e gozar a vida com o dinheiro. Mas foi pro cemitério. Também, passar por amante de mulher casada só podia dar nisso! Foi uma tragédia! Áurea está acabada. Até hoje não esqueceu.

— Sabe onde ela se encontra?

— Sei. Tenho pena dela. Vive doente e na miséria. Às vezes levo coisas para ela que D. Berta manda. Minha patroa é uma grande dama e muito caridosa.

— Me dá o endereço dela. Fique tranqüilo, que vamos ajudá-la também. Que mais sabe do Dr. Olavo. Conheceu o Dr. José Marcondes?

Conheci. Quando entrei na casa ele era amigo do Dr. Olavo. Tinham estudado juntos. Mas um dia brigaram feio.

Humberto perguntou:

— Sabe por quê?

— Por acaso eu passava pelo corredor e ouvi a conversa deles.

— Procure lembrar-se: como foi?

— O Dr. José estava furioso e dizia:

— *Você é um traidor. Eu tinha combinado que, de posse da herança, trinta por cento seriam seus. Agora, retiro a proposta. Você me traiu.*

— Dr. Olavo estava conciliador:

— *São tramas da oposição. Eu não contei a ninguém. Não sei como o Álvaro descobriu...*

— *Não acredito! Só você tinha os documentos. Além do mais, o plano ia tão bem! Se me aborrece, procuro o Álvaro e conto toda a verdade!*

— O outro tornou-se ferino:

— *Que verdade? Que você está por trás do caso e quer arrasar tanto a ele como ao seu irmão para ficar com a herança? Terá coragem de dizer-lhe isso?*

— O outro espumava de raiva.

— *O plano daria certo se você não me traísse! O que espera conseguir negociando do outro lado?*

— *Ouça, José. Eu não estou negociando com ninguém. Tenho até arranjado dinheiro para você.*

— *A juros escorchantes.*

— *Que não são meus. Você podia jogar menos.*

— *Não se meta na minha vida! Sei o que faço. Meu pai está furioso e agora disse que vai me deserdar.*

— *Ele não pode fazer isso.*

— *Vai dar uma parte, mas o resto vai passar tudo para Euclides. Isso é demais. Você é o culpado! Soube que Álvaro o procurou e depois foi falar com meu pai. Você é o culpado.*

— *O Dr. Álvaro me procurou por causa de documentos. Sabe que sou o advogado da família de sua mulher. Tratamos de assuntos legais.*

— *Olha aqui. Eu sei de tudo. Sei que foi você quem aconselhou a penhora da minha casa de Itu e das terras do grotão. Meu pai ficou furioso. Sei também que ganhou honorários de vinte por cento sobre a transação. Você quer me arruinar? Juntos, poderíamos nos tornar ricos.*

— *Você nunca conseguirá a fortuna do seu pai.*

— *E por isso você me traiu. Você não perde por esperar. Logo agora, que eu tenho tudo planejado Vai me pagar, verá.*

— *Você está arruinado, e eu não vou perder tempo em ouvir suas ofensas. Queira se retirar.*

— E assim, eu abri porta ao Dr. José, que parecia arrebentar de raiva.

— E depois?

— Depois, o Dr. Olavo estava nervoso e D. Marilda foi perguntar o que tinha acontecido. Ele explicou:

— *Ele quis me passar a perna e eu dei o tombo primeiro.*

— *Como assim?*

— *Ele queria que eu o ajudasse a falsificar uns documentos, mas nessas não me meto eu. Não quero encrencas com a lei. Fez dívidas de jogo e queria que eu falsificasse a escritura de suas propriedades em nome da filha, com data anterior da dívida. Mas eu achei melhor conversar com o meu cliente que emprestou o dinheiro e ia ser lesado, e ele penhorou as propriedades. Não fui eu quem contou ao Dr. Álvaro. Ele tem me irritado muito por causa daquele caso dos Andrades. Esse é outro cuja cama estou arranjando!*

— *Você se mete em encrencas!*

— *Não se preocupe. Sei jogar. Sempre tenho lucros.*

— *Se você não contou ao Dr. Álvaro, como descobriu?*

— *Acho que o credor o conhece e o colocou ao par de tudo. Ele tem pena do Dr. Alberto, que é homem de bem.*

— *Então, por que Álvaro o procurou?*

— *Para me ameaçar. Disse que vai dar queixa à polícia se eu insistir em dizer que a viúva Andrade é irresponsável e sofre das faculdades mentais. Ele atestou que ela é normal e a tirou do sanatório. Ameaçou processar-me caso eu insista em levar avante o caso.*

— *Isso é dramático.*

— *Logo agora que estava prestes a conseguir que o jovem Arnaldo tomasse posse como administrador dos seus bens!*

— *Você vai perder uma fortuna!*

— *Tudo por causa desse doutorzinho! Ele é atrevido! Deixe por minha conta. Ele não perde por esperar.*

Os dois não perdiam palavra, e Estêvão continuava:

— Depois de uma semana, eu fiquei sabendo que D. Aurora procurara o Dr. Olavo.

— Como foi isso? — indagou Humberto.

— Por causa de Eurico. Ele esteve em casa do Dr. Olavo procurando por ele e me contou que o patrão o chamara para tratar de um caso onde ele pretendia dar um tombo em um doutorzinho. Sempre que tinha negócios com o Eurico, o Dr. Olavo o recebia em casa porque não queria que o vissem em seu escritório. Não sei bem o que foi que aconteceu, mas ele estava muito contente e várias vezes o ouvi dizer a D. Marilda que as coisas corriam muito bem. No dia da tragédia, o Eurico foi à nossa casa e lá ouvi o Dr. Olavo dizer:

— *Esteja no apartamento às duas horas, ela vai dar-lhe todas as instruções. Não se esqueça de nada.*

— *Não acha que é perigoso?*

— *De modo algum. E depois, ao sair, lhe darei a bolada.*

— O outro sorriu, alegre.

— *Estou precisando.*

— Quando o acompanhei até a porta, murmurei:

— *Aí, hein? Vai entrar na bolada!*

— *É. Bem que estou precisando. Não gosto muito desses casos de amor. Ciúme é doença perigosa.*

— *Como assim?* — perguntei curioso.

— *O ciúme é perigoso, ainda que seja da amante. Não posso explicar, mas acho que depois dessa vou sumir por uns tempos com a Áurea.*

— Ele saiu e foi naquele dia mesmo que ele levou os tiros, como você sabe. Parece-me que era outra pessoa que ia estar lá, a coisa era para estourar no dia seguinte. Sei que o Dr. Olavo chegou muito nervoso e contou a D. Marilda tudo. Eles conversaram durante muito tempo no escritório, e eu não pude ouvir nada. Mas sei que o Dr. Sigifredo, pai de D. Aurora, telefonava para a casa e conversava com o Dr. Olavo, e tudo estava fervendo. Foi pelos jornais que eu pude saber a tragédia, e nós estávamos proibidos de falar qualquer coisa, prestar qualquer informação a quem quer que fosse. Dr. Álvaro no hospital, D. Aurora também, graves, e o Eurico acabou morrendo. Ninguém me tira da cabeça que o Dr. Olavo teve culpa nesse negócio. Ouvi-o dizer a D. Marilda:

— *De qualquer modo, ele está fora do meu caminho. Vou reabrir o caso da viúva Andrade. Agora ganharei a causa. Sei de um médico que atestará o que eu quiser. Isto é para ele aprender a não se meter comigo!*

— *Há um escândalo com a Carolina. Quem diria, a santinha!*

— Ora, Marilda, aquela mulher não teria cabeça para isso! Mas é melhor que pensem assim. Afinal, a verdade pode nos comprometer.

— Este prato é bom para o Dr. José Marcondes. Se o irmão se separar da mulher, pode ser que o Dr. Alberto reconsidere e volte às boas com ele.

— Não creio. O Dr. Alberto é muito severo e não confia no filho. De qualquer modo, o que me interessa agora é o caso Andrade."

— E depois? — tornou Humberto. — Acompanhou o caso?

— Mais pelos jornais. Estávamos proibidos de tocar o assunto em casa. Pelos recados ao telefone, pude perceber que o Dr. Olavo fez o desquite, e apesar de ter tentado provar que o Dr. Álvaro tinha uma amante, o que ficou claro foi que D. Aurora era amante do Eurico.

— Você também pensa assim?

— Não. Eu não penso. Eu sei que o Eurico nem conhecia D. Aurora. Sei que ele ia passar por amante de outra pessoa, mas algo saiu errado.

— Você não contou à polícia o que sabia?

— Eu?! Deus me livre! O Dr. Olavo me mataria. Depois, eu tinha minha dívida a pagar, o Eurico estava morto mesmo. Eu não tinha nada com a briga deles. O Dr. Álvaro saiu livre e eu guardei o que sei comigo. Agora, faz tantos anos, estou recordando tudo isso mas não quero me meter em nada. Um mordomo como eu, sabe, vê e ouve muitas coisas, mas no meu caso o segredo é a alma do negócio.

— Nunca mais soube de nada?

— Não. O que sei é que o Dr. Olavo conseguiu o que queria. Internou a viúva e não sei o fim que ela levou. O sobrinho ficou com a herança e ele recebeu grossa bolada, cuja comemoração presenciei num jantar alegre onde D. Marilda ganhou o seu lindo colar de diamantes.

Geraldo estava mudo. Tanta baixeza o enojava. Humberto, vendo que nada mais podia arrancar do mordomo, deu-lhe boa quantia, que Geraldo destinara a esse fim, e o despediu após ter-lhe agradecido e anotado a direção de Áurea, a amante de Eurico. Geraldo não continha a indignação.

— Bem que eu não gosto daquele sem-vergonha! E pensar que foi com ele que vim para cá!

— Calma, Geraldo. Se não tivesse vindo, ele com certeza teria achado jeito de entrar na sua fortuna.

— Ele não podia!

— Você dado por morto, desaparecido, e ele naturalmente arrependido de ter brigado com seu tio José, o herdeiro se você não aparecesse... talvez se unissem de novo. Pensando bem, encontrando você ele destruiu as esperanças de seu tio e pensou em administrar seus bens. Só que ele não contava com a sua inteligência, que frustrou todos os seus planos. Você é maravilhoso e sinto-me orgulhoso de ser seu amigo!

Geraldo olhou o companheiro com tristeza:

— A cada dia que passa, mais eu acho que meu pai tinha razão. As feras do mato são menos perigosas do que os homens.

— Apesar disso, você tem amigos fiéis! Não pode desanimar.

Geraldo suspirou:

— É verdade. O que vocês fizeram comigo, não esqueço mais. D. Lucila, Inês, a prima, Jorginho e Maria Luísa. Sem falar de você. Sem essa ajuda, eu não conseguiria nada.

— Você sabe o que quer. Isso ajuda muito. Agora, vou procurar a Áurea. Veremos se nos pode ajudar.

— Isso mesmo. Já sabemos por que os três eram inimigos, mas ainda não descobrimos o que aconteceu que levou meu pai ao desespero de fazer o que fez.

— É verdade. Com paciência, chegaremos lá.

Humberto saiu e Geraldo, um tanto abatido, deixou-se ficar perdido em seus próprios pensamentos. Sentiu vontade de regressar à sua casa no mato, onde se sentia livre para ser ele mesmo, sem ter que conviver com a hipocrisia e a crueldade dos outros. Começava a compreender por que o pai se afastara de tudo. Só sentia o fato de se ter separado de Carolina. Por que teria feito isso? Com o tempo haveria de saber.

Capítulo 14

A notícia estourou como uma bomba. Foi em desespero que Maria da Glória procurou por Geraldo para pedir ajuda. Jorginho fora internado após uma crise nervosa. A moça estava assustada. Amava o irmão e não se conformava em vê-lo transtornado ao ponto de requisitar camisa-de-força e internação.

Assustado, Geraldo acomodou a prima em uma poltrona e, enquanto Humberto procurava confortá-la segurando-lhe as mãos geladas, ele sentia-se um pouco culpado. Imerso em suas próprias preocupações, esquecera-se do primo e da tarefa de ajudá-lo a que se propusera.

Maria da Glória procurava controlar-se, mas seu nervosismo era evidente. Um tremor de quando em vez percorria-lhe o corpo. Estava pálida.

— Como aconteceu?

— Não sei bem. Parece que ele esteve no prado e jogou muito, perdendo quantia vultosa. Um amigo de meu pai telefonou avisando. Furioso, papai o esperou. Ele só voltou de madrugada. Acho que estava bêbado. Então, tiveram uma briga na qual ele reagiu com violência. A princípio, enfurecido, papai alterou-se e quis agredi-lo, mas foi agredido com violência e acordei com os gritos de mamãe e dos criados. Foi horrível. Ninguém conseguia contê-lo! Quebrou móveis, espumava de raiva, sua força estava multiplicada. Tentei falar com ele, mas seu olhar era de um louco. Apavorada, telefonei ao médico e foi a custo que conseguimos todos contê-lo, distraí-lo até que o doutor chegasse e com dois enfermeiros o dominasse, colocando-lhe uma camisa-de-força. Meu Deus! Ele enlouqueceu. Não reconhecia ninguém, e por incrível que possa parecer obedeceu docilmente ao médico. E agora? Jamais pensei que isso pudesse acontecer. Jorginho enlouqueceu!

Geraldo estava pasmo. Gostava do primo, que, apesar das suas fraquezas, não aparentava problema mental. Humberto pensava, pensava.

— O que me aconselham? — perguntou a moça angustiada — Meus pais estão arrasados.

— Melhor falarmos com D. Lucila. Talvez nos possa ajudar. Não podemos esquecer que Jorginho é um médium, e por isso sujeito a perturbações espirituais.

— Acha que pode ter sido isso? — tornou Geraldo, admirado.

— Lembre-se de que na sessão que fizemos ele tinha um espírito inimigo que o queria arrasar. Teria conseguido?

A moça arrepiou-se:

— Deus meu, seria possível?

— Não sei. Só estranho que alguém alcoolizado pudesse lutar com tantas pessoas e vencê-las. Só pode ser algo sobrenatural.

— Não tinha pensado nisso — concordou Geraldo. — Quem bebe é facilmente dominado.

— Papai garante que ele chegou tonto, mal se equilibrava nas pernas.

— De onde tiraria tanta força?

— Acho que você tem razão, Humberto. Vamos procurar D. Lucila. Ela nos vai ajudar — decidiu Geraldo.

Uma vez em casa dela, expuseram os fatos. No final, esperaram ansiosos a opinião de D. Lucila, em quem tanto confiavam. Ela permaneceu pensativa durante alguns minutos, depois esclareceu.

— Nosso Jorge bem pode estar sendo vítima de doloroso processo de obsessão.

Maria da Glória segurou-lhe as mãos nervosamente.

— D. Lucila, é possível que ele não esteja louco?

— É. Eu diria mesmo que ele sofre doloroso ataque de espíritos doentes.

— Nesse caso, poderemos fazer alguma coisa? — inquiriu Humberto, ansioso.

— Claro.

— Acha que temos condições? — inquiriu Maria da Glória, aflita.

— Por certo. Deus não desampara ninguém. Por certo nos ajudará.

— D. Lucila, acha que ele ficará bom?

Lucila fixou-a com certa energia e tornou com doçura:

— Não nos é dado conhecer os desígnios de Deus, mais sábios e mais justos do que os nossos. Contudo, podemos esperar trabalhando em favor deles, a fim de que a harmonia se restabeleça.

Inês, pálida, sentada em uma cadeira, ouvia em silêncio.

— Como assim? — tornou Geraldo. — O que está acontecendo com ele? Por que teve essa crise? O que é obsessão?

Lucila olhou calma e respondeu:

— Para responder a essas perguntas, precisaria conhecer toda a verdade que se perde no emaranhado das vidas anteriores, onde possivelmente esse drama teve início. A reencarnação é a chave da maioria dos problemas mentais, explicando nossas fobias e até os problemas de nossa vida atual. A obsessão, meu filho, é um sentimento, uma paixão que domina a criatura que não encontra, nos momentos de necessidade, forças para compreender e perdoar as faltas alheias e mantém dentro de si o ódio, a revolta, que a levam a revidar a ofensa e a tentar fazer justiça com as próprias mãos.

Geraldo estava pálido.

— Por quê? Não é válido fazer justiça? Não acha que quem fez o mal deve ser punido?

— Acho que quem fez o mal precisa conhecer a extensão do seu erro para corrigir-se.

— Então — argumentou ele — não há que castigá-lo?

— Meu filho, se observar bem verá que Deus está na direção do equilíbrio do mundo. Conhece tudo, e suas leis cuidam com zeloso carinho, porém com justiça e imparcialidade, de dar a cada um segundo suas obras. Esse não é um trabalho nosso. Para se fazer justiça perfeita, há que conhecer plenamente todos os antecedentes do caso, sua origem, etc. Se ela se perde em vidas anteriores, onde os acontecimentos tiveram origem, como temos condições de julgar?

— Quer dizer que Jorge é perseguido por alguém que o odeia de vidas passadas? — inquiriu Humberto com seriedade.

— Vocês viram o que aconteceu naquela sessão, onde o próprio Jorge, subjugado por esse espírito, declarou suas intenções.

— É verdade. Por que o odeia tanto? O Jorge é meio leviano, mas incapaz de fazer mal a quem quer que seja. Ao contrário, gosta de ajudar os outros e vive pagando comida para os mendigos da rua.

— Mais uma razão para pensarmos nas encarnações passadas como origem dos problemas. Hoje, Jorge talvez não prejudicasse ninguém, mas há muito tempo, séculos talvez, quando seu espírito era mais ignorante, isso pode ter ocorrido.

— Quer dizer que esse inimigo pode ter motivos reais?

— Claro. Um ódio dificilmente tem início sem que ninguém o provoque. Jorge provavelmente foi causa ou deu causa para que esse espírito alimentasse o seu ódio.

— Quer dizer então que Jorge é culpado? — Maria da Glória estava aterrada.

— Não ousaria dizer isso. Não sabemos o que aconteceu. Contudo, a justiça de Deus age sempre, e para que Jorginho fosse atingido por certo deve haver uma causa.

— Quer dizer que se ele não merecesse, Deus não o deixaria ser atingido? — perguntou Humberto, interessado.

— As causas da obsessão se perdem quase sempre em vidas passadas, onde nosso comportamento se afastou da prática do dever. Contudo, a ação de um espírito sobre a criatura só se fará sentir se ela oferecer condições.

— Como assim? — fez Maria da Glória.

— O espírito que deseja vingar-se de um encarnado só vai conseguir alcançar seus fins se o próprio encarnado der vazão às tendências inferiores. Ele vai utilizar as falhas de caráter, as fraquezas que encontrar, para, fazendo-as crescer e progredir, arremessar o infeliz à ruína moral, social, etc. Tornando maior sua ascendência, até que o alvo de seu ódio, derrotado, torne-se instrumento dócil em suas mãos.

— Meu Deus! Então é isso! Por isso Jorge não conseguia afastar-se do jogo; por certo, essa criatura o arrastava!

— Foi o que ele nos afirmou aqui. Todavia, cada ser humano tem o livre-arbítrio para escolher seu caminho. Isso nos mostra o imperativo da educação, do cultivo dos princípios nobres do Evangelho no lar, para que cada espírito se fortaleça no bem a fim de que o passado, com seus vínculos dolorosos, não nos arraste a situações como esta.

— Reconheço que Jorge não teve uma educação adequada. Papai, viciado no jogo, vaidoso e fútil, levava o filho desde a infância ao prado, facilitando-lhe as apostas, valorizando as amizades fúteis, medindo os valores pela conta bancária. Por certo, isso ocasionou a tragédia.

— Por que Jorge nasceu nesse lar? Não seria melhor reencarnar longe do vício, já que ele seria arrastado por ele? — perguntou Humberto.

— A reencarnação segue as necessidades morais e afetivas dos espíritos, e visa a um programa de aprendizagem e progresso. Pelo que podemos observar, não é segregando que conseguimos educar e fortalecer as pessoas. Tudo quanto ignoramos pode exercer tremendo fascínio para nossa fantasia, sempre criativa e presente. O fraco não gosta da realidade que lhe exibe suas próprias falhas, ou seu lugar exato no concerto das coisas. Ele cria no irreal, veste suas fantasias, e nelas ele aparece muito diferente do que é na realidade. Ele domina, ele é o dono de tudo. E fatalmente um dia terá que sair dessa situação, terá que voltar ao real, e a vida é mestra em oferecer suas lições. Mas para que isso aconteça há necessidade de que essa criatura reconheça e sinta as conseqüências dos seus atos, não como ele os imaginou mas como as coisas realmente são. Jorge era um espírito fraco nesse ponto, certamente pensou em ganhar dinheiro fácil. Viu fortunas serem dissipadas ou ganhas num só dia e acreditava-se capaz de realizar a grande proeza de vencer a sorte com sua astúcia. Ilusão, por certo. Tudo quando nos vem facilmente às mãos não permanece. Não valorizamos.

— Quer dizer que Jorge precisava estar no meio do jogo sem viciar-se? — tornou Geraldo, sério. — Não será um absurdo?

— Não. O estímulo do meio ambiente serve para demonstrar nossas conquistas reais. É possível que Jorge, antes de renascer na Terra, tenha até se julgado apto a vencer a tentação do jogo e tenha pedido para nascer nesse lar e passar por esse teste, que infelizmente não venceu.

— Acha mesmo que ele pode ter feito isso? — inquiriu Maria da Glória, admirada.

— Como saber se somos fortes sem as devidas provas? Como Jorge provaria ter vencido essa fraqueza se jamais vivesse no meio do jogo? Quem nos garante que ele, se tivesse reencarnado em um lar onde não tivesse contato com o vício, não acabaria por si mesmo atraído pelas corridas e não entrasse no mesmo problema?

— Quer dizer que era uma fatalidade? — tornou a moça com seriedade.

Não tanto. A fraqueza era dele, e já que estava ali, como falha do seu caráter, certamente se manifestaria de alguma forma. Mas devemos reconhecer que isso não isenta a má educação e seus responsáveis pela parte que lhes cabe. Devemos convir, apesar disso, que a opção sempre é da criatura. Jorge teve bons conselhos, teve você, minha filha, que procurou afastá-lo desse caminho. Teve Geraldo e chegou até a receber a ajuda da mediunidade, que permitiu conhecer as origens do seu problema. Entretanto, preferiu ceder à influência de seu inimigo, que agora deve estar julgando-se vencedor.

— Meu Deus! Diante disto, o que fazer? Se ele escolheu, se tem essa fraqueza, como defendê-lo? Como ajudar?

Maria da Glória torcia as mãos, e em seus olhos luziam lágrimas incontidas.

— Acalme-se, minha filha. Lembre-se de que Deus não desampara ninguém. Jorge não está só. Certamente, bondosos amigos espirituais velam por ele e aguardam a ocasião justa de ajudar.

— O que fazer? Como lutar? Como defendê-lo desse espírito cruel, se não podemos vê-lo, nem arrancá-lo do seu lado?

— O primeiro passo que nos credencia a ajudar é o perdão. Procure compreender. Esse infeliz deve estar sofrendo muito, embora aparente a dureza de coração e demonstre seu ódio. É um irmão que tem a visão cristalizada no passado, e que por causa disso está divorciado de suas condições naturais de progresso, adquire pesados compromissos com as leis de Deus ao querer fazer justiça com as próprias mãos. Vamos primeiro, como medida de ajuda, orar por ele, que é mais necessitado do que o próprio Jorge, cujo sofrimento pode ser o veículo de reajuste e progresso, aproveitado pela economia divina. Mas quem fere e persegue não perdoa e cobra, aciona a própria cobrança da Lei de Deus, que por certo terá que fazê-lo compreender seus próprios erros, condenando-o ao seu resgate. Venha, Inês, sente-se aqui.

Geraldo estava pálido. Tudo aquilo vinha ao encontro dos seus projetos íntimos de vingança e de cobrança do próprio passado. Estaria errado?

Inês sentou-se ao lado da mãe no sofá, calada, mas seu rosto pálido contraía-se em visível esforço para controlar-se, enquanto que estremecimentos de quando em quando a acometiam.

— Vamos orar — propôs Lucila. — Vamos pedir a Deus por aqueles que ainda não entendem a necessidade do perdão. Dos que pensam ter o direito de julgar os atos dos outros apesar de desconhecerem toda a verdade que se perde na voragem do tempo. Todos somos fracos, todos somos imperfeitos, como julgar com acerto? Como fazer justiça? Senhor, dá-nos a faculdade de compreender e aceitar sem revolta tudo quanto não possamos mudar. Rogamos, Senhor, em favor desse irmão que se prende ao passado e pretende arrastar nosso Jorge ao mal. Não vê que, roubando a ele a sagrada chance de recuperação, compromete-se, frente às leis sacrossantas de Deus, a reerguê-lo no futuro? Não compreende que nossa função não é obstruir o progresso, mas ajudar? Como pode, espírito fraco e doente, querer enfrentar a força da justiça de Deus, opondo-se a ela? Senhor, que o nosso amor chegue àquele coração; que ele sinta que não lhe desejamos mal, que pretendemos estender nossas mãos e nossa ajuda, para que ele se reerga, se refaça, seja feliz, esquecendo mágoas passadas, construindo sua felicidade no bem. Mas para isso, queremos que sinta a inutilidade da vingança que avilta o espírito, que o infelicita, transformando-o em doente com sérios problemas para o futuro. Senhor, envolve Jorge para que seu coração se fortaleça e possa encontrar seu caminho de recuperação e de reequilíbrio. Pensemos nele com amor e carinho.

Nesse instante, Inês, com voz apagada, tornou:

— Por favor, me ajudem! Pelo amor de Deus. Estou preso. Façam alguma coisa! Não tenho mais forças, estou muito fraco.

Maria da Glória deu um grito e agarrou-se a Humberto, apavorada:

— Eu vi Jorge! Por Deus. Eu o vi! Que horror. Ele vai morrer... Ele estava morto!

Lucila alisou a cabeça de Inês com carinho e disse:

— Não tenha medo. Pense em Deus com firmeza, a ajuda virá. Nós estamos com você.

Inês suspirou fundo e pareceu adormecida. Lucila acercou-se de Maria da Glória.

— Calma, filha. Não tenha medo. Conte o que viu.

— Jorge. Mas acho que estava morto! Pálido e tonto. Acha que ele está morto?

— Foi alucinação — tornou Humberto, conciliador. — Você estava pensando nele, preocupada, e teve uma alucinação.

— Não. Era ele. Eu vi! Ao lado de Inês. Ele falava, ela repetia. Ele morreu e veio avisar!

— Não creio. Acalme-se, minha filha.

Todos olhavam aflitos. Lucila, serena, limitou-se a explicar.

— Jorginho está vivo. Apenas dorme sob efeito de drogas no hospital. Seu espírito veio até nós em busca de ajuda. Não viram como ele parecia embriagado?

Se ele está vivo, como pode ter vindo aqui falar por Inês? É difícil acreditar... — tornou Geraldo, assustado.

— É. Mas foi o que aconteceu. Maria da Glória viu perfeitamente. Não sabiam que todos somos espíritos e que gozamos das mesmas faculdades? Que podemos nos desligar do corpo e comunicar-nos com as pessoas?

— Como pode ser? É incrível — comentou Geraldo admirado.

— Por quê? — insistiu Lucila com calma. — Nunca ouviram contar casos de comunicação entre vivos? É comum, quando desejamos ardentemente nos comunicar com alguém e somos impedidos pelos meios normais, apelarmos para o sono, nos projetando em espírito ao local desejado. Muitas pessoas, antes de morrer, visitam seus entes queridos distantes. Jorge encontra-se no sanatório com o corpo preso sob o efeito dos calmantes violentos que lhe ministraram. Embora seu espírito se encontre na semi-inconsciência provocada pelas drogas, tal é a força de seu desejo que se projetou até nós em busca de auxílio. Somos seus amigos e ele sabe que o estimamos. É natural que nos procure.

— Não vai morrer? — inquiriu Maria da Glória com voz angustiada.

— Certamente não. Quer nossa ajuda. Vamos fazer o que nos for possível. Vamos agora orar. Agradeçamos a Deus nos ter assistido, e hoje mesmo à noite nos reuniremos para o socorro. Que Jesus nos abençoe.

Inês acordou com fundo suspiro.

— Então, minha filha? — perguntou Lucila. — Você esteve lá?

— Sim. Nosso Jorge encontra-se manietado por alguns verdugos. Pude observar que eles o têm sob hipnose em tristes condições. Sentindo o seu sofrimento, orei fervorosamente e ele conseguiu ver-me. E por alguns instantes ligou-se a mim, percebendo vagamente nossas preces. Então, rogou socorro. Mas seus algozes, embora não me pudessem ver, o retiveram, recolocando-o na mesma situação.

— Você viu o chefe?

— Sim. Cola-se a ele com energia e está disposto a tudo. Entretanto, nosso querido André, bem como Carolina, disseram-me que vão ajudar. Para nos reunirmos esta noite, convocando Aurora e todos nós.

Eles estavam pasmos. Inês falava com voz firme e eles jamais tinham pensado que aquela criaturinha doce e delicada guardasse tanto conhecimento no trato com os espíritos.

— Muito bem, filha. Assim será feito.

— D. Lucila — tornou Humberto, admirado. — Inês visita e confabula com os espíritos?

Lucila sorriu.

— Está admirado? Desde a mais tenra idade Inês demonstrou grande sensibilidade. É médium, como sabem. Além de eles falarem pela sua boca, ela desdobra-se do corpo e mantém com eles atividades de auxílio. Essa é uma tarefa árdua, nem sempre agradável pelos sofrimentos que provoca, mas que Inês procura desempenhar com amor e dedicação.

— Minha mãe a ajuda? Ela consegue vê-la?

Desta vez foi Inês quem respondeu:

— Carolina é uma amiga a que estamos, minha mãe e eu, unidas por laços profundos de vidas passadas. Ela sempre tem estado conosco, e se você quer saber, seu espírito reveste-se de intensa luz. Soube conquistar, pelo amor e pela renúncia, pelo perdão e pela fé, o seu lugar no mundo espiritual.

— Fale-me sobre ela! — pediu Geraldo com os olhos brilhantes de emoção.

— Não sei se sabe, mas Carolina, quando na Terra, depois que ficou sem você, sofreu muito e abraçou o consolo da Doutrina Espírita. Confortada e inspirada por André, um espírito que se disse seu amigo e protetor, ela compreendeu que a única forma de aliviar seu sofrimento seria socorrer as criaturas necessitadas. Daí, retirou-se da vida social e dedicou-se intensamente a assistir os órfãos, e tomou sob seus cuidados várias crianças que encaminhou e conduziu na vida, custeando os estudos e apoiando. Quando morreu, pude ver quantos filhos ela criara anonimamente, discretamente, que a amavam e choravam por ela. Eu a queria muito, pela sua delicadeza de espírito, pelo seu jeito particular de me dar atenção e mostrar seu carinho. No dia mesmo do seu enterro, já na câmara ardente, eu chorava abraçada à minha mãe quando a vi, em pé, apoiada por um homem relativamente moço e simpático. Apesar de um pouco pálida, fez-me sinal para não chorar, atirou-me um beijo com a mão, acenou de novo e afastou-se com ele. Desde esse dia, não mais chorei. Não tenho medo da morte. Sei que ela não passa de uma mudança.

Os três estavam pensativos. Humberto tornou:

— É possível um espírito estar consciente no próprio velório?

— Claro. Carolina era muito desprendida do mundo terreno, embora zelosa de seus deveres domésticos, humanos e sociais. A única coisa que ainda a retinha era a esperança de encontrar Geraldo. Mas, naquela hora, talvez isso até tenha contribuído para o desligamento.

Esgotadas as oportunidades terrenas, lá do outro mundo ela poderia localizá-lo melhor.

— Que mais soube dela? — inquiriu Geraldo com emoção.

— Que se integrou no trabalho de assistência aos sofredores da Terra, e muito tem trabalhado para aliviá-los.

— Espírito trabalha? — estranhou Maria da Glória.

— Claro. Por acaso algo ocioso existe no Universo? O trabalho é força da vida que movimenta o progresso. Por certo que os espíritos trabalham ativamente. Águas paradas apodrecem.

Eles estavam admirados. Para eles os espíritos eram seres voláteis, extraterrenos, algo impreciso, etéreo. Trabalhar era uma ocupação muito concreta, a qual jamais tinham acreditado que lhes fosse possível.

Lucila concluiu:

— Hoje à noite, pelas oito horas, vamos nos reunir. Cuidemos de nos preparar convenientemente para isso. Alimentos leves, nada de álcool e, se possível, pensamentos harmoniosos.

Geraldo estava calado. Uma tristeza profunda brotava-lhe, no peito, e ele não tinha vontade de falar. Despediu-se pensativo e foi para casa, enquanto Humberto acompanhava Maria da Glória. Durante o trajeto, o moço pensava. Tudo quanto Lucila dissera o perturbara. A vingança era um direito que lhe cabia, Como esquecer, deixar de lado a calúnia, a injustiça, a dor, os anos de solidão e, principalmente, o sofrimento de Carolina?

Ele não conseguia perdoar. Melhor seria ter ignorado tudo. Estava revoltado. Já que não tinha o direito de fazer justiça, por que então Deus permitira que ele viesse saber a verdade? Não seria melhor ter permanecido em sua vida pobre mas tranqüila, sem que a tempestade desabasse sobre sua cabeça? Teve ímpetos de abandonar tudo e regressar ao velho lar. Mas lembrou-se dos seus inimigos, da ambição do tio, das torpezas do Dr. Olavo, e sentiu-se alegre por ter-lhes transtornado os planos. Sua cabeça escaldava e sentia-se deprimido.

Chegando em casa, fechou-se no quarto e afundou-se em uma poltrona, meditando. Pensamentos tristes, depressivos. Não ouviu quando Antônio bateu à porta. Não obtendo resposta, o velho enfiou a cabeça e tornou:

— Geraldo, Maria Luísa está aí, quer vê-lo.

O moço fez um gesto contrariado.

— Não quero ver ninguém. Quero ficar só.

Antônio olhou-o admirado. Geraldo sempre estava bem-humorado, a presença da moça era recebida com prazer.

— É que ela sabe que você está e não sei o que dizer...

— Pois eu quero estar só. Não tenho vontade de ver ninguém.

O velho saiu preocupado, e momentos depois a figura da moça apareceu na soleira. Entrou em silêncio, puxou pequena banqueta e sentou-se ao lado do moço, fixando-lhe o rosto contraído. Depois, sem dizer nada, tomou-lhe a mão e apertou-a com força. Geraldo estava em crise. A moça fitou-lhe os olhos tristes e compreendeu.

Sem dizer nada, ficou ali, segurando-lhe a mão, como uma criança, olhando-o com carinho. Geraldo não resistiu. Lágrimas rolaram-lhe pelas faces e ele deixou-as cair livremente.

Impressionada, a moça levantou-se e, aconchegando sua cabeça em seu peito, alisou-lhe os cabelos com suavidade:

— Não fique triste. Não posso vê-lo assim. É muito penoso.

Ele, voz embargada, não conseguia falar. Todas suas lutas infantis para vencer a solidão, seu drama emocional, ressurgiram multiplicadas sem que ele pudesse conter. Silenciosamente, as lágrimas continuavam a rolar-lhe pelas faces.

Sem saber o que fazer, a moça apertou-o de encontro ao peito, beijando-lhe os cabelos revoltos, e de repente o moço levantou-se, abraçou-a forte e ela o beijou nas faces. Sem premeditar, Geraldo começou a beijá-la emocionado, no rosto, nos lábios, beijos sôfregos, sofridos, mas profundos, a que eles se entregaram sem pensar em mais nada, descobrindo as próprias emoções.

— Geraldo — tornou a moça com voz fraca. — O que está acontecendo?

— Não sei — respondeu ele com voz rouca. — Nunca senti isso antes.

Ele estava atordoado. Apertou-a nos braços e procurou-lhe os lábios avidamente. E os dois entregaram-se às emoçoes, sem controle nem pensamentos que não fossem viver o momento, esquecendo-se de tudo mais.

Quando tudo serenou, Geraldo sentiu-se relaxado e feliz. Suas mágoas tinham passado. Abraçado a Maria Luísa, ainda na cama, adormeceu.

A moça, entretanto, sentia-se perturbada. O que fizera? Por que deixara que tudo aquilo acontecesse? Se não amava Geraldo, por que se entregara a ele? Por que deixara-se arrastar daquela forma por sensações nunca experimentadas e chegara àquele ponto? Geraldo não a amava, o que resultaria disso? Fitou-lhe o rosto adormecido. Não podia culpá-lo, pensou. Ele sempre a respeitara. Ela por vezes o provocava apenas para vê-lo reagir, porque jamais o vira ou soubera que ele tinha tido uma mulher. Mas era apenas curiosidade, nada mais. Prezava sua amizade. O que faria agora? Não se preocupava com o próprio destino. O homem que amava de verdade estava perdido. Nada mais lhe importava, mas e a amizade de Geraldo? Como conservá-la depois disso?

Envergonhada, apartou-se dele e compôs a roupa. Seu rosto queimava. Foi ao lavatório e molhou as faces com água fria. Precisava sair dali antes que Geraldo acordasse. Silenciosamente, ajeitou a aparência e saiu, sem que o moço despertasse.

Duas horas depois, Geraldo despertou com Antônio chamando-o para comer. Ainda sonolento, o moço procurou o aconchego morno de Maria Luísa, mas seus braços estavam vazios. Teria sonhado? Por vezes tinha sonhos amorosos, com mulheres cujo rosto não conseguia recordar. Mas agora via Maria Luísa. Sentia ainda o gosto de seus beijos, a maciez de sua pele delicada. Abriu os olhos e percorreu o quarto, procurando. Estava só. Teria sido verdade? Por um instante recordou o que acontecera e sentiu uma onda de calor invadir-lhe o peito.

O que fizera? Estava em crise, era verdade, mas devia ter-se controlado. Sempre lograva controlar-se, e nunca se lembrava de haver perdido a cabeça dessa forma. Passou as mãos pelos cabelos, sem saber o que fazer. Maria Luísa era moça honesta. Jamais tivera outra experiência. E ele pusera tudo a perder. Não a amava. Não pretendia casar-se jamais. Por que fora colocá-la em tão desagradável situação? Sentiu-se envergonhado. O que pensariam dele os amigos, D. Aurora? Sentiu-se arrasado. Já tinha problemas de sobra, e ainda arranjara outros. Maria Luísa certamente o estaria odiando. Não sabia o que fazer. Tinha vergonha de pedir conselhos a D. Lucila. À noite, não iria à casa dela para a sessão.

Quando Humberto chegou, cansado, mal trocou palavra com ele. O moço tomou um banho e um lanche rápido, convidando Geraldo ao encontro da noite.

— Não vou.

— Por quê? — perguntou Humberto, admirado.

Geraldo era sempre o primeiro a comparecer às sessões, na esperança de saber algo sobre Carolina.

— Não estou disposto. Vá você.

— D. Lucila pediu-nos para não faltar. Jorge precisa de nossas preces.

— Eu não faço falta. Nem sequer sei rezar.

— Não importa. Vejo que você não está muito bem. Deve ir. Quando não estamos bem é que devemos procurar a ajuda dos espíritos. Eles podem nos dar forças para vencer nossas dificuldades. Depois, é certo que D. Carolina estará presente. Ela marcou a reunião. Você recusaria este encontro?

Geraldo cedeu. Carolina devia estar envergonhada dele. Mas era mãe, e talvez o pudesse orientar. Talvez Maria Luísa comparecesse e ele pudesse conversar com ela para tentar explicar-lhe o quanto estava envergonhado.

Mas a moça não compareceu à reunião, que teve início na hora combinada. Além deles, Maria da Glória, Lucila, Inês e Aurora. Geraldo não ousava fixar-lhe o rosto.

Lucila iniciou a reunião pronunciando sentida prece, onde pedia por todos os espíritos sofredores e vingativos. Solicitando a presença dos amigos espirituais, pediu em favor de Jorge, e às pessoas presentes que orassem guardando silêncio.

De repente, Aurora começou a inquietar-se, sua respiração tornou-se acelerada, difícil. Lucila levantou-se, colocando a mão sobre sua cabeça em silêncio. Aurora agitou-se e com voz grossa, um tanto sufocada, começou a falar:

— Por favor! Ajudem-me, estou perdido! Tenham pena de mim. Sou um infeliz! Um perverso que a morte não conseguiu acalmar!

— Acalme-se — tornou Lucila com voz serena. — Estamos aqui para ajudar: desejamos vê-lo em paz.

— Não podem. Ninguém pode. Sabem de quem é a culpa? Minha, só minha. Fui eu que não pude vencer o monstro do ciúme e destruí tudo. Tudo! Nunca mais a verei. Sou um reles assassino! Um pobre coitado, sem perdão nem paz. O crime destruiu minha vida. Não mereço a paz! Eu destruí tudo!

Soluções sacudiam o corpo de Aurora, e os presentes, emocionados, guardavam respeitoso silêncio.

Geraldo sentia reviver sua angústia, e não sabia se dava vazão ao desejo de fugir, com receio de descobrir o passado, ou se abraçava Aurora, penalizado. Lucila continuou:

— Todos erramos nesta vida. Mas o erro sempre deve servir como lição proveitosa. Se você errou, sofreu e arrependeu-se. Deus jamais fecha a porta aos que se arrependem. Sempre lhes dá oportunidade de corrigir o erro e recomeçar!

— Quem dera que eu pudesse! Mas qual. A um assassino como eu não se pode perdoar. — Lágrimas corriam pelas faces de Aurora. — Há muitos anos sofro sem esperança. A morte não era o fim de tudo, o descanso, o nada. Triste descoberta. De que me vale agora? Só para saber o miserável que sou?

— Meu amigo, não seja tão severo consigo mesmo. Deus ouviu nossas preces, mandando-o até nós para que juntos iniciemos nova etapa de progresso e paz!

— Chama-me amigo! — tornou o espírito com amargura. — Entretanto, não sabe quem sou e o que fiz.

— Não estamos aqui para julgar ninguém. Não nos cabe esse direito; sentimos seu sofrimento e sabemos que o podemos ajudar.

— Ninguém pode. Sou culpado. Ali está ele para pedir vingança! Ele, que eu matei! Socorro! Socorro!... Por favor... É ela, Carolina... Carolina! Não quero que me veja assim. Não quero!

O corpo de Aurora foi sacudido violentamente. Fundo suspiro escapou-se-lhe do peito. O silêncio se fez. Os presentes, comovidos, oravam sem saber o que dizer.

Geraldo, calado, sem forças, sentia-se esgotado. As emoções daquele dia haviam-no abatido.

Mas eis que Inês, com voz serena, começou a falar enquanto suave aroma volatizava o ar. Geraldo pensou:

— O perfume de minha mãe!

— Queridos amigos — tornou ela com enérgica doçura —, esta noite aumentou muito minha dívida de gratidão a vocês todos. Diante dos acontecimentos que nos envolveram no mundo, guardávamos o vivo propósito de ajudar àquele que, pressionado pela paixão, se deixara arrastar pelos caminhos difíceis do ódio e do ciúme. Dói-nos vê-lo qual duende infeliz, fugindo da nossa presença, atormentando-se, acusando-se quando nós queríamos estreitá-lo nos braços e dizer-lhe o quanto o amamos. Na verdade, nossas vidas estão unidas há muito tempo e nosso relacionamento se perde na voragem dos séculos. Um dia, quando Deus permitir, voltarei para contar-lhes tudo. Meu filho, pensa na precariedade das condições humanas que todos ainda carregamos. Por agora, posso apenas dizer-lhe que os acontecimentos que nos infelicitaram na Terra estão vinculados a nossas dívidas passadas, quando cometemos erros dolorosos. Apesar de Euclides ter fugido mais uma vez do nosso encontro, hoje vencemos uma etapa decisiva ao nosso progresso e à harmonizarão dos nossos espíritos. Temos nas mãos abençoada oportunidade de vencer. Estudem a Doutrina Espírita, onde encontrarão o consolo e a força para as lutas redentoras que ainda nos aguardam. Dediquemo-nos juntos ao socorro do próximo infeliz e carente. Que a caridade seja nosso lema e que saibamos desenvolver dentro de nós todas as virtudes da perfeição. Que a renúncia ao nosso egoísmo seja constante, e nossa ligação com Deus, permanente. Assim venceremos. Lembrem-se de que estaremos sempre juntos e que bondosos amigos espirituais nos guiam e orientam, sustentam e amparam. Trabalhemos juntos, Jesus estará conosco. Humberto, querido, esperamos do seu coração o mesmo carinho de sempre em favor do nosso Jorge, e tanto Inês como Glorinha saberão envolvê-lo com carinho para que ele possa sair de uma vez do triste caminho em que se encontra. Tem sofrido muito. É um espírito que precisa reajustar-se reconstruindo muitas coisas. Queremos rogar aos corações presentes muito amor por ele, que traz compromissos sérios com o trabalho mediúnico de socorro. Se bem conduzido e amparado, tem boa oportunidade de reajustar-se. Precisa, porém, de muito amor e dedicação. Pedimos também a você, Geraldo, que continue a zelar por ele. Agora devemos ir. Mas quero dizer, meu filho, que o amo muito e sinto-me feliz por vê-lo começar a compreender e aceitar. Tenho ainda um pedido a fazer-lhe: cuida bem de Maria Luísa e não a abandone. Precisa muito de você. E quando sentir-se triste, ore, peça forças a Deus, e tudo mais lhe será dado. Deus lhe pague por tudo. Deverão reunir-se de novo daqui a oito dias.

A voz de Inês tornou-se fraca e, com um suspiro, ela abriu os olhos. Lucila murmurou sentida prece de agradecimento e encerrou a reunião.

Quando a luz foi acesa, todos estavam calados e pensativos. As emoções megulharam-nos em íntimos pensamentos. Aurora, comovida, envergonhada, recordava a presença sofredora de Euclides, compreendendo seus acerbos sofrimentos, já que os provara com a mesma intensidade. Por outro lado, a suspeita de que havia uma causa anterior onde ela fora vítima, se não a isentava de culpa, pelo menos lhe atenuava os remorsos.

Humberto, tocado nas fibras mais íntimas dos seus sentimentos, perguntava-se em que ponto e como estaria ligado àqueles acontecimentos, já que sentia que vivera com seus amigos aquele passado e o amor a Maria da Glória parecia-lhe um reencontro de espíritos há muito programado. A vontade de ajudar Jorge, com quem simpatizava muito, tudo indicava compromisso anterior. Maria da Glória sentia intensa emoção, tinha ímpetos de abraçar o irmão infeliz, guiando-o para o bem e para o reequilíbrio.

Geraldo estava mudado. Diante do que acontecera naquele dia, não teria coragem de julgar ninguém com severidade. Seu pai, que apesar de tudo sempre julgara um homem de bem, confessava-se assassino e depois de tantos anos ainda não encontrara a paz. A mãe, que colocara no altar como uma santa, deixava perceber que também falhara algum dia em algum lugar! Meus Deus! Quando poderia conhecer a verdade? Quando poderia compreender os motivos de tantos sofrimentos e de tantas lutas?

Enquanto Inês levantou-se para preparar um café, Lucila aproximou-se de Geraldo e, colocando a mão sobre seu braço, tornou com carinho:

— Vamos orar por eles. Nossos queridos amigos sofreram muito. Por certo ainda sofrem pelos erros passados. Às vezes, mesmo quando nossas vítimas conseguem perdoar-nos, esse perdão não apaga da nossa mente o erro, e não conseguimos esquecer. Somos muito severos com nós mesmos, quase sempre.

Geraldo sobressaltou-se. Teria Lucila suspeitado de algo? Ela continuou:

— Seu pai sente-se culpado. Crê-se perseguido, e no entanto sabemos que há muito Carolina e Álvaro o perdoaram. Ele não consegue perdoar-se e esquecer para recomeçar.

Inês convidou-os ao lanche na copa, e embora a palestra prosseguisse amena e agradável, pouco depois cada um retirou-se.

Geraldo, naquela noite, não conseguiu pregar olho. Era certo que Carolina devia saber o que acontecera entre ele e Maria Luísa. Os espíritos lêem nossos pensamentos e ele não pôde pensar em outra coisa.

Ela lhe pedira para tomar conta da moça e não a abandonar. O certo seria oferecer-lhe o nome, depois do que houve entre eles. Era um dever que lhe cabia. Maria Luísa era como se fosse uma irmã muito querida. Como pudera ser tão grosseiro? Afinal, não pretendia casar-se e ela continuava a amar aquele patife que a trocara por outra. A moça sentia-se só. Órfã de pai e da mãe, que, perturbada pelos próprios problemas, não conseguira transformar-se em seu apoio. Ele se propusera ser-lhe o amigo e confidente. Ela estimava-o muito. Contava-lhe seus segredos, e ele falava com ela de coisas que a ninguém conseguia contar. Seus gostos, seus sentimentos.

Ele também a ferira e pretendia abandoná-la. Carolina lera-lhe o desejo de ir-se embora para o mato. De fugir à responsabilidade de sua fraqueza. Pediu-lhe que não a abandonasse. Um desejo de sua mãe era ordem, e ele sentia que era o caminho que o dever e sua consciência lhe apontavam. Começou a pensar em casar-se com ela. Daria seu nome, sua fortuna, seu apoio, sua amizade. Ela não ficaria só, e eles eram muito amigos. Poderiam continuar a ser. Assim, tudo seria resolvido. Carolina estaria feliz.

Levantou-se excitado. À medida que pensava nisso, mais a idéia lhe aparecia como única solução. Mal conseguiu esperar. Era muito cedo para tentar falar com a moça. Esperou até as nove horas com impaciência. Depois, telefonou-lhe.

Ouvindo-lhe a voz do outro lado do fio, tornou com voz súplice:

— Maria Luísa, você está bem?

— Sim... — tornou ela um pouco embaraçada.

— Preciso vê-la com urgência. Precisamos conversar. Posso passar aí para darmos uma volta?

Silêncio. Depois, ela concordou:

— Está bem. Eu espero.

— Não vou descer do carro. Por favor, fique na porta.

— Ficarei.

Meia hora depois, Geraldo estava dentro do carro à porta da casa de Aurora. Maria Luísa saiu e sentou-se ao lado dele, cumprimentando-o com certo embaraço. Dando ordem ao motorista para levá-los a dar uma volta, o moço olhou a moça sem saber como começar. Ela sentara-se na outra ponta do assento e esperava silenciosa. Ele foi direto ao assunto.

— Maria Luísa, o que aconteceu ontem entre nós não foi premeditado. Juro que não tinha intenção de envolvê-la daquela forma.

A moça estava corada, apesar do moreno tom de sua pele.

— Eu sei... Acho que fui um tanto culpada. Nossa amizade, seu sofrimento fizeram-me esquecer de que você é um homem e eu uma mulher. Aconteceu, não foi de propósito. Pode ficar sossegado. Não vou contar a ninguém nem exigir nada. Só não quero perder sua amizade, que é muito importante para mim.

— Mas eu não posso esquecer! Devia ter me contido. Como você disse, aconteceu. Isso me magoa muito, porque eu jamais faria algo que pudesse prejudicá-la ou fazê-la sofrer. Eu me culpo exclusivamente de tudo e quero oferecer uma reparação. Quero que se case comigo.

A moça olhou-o admirada:

— Você pensou bem no que está dizendo? Sei que não me ama e eu também não o amo, apesar de sermos muito amigos. Casamento é um ato de amor. Sei como se sente. Quer reparar um erro. Isso seria cometer um erro maior. Cedo se cansaria de mim; e se um dia viesse a apaixonar-se de verdade por outra mulher?

— Não é bem assim. Pensei muito durante a noite toda. Não dormi, ontem foi para mim um dia especial. O espírito de meu pai esteve na sessão em casa de D. Lucila, sofrido e perturbado. Minha mãe falou comigo e fez-me compreender muitas coisas. Pediu-me para ajudar Jorge e tomar conta de você! Eu, que poucas horas antes, arrastado pela emoção, a envolvera em meu desvario em vez de a proteger. Minha consciência acusa-me sem parar. Depois, eu não pretendia me casar, não corro o risco de apaixonar-me por outra. Eu a quero muito bem. Comecei a pensar nas vantagens da nossa união. Você estaria sempre comigo, com sua amizade, e eu a apoiaria sempre, como tenho feito, já que você se sente só e sem ninguém. O seu amor não deu certo e você me disse que não vai mais gostar de ninguém. Seremos amigos, nos apoiaremos um ao outro e viveremos em paz. Não gostaria de viver a meu lado?

— Sabe que o estimo muito. Não vai se arrepender?

— Não. Tenho vivido sempre só. Está na hora de arranjar boa companhia.

— Está certo — tornou ela, nervosa. — Podemos pensar em casar.

Geraldo a olhou e sorriu:

— E agora? O que fazemos?

A moça riu sem poder conter-se e respondeu com naturalidade.

— Não sei. Acho que, primeiro, comunicar a D. Lucila. Depois pensaremos no resto.

— Não entendo nada dessas coisas. Como é que se casa?

— Temos primeiro que marcar a data, depois veremos.

— Não gosto de coisa complicada. O advogado não faz isso?

— Não é bem assim. Precisamos fazer as coisas de acordo com os costumes. Pode deixar que eu entendo disso.

A moça tornou-se séria:

— Geraldo, não é obrigado a casar-se comigo por causa do que houve ontem. Podemos esquecer tudo e pronto. Ninguém ficará sabendo. Aconteceu e pronto. Foi um momento em que fraquejamos. Não é preciso casar-se comigo por isso.

— Maria Luísa, eu quero! Sabe que sou teimoso. Vou tomar conta de você e gosto de mandar. Não está com medo?

Ela sacudiu a cabeça.

— Não, não estou. Também sou teimosa e de briga. Mandar em mim vai ser difícil. Quero ver isso.

Geraldo estava aliviado. A tensão das últimas horas desaparecera.

— Verá — prometeu sério. Em seus olhos havia um brilho divertido. Casar-se! Jamais pensara nisso. Mas já que era preciso, ele o faria!

Foram procurar Lucila, que, surpreendida, os recebeu com muita alegria. Apreciava Maria Luísa e acreditava sinceramente que poderia fazer Geraldo feliz. Comentou maliciosa:

— Bem que notei as atenções de Geraldo com você! Pensei que ainda as coisas fossem demorar a acontecer.

— Não — tornou Geraldo, meio sem jeito. — De repente, achamos que seria bom nos casarmos e resolvemos. Quero que seja logo. Não gosto das coisas demoradas. Se fosse na minha terra, Maria Luísa ia pra casa comigo agora, e quando o padre passasse na vila fazia o casamento.

— Ele não sabe como se casa na cidade — disse Maria Luísa, divertida.

— Aqui é bem diferente — esclareceu Inês com alegria. — Você tem que se meter em traje de gala e pedir aos pais de Maria Luísa permissão para casar-se com ela. Depois, com eles, acertar os detalhes da cerimônia.

— E se eles nao concordarem? — perguntou ele, assustado.

Nesse caso, nós fugiremos para sua casa no mato — pilheriou a moça, contendo o riso.

Geraldo não se conformava.

— Por que temos que fazer assim? Vou lá agora e falo com eles. Se concordarem, marcamos dia e a hora, chamamos o padre e pronto. Minha casa dá para nós dois.

— A situação não é tão simples assim — explicou Lucila com calma. — Vocês pertencem a duas famílias tradicionais e da melhor sociedade. E isso tem seu preço.

— Como assim? — inquiriu Geraldo, admirado.

— Vou explicar. Você irá hoje à casa de Maria Luísa, falará com seus pais, e acredito que se sentirão honrados com o seu pedido. Depois, certamente eles oferecerão uma festa de noivado, onde você comprará os anéis e se tornará noivo de Maria Luísa, marcando o dia do casamento. Depois, enquanto ela providencia o enxoval, você prepara sua casa para recebê-la e os papéis, porque o casamento deverá ser efetuado pelo juiz de paz. Se quiserem casar na igreja, devem providenciar também. No dia, haverá a cerimônia e depois uma recepção. Depois, os noivos deverão viajar para a lua-de-mel.

— O que é isso? — perguntou Geraldo, sério.

As três riram sonoramente ante a ingenuidade do moço. Lucila explicou com ar carinhoso:

— A viagem será a sós para a efetivação da união. É aí que se poderão dizer casados. E como é a parte melhor e mais doce do casamento, é chamada de "lua-de-mel".

Geraldo riu, divertido. Logo tornou com seriedade:

— Não acham muito complicado? Por que não podemos resolver do meu jeito?

— Os pais de Maria Luísa não vão concordar. Socialmente, não seria elegante nem de bom-tom.

— Pouco me importa a sociedade. Sabe o que penso dela — ajuntou o moço.

— Você não há de querer magoar os pais de Maria Luísa, que não vão concordar em fazer como você quer. Afinal, você agora é um homem civilizado.

— Está bem. Já que a senhora acha, eu concordo. Afinal, depois de tudo quanto aprendi, não quero passar por selvagem. Estou um pouco angustiado em falar com D. Aurora e o Dr. Camargo.

— Tenho a certeza de que eles ficarão surpreendidos, mas muito honrados com seu pedido — ajuntou Lucila com convicção. — Agora, Inês, vai buscar um cálice do licor especial, que apreciamos em grandes ocasiões. Precisamos brindar pela felicidade dos noivos.

Inês retirou-se e voltou em seguida trazendo uma bandeja de prata com cálices e uma garrafa ricamente lavrada. Serviu-os, e D. Lucila, segurando o cálice, brindou:

— Estou comovida por terem vindo aqui em primeiro lugar, e desejamos do fundo do coração que sejam felizes! Que o lar de vocês seja um recanto de compreensão, de amor e de paz. Deus os abençoe.

Geraldo sentiu um nó na garganta. Maria Luísa tinha uma lágrima brilhando no olhar. Não puderam falar. Beberam o vinho delicioso e delicado, e despediram-se.

Naquela noite mesmo, Geraldo foi à casa de Maria Luísa para conversar com seus pais. A notícia surpreendeu não só a eles mas aos amigos de Geraldo. Humberto, admirado, comentou:

— Vocês eram bons amigos. Não pensei que já estivessem pensando em casar. Como aconteceu?

Geraldo não sabia mentir, porém não desejava contar o que acontecera. Apesar de amigos, não queria expor Maria Luísa a esse vexame. Comentou com naturalidade:

— Eu ontem estava aqui triste e só. Arrasado, como você viu. Ela esteve aqui, tratou-me com carinho e eu achei que seria menos infeliz se não vivesse sozinho. Ela também sente-se só. Nos queremos bem. Seremos felizes.

— Quer dizer que não a ama?

— Não sei o que é amor. Sei que juntos nos sentimos muito bem.

— Não seria melhor esperar mais um pouco? Até verificar seus sentimentos?

— Não. Resolvemos casar e assim faremos.

A resposta um tanto seca e inesperada desarmou Humberto, que, apesar de preocupado, não insistiu.

— Quando?

— Hoje vou à casa dela conversar. Creio que o mais breve possível.

Na casa de Maria Luísa, a notícia causou alegre surpresa. Aurora, emocionada, não pode esconder as lágrimas. Apreciava Geraldo com sinceridade e reconhecia-lhe as qualidades de caráter muito raras naqueles dias. A união dos dois parecia-lhe coroar todo um projeto, talvez idealizado e programado na vida espiritual. Parecia-lhe que a união das duas famílias tão sofridas era abençoada por Deus e daria início a um período de compreensão e de paz, onde todos pudessem perdoar-se e refazer suas vidas.

Afora isso, sua filha querida, que tanto sofrera, lograria encontrar um homem bom, honesto, rico, que a apoiaria e faria feliz. Foi com euforia que deu a notícia ao marido. O Dr. Camargo sentiu-se agradavelmente surpreendido. Bem casar Maria Luísa constituía sua preocupação. Encarava isso como um dever de pai adotivo que se orgulhava de ser.

Foi num ambiente festivo e agradável que Geraldo foi convidado a jantar naquela mesma noite, a fim de conversarem sobre o futuro.

Capítulo 15

A tarde era fresca e agradável. Sentada em gostosa poltrona, Renata folheava uma revista francesa de moda. O inverno logo viria e ela precisava preparar seu guarda-roupa. Tudo era calma e quietude, e ela ainda tinha à sua frente a bandeja com salgadinhos e o chá com o qual se deliciara. Estava tão absorta que não ouviu a porta abrir-se e assustou-se quando o marido investiu sala adentro, encolerizado, brandindo um jornal, que atirou sobre a mesinha.

— Veja — tornou, colérico. Veja até onde nos atira a sua negligência. Estamos perdidos.

— O que foi, homem? O que aconteceu?

— Como se não bastassem as loucuras de Jorge, em tão boa hora internado no hospital, onde não pode nos enterrar e onde espero que fique durante muito tempo. Agora veja, a fortuna se nos escapa, desta vez sem remédio.

— Deixa Jorginho em paz, pobrezinho, e conta de uma vez: sobre o que está falando?

— Veja você mesma, aqui neste jornal. — Tomando-o nervosamente, apontou: — Leia aqui, olhe a notícia.

Renata leu: "Noite de gala. Contrataram casamento nesta capital na noite de ontem o Sr. Geraldo Tavares de Lima com a Srta. Maria Luísa Medeiros Sampaio Viana. Houve elegante recepção na casa da noiva, e pelo que pudemos saber o casamento será muito breve". Havia retratos dos noivos, dos convidados, etc.

— Veja onde Maria da Glória esteve ontem.

Realmente, a moça aparecia num dos retratos, ao lado de Humberto.

— Nem teve brio para não ir. Sua filha não tem juízo.

— Espera lá. Ela nunca teve nada sério com Geraldo. Por que não deveria ir?

Sua voz era irritada. Estava farta do marido, sempre responsabilizando-a por tudo, quando na verdade ele era o único culpado. Levantou-se agastada.

— Não gosto do seu tom. Fala comigo como se eu fosse uma de suas empregadas. Se quer saber, a culpa de tudo é exclusivamente sua. Se não fosse tão leviano jogando nossa fortuna, por certo seu pai não nos teria deixado à margem. Lembro-me de que ele repartiu seus bens e deu-lhe boa parte. Onde está? Eu não gastei. Nem o pobre Jorginho. Foi você mesmo quem botou tudo fora. Depois, se não fosse tão estúpido com Geraldo, ele não teria ficado com tanta raiva de nós e, quem sabe, teríamos conseguido dobrá-lo.

Dr. Marcondes estava furioso. Jamais Renata lhe dissera aquelas grosserias. Ameaçou, apoplético:

— Veja como fala comigo. Não respondo por mim. Está me tirando do sério.

— Não lhe tenho medo — tornou ela com raiva. — Quer me agredir? É só isso que falta. Não tenho medo de escândalo. Se me agredir, vou gritar por socorro e todos os vizinhos vão saber o que se passa aqui. Que o seu dinheiro acabou há muito tempo e que vivemos da minha renda, que se minha família não me tivesse ajudado e separado os bens, agora estaríamos à fome.

Procurando conter-se, vermelho, bufando, o Dr. Marcondes deixou-se cair no sofá. Era demais! Sua mulher o acusava!

Ela sentou-se também, sentindo-se melhor. Afinal, por que suportar calada o mau gênio dele? Mas a notícia também a decepcionara. Vira a filha esmerar-se na *toilette* e julgara que es coisas iam bem entre os dois. A moça mudara muito naqueles dias. Parecia-lhe muito sensível, mais compreensiva, mais sua amiga. Consolara-a sobre Jorge, pedindo-lhe até para rezar por ele. Rezar? Maria da Glória sempre fora avessa a religião. Não conseguia levá-la à missa desde que se tornara adulta. Agora, pedia-lhe para rezar por Jorginho. Esse era seu ponto fraco. O filho. A atitude da moça a comovera muito, e por isso rezava todas as noites pedindo a Deus por ele. Maria da Glória era rebelde, mas nunca lhes dera motivos de desgosto. Sempre demonstrara caráter e boa moral. Por isso, não tolerava que José agora a envolvesse daquele jeito. Se alguém era culpado, era ele. Ele que levara o filho às corridas e o ensinara a jogar. Ele que freqüentava maus ambientes e carregava o menino com ele. Agora, vinha cobrar-lhe contas. Olhou-o. Estava arrasado. Caíra da euforia à completa depressão. Renata suspirou, contrariada:

— Não é a mim que compete fazer alguma coisa, mas a você.

— Acha que devo arrastar-me aos pés daquele caipira e suplicar-lhe ajuda?

— Não faça drama. Mas que seria bom se pudesse voltar às boas com ele, isso seria.

— Por quem me toma? Acha que não tenho vergonha?

Renata sacudiu os ombros:

— Agora estou interessada em ver Jorginho curado. E se você quer saber, o primo Geraldo ofereceu-se para pagar todo o tratamento dele com os melhores especialistas.

— Claro que não vamos aceitar! Não precisamos de esmolas.

— Tem dinheiro para pagar? Sabe quanto vai lhe custar?

— Restam suas jóias. Não quer ajudar seu filho?

— Minhas jóias estão quase no fim. Não vou desfazer-me de nada mais. São garantia da minha velhice. E não vou deixar Jorginho sem tratamento. Afinal, o dinheiro de Geraldo é da nossa família. Por que recusá-lo?

— Não quero que saibam da nossa situação. Prejudica-me nos negócios.

— Geraldo não vai aparecer. Dará o dinheiro a Maria da Glória. Ninguém vai saber. Devia ser grato a ele.

— Não sou. Até acho bom Jorge ficar por lá durante algum tempo. Não vai arranjar-me nenhuma dívida.

— Não tem medo de que ele fique louco?

— Não. Isso vai passar. Qualquer dia vou dar uma de louco. Assim, deixo os problemas para os outros. Afinal, quem pode responsabilizar um louco por suas dívidas?

— Essa idéia, só sua pode ser

Maria da Glória entrou na sala, pronta para sair. Vendo-os, parou dizendo:

— Vou ao hospital saber de Jorge. Quero ver se me deixam vê-lo. — Vendo a expressão abatida do pai, perguntou: — Aconteceu alguma coisa?

— Aconteceu — respondeu o Dr. Marcondes com voz ríspida. — Geraldo vai se casar com Maria Luísa.

— Eu sei — disse ela com calma. — Ontem foi a oficialização do noivado. Casam-se daqui a dois meses.

— Não está triste com esse casamento? — inquiriu, insinuante.

— Por que estaria?

— Você saía muito com ele, sua mãe insinuou que vocês namoravam e eu esperava que ele se casasse com você.

Maria da Glória olhou-o admirada.

— Julgaram mal. Várias vezes afirmei que Geraldo e eu somos muito bons amigos. Nos queremos como irmãos. E nunca dei motivo a que pensassem semelhante coisa. Essa idéia não passa de fantasia de suas cabeças. Geraldo vai casar-se com Maria Luísa e desejo que ambos sejam muito felizes. Eles merecem.

— Mas e você — continuou Dr. Marcondes, inconformado. — Vai ficar só a vida inteira? Não vê que já está beirando os 25 anos e que, se não aproveitar a mocidade, ficará para titia?

A moça não pôde sopitar o riso. Com voz calma, esclareceu:

— Não se preocupe comigo. Não vou ficar para titia. Mas se isso acontecer, tenho profissão e posso viver muito bem.

— É isso que dá a educação moderna! Pensando assim, a família vai se desmanchar. Acho que está na hora de casar-se e vou cuidar disso muito bem, já que você não sabe fazê-lo. Ainda vai agradecer-me. Se eu não ajudar, você se transformará em uma solteirona nervosa e mercenária, o que não condiz com uma mulher que deve ser esposa e mãe.

Dr. Marcondes se comovia ouvindo seus próprios argumentos. Mas a moça limitou-se a olhá-lo de frente e a dizer com voz firme:

— Não consinto que decida sobre minha vida. Recuso-me a aceitar sua interferência. Sei o que quero e tenho condições de realizar o que desejo. Se errar, responderei pelo meu erro, mas será decisão minha.

— Vai me obedecer. Sou seu pai! — tornou ele, irritado.

— Não nisso. A vida é minha. Tenho direito a decidir o que fazer com ela. Isso não diminui meu respeito de filha, mas farei aquilo que eu quiser.

— Está sendo ingrata. Não vê que estamos na miséria? Chegamos ao ponto de precisar da esmola daquele matuto para poder tratar Jorge? Tenho feito tudo pela família, e agora, que precisamos dos filhos, o que colhemos? Ingratidão, desobediência, descaso! Isso vai me matar!

Levou a mão ao peito e sentou-se no sofá, curvando a cabeça: fosse em outros tempos, a moça simplesmente teria ignorado a cena, de cuja sinceridade duvidava. Mas agora, quando sabia da verdade sobre a vida espiritual, quando procurava ajudar Jorge compreendendo-lhe as fraquezas, não podia deixar de pensar que seu pai também era um espírito fraco e desviado do bem. Se queria ajudar o irmão, por que não ajudar também o pai, infeliz e desorientado, colhendo os frutos amargos da sua leviana semeadura?

Aproximou-se dele, tocada de compaixão. Porém, sentiu que precisava ser sincera.

— Pai — tornou com voz firme. — Quero acreditar que esteja sendo sincero, que, apesar de tudo, nos tenha amor. Porém, devo dizer-lhe que não sou responsável pelos seus sofrimentos. Não contribuí para a nossa ruína financeira. Pelo contrário, sempre procurei não ser pesada e, se quer saber, tenho trabalhado com traduções para suprir minhas despesas. Não vou me casar sem amor, não vou fazer casamento rico para salvar a situação da família. Não tem o direito de exigir isso de mim e eu não o farei. A fortuna tem sido causa de muitos dos nossos sofrimentos. Se Jorginho tivesse sido pobre e obrigado a trabalhar pelo seu sustento, talvez não lhe tivesse sobrado tempo para que mergulhasse no erro. E você, pai, homem culto e experiente, advogado brilhante, tem agora ocasião de mostrar sua capacidade profissional, o que lhe dará renda mais do que suficiente para viver decentemente. Por que tanto orgulho? Por que tanta ambição? Ainda é tempo. Por que não reage?

Dr. Marcondes sentiu que no fundo a filha tinha razão. Chegava a surpreender-se de encontrar tanta maturidade naquela que ainda considerava criança. Mas ele reagiu. Como admitir que ela pudesse ditar-lhe normas? Ele não era seu pai?

— Não admito que me diga o que devo ou não fazer. Ainda voltaremos ao assunto.

— Como queira, papai. Sabe como penso. Não vou mudar. Agora, vou ver Jorge.

Renata olhou-a com respeito. Não concordava muito com suas idéias, mas a invejava. Parecia tão segura! Reduzira a fúria paterna, com energia e firmeza. Começava a pensar que talvez ela tivesse razão. Se o marido trabalhasse com seriedade, talvez melhorasse a situação da família. Duvidava que ele conseguisse sucesso profissional. Tudo quanto ele conseguira fora através do relacionamento e do nome da família, do suborno e da astúcia. Se trabalhasse seriamente, agora que o dinheiro não mais o favorecia, conseguiria vencer? Maldosamente, insinuou:

— Tem medo de medir sua capacidade? Sem dinheiro para distribuir, só pelo esforço e trabalho, teria sucesso?

Ele levantou-se furioso:

— Vocês hoje resolveram humilhar-me. Não vou suportar mais isto.

Saiu batendo a porta com força. Renata, tranqüilamente, retomou a revista e passou a folheá-la gostosamente.

Saindo dali, Maria da Glória dirigiu-se à casa de Lucila. Haviam combinado estar lá no horário da reunião. Saíra mais cedo porque pretendia passar pelo hospital para saber de Jorge, mas estava angustiada. Sentiu desejo de desabafar. Fazia-lhe enorme bem a casa e a companhia de Lucila.

Foi recebida com alegria, e Inês logo registrou sua preocupação. Maria da Glória explicou:

— Preciso conversar com vocês. Perdoem-me vir mais cedo, mas tive uma cena muito desagradável com papai e não tive coragem para ver Jorge. Quero ir vê-lo bem-disposta, levar-lhe bons pensamentos.

— Vem — convidou Lucila —, vamos sentar-nos aqui. Foi muito bom ter vindo mais cedo.

— Obrigada, D. Lucila. Aqui, sinto-me encorajada.

A moça contou-lhes a cena de momentos antes, concluindo:

— Sei que agi certo; porém, sinto-me angustiada. Pela primeira vez notei o quanto meu pai é fraco e infeliz. Antes eu sentia raiva, criticava-o duramente, culpava-o de todos os nossos problemas; mas agora, tudo se me afigura diferente. Compreendendo nossas fraquezas e limitações, como julgar? Tia Carolina disse que no passado todos contribuímos para a situação atual. Se estou com eles, ali, é porque também o mereço. Não sei o que fiz nem o que fui em vidas passadas, mas sei que não o amei como filha. Que sempre lhe tive aversão, mais ainda do que à minha mãe. Não terei também uma dívida para com ele? Pela primeira vez pensei nisso, e senti pena dele e vontade de ajudar. Como poderei?

Lucila passou a mão pelos cabelos da moça com muito carinho:

— Filha, sente como Deus é bom, permitindo que você possa enxergar um pouco a verdade. Nada sabemos sobre o passado de vocês, a não ser o que nos revelou Carolina. Ela disse-nos que é muito ligada a você, o que nos faz supor que nossas vidas estão entrelaçadas há muitos anos. Entretanto, se você sente vontade de ajudá-lo, é sinal de que pode fazê-lo. Agiu bem. Nós não podemos julgar o próximo, mas também não podemos compactuar com seus erros. Fazer o que ele quer seria contribuir para maior infelicidade. Sua atitude corajosa, firme, foi a mais acertada. Naturalmente, ele não vai concordar. Seu orgulho não vai permitir. A educação atual ainda não se libertou do patriarcado. Sei que você vai lutar, mas deve manter seu ponto de vista. E enquanto não o deixa intervir desastrosamente em sua vida, procure darlhe carinho, atenções, amor de filha, para que ele sinta que, apesar de tudo, você o estima e deseja vê-lo feliz.

A moça sorriu animada.

— O que seria de mim sem vocês!

— Tem Humberto. Ele é espírito equilibrado e forte. Serão muito felizes.

— Assim espero. Encontrá-lo fez-me grande bem. Sabe compreender-me. Acha que terá paciência com meus pais? Ele é tão diferente!

— Claro. Humberto sofreu muito, é homem experiente. Depois, conhece a vida espiritual. Sabe bem da nossa realidade. Por certo, tudo fará para apoiá-la nesse sentido. Por que não conversa com ele a respeito?

— É uma boa idéia. Eu o farei.

A conversa seguiu animada. Tomaram um chá com torradas na copa acolhedora enquanto aguardavam a chegada dos demais para a sessão da noite.

Fazia quinze dias que o Dr. Euclides se manifestara e já tantas coisas haviam acontecido e modificado suas vidas. Maria Luísa, embora sem conhecer toda a verdade, desejava participar, e por isso acompanhara a mãe naquela noite. Eles haviam realizado outra reunião na semana anterior, onde houve apenas orientação e conselhos de Carolina e de outros espíritos amigos, pedindo paciência e orações em favor de Jorge e de seus inimigos.

Faltavam cinco para as oito quando agruparam-se em torno da mesa e a reunião teve início. Inês leu uma página do *Evangelho Segundo o Espiritismo* aberta ao acaso, falando da necessidade de perdão. D. Lucila proferiu sentida prece por Jorginho e por seus pais, suplicando a ajuda do alto. Ao terminar, pediu:

— Permaneçamos orando em silêncio.

Por alguns instantes todos atenderam, imersos em seus pensamentos íntimos, pedindo por Jorge. De repente, um riso sarcástico os fez estremecer. Aurora, sacudida por tremores involuntários, ria sem parar. Depois, disse com voz irritante e rouca:

— Ah! Estão pedindo pelo menino! Coitadinho! Tão inocente... Dá-me vontade de chorar.

Lucila atalhou com serena energia:

— Não se compadece dos sofrimentos dele?

O espírito casquilhou uma risada:

— Eu?! Claro, claro. Só que esse é apenas o começo. Não vê que ele precisa evoluir? Nós vamos ajudá-lo. Quanto mais sofrer mais depressa vão crescer-lhe as asas de anjo. Não é uma boa idéia?

Lucila respondeu:

— O surpreendente é que realmente Jorge está se fortalecendo pelo sofrimento e a experiência, embora você realmente não acredite nisso. Mas o que é mais verdadeiro ainda é que você, pelos sofrimentos que provoca nele e em sua família, está se colocando como réu da divina justiça, onde terá que responder pelos seus atos.

— Não tenho medo. Depois, não creio nessa tão falada justiça divina. Onde tem se escondido, que não castigou os que me feriram?

— O fato de ela não agir de acordo com o que você deseja não quer dizer que ela não esteja atuando em toda a plenitude. A diferença está em que ela não visa à vingança, e sim a restabelecer o direito, restaurar o equilíbrio, conscientizando a criatura do papel que lhe cabe na criação.

— Por isso não pune os assassinos, os patifes que enganam e corrompem os lares honestos, que ferem nossos sentimentos? Que justiça é esta que nada fez quando eu estava arrasado, arruinado, pisado, e que deixa que o algoz goze de todas as regalias do conforto e da liberdade para continuar a destruir?

— Você deve ter sofrido muito — disse Lucila com carinhoso acento.

— Não vim para falar dos meus sofrimentos. Agora já estou satisfeito. Ele começa a pagar! Vim aqui para lhes falar a verdade. As orações que fazem incomodam-me. Fazem-me sentir contrariado, porque vocês invertem as coisas. Ele está agora escondido em um corpo jovem, é sentimental e simpático, chega até a ser delicado. Se não o conhecesse eu! Então, vim para contar-lhes a verdade. A vítima sou eu, não ele! E junto comigo há muitos outros. Não vamos deixá-lo mais até que ele esteja na sarjeta e possa, depois de destruir esse belo corpo onde se oculta, vir para cá, no ajuste de contas que se faz necessário. Aí é que vamos ver!

Lucila argumentou com ele quase uma hora, com firmeza e carinho, tentando modificar-lhe os pensamentos. Tudo inútil. Foi então que o espírito de Carolina, que tentara várias vezes ser vista por ele sem resultado, envolveu Inês, que começou a falar:

— Olhe para mim. Não se lembra?

Silêncio. Ela continuou:

— Foi há muito tempo. Esquece um pouco o presente e volta ao passado.

— Quem me fala? — tornou ele angustiado. — Quem está aqui?

— Olhe para mim. Não me conhece?

— Você? O que quer de mim? Por que me persegue? Por quê?

— Não desejo senão a sua felicidade. Por que tanto ódio em seu coração? Por que perder-se na destruição e na vingança, se há muito eles o aguardam em um mundo melhor, orando em seu favor?

— Não sou digno deles enquanto não me vingar dos seus algozes. Como posso olhá-los antes disso? Por que os defende? Não foi também vítima? Não lhe tiraram o filho, não lhe tiraram a fortuna, o lar, tudo? Você ainda os defende? Eu vou arrasá-los um a um.

— Se quer fazer isso, ninguém o impedirá. Mas olha como eles sofrem por causa disso. Veja, eles estão aqui. Suplicam que você perdoe e esqueça: estão cansados de ódios. Querem ser felizes e esquecer, mas querem seguir com você.

Uma crise de soluços acometeu o espírito, e Aurora chorava sentidamente.

Vocês vieram, finalmente! Estão aqui, vejo-os! Que vergonha, estou como um indigente. Que injustiça! Não quero que me vejam, não quero!

Carolina tornou:

— Eles sempre estavam vendo tudo quanto você fazia ou dizia. Você é que não conseguia vê-los. Perdoa agora, e poderá seguir com eles para um local de refazimento. Perdoa, ajuda o nosso Jorge, eu peço, para que você também possa preparar-se para uma nova reencarnação, livre do peso do ódio e do remorso.

Foi entre soluços que ele disse:

— Eu perdôo. Esquecer não sei se poderei, mas não vou mais vingar-me dele. É um fraco. Vou deixá-lo para sempre. Nunca mais quero vê-lo.

— Convide seus amigos a deixá-lo também. Sei que lhe obedecerão.

— Vou tentar. Rever Marisa e Alberto foi um sonho que se concretiza; ir com eles, parece mentira! Sempre você tem me socorrido. Eu sei. Que Deus a abençoe.

Com um suspiro, Aurora abriu os olhos e respirou fundo.

Carolina continuou:

— Vocês ainda ignoram todo o passado. Posso dizer por agora que Jorge, em outra encarnação, jovem ainda envolveu a esposa de um comerciante, conquistando-a. Não contente em perturbar-lhe o lar, ainda a levou a arruinar o marido para dar-lhe dinheiro, que consumia em suas extravagâncias. Quando o pobre homem desconfiou, já arruinado e desorientado, ameaçou matá-la e ela deixou-o, aconselhada por Jorge, levando o filho pequenino. O marido abandonado começou a beber e nunca mais pensou senão em encontrá-los para vingar-se. Já no plano maior, continuou pensando em vingar-se, juntou-se a malfeitores, tornou-se duro e cruel e envolveu um falsário, influenciando-o para que destruísse Jorge. Cego pela ambição, esse falsário o matou. Inútil será dizer que o comerciante o recebeu após a morte, cobrando sua dívida duramente. Durante muitos anos Jorge foi escravo dele, sofrendo-lhe os maus tratos. Assim que foi possível, conseguimos, em caravana de socorro, libertar Jorge da tutela do implacável inimigo, e o que lhe tinha tirado a vida, arrependido, concordou em recebê-lo como filho e ajudá-lo nesta encarnação. Contudo, o comerciante, cujo nome é Mário, irritado com a intervenção dos nossos maiores, tirando-lhe Jorge do raio de ação e planejando-lhe nova encarnação, descobriu o plano e transferiu todo seu esforço sobre José, meu cunhado, que a essa altura era um menino já na Terra. Envolveu-lhe nas fraquezas, incentivou-as e conseguiu atirá-lo ao vício, e se não fosse a intervenção dos parentes, tê-lo-ia conduzido à ruína e à miséria total. Foi ele que inspirou as atitudes levianas de José, induzindo-o a levar Jorge a ambientes perigosos, certo de que, por seus antecedentes, tanto o pai como o filho seriam presa fácil para os seus planos. Contudo, hoje logramos comovê-lo. A presença da ex-esposa e do filho, que lhes foi mostrada como eram em sua lembrança, conseguiu finalmente abalar e começar a derrubar a muralha de ódio do seu coração. O estar com eles será para ele o maior estímulo ao perdão e à melhoria.

Maria da Glória chorava emocionada e todos estavam comovidos. Lucila, aproveitando a pausa, perguntou respeitosa:

— Podemos esperar a recuperação de Jorge?

— Bem. Livre da presença desses infelizes, tanto ele como o pai terão melhores condições para o reequilíbrio. Mas não podemos esquecer-nos de que o milagre não existe. A influência de Mário foi tão perniciosa porque eles guardavam dentro de si o automatismo do desregramento passado, que, não obstante os renovados e sinceros desejos de melhoria que eles sempre sentiram, por vezes ainda os tem arrastado. É claro que Jorge sairá do sanatório ainda esta semana e estará melhor; porém, para que a recuperação se efetive, há que ajudá-lo para que se renove mentalmente e aprenda a enxergar a vida como ela realmente é. A realidade do espírito e da sobrevivência, da reencarnação e do livre-arbítrio não pode ser ignorada. Esse é um trabalho que vai depender muito do esforço e do carinho, da paciência e do amor de vocês. Creiam que agradeço do fundo do coração por tudo isso. Conhecendo-os bem, acredito que se sentirão felizes em ajudá-los. Nós estaremos sempre por perto. Lucila querida, lembra sempre que o nosso Jorge reencarnou em tarefa mediúnica de auxílio ao próximo e deverá ser preparado muito bem para auxiliar nas curas dos processos obsessivos, mal que tem conduzido ao suicídio, ao presídio, à ruína, aos hospitais e sanatórios, boa parte da humanidade. É a maneira de ele se equilibrar sob a proteção dos nossos maiores. Abraço-os com carinho. Agora, preciso ir. Geraldo, meu filho, fiquei feliz com seu casamento com Maria Luísa. Eu a amo muito, minha filha. Deus a abençoe.

Lucila encerrou a reunião. Maria Luísa estava emocionada. Jamais pensara que as vidas se encadeassem assim. Queria conhecer toda a história, mas Lucila desviou o assunto com habilidade, pretextando fome, e convidou-os ao café e ao lanche, dizendo que outro dia lhe contariam tudo.

Aurora estava pálida. Não queria que a filha descobrisse a verdade. Sofria muito por isso. Com carinho, Lucila levou a conversa para outro campo, dizendo:

— Não devemos comentar muito os fatos dolorosos do passado. Nossas frases são como setas dolorosas a remexer nas feridas dos envolvidos. Falemos do nosso Jorge, que ainda nesta semana estará conosco.

— Mal posso acreditar! — tornou Maria da Glória com alegria. — Mas não podemos esquecer que Jorge precisa praticar a mediunidade. Como pode ser isso?

— Primeiro, ele necessita equilibrar-se. Depois, deverá estudar bem o Espiritismo para compreender as Leis de Deus que nos regem, e depois, equilibrar, desenvolvendo sua percepção mediúnica. Assim, estará preparado para dedicar-se ao socorro dos aflitos a quem poderá beneficiar.

— Fazendo sessões como a de hoje aqui? — perguntou Maria Luísa, interessada.

— Sim. Só que, para atender a doentes e perturbados, será necessário ter um local reservado para esse fim. Não será aconselhável realizar essas sessões dentro do próprio lar. O nosso caso é especial. Trata-se de um compromisso que assumi com Carolina, e por isso conto com a proteção do grupo dela para este caso. Mas fora isso, precisamos de certa cautela.

O assunto despertou interesse, e por isso, já na copa, em meio ao saboroso lanche carinhosamente preparado, o qual Aurora enriquecera com algumas das suas receitas especiais, eles continuaram:

— Quer dizer que depois que Jorge melhorar e esse caso for resolvido, não vamos continuar com nossas sessões? — inquiriu Humberto, pesaroso.

— Não dessa forma. Continuaremos com o estudo evangélico, prece e eventualmente alguns conselhos de espíritos amigos, mas casos de obsessão, não.

— Por quê? — perguntou Geraldo.

— Você atende um doente que esteja passando mal, em estado grave, dentro de sua casa?

— Por certo que não. Há que levá-lo a um hospital.

— É o mesmo caso. Uma perturbação espiritual, uma obsessão, seja de que tipo for, requer assistência especializada. No Centro Espírita, além do atendimento dos encarnados, já há instalado, no plano espiritual, um verdadeiro hospital adequado a assistir cada caso.

— Quem diria! — tornou Maria da Glória, admirada.

— O fato de morrer não indica mudança de temperamento. O mundo para onde vamos também se vale dos recursos da terapia e da medicina para ajudar os espíritos. O morrer não nos cura dos nossos problemas; algumas vezes continuamos sentindo as doenças, as dores e os desequilíbrios tanto ou mais do que quando no corpo de carne na

Terra. Temos um corpo que sobrevive à morte da carne e com ele permanecemos, e ele pode necessitar de socorro. Depois, uma obsessão, isto é, a perseguição de uma entidade desencarnada a alguém, processa-se pela influência tóxica e lesiva que o agente interessado lança nesse corpo do seu inimigo. Então, o vidente pode ver que o doente de obsessão tem ligado a si não só o espírito que o agride como seus companheiros, às vezes reunidos em sinistros pactos de vingança. Por vezes são vários inimigos, cujo passado doloroso podemos imaginar, que se unem à vítima, enfraquecida, pela consciência dos seus erros.

— No caso de Jorge, ele não se recorda de nada do passado. Não é uma injustiça? — perguntou Geraldo.

— Não. Apesar de ele não ter consciência de sua falta, ela está no seu inconsciente, que tem um arquivo completo de suas vidas anteriores. Lá, ele sabe, e teme. Isso o torna sem coragem para reagir.

— É interessante — tornou Humberto, pensativo. — Carolina disse que grande parte das pessoas são obsediadas...

— A influência perniciosa nem sempre é ostensiva, como vimos no caso de Jorge. Pode aparecer na forma de doenças.

— Como assim? — inquiriu Maria Luísa.

— Basta o agente perturbador inspirar sua vítima para que se intoxique, pelo excesso de alimentos, de remédios, de drogas, de cólera, de intemperança.

— Puxa! Como ninguém se preocupa com isso? — Maria da Glória estava assustada.

— Porque a obsessão sempre entra pela porta das nossas fraquezas. Elas é que oferecem campo aos espíritos que nos querem atingir. Seria preciso reconhecer isso em primeiro lugar; depois, seria preciso mudar, e quem deseja fazê-lo?

— Não é fácil — suspirou Aurora —, mas quando o conseguimos, é uma felicidade. O benefício vem na hora.

— É, querida — esclareceu Lucila. — Você tem se esforçado, e a sua mediunidade começa a dar bons frutos. Hoje conseguiu pelo menos mais três amigos que jamais se esquecerão dos seus préstimos.

— Como assim? — perguntou Maria Luísa, interessada.

— Aquele infeliz Mário, que através do concurso de Aurora conseguiu sair da sua cristalização mental que o impedia de ver os entes que amava e o esperavam há tanto tempo. Seu auxílio, aceitando ligar-se temporariamente a ele, oferecendo-lhe sua vibração amiga, o despertou.

— Quem fez tudo foram eles — respondeu Aurora, humilde.

— Por certo. Mas você foi o instrumento. Não é uma felicidade?

O assunto prosseguiu animado, e Lucila, incansável, esclarecia dúvidas com carinhosa solicitude.

Quando se retiraram, estavam sentindo enorme bem-estar.

— Apesar de tudo, podemos vir na semana que vem para a reunião? — tornou Maria da Glória.

— Claro. Já disse que nosso caso é especial. Mas, independente disso, é um prazer tê-los aqui e estudarmos juntos.

Despediram-se. Humberto acompanhou Maria da Glória, e conversaram sobre os últimos acontecimentos. Era tarde quando a moça entrou em casa e a luz da copa estava acesa. Foi até lá e encontrou o pai sentado à mesa, tomando um copo de vinho. Vendo-a, olhou-a e nada disse. Em outras circunstâncias, teria reclamado pela hora tardia. Mas estava deprimido. Não disse nada. A moça sentiu-se penalizada. Decidida a ajudá-lo, aproximou-se e tornou:

— Boa noite. Você jantou?

Um pouco admirado, ele respondeu:

— Não, acho que não.

A moça foi à geladeira e procurou algumas guloseimas.

— Papai, aprendi a fazer um sanduíche muito gostoso. Vou fazer um para você.

— Não quero. Estou sem sono. Quem sabe com este vinho eu consiga dormir.

— Posso fazer-lhe companhia?

Ele estava assustado. O que acontecia com a filha? Nunca o procurara. Ele estava se sentindo só como jamais o fora. Era como se lhe faltasse algo, um vazio que não saberia explicar. Funda tristeza o acometia. Por isso, sacudiu os ombros, indiferente.

A moça sentiu aumentar sua piedade. Ele lhe parecia mesmo muito triste. Jamais o vira assim.

Foi até o fogão, aqueceu o pão, o queijo, e preparou o sanduíche, acrescentando fatias de carne assada. Com ar triunfante, colocou o prato diante dele.

— Você vai comer. Na faculdade, agora, só se come isso. É moda. É delicioso.

José olhava o prato apetitoso sem muito interesse. A moça olhava com carinho e expectativa. De repente, ele pensou que sua filha estava muito diferente. Por quê? Ele estava magoado, muito só. Por que recusar esse gesto tão raro da filha? Talvez ela estivesse arrependida da cena da tarde. Já que pela violência não conseguia dobrá-la, por que não pela amizade? Sem vontade, pegou o sanduíche e levou-o à boca. Realmente, estava muito bom.

— Gostou?

— Muito. Não sabia que você gostava de cozinha.

Gosto. Qualquer dia vou fazer um creme que Inês me ensinou. Acho que vai gostar muito.

Ele estava pasmo. Nunca vira a filha interessar-se pelas lides domésticas.

— É?...

— É. Quer mais um?

— Eu não tinha fome, mas agora acho que comerei mais um.

Com alegria a moça foi preparar, e continuou conversando sobre vários assuntos, alegres e agradáveis. Meia hora depois, José estava mais disposto e relaxado.

— Agora vou dormir, acho que estou com sono

A moça aproximou-se dele e beijou-o na face.

— Boa noite, papai. Espero que durma bem.

José olhou-a meio desconfiado, mas a moça estava com a fisionomia calma e alegre. Foi com naturalidade que respondeu:

— Boa noite. Durma bem, filha.

A moça estava feliz. Seu irmão iria melhorar e seu pai, por certo, também. Haveria de ajudá-los no que pudesse.

Capítulo 16

Eram quase quatro da tarde de um dia quente de verão. A chuva caíra durante toda a manhã e ainda pela tarde o céu nublado pressagiava que ela iria prosseguir. Fazia calor. Maria da Glória, contudo, estava contente. Foi com o coração cheio de esperança que procurou por Jorge no sanatório. Ele estava no jardim. A assistente conduziu-a a um terraço envidraçado, onde vários pacientes conversavam. Sentado em uma espreguiçadeira estava Jorge. O coração da moça sofreu um abalo. Como estava magro! Seu rosto estava pálido e triste.

— Jorge! — chamou, aproximando-se e abraçando-o com carinho. Beijou-o na face. — Deixe-me vê-lo! Como está?

O moço fitou-a com olhos tristes.

— Desanimado. Veja você mesma a que estou reduzido.

— Não diga isso. Tudo passou. Agora você vai melhorar, e deixará este hospital. Já está muito melhor.

— Não acho. Parece-me que perdi o gosto de viver. Nada me importa. Sou um fraco, sem coragem nem esperança.

A moça sentou-se a seu lado, tomando-lhe a mão e apertando-a com calor, como a querer transmitir-lhe forças e conforto.

— Isso passa. Logo voltará para casa, que tem estado muito vazia sem você. Creia, sentimos sua falta.

— Você, pode ser, mas eles nem sequer vieram ver-me.

— Não seja ingrato. Mamãe tem sofrido muito. E tem vindo. Você estava em tratamento e não pôde vê-la. Vai ficar feliz em saber que já está bom. Trago também abraços de Inês, sem mencionar D. Lucila, Humberto, Maria Luísa e Geraldo. Ele tem sido maravilhoso. Não só veio aqui como exigiu os maiores especialistas, com tudo o que fosse necessário de melhor. Fez questão de pagar tudo.

— Vocês deixaram?

— E quem pode teimar com ele? Quando eu soube já tinha pago tudo, e Humberto fez tudo sem eu saber. O que ele quer é você de volta bem-disposto e alegre.

— Papai vai ficar ofendido.

— Ele ficou um pouco, mas não tinha mesmo o dinheiro. Mamãe ficou comovida. Por ela, as coisas não estariam tão desagradáveis entre eles.

— Claro! Geraldo tem muito dinheiro! — disse ele irônico.

— Jorge, mamãe o ama muito, embora à sua maneira. Ela faz o que pode. Por certo, ainda não sabe ser melhor. Depois, nós também não a temos ajudado muito. Eu, isolada em meus próprios problemas, e você, não a levando a sério nem em suas qualidades de mãe. Devemos reconhecer que nunca procuramos entender as limitações deles, nem ajudá-los a se tornar melhores. Eles não têm sido os pais que desejamos, mas teremos sido bons filhos?

O moço calou-se. Em outra circunstância teria argumentado, estranhando a mudança da irmã; mas naquele instante, quando acordara do pesadelo em que se vira mergulhado, compreendera a pequena distância que havia entre a loucura e o equilíbrio. Sentara-se ali, indiferente às belezas do jardim que se estendia ao redor, à dor dos companheiros e até ao seu próprio destino, perguntando-se que rumo daria à sua vida sem objetivo e sem ideal. Parecera-lhe natural ouvi-la falar daquela forma. Sua vida vazia e inútil, fútil e desajustada, não lhe oferecia subsídios a uma renovação efetiva. Depois, para que lutar se não conseguia vencer a tentação na hora precisa, deixando-se arrastar pela paixão e pela ilusão? Suspirou fundo.

— Pode ser. Eu nunca soube fazer nada na vida. Tenho sido sempre um inútil. Agora não há mais como mudar. Meu destino é cair, levantar, cair, levantar, como tenho feito até agora. Nem sei como Geraldo se interessa por mim. Não valho isso. Depois de tudo quanto ele tem feito. Depois de D. Lucila, de Inês, todos me terem recebido com tanto carinho, eu fracassei. Eu caí, eu não pude parar. Joguei, bebi, fiz tudo errado. Agora não estou em condições nem de vê-los. Diz a eles que me esqueçam. Vou ficar aqui mesmo. Não sei ainda o que fazer.

Maria da Glória estava um pouco decepcionada. Pensara encontrar o irmão bem-disposto, melhor e renovado, e o encontrara naquela depressão. Contudo, não podia desanimar.

— Ora, Jorge, você está enfraquecido. Precisa sair daqui, recuperar a cor, ver os que o amam e verá como tudo será diferente!

— Você é muito boa, mas muito inexperiente. Sabe que o que eu digo é verdade. Se eu sair, vou agüentar uma, duas semanas, e depois começo tudo de novo.

— Sei que é difícil para você, mas nós vamos estar a seu lado. Não importa quantas vezes caia no mesmo erro. Nós o amamos muito e não importam suas fraquezas. O que mais eu sinto são suas qualidades, sua amizade, seu coração bondoso e amigo. Depois, por que ser tão pessimista? Você verá que tudo vai ser diferente. Deus vai nos ajudar, e desta vez acredito que você conseguirá vencer.

Com paciência e carinho a moça continuou conversando com Jorge, que apesar do esforço dela se conservava triste e desalentado. Foi com o coração partido que Maria da Glória o deixou, duas horas mais tarde. Apreensiva, procurou Lucila, que a recebeu com o carinho de sempre. Assim que se viu sentada entre as duas amigas, desabafou:

— Jorge está mal. Não reage, está deprimido e triste. Não consegui tirá-lo desse estado. Não sente alegria de viver, e parece até que lhe é indiferente o seu futuro. Logo ele, sempre tão alegre, tão cheio de vida.

Lucila olhou-a com carinho e esclareceu:

— Tudo isto é natural. Não podemos esquecer-nos de que Jorge estava envolvido pelo espírito de Mário de tal sorte que seus pensamentos se misturavam. Suas energias em comum exerciam em Jorge um domínio que o fazia sentir-se forte e destemido. Essa ligação existiu durante muitos anos; mesmo antes de Jorge nascer, era dirigido pelo outro. Agora, de repente, sente-se desprotegido. Com a separação dos dois, Jorge terá que recomeçar a conhecer-se e a readquirir domínio sobre si mesmo e sobre sua própria vida. Está inseguro. Falta-lhe o comando de Mário, a cujo assédio, embora pernicioso, acostumou-se a obedecer. É como um filho cujo pai o tenha mantido sob excessivo controle, fazendo tudo por ele, e de repente o atira ao mundo para enfrentar seus problemas, afastando sua proteção. A princípio ele se sentirá inseguro e o triste estado de fraqueza que registra o vai deprimir; mas depois, com certeza começará a aprender e a reagir. Nosso papel agora é dar-lhe apoio e amor.

— Não compreendo. A influência de Mário era perniciosa. Ele o estava destruindo. Pensei encontrá-lo alegre e bem-disposto, agora que ficou livre.

— À primeira vista pode parecer lógico, mas a experiência nos tem demonstrado uma realidade diferente, que, se pensarmos bem, é natural e até inevitável. Mário, embora desejoso de vingar-se e de destruir Jorge, para reduzi-lo a planos infelizes, procurou fasciná-lo, envolvê-lo com astúcia, explorando-lhe os pontos fracos, a vaidade e as ilusões. Deve ter-se mostrado envolvente, simpático, atraente, deve ter incutido em sua vítima pensamentos de força, independência, auto-suficiência, euforia e até de atração para o sexo oposto. A obsessão começa sutil e empurrando a vítima para o materialismo, avivando-lhe os instintos e dourando a pílula. Infelizmente, raros percebem esse envolvimento, senão quando já dominados e sem vontade própria, em estado até de hipnose profunda, e sem coragem de reagir, mesmo porque gostam do vício em que se afundam.

— Que horror! Jamais pensei que isso fosse assim. Então, a maioria das pessoas que conheço são inspiradas por esses espíritos?

— Carolina situou o problema em grande parte das criaturas, mas devemos convir, para sermos justos, que o agente da obsessão nem sempre é um espírito desencarnado.

— Como assim?

— Pode ocorrer que as pessoas gostem tanto de dar vazão aos instintos que atraem para seu lado a companhia de espíritos doentes e infelizes, viciados de ontem, que se ligam a elas em regime de permuta de sensações e emoções.

— Nesses casos, nada se pode fazer?

— Quase nada. Todos têm a liberdade para escolher. Se preferem viver assim, é difícil intervir.

— E como vão acabar?

— O desgaste pode causar a lesão nos órgãos aviltados do corpo físico, a impotência para os abusos do sexo, a cirrose hepática para os excessos do álcool, a arteriosclerose pelos excessos de energia nociva nos centros de força do perispírito, as loucuras, as manias, enfim, toda sorte de desequilíbrios que conduzem ao sofrimento e à dor.

Maria da Glória estava pensativa.

— Como é que ninguém ainda fala nisso? O que me surpreende é que ninguém liga e deseja libertar-se do problema.

— O que demonstra que todos somos ainda espíritos muito infelizes e cheios de fraquezas. Também há pessoas abnegadas e bondosas que procuram suavizar o sofrimento humano. Por enquanto, o que podemos fazer é orar e compreender. O médico não disse quando Jorge poderá deixar o hospital?

— Ele está melhor, e o médico disse que espera apenas que ele saia da apatia depressiva em que se colocou para dar-lhe alta.

— Nesse caso, amanhã eu e Inês iremos fazer-lhe uma visita. Vamos ver se lhe damos uma injeção de ânimo.

Por certo. Deixem comigo. Sei como fazer isso! — Inês sorriu maliciosa, e as duas riram da sua expressão. Maria da Glória olhou-as, e um brilho emotivo em seu olhar dulcificou suas palavras:

— Vocês são maravilhosas! Não sei o que seria de nós sem vocês!

— Não fale assim, que podemos acreditar. Agora, vamos falar de coisas mais alegres. Que vestido deverei usar amanhã? Deve ser algo que deslumbre nosso Jorge e lhe devolva o entusiasmo de viver! — tornou Inês.

— Você é tão bonita que ele por certo vai se animar. Por que não veste aquele azul-claro? Vai-lhe muito bem, e Jorge adora azul!

Nos dias que se seguiram elas foram visitar Jorge diariamente. A princípio ele estava triste e abatido, mas depois, aos poucos, foi começando a melhorar. Geraldo e Maria Luísa também o cobriam de carinho e gentilezas, e aos poucos Jorge foi se sentindo mais seguro e com vontade de viver.

A alta veio e ele não estava com vontade de ir para casa. Alegava que lá ninguém iria vê-lo, o que fez Lucila observar com um sorriso malicioso:

— Pelo jeito, você quer continuar doente, recebendo visitas, docinhos, mimos e agrados. Agora chega. Vai para casa e fica intimado a ir tomar chá conosco todas as tardes.

— Claro — completou Inês, alegre —, poderemos fazer música. Aliás, você precisa ver meu progresso. Aprendi algumas novidades e quero mostrar-lhe.

— Eu também espero você em casa. Temos que conversar. Agora que está melhor, vou adotar você como irmão mais novo. E nem quero saber se concorda.

Jorge estava emocionado. Eles preocupavam-se com seu futuro e o queriam bem.

— Está bem. Irei para casa, mas amanhã mesmo cobrarei tudo que prometeram. Não pensem que vou esquecer.

Naquela mesma tarde Jorge foi para casa. Com alegria Maria da Glória o acompanhou, e Renata, vendo o filho entrar, atirou-se em seus braços chorando. Tinha ido visitá-lo no sanatório, mas a emoção de vê-lo de volta a descontrolou:

— Filhinho meu! Como está magro! O que lhe fizeram?

A fisionomia de Jorge contraiu-se num ricto de tristeza. Maria da Glória olhou para a mãe com energia:

— O Jorge está ótimo, mamãe, e muito melhor. Nada de tristezas nem de melodramas. Hoje é dia de alegria. Vamos. Chega de lamentações. Agora está tudo bem.

O olhar da moça era tão firme que Renata esforçou-se para controlar-se. Ela continuou:

— Seu filhinho não é mais um bebê. É um homem. Um homem experiente e sofrido, que tem condições por isso de recompor sua vida e dirigir seus próprios passos.

Jorge, que ia partir para o campo das queixas e das suas fraquezas, calou-se procurando controlar a autopiedade. Tinha que ser forte e fazer jus a tanta confiança. Afinal, era mesmo um homem. E aquela era a hora de libertar-se da dependência materna. Engoliu em seco e murmurou:

— É isso mesmo, mamãe. Aliás, ninguém me fez nada de mal, nunca. Ao contrário, todos têm tentado proteger-me e ajudar; o único errado sou eu. O fraco sou eu. Eu mesmo. Não sou nenhuma vítima. Mas eu vou tentar mudar, e pode ser que eu consiga. Vou tentar, mas não quero que se preocupem comigo. Eu vou aprender.

Renata olhava admirada, sem saber o que dizer.

— Não tenho dúvida de que vai conseguir. Agora, vamos ao seu quarto, quero que veja alguns arranjos que fiz na decoração. Quer vir, mamãe?

Renata estava sem compreender. A filha parecia-lhe diferente. Nunca a convidara para participar das suas idéias ou da sua intimidade.

— Claro, quero ver também — ajuntou ela, tentando sorrir. Afinal, seu filho estava de volta. Era um dia feliz. Resolveu colaborar.

Ao chegarem ao quarto, a moça convidou-os a entrar com um brilho de alegria nos olhos. Procurara mudar tudo para que o moço não viesse a recordar seus dias passados e recaísse na angústia e na depressão. Substituíra os móveis, as cortinas, os enfeites, os quadros, tudo, com muito bom gosto e requinte, alegria e conforto. O ambiente se transformara em um lugar aconchegante, alegre e descontraído.

— Por isso andava tão misteriosa — comentou Renata, encantada. Aquela delicadeza da filha para com Jorge emocionava-a. Ela, como mãe, não a tivera. O moço sorriu animado:

— Que delícia! O que você fez? Nem parece o mesmo quarto! — Sentou-se na poltrona, continuando: — Esta cadeira fria e dura, em que eu nunca gostei de sentar, olha agora! Macia, gostosa. Por acaso é nova?

— Não — respondeu a moça —, é a mesma. Mudei o estofamento e coloquei algumas almofadas. Foi Inês quem fez.

Eles prosseguiram examinando detalhe por detalhe. Jorge estava feliz. Parecia uma criança ganhando um presente muito especial. Renata estava muda. Sentiu-se comovida, mas não sabia o que fazer ou dizer. Era feliz naquele instante. Vivia momento de paz e de reconforto. Era bom estar ali, para vivê-lo e deixar-se ficar.

Nas horas que se seguiram, eles conversaram animadamente sobre todos os assuntos e acontecimentos importantes decorridos durante o afastamento de Jorge, e Renata, surpreendida, admirou-se de como as horas passaram rápidas e agradáveis. Jorge estava de volta, e isso era o mais importante.

Capítulo 17

Na sala da casa de Aurora, o Dr. Sigifredo andava de um lado para outro, sem conseguir controlar seu nervosismo. Estivera fora do Brasil em congresso médico, e ao regressar fora surpreendido com a notícia do noivado de Maria Luísa. Apesar de ela ter sido educada longe de casa, o velho médico a amava muito, preocupando-se com seu futuro. O que fizera correr à casa da filha logo às primeiras horas da manhã fora o nome do noivo. O filho de Carolina! Como pudera acontecer? Aquele casamento não poderia realizar-se. Por certo, Aurora fora coagida por alguém ou por algo que ele desconhecia para ter concordado com aquele compromisso. Temia por ela, que a duras penas conseguira recuperar-se da tragédia. Como aceitar Geraldo como genro? Como conviver com o filho daquela amiga espúria e falsa? Como?

Impaciente, esperava pela filha. Estivera fora durante um mês. Aurora por certo deveria estar doente. Quando ela desceu, abraçou-a comovido.

— Filha, como vai?

— Muito bem. Quando chegou? Só o esperávamos amanhã... Iríamos buscá-lo.

— Houve uma antecipação, mas isso não importa; o que me traz aqui é outro assunto.

— O que aconteceu? Parece nervoso. Por acaso está doente?

— Não. Tudo está bem comigo. Isto é: estava, até receber a notícia do noivado de Maria Luísa. Por certo não é verdade. Você me parece muito bem.

— Sim, papai. Estou muito melhor. Sente-se aqui, a meu lado, precisamos conversar.

— Mas recebi uma notícia espantosa. Por certo não é verdadeira.

— Se se refere ao noivado de Maria Luísa, é verdade. Ela vai casar-se com Geraldo Tavares de Lima.

Dr. Sigifredo deu um salto, assustado:

— Não entendo! O filho de Carolina!

— É, papai. O filho de Carolina. Sente-se e acalme-se. Garanto que agora sim as coisas começam a esclarecer-se. Sempre fugi ao passado; mas na consciência, a culpa de haver destruído uma vida inocente, nosso lar, Álvaro, a quem sempre amei, continuava a martirizar-me os dias, sem que eu pudesse sequer deixar transparecer. Quando Geraldo veio nos visitar, a convite de Maria Luísa, que travara relações com ele, enlouqueci de medo, mas ele, discreto e delicado, soube posicionar-se, e embora conhecendo um lado da tragédia, jamais a mencionou. Maria Luísa continua ignorando tudo. Mas, papai, preciso contar-lhe como tudo se passou.

Aurora com voz serena, onde por vezes a comoção transparecia, relatou-lhe tudo. Seu relacionamento com Lucila, seu apoio, sua participação nas sessões espíritas, a manifestação do espírito de Carolina, terminando comovida:

— Agora sei que fomos vítimas. Que não sou só eu a responsável pelo drama de nossas vidas. O Dr. Olavo, papai, foi o instigador da nossa desgraça. Mas a culpa mesmo é do ciúme, esse monstro que arrasou minhas possibilidades de ser feliz e destruiu tantas vidas.

O Dr. Sigifredo estava estupefato. Sua filha parecia delirar. Ele não acreditava em espíritos nem que eles pudessem comunicar-se com os vivos. Mas um ponto era certo. Não confiava no advogado. O Dr. Olavo era refinado patife, e o pensamento de que ele manejara Aurora utilizando seus ciúmes doentios já lhe passara várias vezes pela cabeça. O velho médico conhecia bem a maldade dos homens, com os quais privara intimamente em mais de quarenta anos de profissão. Tudo aquilo bem podia ser verdade. Custara-lhe muito aceitar a culpa de Carolina, mulher que respeitava, e de Álvaro, a quem estimava e conhecia muito de perto como homem e como médico. Até que essa versão era bem mais lógica, e muitas indagações se completavam. Mas aceitar a intervenção de espíritos! Isso ele não conseguia. Fixou a filha e esta lhe pareceu bem, apesar da emoção. Algo nela agora estava diferente. Parecia-lhe que se humanizara. Por isso, absteve-se de comentar. Afinal, pensou ele, estava habituado a ouvir pacientes contarem essas histórias. A sugestão dava bons resultados. Não podia negar que a filha aparentava grandes melhoras. Aurora confidenciou:

— Papai, apesar da minha culpa e do meu arrependimento, sinto-me aliviada. Álvaro me amou sempre, nunca me traiu. Carolina é amiga bondosa e sincera e jamais deixou de ser, mesmo quando eu, em minha cegueira, a caluniei.

— Não seria melhor agora esquecer? Esse casamento não irá remexer sua ferida?

— Não, papai. Geraldo sofreu muito por minha culpa. Fui a responsável por sua separação da mãe e seu isolamento no mato como um selvagem. Não posso desfazer o mal do passado. Todos morreram, mas Geraldo está vivo, sofrendo o peso da solidão. Quero devolver um pouco do amor de sua mãe, que roubei. Não vê que esse casamento é obra de Deus? Não vê que assim poderei reparar um pouco o mal que causei?

Dr. Sigifredo comoveu-se. Afinal, o moço fora vítima. E se Aurora se sentia feliz em recebê-lo como a um filho, ele não iria interferir. Aurora ajuntou:

— Espero que você o aceite com o coração aberto. Trata-se de um moço bom, fino, apesar de tudo, e que faz Maria Luísa uma moça alegre e feliz.

O velho concordou, admirado:

— Se é assim... Não vou dizer nada. Não me agradava ver a tristeza dissimulada da Maria Luísa. Só de esquecer aquele peralvilho já é um milagre. Desejo que ela seja muito feliz.

— Gostaria que viesse uma noite dessas jantar conosco para conhecê-lo.

— É... Acho que não tenho outro remédio. Virei. E Afonso, o que diz?

— Está muito contente. Aprecia Geraldo de verdade.

— Hum... — resmungou o velho. — Sim. Vamos ver.

Quando o Dr. Sigifredo saiu, ia tranqüilo. Realmente sua filha parecia-lhe mudada, e isso era-lhe tão grato ao coração que, embora não concordasse com muitas coisas que ela dissera, não as iria desmentir. Queria vê-la feliz. Ela sofrera tanto! Merecia um pouco de paz. A verdade, só Deus poderia saber. Quanto ao Dr. Olavo, este sim merecia corretivo. Se tudo aquilo fosse verdade, ele era o grande culpado. E continuava impune. Fosse mais moço, por certo iria à forra. Mas detinha-o o receio de perturbar a tranqüilidade de Aurora, tão duramente conquistada. Se a justiça de Deus fosse efetiva, por certo o haveria de punir.

Suspirando fundo, dirigiu-se ao consultório procurando esquecer o assunto.

Enquanto aguardava o almoço, Geraldo, sentado na varanda, olhava para o jardim, que estava viçoso. O moço estava distante. Seu casamento, a realizar-se dali a um mês, parecia-lhe irreal e estranho.

Por vezes sentia saudades da vida no mato. No entanto, afeiçoara-se à leitura e avidamente maravilhara-se com livros dos mais variados assuntos, que lhe descerravam o véu de um mundo do qual ele nada sabia, com suas lutas, costumes, culturas, disparidades e originalidade.

As aulas diárias com professores de geografia, história, português, história natural haviam-lhe aberto um horizonte imenso de novas perspectivas que ele desejava transpor. O saber fascinava-o. Sua curiosidade não tinha fim. Esse era um dos motivos que o prendiam na cidade; o outro era Jorge, a quem determinara ajudar. Além de condoer-se de suas fraquezas, havia o desejo de Carolina, interessada na recuperação de Jorge. Ela pedira-lhe para cuidar dele. Como recusar? A prima, a quem devia o privilégio de ter aprendido a ler, também precisava do seu apoio. Como deixá-los? Depois, havia Maria Luísa. Quando pensava nela, seu coração batia descompassado. Apesar de noivos, ele encarava o compromisso como um trato de amizade. Arrependido de sua atitude para com ela, adotara a postura de amigo, gentil e solícito, mas policiando e disciplinando seus impulsos íntimos. Apesar disso, momentos havia em que reconhecia difícil essa posição. Mesmo contra sua vontade, a lembrança dos momentos de intimidade de que haviam desfrutado não lhe saía do pensamento. Mas ele não era capaz de amar. Jamais o faria. Não iria fazer de Maria Luísa, a quem sinceramente respeitava e admirava, instrumento para satisfação dos seus sentidos. Depois, ela amava outro homem e jamais lhe ocultara. Se consentisse em suas carícias, seria obrigada pelas circunstâncias, e Geraldo era muito orgulhoso para aceitar isso. Talvez até o beijasse pensando no outro. Esse pensamento era um balde de água fria em seus sentimentos.

A moça, por sua vez, recebeu bem a atitude dele. Estava cheia de dúvidas quanto ao casamento. Receava que Geraldo exigisse dela como mulher mais do que lhe podia oferecer. Tinha consciência de amar outro homem. O que sentia por Geraldo era algo diferente, uma ternura, um calor, que por certo representava grande amizade e que poderia ser destruído se houvesse predominância de uma ligação mais íntima. Entretanto, Geraldo não mais voltara a mencionar o que lhes acontecera, tratando-a com respeito. Ela sentia-se tranqüila e feliz. Tratava dos preparativos com alegria e entusiasmo, principalmente por perceber que sua mãe não mais tivera suas crises e se aproximara mais dela, interessando-se por seus problemas e dando-lhe a conhecer outros aspectos de sua personalidade, mais humanos e belos.

Geraldo continuava a cismar, e foi interrompido por Humberto.

— Sinto quebrar o fio dos seus pensamentos. Preciso falar-lhe.

Trazido à sua realidade, o moço perguntou:

— O que é?

— Há dias que preciso falar com você. Já fez muito por mim. A investigação acabou. Não há razão para você continuar a pagar-me. Estou abusando da sua hospitalidade. Depois, você vai se casar. Sua mulher precisa assumir a direção da casa e eu preciso ir embora.

— Do que está falando? Pensei que fôssemos amigos!

— E somos. Nunca esquecerei o que tem feito por mim. Porém, sinto-me inútil e estou abusando da sua bondade. Vou procurar um emprego e me mudar.

— E eu?

— Você não precisa mais dos meus serviços.

— Preciso. Não quero que me deixe só. Você é como um irmão.

— Não posso morar aqui depois que se casar! Não fica bem. Vai tirar a liberdade de sua mulher.

— Olha aqui. Preciso de você. Antônio é muito bom, mas não tem seus conhecimentos. Depois, ficou combinado que você vai estudar para advogado e cuidar dos meus negócios. Tem casas de aluguel, tem prédio, tem ações, terras, não sei mais o quê, e eu não entendo nada disso. Quero que cuide de tudo desde agora. Vou pagar-lhe por isso. E por mais que lhe pague será pouco, porque o dinheiro num paga a confiança que lhe tenho.

Humberto ficou emocionado.

— Está certo. Se é assim, aceito. Estou ao par de muitos dos seus negócios, mas de hoje em diante vou dedicar-me inteiramente. Quero trabalhar, construir minha vida, ser digno de Maria da Glória.

— Taí um casamento no qual eu faço gosto. Assim, você fica sendo meu primo de verdade.

— Mas preciso mudar-me. Não fica bem morar aqui depois que você se casar.

— Nós vamos viajar uns tempos. A casa vai ficar muito só.

— Vou alugar um apartamento para morar e montar um escritório onde trataremos de todos os seus negócios. Inclusive da sua fazenda em Ribeirão Preto. Afinal, você gosta do mato e nunca foi vê-la.

— Tenho outros negócios para resolver antes. Só vou lá quando voltar da viagem. Quero estudar. Perdi muito tempo sem saber ler. Preciso recuperar. E você, quando pensa em casar?

— Se pudesse, casava amanhã. Mas não posso. Preciso ter dinheiro para montar casa, dar conforto a Maria da Glória. Tenho algumas economias, você tem sido muito generoso. Mas preciso de mais. Tem o pai dela. A briga nem começou.

Geraldo passou a mão pelos cabelos revoltos.

— Aquele patife. Não merece atenção.

— É o pai dela. Não podemos esquecer isso. Depois, não gostaria de começar nossa vida com desentendimentos. Embora não queira relacionar-me muito com ele, pretendo viver em paz. Maria da Glória sofre por eles e os quer bem.

— Isso é verdade. Ela é moça boa. Apesar do que meu pai fez, sinto que ainda gosto dele e desejo seu bem. Sei entender isso.

— Ainda bem. Sua compreensão vai nos ajudar muito. Maria da Glória acha que não devo procurá-lo por agora. Primeiro, resolver nossos problemas, e quando for para marcar a data, então sim. Irei enfrentar a família.

— Não o invejo. Reconheço que preciso fazer alguma coisa. Vou falar com ele. Se Maria da Glória acha que ele deve concordar com o casamento, dou jeito nisso. Sei ser grato a quem me fez bem. Quero a prima feliz.

— Você é nosso grande amigo. É como se fosse da minha família. Eu, que não tenho parentes, que estava tão só, agora tenho amigos maravilhosos, uma mulher que ilumina minha vida e você, que é mais do que irmão.

— Isso de ser só, eu entendo. Mas o que eu quero, eu consigo. A prima precisa falar para a mãe que você é meu procurador, que cuida de todo meu dinheiro, e garanto que ela não vai se opor. Vai ver.

— Pode ser. Acho que eles tinham maiores ambições para a filha.

— Deixe comigo. Garanto que se eu tiver uma conversinha com ele, vai consentir. Não precisa preocupar-se com isso. O importante é preparar tudo para o casamento.

Os dois continuaram conversando, fazendo planos para o futuro.

Capítulo 18

Apesar de Geraldo ser homem simples e não gostar de aparatos, seu casamento com Maria Luísa realizou-se dentro dos requintes sociais que o mais exigente observador aprovaria. Geraldo, muito elegante, sério e compenetrado, recebeu no altar da Igreja do Coração de Jesus, das mãos do Dr. Afonso Camargo, uma noiva lindíssima, vestida no apuro da moda e um pouco nervosa. Ele também estava sério. Nas horas que antecederam a cerimônia, Geraldo sentira medo de realizar aquele casamento. Afinal, ele não pensara nunca em casar-se. E agora, ali estava ele, assinando um compromisso com Maria Luísa para o resto da vida. Sentia um frio no estômago e um pouco de medo. Por outro lado, pensava: "Somos amigos. Não temos o amor e a paixão para nos atormentar a vida. Viveremos em paz". Apreciava muito a moça e chegava a sentir por ela ternura especial. Para ele, isso era garantia de uma união tranqüila e sem preocupações.

A moça, porém, emocionada com a cerimônia, sentia um nó na garganta, sem que pudesse vencer a onda de dúvidas que a assaltava. Estaria agindo certo desposando um homem bom e generoso sem amor? Estaria cometendo um erro casando-se com Geraldo trazendo dentro de seu coração um amor impossível por outro homem? Estava trêmula, e não fosse o medo do escândalo, talvez não conseguisse consumar o ato. Sentia ímpetos de fugir, sair correndo, libertar-se daquele instante em que empenhava sua vida para sempre. Olhou para Geraldo. Seu rosto sério, forte, sereno, apesar da emoção que lhe modificava a cor dos olhos, e a moça sentiu-se mais segura. Geraldo era um homem admirável. Amigo generoso, sincero; por certo, juntos seriam bons companheiros, afastando a solidão de suas vidas.

Viveram aquele dia entre emoções contraditórias, e após a recepção, entre risos e brincadeiras dos amigos, o jovem casal embarcou para o Rio de Janeiro. Haviam combinado viajar por algum tempo. Maria Luísa mostraria ao marido a capital e depois embarcariam em um navio rumo à Europa.

Humberto ficara com ampla procuração de Geraldo para cuidar de seus negócios e o casal não tinha data para o regresso. Juntos na cabine de luxo do trem, os dois estavam sem jeito. A situação era embaraçosa. A moça não sabia que atitude tomar. Estavam casados. Ela agora não se poderia negar se ele se aproximasse como marido e cobrasse seus direitos.

O moço, no entanto, estava sob o impacto da emoção daquele dia. Sentia ainda dentro de si o arrependimento de ter derrubado a barreira e ter extravasado seus impulsos, envolvendo a moça que respeitava e considerava muito. Sentia-se culpado e prometera a si mesmo não repetir aquele ato. Acontecera quase sem perceber. A solidão, a falta de amor, a beleza dela, seu perfume, tudo havia contribuído. Agora, ele estava consciente. Não a obrigaria a ceder, não se imporia a ela como marido, exigindo seus direitos. Geraldo era muito orgulhoso. Sua mulher amava outro homem e ele o sabia. Não iria aceitá-lo em sua intimidade, que por certo lhe seria um fardo, e ele não queria isso.

Foi com naturalidade que lhe disse:

— Se você estiver com sono, pode se acomodar. Sei que não conseguiria dormir.

Ela o olhou curiosa. Várias vezes se perguntara como seria sua vida íntima com Geraldo. Sentia emoção ao pensar nisso, recordando aqueles momentos que haviam estado juntos. Apesar disso, estava um pouco na defensiva. Queria e não queria, temia, mas esperava, ao mesmo tempo; achava que, sem amor, um relacionamento íntimo com ele não seria direito.

— Nem eu — respondeu ela. — Também me emocionei. Afinal, tudo vai mudar em nossas vidas daqui para a frente. Parece mentira que somos marido e mulher...

— É. A mim também. Mas não quero que se esqueça de que acima de tudo somos amigos. Temos que passar a noite nesta cabine?

— Claro que não. Podemos ir ao carro-restaurante e conversar.

Uma vez instalados na mesa do vagão-restaurante, pediram um guaraná e Geraldo, sorrindo, tornou:

— Sabe que é a primeira vez que ando de trem?

— Que tal?

— Agradável. Pena que lá fora esteja tão escuro e não se possa enxergar a paisagem. Lembro-me vagamente de quando viajei com meu pai para o mato. Acho que foi num trem, mas isso não conta. Faz muito tempo e eu era muito pequeno.

Maria Luísa estava mais calma. Geraldo sabia ser agradável e não demonstrava desejo de transpor a sua intimidade. Ele olhava a moça tão bonita. Ela era sua mulher. Uma onda de carinho o invadiu; segurou a mão dela olhando-a nos olhos.

— Maria Luísa. Não tenha medo de mim. Garanto que serei um bom amigo, a vida inteira. Se estiver com sono, pode ir se deitar tranqüila. Não pretendo perturbá-la.

A moça perdeu o jeito. Geraldo era assim, franco e objetivo. Ela, que estava tensa e um pouco na defensiva, sentiu que a pressão cedia. No fundo havia um pouco de desapontamento, de que ela nem se deu conta. Respondeu séria:

— Geraldo, quando nos casamos pensamos muito em nossa amizade. Entretanto, você agora parece que quer abdicar de seus direitos de marido, terei entendido bem?

— Sabe, Maria Luísa, o que nos aconteceu naquele dia foi um impulso muito forte, eu diria incontrolável. Mas nós sabemos que não existe amor entre nós. Nós nos queremos bem, nos estimamos, mas eu nunca conheci o amor e acho que nunca conhecerei. Você já sofreu muito pelo seu amor infeliz. Quando lhe pedi que se casasse comigo, esperava companhia, amizade. É muito triste a solidão. Mas não tenho o direito de exigir de você que seja minha mulher. Não posso impor meus desejos de homem a você, que agora está aqui sob minha guarda, vamos dizer, presa a um compromisso, indefesa por obrigação.

A moça estava admirada.

— Geraldo, quando aceitei o seu pedido de casamento, eu pensei muito justamente por isso. Não é justo para você viver a vida inteira lutando com seus impulsos. A não ser que pretenda manter esse relacionamento fora do lar.

Ela estava corada e agitada.

— Você sabe que eu não sou homem dessas coisas. Não faria isso.

— Eu encarei o nosso casamento com naturalidade e sei dos meus deveres de esposa. Com o tempo, e com nossa convivência, acho que tudo ficará bem.

Geraldo largou a mão da moça e em seus olhos havia um brilho obstinado.

— Não, Maria Luísa. Não desejo impor minha intimidade. Você é moça correta. Quer seguir as regras do jogo. Não precisa. Sabe que vou direto ao assunto. Não falei antes porque não tive chance. Mas agora temos que esclareceu tudo. Não pretendo mesmo exigir esse sacrifício.

Ela olhou-o nos olhos e perguntou quase sem perceber:

— Essa resolução é para sempre?

— Sim. Verá que o que nos aconteceu aquela tarde não se repetirá.

— Mesmo que um dia eu venha a amá-lo?

Ele respondeu sem desviar o olhar:

— Isso é impossível. Seu coração já não é mais seu há muito tempo.

— Não gostaria de falar nisso agora.

— Mas é verdade. Por mais que queira ser generosa comigo, sabemos que ama outro homem. — Vendo-a triste, continuou: — Isso não importa. Juntos havemos de esquecer as mágoas. Seremos leais companheiros, sem o amor que pode nos transtornar a vida. Verá que viveremos muito melhor.

— É... pode ser. Afinal, é mesmo verdade, não passamos de bons amigos.

Embora estivessem cansados, a tensão não lhes permitia conciliar o sono. E quando Maria Luísa resolveu recolher-se, já era muito tarde, mas Geraldo permaneceu sentado no mesmo local, pensando, pensando.

A moça, esticada no leito que balançava cadenciado enquanto o trem vencia a distância, sentia-se mais calma. Não sabia o que pensar. Durante o noivado, várias vezes se perguntara qual a atitude que o moço tomaria no dia do casamento. Temia que ele se transformasse em um marido exigente, que ela deveria suportar na intimidade de sua cama. Mas a atitude dele, digna e correta, acalmara-lhe os receios; porém, sentia certa insatisfação, certa decepção que não conseguia afastar. Por quê? Seria ela tão venal a ponto de unir-se a um homem sem amor? Ele estava certo. Era um alívio poder ver preservada sua intimidade. Não pôde evitar pensar naqueles momentos que haviam vivido juntos. Por certo ele não a apreciara, e isto lhe dava certo mal-estar. Nenhum homem recusa uma mulher quando a aprecia. Por certo, Geraldo queria sua amizade mas não seu amor.

Maria Luísa sentiu-se rejeitada pela terceira vez. A mãe a relegara ao colégio distante, o homem que ela amava se casara com outra e Geraldo, em quem confiava e apreciava, não a queria como mulher. Sentiu-se solitária e triste e não conseguiu deter as lágrimas. Estava muito infeliz.

Geraldo continuou sentado, olhos perdidos lá fora, na escuridão da noite, imerso em profundos pensamentos. Apesar de ter-se casado, nunca se sentiu tão só. A saudade de Carolina brotou em seu peito, e mais do que nunca o desejo de descansar a cabeça em seu colo amigo o invadiu. O que esperava da vida? Não tinha ideais, amor, ilusões. Não teria sido melhor regressar ao mato, onde viveria vida tranqüila até que a morte pudesse buscá-lo? A morte! Por certo o levaria ao encontro de Carolina. Só então poderia ser feliz. O moço sentiu enorme vazio em seu coração. Arrependeu-se de ter se casado, de ter saído do mato, onde a ignorância o tornava menos infeliz. Porém, estava ali. Casado com uma boa moça a quem envolvera impensadamente. Ela esperava apoio e amizade. Não era homem de voltar atrás. Faria o possível para torná-la feliz. Quanto a ele, não esperava nada. Não tinha ilusões quanto ao dinheiro, posição, vida social. A única coisa que sentia era curiosidade. Uma enorme curiosidade pelo mundo que desconhecia ainda, mas que desvendava cuidadoso, como um observador alerta e sagaz.

Era dia claro quando se recolheu, e estavam quase chegando no Rio de Janeiro. Maria Luísa encobriu suas dúvidas e incertezas e resolveu não se preocupar mais com o futuro. Estavam iniciando uma viagem que ela queria tornar feliz e agradável. O resto não tinha importância. Notou o ar um pouco abatido de Geraldo e comentou:

— Você passou a noite sem descansar. Estamos chegando. Vamos direto ao hotel. Precisa dormir.

— Estou bem — tornou Geraldo, admirado.

— Não parece. Agora vou tomar conta de você. Precisa descansar.

Ele sorriu.

— Sempre resolvi meus problemas sozinho.

— Isso agora acabou — respondeu ela com ar alegre. — Sou sua mulher e devo cuidar do seu bem-estar. Isso eu vou fazer, você verá.

— Que quer dizer?

— Que vou cuidar de suas roupas, de sua comida, do seu conforto e até dos seus pensamentos. — Maria Luísa dizia isso em tom de brincadeira, mas havia um brilho terno em seus olhos que comoveu o moço. Tomou a mão dela e apertou com força.

— Acha que precisa?

— Acho. Nunca mais estará sozinho. Serei sua sombra por toda parte. Quero torná-lo feliz, como puder.

O moço sorriu e seu semblante desanuviou-se. A sensação de desconforto desapareceu.

— Temos muitos passeios a fazer. O Rio é a Cidade Maravilhosa. Verá.

Geraldo animou-se. Realmente, desejava que aquela viagem fosse alegre e estabelecesse as bases da sua vida ao lado da jovem esposa. Esperava que fosse em amizade e harmonia. Varreu seu desânimo e procurou alegremente colaborar.

Geraldo amou o Rio à primeira vista. Apreciador inato das belezas naturais, extasiou-se com os passeios que Maria Luísa organizou, e durante quinze dias percorreram a cidade com alegria. Embora tenham participado da vida noturna, Geraldo preferia o amanhecer e os lugares bucólicos. A moça aprendia a cada dia a conhecer o íntimo do homem com quem se casara, apreciando-lhe o caráter reto e objetivo.

Dona de muita sensibilidade, a moça, por sua vez, casava-se ao momento e à paisagem, com naturalidade, e muitas vezes haviam permanecido horas em silêncio contemplativo frente à majestade da paisagem. Sentiam-se bem, leves, sem constrangimentos.

Havia momentos em que Geraldo ansiava por saber e a moça contava a história da descoberta do Brasil, e com mestria discorria sobre o Império e os grandes vultos brasileiros. Ele ouvia enlevado, bebendo aqueles ensinamentos que, apesar de ter ouvido um pouco dos professores, ao calor da narrativa clara e objetiva de Maria Luísa ganhavam sabor especial. Era comum nesses momentos esquecerem-se das horas, perderem-se no tempo para voltarem à realidade quando a fome ou o sono os convidasse a parar. Geraldo admirava na jovem esposa o raciocínio claro e a habilidade descritiva. Enquanto ela discorria sobre um acontecimento ou uma personalidade importante, ele parecia ver o que ela contava, tal era sua força de expressão. Na companhia dela, o moço conseguiu esquecer suas angústias e sua solidão.

Ela, por sua vez, animada pela viva inteligência de Geraldo, por suas indagações e por seus conceitos inesperados e lúcidos, deixava-se levar pelo prazer daqueles momentos de entrosamento e paz.

Geraldo não quis viajar pelo exterior. Preferiu conhecer outros lugares dentro de seu próprio país. Maria Luísa organizou um roteiro, passando pelas principais cidades, subindo em direção ao Norte, e continuaram viajando. O encantamento e a curiosidade de Geraldo não tinham fim. Gostava de parar em pequenas cidades, conversar com a gente simples, andar a pé pelos lugares onde a beleza o empolgava. Para Maria Luísa, a experiência era nova. Se por um lado ela discorria sobre costumes e fatos históricos, Geraldo a ensinava a sentir o cheiro da terra, conhecer as plantas, as aves, a natureza. Dava gosto ver seu rosto moreno, um tanto corado pela excitação, explicando como se processam os ciclos de determinadas plantas, a harmonia e a perfeição da natureza. Comovia-se com um pôr-do-sol ou com o orvalho da manhã.

Maria Luísa deliciava-se com a vida descontraída que Geraldo gostava de levar. Desde cedo habituada à disciplina, primeiro pela rígida educação materna, depois pela reclusão no colégio interno, sentia-se feliz sem horários nem etiquetas. Seus cabelos, sempre caprichosamente penteados ao sabor da moda, agora lhe emolduravam o rosto moreno muito à vontade, com seus anéis ondulados que a moça, de hábito, a todo custo mantinha lisos e com fixador.

Como viajassem de trem, jardineira, e às vezes até de carroça, a poeira obrigava-a a lavá-los com freqüência, e ela os escovava prendendo-os com fivela lateral. Seu rosto, lavado, tornara-se saudável, realçando o brilho de seus olhos, que mudavam a tonalidade de acordo com a luz ou a emoção. Geraldo, nesses momentos, não podia deixar de admirá-la e várias vezes lhe acariciara o rosto com ternura. Sentia desejos de abraçá-la, esquecendo seus propósitos de não-intimidade. Maria Luísa sentiu uma onda de emoção invadir-lhe o coração e começou a desejar que o moço esquecesse seus receios e a beijasse. Contudo, ele sempre se dominava. Seu rosto mudava, parecendo nesses momentos tornar-se outra pessoa. Distante, indiferente, quase estranho. E Maria Luísa se recolhia, decepcionada e triste.

Mas foi em Salvador, olhando o rosto alegre do marido, saboreando os quitutes de uma baiana, que a moça sentiu que o amava. Amava-o intensamente, como ainda não havia amado antes. Jamais experimentara esse sentimento profundo, pleno, misto de carinho, indulgência, admiração. A revelação a enchia de esperança. Se ele pudesse amá-la!

Momentos havia em que lhe parecia ver o afeto em seus olhos. Porém, ele não queria. Com certeza temia o sofrimento. Era com obstinação que Geraldo lutava contra o desejo de amar.

E enquanto de braço dado percorriam as ruas da cidade, a moça firmava o propósito de conquistar o marido. Por isso, naquela noite arrumou-se com esmero. Estava uma noite agradável e, apesar de um tanto quente, havia uma aragem deliciosa. Foram jantar em um restaurante e depois saíram a andar a pé pelas ruas, procurando a praia. A moça sentia um desejo imenso de abraçar o marido, mas continha-se. Pararam.

— Olha ali, um jardim; vamos nos sentar — pediu ela.

Ele concordou. A noite era linda e o seu perfume lhe causava agradável vertigem. Sentaram em um banco.

— Geraldo — tornou ela com voz suave —, você é feliz?

Admirado, ele respondeu:

— Claro. Nossa viagem tem sido maravilhosa.

A moça enfiou o braço no dele, encostando seu rosto em seu ombro. Geraldo sentiu uma onda de calor envolver-lhe o coração.

— Quero agradecer — tornou ela —, você me tem feito muito feliz. Esta noite, aqui, com você, é o único lugar do mundo em que eu desejaria estar.

Ele a olhou desconcertado, sentindo o coração bater forte. Maria Luísa enlaçou-lhe o pescoço e, puxando-o para si, beijou-o no rosto; depois, seus lábios se encontraram e esqueceram-se do mundo, entregando-se à emoção. Sentindo-se correspondida, Maria Luísa, ainda abraçada ao marido, murmurou-lhe ao ouvido:

— Geraldo, descobri que o amo! Não fuja de mim. Diga-me que me quer!

O moço não pôde resistir à avalancha de sentimentos que irrompeu dentro dele como uma tempestade. Apertou-a de encontro ao peito, embargado pela emoção. Não sabia se aquela angústia, aquele desejo, aquele calor, aquela força que brotava dentro dele era amor. Sabia que nunca se sentira assim antes. Não tinha mais forças para resistir. Apertou-a ainda mais.

— Você é a pessoa a quem eu mais quero no mundo — murmurou.

— Vamos ser felizes para sempre. Você verá.

Geraldo, naquele momento, não queria pensar no futuro. Sabia que o mundo se resumia àqueles belos olhos que a emoção iluminava, àqueles lábios vermelhos que se lhe ofereciam e àquele corpo morno que enlaçava.

Foi naquela noite que começou para eles a verdadeira lua-de-mel.

Capítulo 19

O Dr. José Marcondes entrou em casa visivelmente nervoso e irritado. Seu rosto congestionado deixava transparecer inquietação e desgosto. Renata, que se preparava para sair, surpreendeu-se:

— Já em casa? O que houve, você nunca vem pela tarde.

José atirou com raiva o jornal que trazia sobre a mesinha da sala e desabafou:

— Estamos arruinados. Um verdadeiro beco sem saída. Como se não bastasse o casamento daquele caipira que Maria da Glória não soube conquistar ainda por cima a baixa das últimas ações que nos restavam deixa-nos praticamente na miséria.

Renata, irritada, retrucou:

— O que foi agora? Jorginho não tem jogado, que eu saiba. Se você falou em ações, por certo não resistiu à tentação e foi especular na Bolsa.

— Era certo. Todos os meus amigos estavam seguros. Não tive dúvida: ajuntei tudo quanto nos restava e joguei. Soube agora que houve baixa violenta, perdemos tudo.

— Você nunca soube aplicar. Por isso, o que é meu, é meu, eu mesma cuido.

Ele suspirou, desalentado.

— Você não compreende. Se eu tivesse conseguido, hoje estaríamos em muito boa situação. Foi preciso arriscar. Perdi.

Renata olhou-o com severidade.

— Pelo que sei, você não tinha mais dinheiro. Como pôde jogar na Bolsa?

— É melhor dizer. Estava tão certo de ganhar que pedi emprestado.

— José! E agora, como pensa pagar?

Ele passou as mãos trêmulas sobre os cabelos.

— Não sei. Aquele maldito agiota ainda me cobra juros escorchantes. Estou arruinado!

Renata deixou-se cair em uma cadeira, desalentada.

— Renata — continuou ele com voz embargada. — O que fazer? Se meu nome for manchado, prefiro morrer!

— Não seja dramático. Se não fosse tão sem juízo, não estaria agora nesse impasse.

— É fácil tripudiar sobre os vencidos. Você não me compreende. Se eu tivesse ganho, por certo aprovaria!

— Agora, de nada vale lamentar-se. O que está feito não tem remédio. Há que buscar um meio para sair.

— Enquanto o matuto era solteiro eu podia acenar com a fortuna, porque continuávamos a ser seus únicos herdeiros. Joguei com isso para obter o empréstimo.

— A fortuna de Carolina continua rendendo.

— De Carolina só, não. De meu pai, minha, que aquela usurpadora, com sua astúcia, soube desviar. Isso é que me irrita. Ficar na miséria, vendo o meu dinheiro, de meu pai, mal aproveitado por aquele caipira, que talvez nem seja filho de meu irmão! Não é absurdo?

Renata ficou séria. Apesar de não apreciar Carolina, conhecia bem o caráter do marido. Aquela sonsa não seria capaz disso. Limitou-se a dar de ombros.

— Isso de nada vale. A lei é a lei. Você sabe. O que importa é: como sair do problema?

Ele adoçou a voz e aproximou-se da mulher tomando-lhe a mão.

— Renata, temos tido nossas divergências, mas você tem sido boa companheira. Não vai deixar que a vergonha cubra nossa família. Se eu não pagar, posso ir para a cadeia.

— O que quer que eu faça? Esta casa é que eu não vou vender. Felizmente, está tudo em meu nome.

— Não penso em vender a casa nem nenhuma propriedade sua, mas que diabo, você tem jóias que dariam para pagar tudo. Deixe-me vendê-las, e quando as coisas melhorarem, comprarei outras mais lindas.

Renata levantou-se como se houvesse levado uma bofetada, rosto indignado e vermelho:

— Nem pense! Elas são a minha segurança. Se não as tivesse guardado, talvez agora morresse até de fome. Não! Nunca.

— Não tem sentido isso. É só por algum tempo. Depois, prometo que trabalharei e comprarei tudo de novo.

— Não acredito. Você nunca teve capacidade para ganhar dinheiro. Eu disse para não jogar. Agora, é problema seu. Não vou tirar uma jóia da Caixa.

Ele empalideceu.

— Elas não estão mais em casa?

— Não — tornou ela, triunfante. — Depositei-as na Caixa Econômica para segurança. Só eu posso retirá-las.

José enfureceu-se. Seus olhos chispavam de ódio.

— Devia matá-la por isso. A mulher tem o dever de obedecer ao marido. Você vai buscar essas jóias de qualquer jeito, ouviu?

Segurou o braço dela com força, sacudindo-a, fora de si. Apesar de assustada, Renata encontrou forças para dizer:

— Não vou. Se me agredir, vou à polícia. Não tenho medo de escândalo. Assim, todos ficarão sabendo com quem me casei. E se me matar, jamais conseguirá retirar aquelas jóias. Largue do meu braço, você está me machucando.

José largou a mulher e, pálido, deixou-se cair em uma cadeira, arrasado.

— Nunca pensei sofrer tal desilusão. Depois de tantos anos de dedicação à família. Que ingratidão! Os filhos não querem cooperar, e você se nega a salvar-me. E eu, que fiz tudo isso pensando no bem-estar de todos! Sonhava chegar aqui e trazer tudo para vocês!

Renata não se comoveu.

— Nunca vi a cor do seu dinheiro. Acho que não seria agora. Jorginho está se recuperando, não tem dado problemas.

— Mas já deu muitos. Gastei boa parte do meu dinheiro pagando suas dívidas. Agora, meteu-se com aquela gente que nos detesta, passou para o lado do caipira e nem sequer freqüenta mais a boa sociedade.

Renata agastou-se:

— Não se meta com ele. Estou feliz por ele não mais andar com aqueles almofadinhas viciados e fúteis. Deixe-o em paz.

— Você o defende?

— Sempre. Você arranjou problemas, e agora procure resolvê-los. Não nos envolva. Deixe-nos em paz.

Renata estava séria. Cansara-se das fraquezas do marido e da sua mania de torcer as coisas como lhe convinha. Jorge recuperava-se com dificuldade. E o pai nada fizera para ajudá-lo. Enquanto ela e Maria da Glória uniam esforços para torná-lo feliz e ajudá-lo a encontrar a alegria de viver, ele só conseguia ver suas próprias necessidades.

De nada valeram os argumentos do Dr. José, que passou das súplicas às ameaças, das ameaças às súplicas novamente. Renata não cedeu. Dr. José, furioso, retirou-se para o quarto tentando encontrar uma solução. Tinha que dar um jeito. De repente, seu rosto iluminou-se: "É isso! Como não pensei antes?"

Levantou-se, apanhou o telefone, procurou na lista de endereços e discou:

— Alô, quero falar com D. Aurora. Alô, D. Aurora? Aqui fala o Dr. Marcondes.

Aurora, do outro lado do fio, sentiu um choque.

— Pode falar — respondeu com voz fraca.

— Estou desesperado. Preciso com urgência de duzentos contos de réis. Até depois de amanhã. Quero ver se a senhora pode emprestar-me essa quantia.

— Mas é muito dinheiro. Não disponho de tanto, infelizmente.

— Estou desesperado. Pensei que pudesse valer-me. Afinal, nosso segredo vale mais do que isso.

Aurora sentiu o sangue fugir-lhe das faces. Não pôde responder de imediato. Sempre temera aquele homem, e agora ele se revelava.

— Deve convir que uma importância dessas não é fácil conseguir.

— Não diga isso! O que são duzentos contos para uma mulher como a senhora? Acredite que se não fosse a minha situação tão difícil, jamais a incomodaria. Estou arrasado, arruinado, preciso desse dinheiro. Estou disposto a tudo. Inclusive a contar à sua filha o que ela por certo ignora.

Aurora sentiu-se desfalecer. Quando conseguiu, um fio de voz tornou:

— Por favor! Não faça isso. Pelo amor de Deus!...

Claro que eu não gostaria de chegar a esse ponto. Afinal, o que eu quero mesmo é desafogar minha situação.

— Está bem. Vou ver o que posso fazer. O prazo é pouco. Não pode dar-me um pouco mais de tempo?

— Não, infelizmente. Como disse, estou pressionado. É um caso de vida ou morte. É esse prazo que me deram.

— Está bem. Vou tentar arranjar o dinheiro.

— Amanhã telefono.

— Não. Eu mesma telefonarei.

— Passe muito bem, D. Aurora.

Aurora colocou o telefone no gancho e teve de sentar-se para não cair. O que ela temera durante toda a vida acontecera. Aquele homem ameaçava a felicidade de sua filha. Por sua cabeça passaram idéias desconexas, o medo, a culpa, a raiva, tudo. Tinha que arranjar aquele dinheiro nem que vendesse uma das suas propriedades. Não lhe dera tempo sequer para isso. Restava-lhe praticamente um dia para ter o dinheiro. Uma onda de ódio invadiu-lhe o coração, teve ímpetos de matá-lo. Só assim estaria livre da ameaça para sempre. Sentiu um arrepio.

— Meu Deus, que loucura! Não quero mais vingança, nem ódios. Quero redimir-me dos erros passados. Meu Deus, socorre-me, eu peço! Perdoa-me por estes pensamentos infelizes! Oh! Deus, como pude pensar em matar? Eu, que merecia morrer e fui poupada? Eu, que com minha leviandade e loucura destruí meu lar, meu amor, a vida de Álvaro e causei a separação de Carolina? Eu, que sou culpada de tudo, como julgar?

Aurora deixou-se cair de joelhos, ao lado da cama, e chorou sentidamente. Quando conseguiu dominar-se, pensou:

— Tenho que arranjar esse dinheiro. Recorrerei a papai.

Sabia que seu marido não dispunha de tanto dinheiro com essa urgência, e depois, sentia escrúpulos de envolvê-lo em seus problemas passados. Do desalento que estava passou à inquietação. Precisava agir imediatamente. Telefonou ao pai, que a ouviu surpreendido.

— Papai, preciso de duzentos contos de réis até depois de amanhã cedo.

— O que aconteceu? É muito dinheiro; sabe que não disponho dessa quantia assim de pronto. Para que quer tanto dinheiro? — perguntou admirado.

— Por favor, diga que pode arranjá-lo.

— Filha, sua voz está angustiada. Não vai contar-me o que houve?

— Não posso.

— Fique calma. Vou já para aí. Terminei aqui no consultório. Sabe que pode contar comigo.

— Está bem, papai. Espero-o. Não diga nada a Afonso. Não quero preocupá-lo.

— Certo. Dentro de alguns minutos estarei aí.

Aurora desligou e deixou-se cair na cama, arrasada. Enquanto isso, Dr. Marcondes estava satisfeito. Aurora por certo arranjaria o dinheiro. Por que não pensara nisso antes? Afinal, ela era abastada e estava interessada em ocultar da filha sua vergonha. Nada mais justo que pagasse por isso.

O Dr. Sigifredo, ao chegar à casa da filha, encontrou o genro preocupado.

— Foi bom o senhor ter vindo. Aurora hoje parece que teve uma recaída. Como sabe, ela agora tem passado muito bem e há tempo que não tinha nenhuma crise. Hoje, quando cheguei, estava de cama e muito debilitada. Parece que voltou tudo de novo. E eu, que a acreditei curada...

— Vim vê-la. Ela me ligou. Sabe se aconteceu algo que a aborrecesse?

— Não aconteceu nada. Ela recebeu carta de Maria Luísa, estava feliz com as notícias. O jovem casal está muito bem. Ela não saiu de casa hoje e não recebeu nenhuma visita.

— Vou falar com ela.

O velho médico, semblante preocupado, entrou no quarto da filha. Esta, vendo-o, parecia galvanizada por novas energias. Sentou-se no leito e, inquieta, tornou:

— Pai, preciso muito da sua ajuda. Minha vida depende disso.

— Claro, filha — respondeu ele sentando-se na cama, segurando as mãos frias e nervosas de Aurora.

— Tem uma maneira de conseguir o dinheiro?

— Vamos pensar juntos. Acalme-se. Conte-me primeiro tudo.

Com voz embargada, Aurora relatou ao pai o que lhe aconteceu. O velho estava indignado.

— Isto é caso de polícia! Chantagem! Filha, acha mesmo que devemos dar-lhe esse dinheiro?

— Estou apavorada. Não tenho outra saída.

— Pense bem. Se tivéssemos a certeza de que ele nunca mais faria ameaças, até que seria bom darmos esse dinheiro. Sua tranqüilidade vale mais do que isso. Mas, filha, esse homem é um canalha. Agora que descobriu a mina de ouro, não vai parar aí. Vai exigir sempre mais. E como vai ser? Devemos lutar contra a chantagem para não sermos escravos dela.

— Ele não tem escrúpulos. Contará tudo a Maria Luísa, e o que é pior, à sua moda.

— Filha, Maria Luísa casou-se, é mulher, tem compreensão, é boa filha e a ama muito. Não acha que chegou o momento de chamá-la e contar-lhe toda a verdade?

Aurora começou a chorar convulsivamente, torcendo as mãos em desespero.

— Prefiro morrer. Se tiver que fazer isso, não suportarei. Por favor, ajude-me a arranjar esse dinheiro.

Vendo-a tão transtornada, o velho médico achou prudente acalmá-la. A saúde da filha sempre lhe inspirara cuidados. Ela não podia aborrecer-se sem grave prejuízo para seu coração já um tanto cansado.

— Certo, filha. Claro que farei o que você quer. Vou ver o que posso fazer. Tenho algumas economias; não chegam a tanto, porque sabe que procuro comprar propriedades pensando no seu futuro.

— Faça um empréstimo. Dinheiro não me importa. Maria Luísa é moça rica e agora não precisa mais da herança que eu lhe posso deixar. O que importa é que o dinheiro chegue às mãos do Dr. Marcondes até depois de amanhã.

— Temos pouco tempo.

— Eu sei. Venderei minhas jóias se for preciso.

— Não. Não chegaremos a tanto. Fique tranqüila, arranjarei o dinheiro.

Aurora suspirou aliviada.

— Sou-lhe muito grata. O senhor tem sido meu anjo bom em todos os momentos difíceis de minha vida.

O velho tentou esconder a preocupação e o desgosto sorrindo para acalmá-la, e beijando-lhe a face com carinho, respondeu:

— Você é minha filhinha querida. Sabe que sempre pode contar comigo. Agora, não há mais motivo para preocupação. Deixe este assunto comigo. O que importa é ver você bem. Afonso disse-me que recebeu carta de Maria Luísa.

O semblante pálido de Aurora animou-se. Foi com voz calma que esclareceu:

— Sim. Maria Luísa escreveu-me uma carta alegre. Está muito feliz. Geraldo faz tudo para agradá-la, e os dois estão se divertindo muito.

— Aprecio muito o filho de Carolina. Trata-se de um homem correto e de caráter. Nossa menina está em boas mãos. Eu não gostava daquele namoradinho dela, um almofadinha que não podia ver rabo-de-saia.

Aurora sorriu com satisfação.

— É mesmo. Eu também não gostava dele.

— Geraldo inspira-me confiança. Vai dar certo. Depois, eles se amam, é o que basta.

O médico acalmou a filha, e só se deu por satisfeito quando a viu levantar-se e acompanhá-los à mesa de jantar, tomando algum alimento.

E assim, exultando, Dr. Marcondes recebeu por um portador, dois dias depois, um pacote contendo o dinheiro. Ficou feliz. Já não dependia do dinheiro da mulher.

Aurora, contudo, estava muito abalada. A ameaça do Dr. Marcondes tivera o dom de renovar suas angústias, sua sensação de culpa. Sentia-se deprimida. Agora que a filha já estava casada, não tinha mais nada a fazer no mundo; seria bom poder partir ao encontro de Álvaro. Álvaro! Encontrá-lo seria sua ventura maior. Pedir-lhe perdão, poder vê-lo, tocá-lo. Deus lhes concederia esta graça? Aurora sentia-se cansada e fraca. Não se animava a sair do quarto, imersa nos seus pensamentos íntimos. Não compareceu mais às reuniões em casa de Lucila, que, inteirando-se do seu precário estado de saúde, foi com Inês fazer-lhe uma visita.

Foi com carinho que Aurora as recebeu, mostrando alegria em seu rosto pálido. Com delicadeza, Lucila informou-se sobre sua saúde. Aurora confidenciou com certa euforia:

— É meu coração. Está mal. Não tenho mais nada a fazer neste mundo. Aguardo com ansiedade a hora de partir ao encontro de Álvaro.

Lucila olhou-a com firmeza:

— Acha o suicídio uma boa solução?

Aurora ressentiu-se:

— Suicídio? Não penso nisso.

— É o que me parece. Você se deixou abater pela luta e acha que largar tudo é a solução.

A outra olhou-a com tristeza.

— O que me resta no mundo? Agora que Maria Luísa está amparada, posso seguir em paz.

— Aurora, só pode seguir em paz aquele que não foge dos problemas. Ao contrário, procura entendê-los e dar-lhes solução adequada. Acredita que do outro lado da vida suas mágoas não a acompanhariam? Problemas não resolvidos em nossa vida permanecem conosco aguardando solução. Podemos fugir deles, protelar até ignorar, mas um dia eles virão à tona, para o devido equacionamento. Você alega que não tem estímulo para viver, como se a vida por si só já não representasse precioso tesouro.

— Ah! Lucila, eu sou diferente. Fiz de minha vida um inferno, e destruí todas as possibilidades de ser feliz!

Lucila envolveu-a com olhar carinhoso, porém firme:

— Isso é passado, e o passado não se pode modificar. Por que se fixa nele, atormentando-se inutilmente?

— Não consigo esquecer.

— Esquecer não é fácil, mas parece-me que você, por causa desse passado, esquece de viver o presente e nem sequer observa o erro de hoje, acontecendo agora.

Aurora olhou-a surpreendida.

— Como assim?

— Posso ser franca? Permite-me falar sobre você?

— Claro, Lucila. Você conhece toda minha vida. Considero-a como uma irmã muito querida.

— Você tem pensado só em si mesma. Tem cultivado o passado com tal insistência que se ausentou do presente. Voltada aos seus problemas íntimos no cultivo de enganos passados, não usufruiu dos prazeres de mãe, tornando sua filha quase órfã; encontrou o amor de um homem digno e amigo, e no entanto ele não achou a companheira que o apóie no dia-a-dia, sustentando a harmonia do lar; ao invés de ser o arrimo do velho pai, que a vida inteira foi abnegado amigo, prefere continuar a ser a criança de ontem, a inspirar cuidados e preocupações, constrangendo-o a ocultar-lhe assuntos corriqueiros para não lhe causar desgostos.

Aurora estava assustada. Olhou a amiga um pouco magoada. Lucila prosseguiu:

— Na verdade, você teve motivos para arrepender-se de seus atos passados, mas isso não justifica sua ingratidão para com pessoas que a amam muito e que merecem a sua consideração.

— Você veio aqui para recriminar-me. Não acha que já carrego culpa demais?

— Acho. Não desejo recriminar, mas me parece que você, cultuando um mal sem remédio, agrava ainda mais a situação, deixando de cumprir com seus deveres e tornando infelizes também os que a cercam. Aurora, já pensou o quanto se confrange o coração de seu velho pai, vendo-a entregue ao sofrimento? Da solidão e da tristeza do seu marido, depois de um dia de trabalho chegando em casa e tomando suas refeições sozinho?

— Não tinha pensado nisso! Quanto egoísmo! Só pensei em mim. Não soube fazer ninguém feliz.

— Disse bem, não soube. Mas o passado já está morto, e o presente oferece-lhe preciosa chance de felicidade.

Aurora olhou a amiga parecendo não entender.

— É verdade. Você tem tudo nas mãos. É só querer.

— Eu?! Tão infeliz?

— Esse é o conceito do passado que você insiste em cultivar e permanecer. Mas, sinceramente, no presente, de que se queixa? Tem um pai amigo e amoroso, um excelente marido, que tenta descobrir seus desejos mais íntimos para atender, uma filha maravilhosa, casada com excelente rapaz, da mais nobre família, e além do mais, uma das fortunas mais sólidas desta cidade. O que lhe falta?

— Alegria. Não tenho ânimo para viver!

— Aurora, saia dessa posição de desânimo em que mergulhou. Você é uma pessoa feliz. Por que não usufrui dessa felicidade? Por acaso deseja punir-se por causa do passado? Você aprendeu preciosas lições naquele tempo, mas hoje é um novo dia. A alegria precisa ser plantada no coração, ser cultivada e alimentada. Se tiver dificuldade em fazer isso, experimente plantá-la no coração dos que a amam, e por certo acabará por encontrá-la dentro de si mesma. A felicidade é um direito que todos temos. Desejo que você enxergue os bens que possui e que está menosprezando todos os dias. Você tem o direito a ser feliz!

— Reconheço que tem razão. O que posso fazer para alcançar isso?

— Saia dessa postura de vítima que não leva a nada. Viva no presente. Levante-se dessa cama, abra as janelas, deixe entrar o sol no quarto e na alma, respire fundo, sinta a beleza das coisas que a circundam e apanhe a vida com todas a suas forças. Jogue fora o passado e esteja consciente do presente, onde você é feliz e pode tornar os outros felizes!

Inês, que permanecera calada, bateu palmas de alegria.

— Muito bem. Mãos à obra. Vamos agora à *toillete* melhorar um pouco sua aparência. Se confiar em minha habilidade, posso fazer um verdadeiro tratamento de beleza.

Aurora sorriu. Seu rosto estava distendido e corado. Protestou vagamente.

— Para que tudo isto? Há muito tempo que não sinto o prazer de enfeitar-me.

— Hoje vamos sentir esse prazer. Tem lindos cabelos e seu rosto se parece com o de uma jovenzinha. Dr. Afonso vai ficar deslumbrado.

Aurora sorriu:

— Qual, depois de tantos anos! Nem sequer vai notar.

— Veremos — tornou Inês com ar de desafio. — Veremos. Agora, vamos transformá-la.

Quando o Dr. Afonso chegou em casa para jantar, não conteve um gesto de surpresa. Aurora estava na sala de música, em companhia das duas amigas, fisionomia distendida como nunca ele se lembrava de tê-la visto. Inês estava ao piano e parou de tocar quando ele entrou:

— Por favor, não quero interromper — tornou ele, emocionado.

Aurora levantou-se e abraçou-o com carinho, e foi com contida emoção que Afonso beijou-lhe a face delicada. Sua mulher, sempre apática, jamais tivera para com ele atenções ou demonstrações afetivas. Deixara-a pálida, doente na cama, e acontecera um milagre. Como explicar? Cumprimentou as damas com deferência. Embora não conhecesse Lucila, sabia que Aurora a queria muito, e isso era o suficiente para que ele também as estimasse. Sem poder conter sua admiração, Afonso tornou:

— Que alegria. Vejo que você está bem.

— Graças a Lucila e a Inês, que repartiram sua alegria comigo.

Ele fitou Lucila com admiração:

— Precisa ensinar-me seu segredo. Além do mais, Aurora está linda!

Inês sorriu, maliciosa, e Aurora olhou-a com satisfação.

— Inês deu-me uma verdadeira aula de beleza.

— Que nada. Apenas acordei instintos adormecidos.

— Fica-lhe muito bem esse penteado e a cor desse vestido — tornou ele com galanteria e um brilho apaixonado no olhar.

Aurora corou. Pela primeira vez observou o marido como mulher. Era um homem bonito, e seus olhos eram muito expressivos.

— Você está muito amável.

Afonso tomou-lhe a mão, beijando-a com carinho e delicadeza. Via-se que se sentia feliz.

— Acho que interrompi. Gostaria que me permitisse ouvi-la, senhorita Inês.

A moça não se fez de rogada e tocou algumas músicas. O ambiente estava alegre e tranqüilo. Afonso não permitiu que elas saíssem antes do jantar. Não sabia o que acontecera, mas tinha a certeza de que aquelas duas mulheres encantadoras tinham muito a ver com isso.

Aurora olhava o rosto bondoso do marido e pensava o quanto aquela criatura valia e fora importante em sua vida. Entretanto, o que ela oferecera em troca? A indiferença. Jamais se preocupara com o seu bem-estar, seu conforto, seus sentimentos. Enquanto ele lhe dava tudo, dedicando-se com abnegado carinho, ela continuava a pensar só em si mesma, nos seus problemas e no peso dos seus erros. Lucila tinha razão. Como pudera ser tão cega? Embora cultuasse o amor a Álvaro, sentia imenso carinho por Afonso. Sem ele, talvez não houvesse encontrado forças para viver. Podia dedicar sua vida a fazê-lo feliz, bem como ao seu velho pai. Eles não deviam pagar pelos erros que ela cometera. Além do mais, o passado só existia em sua lembrança. De nada valia cultuá-lo. Queria agarrar a felicidade. Não merecia, mas por outro lado, se Deus lhe dera tantos benefícios, como os que Lucila mencionara, foi porque ele se apiedara de seus enganos e não a quisera punir. Teria ela o direito de punir-se a si mesma, infelicitando os que a amavam e não mereciam ser infelizes? Por isso iria lutar. Haveria de reconquistar a alegria de viver e dedicar-se com fervor a fazer seus entes queridos felizes.

Conversou, sorriu, especialmente carinhosa com o marido. Quando Lucila resolveu retirar-se, aproveitando a ausência de Aurora, que foi buscar algumas flores para oferecer às amigas, Dr. Afonso aproximou-se de Lucila com olhos marejados.

— Esta noite aqui aconteceu um milagre. Sei que a senhora conseguiu isso. Muito obrigado. Tem em mim um amigo reconhecido para o resto da vida.

Lucila sorriu:

— Parece que Aurora começou a enxergar a realidade. Espero que daqui por diante tudo melhore.

— Há algo que eu possa fazer?

— O senhor sempre soube o que fazer e o fez muito bem. Agora, Aurora está começando a aprender.

— Vocês trouxeram alegria, paz, amizade, tudo mudou com sua presença. As sombras desapareceram. Por favor, voltem sempre: nos darão imensa alegria.

Aurora, que regressava com um ramo de rosas delicadamente enfeixado por uma fita, deu-o a Inês beijando-a na face.

— Com nossa gratidão pela visita.

Lucila interveio:

— Aurora, por que não leva o Dr. Afonso à nossa casa? Gostaria muito de oferecer-lhes um jantar, ou um chá.

Aurora olhou o marido sem saber o que dizer. Afonso raramente fazia visitas. Não gostava muito de atividades sociais, só atendia o indispensável. Ele sorriu:

— Irei com prazer. Se a senhora não tiver compromisso, que tal no próximo sábado à tarde?

— Ótimo. Será uma grande alegria recebê-los.

As duas despediram-se e o próprio Dr. Afonso fez questão de levá-las ao carro, acomodando-as com gentileza. Quando entraram, disse a Aurora:

— São encantadoras. Mulher extraordinária essa D. Lucila.

Aurora tomou o braço do marido enquanto entravam, dizendo:

— É verdade. Desde que a conheci, tudo se transformou para mim. Sua maneira de ver, tão acertada e tão sincera, tem-me ajudado muito.

— Assim parece. Pela manhã deixei-a doente, e agora você está ótima. Parece até outra pessoa. Está como sempre sonhei que deveria ser.

Abraçou-a com carinho. Aurora comoveu-se. Passou os braços ao redor do seu pescoço e olhou-o bem nos olhos.

— De hoje em diante o passado morreu. Quero conservar a alegria. Quero fazê-lo feliz. Acho que ainda temos tempo de viver nossa vida, com amor, e apreciar nossa felicidade.

Afonso abraçou-a com força, voz embargada pela emoção. Sentia Aurora trêmula em seus braços e desejosa de afeto. Era a primeira vez que a sentia assim, sem que o seu drama passado se interpusesse entre eles. Beijou-lhe o rosto, os cabelos, as faces, a boca. O prazer de sentir-se novamente mulher, amada e desejada, foi mais forte. Aurora pela primeira vez conseguiu esquecer tudo o mais, entregando-se àqueles momentos de amor e carinho.

Naquela noite, abraçada ao marido, Aurora dispensou o habitual calmante e adormeceu tranqüilamente.

Capítulo 20

Era noite de inverno, e Geraldo, sentado em sua confortável sala de estar, junto à lareira, olhava pensativo as chamas que subiam e desciam, e o gostoso crepitar dos galhos, cujo aroma enchia o ar.

Fazia seis meses que se casara, e sentia-se feliz. Maria Luísa era mulher carinhosa e parecia-lhe cada vez mais linda. Sentada em gostosa almofada a seus pés, a jovem senhora lia, entretida, e Geraldo sentiu uma onda de carinho brotar em seu coração. Não se conteve. Alisou-lhe os cabelos um pouco revoltos. A moça sorriu, levantando os olhos e olhando-o com suavidade.

— Você me esqueceu — queixou-se ele —, há mais de uma hora que está lendo esse livro.

Colocando o marcador, Maria Luísa fechou o livro com um gesto gracioso, levantou-se e abraçou o marido.

— Tem razão. Distraí-me, mas não me esqueço nunca de você.

Alisou-lhe os cabelos com meiguice. Antônio tossiu levemente, atraindo a atenção dos dois.

— Estão aqui D. Maria da Glória e o Sr. Humberto.

Maria Luísa levantou-se alegre.

— Faça-os entrar, por favor.

Era sempre grata a presença de ambos. Depois dos abraços e cumprimentos, a moça tornou:

— Desculpe interromper seu descanso. Já são nove horas, um pouco tarde para visitas...

Geraldo interrompeu:

— Vocês não são visitas e são bem-vindos a qualquer hora. Sentem-se, vamos conversar.

Humberto tomou a palavra.

— Eu e Maria da Glória resolvemos apressar nosso casamento.

— Que ótimo! — fez Maria Luísa com entusiasmo.

— Isso diz você — tornou a moça com certa preocupação. — Meus pais não concordam com nosso casamento. Aliás, era de esperar. Com as finanças da família cada vez piores, esperavam que eu me casasse com um homem rico.

— Sinto-me amarrado — explicou Humberto num desabafo. — Como casar-me com ela se nada posso oferecer senão amor? Por mim, já teria casado. Tenho certeza dos meus sentimentos. Amo-a muito, mas temo que ela venha a arrepender-se de ter-se apaixonado por um joão-ninguém.

— Não diga isso. Fala como se eu fosse uma criança sem vontade nem raciocínio. Eu o amo. O que você pode me dar, ninguém pode. Seu amor é a riqueza que mais quero. Já discutimos isso várias vezes. Acontece que não estou preocupada com meus pais, mas com Jorginho. Meu pai apareceu com um noivo rico e fez de tudo para que eu o aceitasse. Fez-me mil ameaças, mas isso não importa. Penso em Jorginho. Como sabem, ele tem altos e baixos. Tem fases ótimas e fases depressivas. Claro que as sessões em casa de D. Lucila estão ajudando, mas quando ele está em crise, larga tudo e não adianta nada tentar convencê-lo. D. Lucila diz que é natural e que a luta é dele, mas eu tenho procurado ajudá-lo, apoiando-o com muito amor, e sinto que, graças a isso, aos poucos ele vai voltando à normalidade e as crises vão-se espaçando. Viemos aqui em busca de sua ajuda, Geraldo, e dos seus conselhos. Você é nosso melhor amigo. Queremos casar-nos, mas se o fizermos meu pai não permitirá que continuemos a freqüentar a casa. É isso que me preocupa. Minha mãe quer ajudar, mas não tem muito jeito. O que acha melhor fazer?

Geraldo olhou-os sério:

— Vocês se amam, e têm direito à felicidade. Devem se casar de qualquer forma. Podem convidar Jorge a viver com vocês. Seria uma solução.

— Pensei nisso — respondeu Maria da Glória —, mas ele acha que um casal deve viver só.

— No começo, talvez — disse Humberto. — Mas depois, ele não terá mais argumentos. É uma boa solução.

— Vou resolver esse problema à minha maneira. Amanhã mesmo vou procurar seu pai e ter uma conversa com ele.

— Acha que vai adiantar? — perguntou Humberto.

— Pode ser — considerou Maria da Glória. — Meu pai é muito vaidoso. Receber Geraldo por certo será uma honra. Acredito que pode ajudar.

— Então, amanhã iremos à sua casa.

A moça olhou-o com alegria.

— Espero que dê certo. Se ele não se opuser ao casamento, tudo será mais fácil. De certa forma, tenho pena de minha mãe; embora dentro de seus limites, tem se esforçado para ajudar Jorge. Ela também precisa de apoio. Não gostaria de abandoná-la de uma vez.

— Você é um grande amigo — considerou Humberto, comovido.

— Você também é. Tem feito muito por mim. Sinto-me muito feliz, e desejo que vocês também possam ser tão felizes quanto nós.

— Tem razão, Geraldo — reforçou Maria Luísa —, vocês merecem.

Foi com alegria que combinaram a ida do casal no dia seguinte à casa de Maria da Glória. Geraldo sentia repulsa pelo tio, mas a prima era uma pessoa muito querida e havia Jorge, a quem muito desejava ajudar.

Eram oito da noite do dia seguinte quando Geraldo e Maria Luísa tocaram a campainha da casa dos tios. Recebidos cerimoniosamente pelo empregado, foram anunciados na sala onde a família se encontrava reunida. Tinham combinado que Humberto chegaria uma hora depois.

A notícia da surpreendente visita do sobrinho caíra como uma bomba no seio da família. Maria da Glória omitiu a razão da visita, e tanto o Dr. Marcondes como a esposa sentiam-se eufóricos. Apesar de não gostar do sobrinho, o Dr. Marcondes sentia-se valorizado. Depois disso, ninguém mais poderia dizer que ele não era aceito por Geraldo, e, quem sabe, essa visita pudesse ser o início de uma amizade da qual poderia tirar muito proveito. Procurou conter sua alegria e disse com ar sério:

— Diga a Geraldo que pode vir. O passado morreu. É meu único sobrinho e o receberemos dignamente.

Conduzidos à sala, Geraldo, sério, apertou a mão do tio, beijou a mão da tia e abraçou Jorge com alegria e calor. Depois das formalidades, Geraldo, que não era homem de rodeios, tornou:

— Viemos apresentar nossos cumprimentos e oferecer nossa casa, mas antes gostaria de falar com os tios em particular.

Renata trocou um olhar admirado com o marido. Dr. Marcondes levantou-se com cortesia.

— Podemos conversar em meu gabinete.

— Certamente.

Enquanto os três cerimoniosamente se dirigiam ao escritório do Dr. Marcondes, Jorginho e as duas moças trocavam confidências, aguardando os acontecimentos.

Geraldo, sentado em elegante poltrona, foi direto ao assunto.

— Como sabem, gosto muito de Maria da Glória e de Jorge. Eles são como irmãos para mim. Por isso, interesso-me pela sua felicidade. Vim aqui pedir a mão de minha prima para o meu amigo Humberto.

Apanhado de surpresa, Dr. José sentiu-se embaraçado. Nao esperava que Geraldo fizesse tanto empenho nesse casamento. Sem saber o que dizer, murmurou:

— Esse assunto me apanhou de surpresa. Não conheço esse moço. Não tem família e, além de tudo, nossa filha é moça acostumada ao luxo. Não sei se ele terá condições de casar-se com ela.

— Claro que tem. É um moço excelente, está estudando e será um grande advogado, tenho certeza. É meu único procurador e penso darlhe sociedade nos meus negócios quando se casar. Sua situação financeira, portanto, é muito sólida. Considero uma honra para nossa família recebê-lo como parente. Depois, eles se amam e serão muito felizes.

Vendo-o mencionar sociedade nos negócios, os olhos de José brilharam. A idéia pareceu-lhe boa. Aquele casamento o aproximara do sobrinho, e, quem sabe, talvez conseguisse parte da fortuna para si.

— Nesse caso... não sei o que dizer... — Com gentileza, voltou-se para a mulher: — E você, o que acha?

— Acho que isso fará nossa filha feliz. Concordo plenamente.

— Bem... eu também. Sendo assim, acho que podemos pensar no assunto.

— Você concorda?

Sentindo-se pressionado, não teve saída:

— Sim. Concordo.

— Nesse caso, vamos marcar a data. Para daqui a um mês, talvez.

Ele assustou-se:

— Já! Melhor esperarmos para daqui a um ano.

— Por quê?

— Sabe como são essas coisas, despesas; eu agora não tenho dinheiro para fazer esse casamento.

— De quanto acha que precisa?

— Bem... uns duzentos contos, quem sabe.

— Tanto assim? — tornou Geraldo.

— Tem o enxoval da noiva, a festa, sabe como é.

— Não se preocupe. Corre tudo por minha conta. Não quero que os noivos saibam. Fica entre nós.

— Certamente, meu caro sobrinho. Certamente.

Quando os três saíram da sala, o casal estava sorridente e cheio de amabilidades com Geraldo, o que fez Maria da Glória trocar olhares maliciosos com o irmão. Geraldo, sério, falou em tom solene:

— Acabo de pedir a mão de Maria da Glória para Humberto. Os tios aceitaram com prazer. O casamento, conforme os noivos queriam, será realizado dentro de um mês.

Maria da Glória abraçou a mãe e o pai com alegria.

Quando Humberto chegou, foi recebido com cortesia e votos de felicidade. Geraldo estava feliz. Maria Luísa olhava-o com olhos brilhantes.

A cada dia mais apreciava as qualidades do marido. Parecia um menino contente realizando os sonhos das pessoas que apreciava. Ele já não se parecia muito com o matuto desconfiado e analfabeto que viera de Dente de Onça.

Retiraram-se alegres, tendo deixado combinados os detalhes para o casamento.

Os dias que se seguiram foram de euforia e preparativos. Humberto não continha seu entusiasmo. Conseguira dar entrada em uma bela casa, e embora não pudesse mobiliá-la completamente, dava-lhe sensação de segurança. Chamado por Geraldo ao acerto de contas e exame dos seus negócios, surpreendeu-se com a generosidade do amigo, colocando-o como sócio em algumas de suas empresas.

— Geraldo, estou sem saber o que dizer.

— Não diga nada. Afinal, não entendo nada de negócios. Você é que tem feito tudo sozinho. Pelo que sei, as coisas vão indo cada vez melhores, graças a você. É justo que sejamos sócios. Eu entrei com o dinheiro e você com o trabalho. É muito justo.

Humberto abraçou-o com olhos úmidos.

— O que está fazendo comigo, nem um irmão faria.

— É. Mas não pense que vai ser fácil. Resolvi começar a trabalhar, fazer alguma coisa para ocupar-me. Agora, vou esperar seu casamento; quando voltar da viagem, vamos tratar disso.

— Por certo. Farei o que puder.

— Terei que aprender muitas coisas. Agora, precisamos começar nossa sociedade. Que tal convidar D. Lucila e Inês para um jantar?

— Ótimo. Levaremos Jorge também.

Estavam alegres e despreocupados. A vida para eles estava transcorrendo em clima de paz e harmonia.

O casamento realizou-se na data prevista, e Maria da Glória a custo conseguiu conter o Dr. Marcondes na pompa e no luxo que ele pretendia. Tanto ela quanto Humberto desejavam cerimônia simples; porém, o Dr. Marcondes pretendia exatamente o contrário. A custo a moça conseguiu moderar-lhe um pouco as pretensões. Tinha receio de que ele se endividasse; porém, ele pagava tudo sem regatear, e a moça pensou que a situação da família não estava tão precária quanto ele fazia supor. Ignorava que Geraldo estava pagando todas as despesas regiamente. Não puderam evitar a belíssima recepção, nem o grande número de convidados. Dr. Marcondes jamais iria perder ocasião de projetar-se socialmente. Atendeu aos convidados com apuro, desfilando de fraque entre eles, guardando a pose que julgava própria para a ocasião e, naturalmente, distribuindo suas atenções de acordo com a importância e a posição de cada um.

Geraldo estava contente. Sabia que a prima e o amigo estavam felizes. E em meio à alegria reinante, só Aurora lutava para dissimular sua preocupação. Seu eterno receio de que Maria Luísa viesse a saber seu segredo. Não podia conter um aperto no coração olhando a figura arrogante daquele homem que não tivera escrúpulos em chantageá-la vergonhosamente. Não fora o receio da filha desconfiar e a amizade que sentia pelos noivos, não teria comparecido. Afonso percebeu sua preocupação e com carinho apertava sua mão fria de quando em quando. A vida para eles melhorara muito. Tanto que agora ele a acompanhava às sessões em casa de Lucila, lendo e estudando os livros espíritas com sincero interesse. Seus princípios doutrinários, seus esclarecimentos sobre as causas e os problemas humanos, seu conceito de justiça e principalmente a verdade consoladora da sobrevivência da alma após a morte encontraram fundo significado em seu espírito.

Aurora havia mudado muito, e agora eles realmente desfrutavam convivência mais harmoniosa. Eram felizes. Vendo-a sofrer de novo, e compreendendo-lhe as dolorosas lembranças, cercava-a de carinho e conforto.

Porém, o Dr. Marcondes, ocupado em atender ou cercar as pessoas que ele considerava importantes no cenário social, sequer a olhou, desinteressado de sua presença, o que de certa forma a aliviou. Porém, cercava Geraldo de atenções que o moço agora, mais afeito ao ambiente social, fingia ignorar. Todavia, teve sua atenção despertada pela figura de um moço que os olhava insistentemente. Observou Maria Luísa e percebeu que ela estava sem jeito. Foi então que se lembrou. Ele era o ex-amor de sua mulher. O homem pelo qual ela chorara e vivera infeliz.

Geraldo empalideceu. Sentiu um golpe no coração, um sentimento doloroso de ciúme o acometeu. Ela o amara. Teria esquecido completamente?

Fingindo não perceber que ele estava como que magnetizado pela figura de Maria Luísa, mal ouvia o que a mulher que o acompanhava dizia. Percebeu que Maria Luísa procurava distanciar-se o mais possível desse olhar indiscreto dando-lhe as costas, mas mesmo assim ele não desistia.

Irritado, Geraldo teve vontade de dar-lhe um murro, mas achou melhor não provocar um escândalo. Quem teria convidado tal sujeito?, pensou com raiva. Por certo, o Dr. Marcondes. Olhou. Os dois conversavam animadamente. Conhecendo o tio, imaginava que o outro deveria ser pessoa de influência. Fitou-os com frieza, procurando dissimular seu descontentamento, desejando que os noivos se retirassem logo para que eles pudessem sair também. Se Geraldo tivesse podido ouvir o que conversavam, teria saído dali imediatamente.

— Pelo visto, fez as pazes com seu sobrinho — dizia ele ao Dr. Marcondes.

— É. Afinal, família é família, não se pode fugir.

— Pelo visto, Maria Luísa se arranjou muito bem casando-se com ele.

— É. Fez ótimo negócio. — E, dando uma piscada maliciosa: — Pelo visto, você caiu fora. Lembro-me de que ela andou caída por você.

O outro riu, satisfeito.

— Você sabe. A gente tem que variar.

— Eu sei — tornou o Dr. Marcondes, dando-lhe palmadinha amigável nas costas —, entre os Mendes Caldeira e Maria Luísa vai grande distância. Soube escolher. Posição compatível com sua família. Sem falar da enorme fortuna...

— Essas coisas contam. Mas... quer saber de uma coisa? Vou fazer-lhe uma confidência. Olhando Maria Luísa agora, tão linda, tão fina, tão rica, fiquei meio arrependido de a ter deixado. É sua sobrinha agora, mas continua linda como nunca.

Longe de agastar-se, Marcondes sorriu.

— Não se preocupe com isso. Afinal, Roberto, ela é mesmo uma bela mulher.

— É. Jamais a vi tão bela.

Os olhos dele brilhavam de cobiça.

Assim que os noivos saíram da sala para viajar, Maria Luísa quis ir embora. Geraldo, calado, angustiado, ferido, não encontrava nada para dizer. Ela, nervosa, só respirou melhor quando viu-se longe da recepção. Vendo-se a sós com o marido, tentou conversar sobre a cerimônia, mas Geraldo, calado, não mostrava muito entusiasmo. Até que ela tocou no assunto.

— Geraldo, acho que você viu Roberto entre os convidados.

Ele estremeceu, enquanto que uma emoção estranha, misto de rancor e medo, tomava conta de seu coração.

— Vi — respondeu seco.

— Pois é. Ele me fixou várias vezes e isso deixou-me um pouco embaraçada.

— Talvez tenha ficado emocionada.

A moça segurou o braço do marido com força.

— Não, Geraldo. Quero lhe dizer que é a você que eu amo. Hoje, mais do que nunca, tenho a certeza absoluta de que ele nada representa para mim.

Geraldo olhou-a desconfiado:

— Então, por que a emoção?

— Não foi emoção. Foi desagrado. Sou esposa, não sou mais solteira, ele também é comprometido. Achei ofensiva a maneira como olhou para nós. É um mau caráter, e espero que nunca mais cruze nosso caminho. Para ser sincera mesmo, agradeço a Deus ter conhecido você. Amo-o muito, Geraldo, de verdade.

O moço acalmou-se. Beijou-a nos lábios com carinho, e procurou esquecer o acontecido. Mas nos dias que se seguiram, Geraldo não conseguiu esquecer o desagradável incidente. Sempre fugira do amor, mas agora era forçado a reconhecer que amava Maria Luísa. Sofria só em pensar que ela pudesse estar pensando em Roberto, ou se recordando dos velhos tempos. Não podia esquecer a cena, Maria Luísa chorando o amor perdido ou tremendo de emoção quando o encontrava. Por outro lado, sentia que a esposa representava sua motivação para viver. Sem ela, como vencer a solidão de sua vida de órfão?

Procurava reagir contra esses pensamentos, que buscavam-lhe a mente com freqüência, tornando-o agitado, angustiado, nervoso. Maria Luísa redobrou suas atenções e seu carinho, mas sem resultado. Preocupada, procurou D. Lucila e esta aconselhou-a o estudo constante do Evangelho e a freqüência nas reuniões uma vez por semana em sua casa.

Não querendo desagradar a esposa, Geraldo concordou. Desde que se casaram que ele não mais demonstrara interesse pelas reuniões espíritas. Lucila recebeu-os com o carinho de sempre, e foi com prazer que Geraldo a abraçou. Surpreendeu-se com a presença do Dr. Afonso e abraçou Jorge com alegria. O moço freqüentava regularmente as sessões, e embora de vez em quando ainda tivesse seus deslizes, apresentava sinais evidentes de melhora.

Sentados ao redor da mesa, a um sinal de Lucila, Inês proferiu singela prece. Aberto o *Evangelho Segundo o Espiritismo*, no trecho "Consolador Prometido", foi o mesmo lido e comentado com elevação e inteligência pelo Dr. Afonso, o que surpreendeu tanto Geraldo quanto Maria Luísa. O ambiente era leve e agradável. Apagada parte das luzes, na penumbra agradável da sala o silêncio se fez, e de repente fundo suspiro saiu do peito de Inês, enquanto que suave perfume enchia o ar.

Sobressaltado, Geraldo pensou: "Minha mãe!" Com voz suave, Inês começou:

— Grande é a alegria que sinto por poder falar a vocês, queridos amigos. Hoje, com a graça de Deus, posso dizer do trabalho em favor do próximo que desejamos realizar através do concurso amoroso de todos vocês, no desempenho da tarefa de amor e de renovação no bem de que necessitamos. Longos anos gastamos na preparação e no esforço comum para que este momento se concretizasse, e a hora é chegada. Nunca antes mencionamos isso porque vocês ainda não estavam preparados para assumir o trabalho. Aguardávamos melhor estrutura do grupo para iniciar. Contudo, agora é chegada essa hora. Apesar das lutas e do progresso que o homem vem conquistando no desenvolvimento de todas as ciências e da tecnologia, não consegue ainda resolver os intrincados problemas do espírito e tornar-se mais feliz.

— Nunca a dor exigiu tanto do ser humano e nunca o homem precisou tanto das verdades eternas e do conhecimento da justiça de Deus, de suas leis.

— É chegada a hora de iniciarmos nossa pregação, portas abertas aos que sofrem, e Deus nos ajudará. Logo encontrarão local apropriado. Esperamos que seja simples e modesto. De início, devemos continuar com nossas reuniões reservadas no novo local. Voltaremos à orientação no momento oportuno. Humberto e Maria da Glória virão participar. Mais tarde enviaremos outros companheiros que os ajudarão, pois o grupo vai crescer e muitos benefícios advirão para muita gente, com a proteção de Jesus.

— Lembrem-se de que muito temos recebido da bondade divina. Chegou a hora de dar. De abrir o coração aos sofredores e levar-lhes a consolação que já agasalhamos no coração.

Todos ouviam em silêncio. Carolina fez ligeira pausa. Depois, com voz comovida, tornou:

— Meu filho! Sejamos gratos a Deus, que nos tem permitido tantas bênçãos. Prepara seu coração para o trabalho com Jesus. Estude o Evangelho, medite, ore com fervor, para que possa entregar-se ao esforço do bem, ajudando e servindo em nome de Deus. Não pense que a felicidade seja conquista fácil no mundo. Precisamos plantá-la sempre no coração dos outros, para que ela possa instalar-se definitivamente dentro de nós. Pense nisso, junte-se a nós na lavoura do bem. A prece fortalece nosso espírito, não se esqueça dela. E, principalmente, cultive pensamentos bons, de otimismo e alegria. Afinal, estamos juntos. Abraço a todos agradecida. Jesus esteja conosco.

Inês calou-se. O brando perfume de Carolina volatilizava no ar, e todos continuaram silenciosos em serena expectativa.

Geraldo pensava. Sua mãe! O amor de sua vida. Sentia-se emocionado. Não entendera bem suas palavras. Ela pareceu-lhe um pouco distante. Quando a reunião foi encerrada, perguntou respeitoso:

— Não entendo bem o que minha mãe quis dizer.

Lucila esclareceu:

— Ela quer que oficializemos nosso grupo. Isto é, que abramos um Centro Espírita. Disse que chegou a hora. Faz tempo que vários espíritos nos têm informado dessa necessidade. Contudo, estávamos aguardando maiores detalhes. Agora, eu também acho que chegou a hora.

Dr. Afonso sugeriu:

— Podemos alugar uma sala e começar. Terei gosto em cooperar. Recebi tanto! Gostaria de poder distribuir essa alegria com os outros.

— Só para fazer sessões? — inquiriu Geraldo admirado.

— De início, para estudo. Podemos formar um grupo de estudos. Depois, no começo não vamos convidar outras pessoas. Há que aguardar ordens. E você, Geraldo, o que me diz?

— Minha mãe falou, eu faço.

Lucila ponderou:

— É preciso também que você compreenda. Seria muito bom se você estudasse um pouco *O Livro dos Espíritos*, o *Evangelho Segundo o Espiritismo*.

— Já os li.

— Mas é bom estudar. Pelo que disse Carolina, você terá tarefa a desempenhar. Precisa preparar-se.

— Isso não entendi bem.

— Entenderá por certo quando for oportuno. Por agora, por que não procura seguir o que Carolina sugeriu? Seus conselhos são muito importantes.

— Está bem. Procurarei fazer tudo.

Conversaram animadamente, traçando planos, e como sempre acontecia nessas reuniões, acabaram na copa, saboreando o cafezinho com guloseimas, palestrando agradavelmente.

Maria Luísa estava feliz. Nunca vira sua mãe tão bonita, tão alegre e tão contente. Estava remoçada e bem-disposta. Dr. Afonso também estava alegre, e seu rosto ganhara expressividade e força. Aurora não voltara a suas antigas crises. Seria o Espiritismo responsável por essa mudança? Embora não soubesse responder, não podia deixar de reconhecer que a mudança tivera início desde que Aurora começara a freqüentar a casa de Lucila. Estava comovida. Se ela pudesse cooperar, o faria de bom grado.

Nos dias que se seguiram, Dr. Afonso localizou uma sala; cotizando-se a alugaram, e o grupo passou a reunir-se no local uma vez por semana.

Era com alegria que esperavam o dia do encontro, e diante das novas diretrizes intensificaram os estudos, com seriedade e disposição.

Geraldo comparecia sempre, mas não se entusiasmava com a possibilidade de trabalho. Sentia-se sonolento, pouco interessado, e até a presença de Carolina, que por vezes o envolvia com seu perfume delicado, não o emocionava como antes.

Preocupada, Lucila tentou conversar com ele com carinho, mas o moço negou o fato, insistindo que estava bem e feliz. Entretanto, não era verdade. Em seu coração, aos poucos ia se infiltrando um ciúme doentio da esposa, uma mágoa, como um rancor surdo e injustificado que não lhe permitia usufruir da calma costumeira. À noite, era acometido de pesadelos, onde surpreendia sua mulher nos braços do rival e via-se envenenando-o ou abatendo-o a tiros. Essa angústia íntima começou a mudar o comportamento de Geraldo. Maria Luísa redobrava suas atenções, sem que ele se modificasse. A moça começou a assustar-se ao perceber que aos poucos o marido se modificava, tornando-se irritadiço e irônico, introspectivo e indiferente. Não era mais o moço alegre e calmo, bondoso e ponderado de antes. Até seu olhar, dantes tão perspicaz e vivo, tornara-se duro e frio.

Maria Luísa sentia que a cada dia o marido se ia distanciando dela, sem que pudesse de alguma forma impedi-lo. Por outro lado, momentos havia em que ele chegava a odiá-la, julgando-a fingida e interesseira.

Em vão Lucila procurava conversar com ele, ajudá-lo a melhorar seu estado mental; Geraldo negava o fato, mas no íntimo permanecia do mesmo jeito.

Foi com alegria que Maria Luísa recebeu a notícia do médico. Ia ser mãe! Um filho! Por certo haveria de chamar o marido à realidade. O que ninguém conseguira, a vinda de uma criança por certo conseguiria. Devolveria ao seu lar a felicidade ausente. Procurou Geraldo, o rosto corado, ar de felicidade!

O moço comoveu-se. A possibilidade ser pai enchia-o de emoção. Abraçou a esposa com carinho, e em seus olhos brotou novamente a chama de antes. Mas nos dias que se seguiram, tudo foi se modificando. Geraldo começou a sentir certo pavor de ficar perto da esposa. Evitava-lhe a presença instintivamente, e quando se aproximava dela, evitava tocá-la.

Preocupada, Maria Luísa procurou certa noite esclarecer a situação.

— Geraldo, o que está acontecendo? Por que você se afasta de mim? Não está contente com a vinda de nosso filho?

Ele pareceu angustiado.

— Estou. Nesse estado, você precisa descansar para que tudo corra bem.

— Está fugindo do assunto, o que não é seu costume. Não vê que está me fazendo sofrer? Não sente que eu o amo muito e que preciso do seu amor, do seu carinho, do seu apoio?

O moço olhou-a, e seus olhos encheram-se de lágrimas. Maria Luísa abraçou-o com carinho. Geraldo chorava, sem que pudesse falar. Quando se acalmou, tornou com voz triste:

— Não sei o que se passa comigo. Vivo atormentado, pensamentos estranhos, ciúmes, ódios, desconfiança. Amo você, ter um filho sempre foi um sonho de felicidade, mas agora estou assim sem compreender por que esta vontade de largar tudo, de me vingar, sem ter do quê, afinal. Acho que estou ficando louco. Só a loucura pode explicar o que se passa comigo.

— Meu bem, você não está ficando louco. Está só um pouco perturbado. Vamos procurar D. Lucila, e tenho certeza de que nos ajudará.

— Está bem. Farei o que quiser. Não tenho forças para lutar.

No dia imediato procuraram pela amiga, que, a sós com Geraldo, o ouviu com muito carinho. O rapaz contou-lhe seus temores, suas dúvidas, suas lutas íntimas. O rosto de Lucila, sempre sereno, estava preocupado.

— Vamos orar, meu filho. Para que Deus nos ajude.

E quando o moço se recolhia respeitoso, Lucila proferiu comovida prece, pedindo humildemente a ajuda dos servidores de Jesus. Aos poucos seu rosto foi se transformando, e quando terminou estava serena; branda energia os envolvia, como suave brisa. Ela perguntou:

— Sente-se bem?

— Sim. Nossa conversa fez-me muito bem. Estou mais calmo.

— Não se esqueça das palavras de Carolina: a prece é uma necessidade em nossas vidas, retempera nossas energias e expulsa as vibrações negativas que nos envolvem. Você tem orado?

— Não. Confesso que não. Esqueço-me.

— Procure lembrar-se. Precisa defender-se do assédio de espíritos infelizes. Procure não alimentar os pensamentos negativos, e ao mesmo tempo ligue-se com Jesus pela prece, sempre que puder. Não falte às nossas reuniões.

— Não sinto vontade de ir. Desculpe, mas é verdade.

— Do que tem medo?

— Medo?

— Sim. Do que tem medo?

— Não sei se é medo. Não sinto vontade de ir. Se insisto, não tenho sossego. Fico tão inquieto durante a reunião, sinto espinhos na cadeira, coceira pelo corpo, fastio, sono, mal-estar. Vontade de sair correndo.

Lucila olhou-o séria:

— Você tem mediunidade. Está sentindo o pensamento dos espíritos necessitados. Realmente, quem sente isso ou pensa assim são eles. Você consegue sentir-lhes o reflexo.

Geraldo abanou a cabeça.

— Não sei. Mas é muito desagradável. Tem horas que dá vontade de gritar, de brigar e até de xingar. Isso é possível? Já tive vontade de rir na hora da prece. Como vê, melhor eu não ir. Posso perturbar.

— Não diga isso. O que você precisa é ler o *Livro dos Médiuns*, de Allan Kardec. Ele pesquisou o assunto e você vai entender o que está acontecendo consigo.

— Acha que pode ajudar-me?

— Claro. Vou emprestá-lo. Verá como vai lhe fazer bem. Peço-lhe encarecidamente que não deixe de freqüentar nossas reuniões, aconteça o que acontecer.

— E se eu perturbar? E se não puder me conter?

— Não importa. Prometa-me que não vai faltar.

— Está bem. Farei o possível.

A partir desse dia, Geraldo começou a melhorar. Procurava cumprir direitinho as determinações de D. Lucila e não mais faltou às reuniões do grupo Espírita. Aos poucos, sua perturbação foi diminuindo, seu espírito foi serenando e tudo voltou ao normal.

Geraldo estudava o *Livro dos Médiuns* e ia identificando seus sintomas nos relatos de outras pessoas, compreendendo melhor as leis da influência entre os homens.

Maria da Glória e Humberto regressaram da lua-de-mel e passaram a freqüentar as reuniões com assiduidade.

O Dr. Marcondes, no entanto, não estava satisfeito. Não se conformava em conter suas despesas, nem em dar a perceber aos outros sua péssima situação financeira. Não ficara satisfeito com o casamento de Geraldo, e ainda esperava chance para continuar sendo o herdeiro da sua fortuna. Embora sabendo que o moço por certo não ia morrer tão cedo, esperava que, sendo o herdeiro, pudesse continuar sacando por conta dessa lembrança. Desejava que o moço, sentindo-se só e desambientado, abandonasse tudo e voltasse para o mato.

Por isso, quando surpreendeu o interesse de Roberto por Maria Luísa, anteviu uma possibilidade de desfazer esse casamento. Conhecia a volubilidade do moço e sabia que Maria Luísa o amara, e por certo não seria difícil propiciar que eles pudessem reacender a velha chama. Afinal, quem sabe até fosse ao encontro dos desejos íntimos deles.

Com essa intenção, procurou aproximar-se mais de Roberto, não perdendo a oportunidade de elogiar a beleza, a riqueza, a finura da sobrinha, e de lamentar seu casamento com um homem inculto e tão boçal, criado no mato, como seu sobrinho. Fútil e vaidoso, o moço deu asas à imaginação, chegando mesmo a se ver como um libertador da moça, presa a tão pesadas cadeias. Acreditava piamente que Maria Luísa tivesse desposado Geraldo pelo dinheiro dele. E esse detalhe fazia-o admirá-la. Porquanto, para ele, a astúcia e a ambição eram qualidades.

Instigado pelo Dr. Marcondes, passou a investigar a vida de Maria Luísa e assediá-la por toda parte. A princípio a moça acreditou que aqueles encontros fossem fortuitos, mas logo compreendeu que ele a estava seguindo intencionalmente. Ficou desesperada. Temia que Geraldo pudesse perceber e acreditasse que ela o estivesse encorajando.

A toda parte que ia ele estava por perto, querendo abordá-la com olhos apaixonados. Ela estava revoltada. Evitava-o. Fingia não vê-lo, chegara até a repreendê-lo com energia. Mas ele não desistia. Se saía do cabeleireiro, ele estava lá; se ia às compras, ele a seguia; se ia à casa de alguma amiga, ele a esperava do lado de fora. Não sabia como livrar-se. Temia que Geraldo descobrisse. Logo agora, que eles haviam conquistado a paz e voltado à normalidade.

Certo dia, ao sair de uma loja, Roberto a cercou decidido.

— Maria Luísa. Por favor, não me mande embora. Tenha pena de mim.

A moça olhou-o com energia. Parecia-lhe incrível ter sofrido por ele. Agora, não só lhe era indiferente como até antipatizava com ele. Quis passar adiante, mas ele lhe interceptou os passos.

— Ouça-me ao menos. Por favor. Estou sofrendo muito por sua causa.

A moça olhou-o com frieza.

— Deixe-me em paz. Peço-lhe. Não percebe que o passado está morto? Amo meu marido com loucura, como jamais amei alguém. Somos felizes. Por que não nos deixa em paz?

Roberto empalideceu. Não estava habituado às derrotas. Sentiu-se desesperado.

— Não. Você me amou um dia. Não acredito que tenha esquecido tudo. Eu não durmo, não faço outra coisa, só penso nisso. Por que me recusa? Você sempre me amou.

— Engana-se. O que senti por você não foi amor. Agora, amo meu marido. Estou esperando um filho dele. Deixe-me em paz. Está atormentando minha vida com sua presença. Deixe-me em paz.

Aproveitando-se da estupefação dele, afastou-se rápida, tomando um táxi que passava. Roberto ficou arrasado. Não compreendia a recusa. Quanto mais ela o repelia, mais ele a desejava. Aflito, depois de andar muito procurou o Dr. Marcondes. Desabafou. O tio de Geraldo estremeceu. Uma criança! Seus planos novamente iriam por terra. Com um filho, tudo estaria perdido. Novamente a história se repetindo. A fortuna esperada seria daquele herdeiro indesejado, que nada fizera e que ficaria com tudo.

— Ela disse que não me ama! — tornou Roberto, amargurado.

— Isso ela disse! Claro. Acha que ela iria atirar-se em seus braços? Logo ela, tão puritana. É preciso trabalhar, conquistar!

— Não sei mais o que fazer. Como conseguir? Ela não me dá uma chance. Repele-me com energia.

— Você sabe que as mulheres são assim. Dizem "não" quando querem dizer "sim", e vice-versa. Você é tão experimentado; ainda acredita nisso?

O outro pareceu animar-se:

— Será?

— Claro. O que você não pode é desistir agora. Vejamos o que se pode fazer. Vou ajudá-lo.

— Você é meu amigo de verdade.

— Sou. O amor sempre me comove. Vamos traçar um plano. Verá, tudo vai dar certo.

Maria Luísa chegou à casa apavorada, nervosa. Como afastar aquele teimoso do seu caminho? Não podia contar ao marido. Ela, que nada lhe ocultava, tinha medo de que ele voltasse aos ciúmes antigos e não compreendesse o comportamento de Roberto. Ela também não entendia. Não o encorajava de nenhuma maneira; pelo contrário, começava até a desprezá-lo, sentindo-lhe o caráter fraco e leviano. No íntimo, agradecia a Deus tê-lo afastado de sua vida; assim pudera conhecer Geraldo, a quem amava verdadeiramente e respeitava, admirando-lhe as qualidades de caráter, sempre forte e sincero, amoroso e bom. Não queria que ele sofresse. Pensou em procurar Lucila, a amiga de sempre e conselheira. Por certo, falaria com ela, pediria conselhos e sua ajuda.

Mas nos dias que se seguiram, Roberto não voltou a aparecer. Aliviada, Maria Luísa julgou que tudo tivesse acabado. Por certo ele compreendera a verdade e a deixara em paz. Agradeceu a Deus por isso.

Durante quase dois meses ele não apareceu, e ela esqueceu logo a sua figura, entusiasmada com a maternidade e feliz com os preparativos indispensáveis. Sonhava com o futuro. Carolina lhes dissera em uma das reuniões que era um espírito amigo e muito querido que retornava, e por isso haveria muita alegria no seio da família com a sua presença. Maria Luísa embalava seus sonhos de mãe com enlevo.

Geraldo, no entanto, apesar de sentir-se feliz, não podia compreender por que às vezes sentia certa barreira quando Maria Luísa falava sobre o bebê. Um frio punhal lhe penetrava o coração, e um receio incontrolável o acometia. Nesses momentos sentia repulsa pelo filho, e ao mesmo tempo horrorizava-se diante desse sentimento que não podia entender. Lucila, com quem havia desabafado, aconselhara-o a lutar procurando desenvolver mais seu amor pela esposa e pelo filho, que reconhecia sentir, a fim de que esse antagonismo, que por certo existia como dificuldades não vencidas de outras encarnações, ou pela presença de espíritos que não tinham afinidade com o espírito da criança, pudesse ser dissolvido.

E o moço procurava atender a esse conselho. Entretanto, alegando o estado de Maria Luísa, Geraldo começou a espaçar sua freqüência às reuniões. Sentia-se pesaroso, nervoso, preocupado, descontente. Maria Luísa procurava ocultar seus receios e fazia o possível para interessar Geraldo nos preparativos. Mas ele a cada dia procurava distanciar-se mais dela. Começara a interessar-se pelos negócios e saía cedo para o escritório, onde com Humberto adentrava o complicado mundo das finanças. Mergulhou nas cifras, entregou-se ao trabalho com afinco. Saía pela manhã e só regressava à casa ao anoitecer. A esposa, preocupada, observava seu rosto contraído, seu ar de preocupação, seu aspecto nervoso. Nem sequer lembrava a figura do moço equilibrado e alegre que conhecera.

Com a ajuda de Lucila, preces eram formuladas em seu favor, e o espírito de Carolina aconselhava paciência e confiança em Deus. Maria Luísa andava preocupada, nervosa. Mas precisava animar-se, confiava que, quando o bebê chegasse, tudo seria diferente.

Certa manhã, foi à cidade fazer compras para o enxoval. Esperava o filho para o próximo mês e queria deixar tudo preparado. Foi ao atravessar uma rua no centro da cidade que deparou com Roberto. Cerrou os lábios contrariada, e procurou passar despercebida, mas o moço aproximou-se sorridente:

— Maria Luísa! Que alegria. Como vai?

Apesar de contrafeita respondeu educada:

— Bem, obrigada. — E continuou caminhando.

Ele a acompanhou.

— Que coincidência!

— É. Perdoe-me, estou com pressa. — E estugou o passo.

Roberto não se deu por achado.

— Você está bem. Bonita como sempre. Não se preocupe. Eu quero pedir-lhe desculpas. Sinto tê-la aborrecido com meus problemas. Espero que me perdoe. Não pretendo aborrecê-la mais.

O semblante da moça descontraiu-se. Afinal ele entendera.

— Ainda bem. Não gostaria de ser indelicada.

— Aceita tomar alguma coisa? Um chá, um sorvete, algo assim?

— Obrigada, mas tenho que ir. Passe muito bem.

Sem dar-lhe tempo para mais nada, Maria Luísa fez sinal para um táxi e acomodou-se rapidamente. Roberto fechou a porta do carro e acenou para ela, procurando ocultar a decepção. Mas a moça estava aliviada. Graças a Deus ele não mais a importunaria. Foi com alegria que chegou em casa e preparou-se para receber o marido. Aquela noite, ela o cercaria de tanto amor que ele teria que ceder, contar o que lhe ia no coração.

Aprontou-se com esmero. Geraldo não chegava, as horas passando e nada. Preocupada, telefonou para Humberto, que foi imediatamente à sua casa com Maria da Glória. Já passava da uma da madrugada quando eles chegaram, procurando ocultar a preocupação. Geraldo nunca se atrasara. Invariavelmente pelas seis ou sete horas voltava ao lar.

— Ele não lhe disse nada? — indagou Maria Luísa, aflita.

— Não — respondeu Humberto. — Saí do escritório por volta de meio-dia; insisti para que me acompanhasse ao almoço em minha casa, mas ele recusou. Disse que precisava resolver um negócio e que iria almoçar depois. Quando regressei, eram duas horas e ele não estava. Não apareceu mais no resto do dia.

— Onde teria ido? O que lhe teria acontecido? Nunca agiu assim.

— É verdade. Não me disse nada de especial. Estava calado, e rosto triste, como nos últimos tempos. Não houve nada entre vocês?

A moça suspirou, angustiada.

— Não. Não houve. Geraldo tem se modificado muito. Parece carregar o peso de um problema íntimo, que o tem afastado de mim. Depois que fiquei esperando nosso filho, tudo ficou pior. Não sei a que atribuir.

— D. Lucila acha que ele está passando por problema emocional que favorece o envolvimento espiritual, abrindo campo às influências negativas de espíritos infelizes.

— É, eu também acho — concordou Humberto. — Vamos avisá-la, pedindo que nos ajude com sua orações. — Dirigindo-se à esposa, continuou: — Enquanto você telefona e fala com ela, vou sair para procurar. Pode ser que lhe tenha acontecido alguma coisa. Vamos chamar Antônio, perguntar ao chofer. Fique calma, Maria Luísa. Vamos encontrá-lo. Pense no seu estado e no seu filho.

A moça chorava desconsolada.

— E se algo tiver lhe acontecido?

— Confiemos em Deus — tornou Humberto, procurando dissimular a preocupação. Temia um acidente. O comportamento do amigo nos últimos tempos se modificara bastante. O motorista também não sabia nada. Levara o patrão ao escritório pela manhã, como de hábito; depois permanecera durante todo o dia aguardando que o chamasse para buscá-lo, mas Geraldo não o chamara.

Com o coração apertado, Humberto saiu com o motorista para procurar notícias. Foi aos hospitais, aos necrotérios, à polícia, mas não conseguiu encontrá-lo. O dia estava amanhecendo quando retornou à casa. Maria Luísa estava inconsolável. Chorava, com nervosismo, tentando rezar sem conseguir.

As horas passavam e nada de Geraldo. Aurora e o Dr. Afonso, avisados, chegaram assustados. D. Lucila e Inês também juntaram-se a eles, procurando esconder a preocupação. Afinal, o momento pedia serenidade. Não adiantava nada o desespero ou o pessimismo. Entretanto, Geraldo levava vida metódica. Jamais deixava de avisar se fosse atrasar-se, ainda que por uma hora. Era evidente que algo inesperado acontecera. O estado de Maria Luísa inspirava cuidados. As horas passavam e nem uma notícia. Geraldo desaparecera, e ninguém sabia o que lhe havia acontecido.

Começou então o suplício de Maria Luísa. Não podia entender o que lhe estava acontecendo, nem sequer ter idéia do que poderia ter acontecido a Geraldo. Seria um seqüestro? Como ele era rico, e todos sabiam disso, era uma hipótese, porque morto ele não estava. Não fora encontrado em nenhum local, o que afastava a hipótese de assalto ou acidente. Além da polícia, Humberto começou a investigar e contratou os serviços de um detetive para auxiliá-lo.

Os dias foram passando e o mistério permanecia. Se tivesse havido seqüestro, por certo alguém os procuraria para resgate, mas uma semana escoara-se sem que notícia alguma chegasse. Aos poucos essa hipótese foi se distanciando. Maria da Glória, desde o desaparecimento de Geraldo, fazia companhia a Maria Luísa, sem afastar-se de seu lado.

D. Lucila e a filha iam para lá todas as tardes, procurando confortá-las. O momento era difícil. Os espíritos amigos apenas orientavam para que tivessem calma, confiança em Deus e fé. Não esclareciam sobre o que havia acontecido com o moço.

Aurora e Afonso também ficavam junto da filha o mais possível, procurando ocultar a preocupação. O médico de Maria Luísa aconselhara o repouso e ministrava-lhe calmantes para preservar-lhe o equilíbrio.

Nas investigações, Humberto descobriu que Geraldo ficara no escritório até uma da tarde e depois saiu, no que foi visto pelo homem da banca de jornais em frente ao prédio, e com o qual Geraldo habitualmente conversava e geralmente comprava jornais, revistas. Quando Humberto perguntou-lhe se o vira, o jornaleiro esclareceu:

— Vi, sim. Devia ser mais de uma hora. Quando ele passou, eu o chamei. Queria avisar que tinha recebido uma novidade da Europa. Mas, até estranhei, ele passou e nem me respondeu. Chamei duas vezes, mas ele se foi.

— Reparou se estava bem?

— Bem como?

— Com fisionomia calma, alegre.

— Estava meio esquisito. Quando ele vinha vindo, fui para a frente da banca e esperei. Sempre quando ele passava, cumprimentava e falava comigo. Eu queria dar-lhe notícia da revista. Mas ele passou sério. Nem me olhou. Quando o chamei, nem sequer voltou a cabeça. Acho até que não ouviu.

— Obrigado — agradeceu Humberto.

A cada dia, mais aumentava a suspeita de que algo terrível havia acontecido com o amigo. Era notória sua mudança de comportamento. Teria sido acometido de perturbação mental? Essa hipótese podia explicar seu desaparecimento. Talvez estivesse desmemoriado, perdido, sem condições de voltar para casa. Intensificou as buscas, casas de saúde, recolhimento de pessoas perturbadas. Nada encontrou. Geraldo desaparecera, e o moço descontrolado e triste não sabia mais onde procurar.

Capítulo 21

Em meio à tristeza, alguém estava satisfeito, feliz. O Dr. Marcondes, sentado em seu escritório, conversava animadamente com Roberto.

— Eu não disse que ia dar certo? Ciúme sempre foi e será um bom aliado.

Roberto, apesar de satisfeito, objetou, com certo ar de preocupação:

— Será que não fizemos mal? Temo pela saúde de Maria Luísa. Afinal, não desejo que nada de mal lhe aconteça.

Dr. Marcondes levantou-se e, dando-lhe palmadinha amigável no braço, tornou alegre:

— Que nada. Ela vai superar isso muito bem. Afinal, acho que até estamos ajudando.

— Como assim?

— Acha que ela casou com aquele caipira só por causa dos seus belos olhos? Claro que não. Se ela amava você, só pode ter casado com ele pelo dinheiro. Agora, com o seu desaparecimento, vai ficar livre e rica. Pode ter a certeza de que, quando o tempo passar, ela vai aceitar sua corte. Então vocês serão felizes. Com tanto dinheiro! Poderão viajar; sabe que o povo esquece, e depois poderão se casar em qualquer país.

Roberto sorria enlevado.

— Dinheiro não me preocupa. Sabe que tenho o bastante. Maria Luísa tem sido uma obsessão para mim. Não vejo hora de estreitá-la em meus braços.

— Calma — tornou Marcondes com ar satisfeito. — Pode pôr tudo a perder. Contenha-se. Deixe o tempo passar, depois daremos um jeito.

— Não sei o que faria sem sua ajuda.

— Confie em mim. Deixe-me resolver tudo.

Quando Roberto se foi, ele sentou-se novamente. Estava realizado. Vingara-se do sobrinho caipira e tinha novamente esperanças de reaver o dinheiro. A história se repetia. Geraldo acreditava na traição de Maria Luísa, e fugira horrorizado e vencido. Se essa criança vingasse, o que não desejava, ser-lhe-ia fácil provar que era filho espúrio de Roberto, portanto sem direito nenhum a herança.

Finalmente ia conseguir o que almejava. Seu dinheiro, o dinheiro de sua família, lhe voltaria às mãos. Seu plano tinha sido de primeira. Contratara dois detetives, que seguiram Maria Luísa e Geraldo por toda parte. Com os hábitos e lugares freqüentados pelos dois, não lhe foi difícil colocar Roberto em toda parte, ao encalço da moça, e um fotógrafo ocultamente havia documentado alguns desses encontros. Maria Luísa era arisca, não cedia, mas apesar disso, ele conseguira fotografias dos dois em poses inocentes, mas que poderiam deixar subentender que estavam juntos, passeando. Roberto possuía alguns bilhetes de Maria Luísa do tempo de namoro, suplicando-lhe a presença e dizendo que o amava. Foi suficiente. Algumas cartas anônimas, um pouco de arte, as fotografias, os bilhetes. Seu informante seguiu Geraldo naquele dia, quando ele, transtornado, pálido e sem rumo, saiu do escritório e perambulou pela cidade, andando a esmo. Não almoçou, e na mão tinha apenas o envelope fatídico, contendo as fotos. Sentou-se na Praça da República e ficou durante horas parado, rosto contraído, tenso. Era noite já quando ele se dirigiu à estação. Comprou uma passagem e, sem comer ou falar com ninguém, tomou o trem. Seu informante descobriu que fora para Mato Grosso. Ficou satisfeito. O caipira voltara para o mato, de onde ele nunca deveria ter saído. Agora, estava livre para conseguir o que queria. Tudo seria seu. Estava certo de que Maria Luísa voltaria para Roberto, o que lhe serviria muito para o que tinha em mente. Aliás, queria mesmo provocar escândalo.

Assim, mesmo que Geraldo quisesse voltar, desistiria. Não iria reconhecer o filho espúrio. Esperaria a criança nascer e se vingaria. Tinha material de sobra para uma ação em juízo. Sabia que, em matéria de honra, fácil seria sugerir a traição; difícil, difícil mesmo, seria provar o contrário. Riu satisfeito. Finalmente, ele levara a melhor!

Na verdade, Geraldo estava lá, novamente na casinha tosca em Dente de Onça. Seu refúgio, sua dor. Despojara-se de tudo quanto possuía e enxergava de novo a roupa surrada que encontrara intacta. Alguns vizinhos trouxeram as galinhas e as boas-vindas.

Mas o moço não conseguia paz. Na hora da desilusão e do sofrimento, recordava-se do seu refúgio e o fora buscar, na esperança de, despojando-se de tudo, voltar à vida simples e conseguir retomar a paz perdida. Mas a angústia, o fogo da revolta o consumiam interiormente.

Agora compreendia seu pai. Agora sabia por que ele um dia fora esconder sua dor naqueles ermos. Mas se Carolina era inocente, Maria Luísa não. A traição da esposa doía-lhe profundamente. Temia o amor, temia o casamento. Pensava nunca se casar. Não soubera defender-se e entregara-se ao amor por inteiro. Agora, estava difícil esquecer.

Permanecia horas na rede, desesperado, ora recordando os momentos de amor que tinha vivido, sentindo a saudade doendo sem remédio, ora caminhando endoidecido pelo mato, indiferente a tudo, vendo as fotografias, lendo os bilhetes amorosos da sua mulher a outro homem e imaginando-a com ele, na traição em seus braços. Nesses momentos, temia enlouquecer. Queria esquecer, mas não conseguia. Deixou a barba crescer, não se alimentava. Alguns cabelos brancos começaram a aparecer. Geraldo nem se deu conta. Apesar do cheiro de mato, da beleza das flores, do canto dos pássaros, da magia e da calma daquele recanto que amava, ele não conseguia tranqüilidade.

Apesar de tudo quanto passara, de sua dor, de seus temores e de seu sofrimento, Maria Luísa deu à luz um menino forte e saudável, quase trinta dias depois de Geraldo desaparecer.

Apesar do carinho dos pais e dos amigos, Maria Luísa chorou muito ao tomar o filho nos braços. Não podia compreender. Humberto suspeitava que ele tivesse partido espontaneamente. Por quê? Não podia negar que Geraldo nos últimos tempos estava mudado e arredio. Mas a jovem senhora não podia entender como uma simples suspeita, que ela nunca alimentara, pudesse transtorná-lo a tal ponto. Estava inconsolável. Debalde os pais e os amigos tentavam confortá-la, porquanto seu coração triste e magoado não se conformava.

Lucila, a amiga de sempre, a visitava todos os dias, pedindo-lhe para manter a fé em Deus e a confiança, mas ela não conseguia acalmar-se. Temia que algo muito grave houvesse acontecido. Chorava aventando a hipótese da morte do marido. Foi em crise de desespero que Maria Luísa pediu:

— Por favor, D. Lucila. Faça alguma coisa. Não suporto mais esta situação. Peça ao espírito de D. Carolina, que tem sido tão boa. Quem sabe virá nos ajudar.

— Já tentamos esse recurso, minha filha, e nossa amiga nos recomendou calma e confiança. Se ela disse isso, é porque tudo vai se resolver a seu tempo. Se você quiser, podemos fazer uma prece aqui, em sua casa. Vamos ver o que eles nos dizem.

A moça concordou, emocionada. Dr. Afonso notificou Humberto, Maria da Glória e Jorge, e à noite reuniram-se todos na casa de Geraldo.

Inês murmurou sentida prece. Aberto o *Evangelho Segundo o Espiritismo*, Dr. Afonso leu a página "Causas Anteriores das Aflições". Foi com voz comovida que Lucila pediu a ajuda dos amigos espirituais. O silêncio se fez, enquanto que todos os presentes, ansiosos e em oração, aguardavam.

Várias vezes o suave perfume de Carolina balsamizava o ar, e o ambiente estava leve e tranqüilo, apesar da apreensão e da angústia dos presentes.

De repente, o corpo de Jorge foi sacudido com certa violência, enquanto que sua respiração tornava-se ofegante. Lucila pediu a todos que permanecessem firmes na oração. Foi com dificuldade que uma voz rouca e um tanto diferente brotou da garganta do moço:

— O que querem de mim? Não basta o que já fizeram? Não chega a humilhação, a dor, a mágoa e a traição? Não acham que foi o bastante? Por que não me deixam em paz?

Lucila, com voz calma, respondeu:

— De que tem medo? Somos seus amigos e queremos ajudá-lo.

— Não acredito. Vocês não sabem nada. Minha dor, só eu sei. Deixem-me em paz.

— Você está em paz — perguntou ela, conciliadora.

Fundo suspiro escapou do peito de Jorge.

— Paz! Depois de tudo! Como poderia?

Sua emoção era evidente.

— Gostaríamos muito que acreditasse que o queremos bem. Estamos pedindo a Deus que lhe dê a paz. Ele pode tudo. Por que não confia nele?

— Deus é pai dos justos. Não vai ajudar um assassino. Eu sou um assassino, sabia? Sou um assassino. Vivo como um maldito, sem rumo nem consolo. Ai de mim — gemeu ele —, que jamais terei paz.

— Não diga isso. O arrependimento sincero é porta ao perdão. Deus é pai. Por que não confiar?

O grupo orava com fervor. De repente, ele gritou:

— Meu Deus! Onde estou? Conheço esta sala. Um pouco diferente, mas eu sei... agora eu sei. Carolina, onde está você? Por acaso pode me perdoar?

Foi com voz comovida que Lucila esclareceu:

— Por certo. Há muito que ela o perdoou.

— Não acredito. Não mereço. Sou um assassino. Ela não sabe!

— Carolina sabe de tudo — respondeu Lucila —, e ela quer ajudá-lo. Tem trabalhado em seu favor. Ela o ama muito.

— Não mereço — tornou ele em soluços. — Não mereço. Quero ir para longe, não voltar nunca mais, levar o meu filho. Às vezes penso que estou enlouquecendo. Meu filho! Será mesmo meu? Será que Carolina não ama outro homem?

De repente, ele começou a rir. Um riso sinistro, enquanto dizia:

— Hoje eu tive a prova! Álvaro a ama! Vi as fotos! Aurora tinha razão. Como duvidar? Aquele homem, como podia saber? Foi o inferno. Eu, ajudando a salvar a vida do meu rival! Eu, alimentando a víbora que me conspurcara o lar. Eu, o traído, o enganado, o pobre coitado.

Fez uma pausa, enquanto que, comovidos, todos oravam em silêncio, lágrimas correndo pelos olhos de Aurora, emocionada. Ele prosseguiu:

— Ah! Mas eu me vingarei! Esta noite eu me vingarei. Isto, colocado no seu leite, vai acabar com ele em poucos minutos. Não posso esquecer aquela noite. Ele lia, sentado na cama, e vendo-me, guardou o livro. Estava calmo e parecia recuperado. Sorriu para mim.

— *Acho que dispenso os remédios agora. Já estou bem* — disse-me calmo. — *Não devia preocupar-se tanto comigo.*

— *Você é minha maior preocupação* — disse-lhe, enquanto lhe oferecia o copo. E fiquei olhando enquanto ele ingeria tudo até o fim. Depois deitou-se, dizendo que estava meio tonto. Alguns minutos depois, estava se torcendo em dores. Eu, ali, mudo, olhando-o entre ódio e o pavor, saí correndo do quarto. Eu tinha um bilhete dele que eu havia interceptado num momento de loucura, onde ele justificava o suicídio. Ninguém percebeu. Nem Carolina. Ela chorou muito e meu coração quase arrebentou por isso.

— Mas o inferno continuou, apesar de ninguém desconfiar de mim. O inferno tem continuado sempre. Duas semanas depois fui embora, mas levei o menino. Havia de criá-lo feito um bicho-do-mato.

Carolina, tão fina, tão delicada, teria como filho um caipira ignorante, um homem sem eira nem beira. E eu consegui.

— Meu amigo, lamento seu sofrimento — tornou Lucila, conciliadora. — Não acha que é chegada a hora de compreender? Não acha que é chegada a hora da verdade?

— A verdade queima como fogo — disse ele, assustado. — Tenho tido visões. Carolina me aparece estendendo-me os braços. Às vezes vejo meu inimigo. Álvaro me aparece com as mãos estendidas. Dizem-me que eles são inocentes. Mas então, o que eu sou? Quem é culpado? Eu, com meus ciúmes? Eu, que cometi a mais hedionda vingança? Minhas mãos estão negras pelo meu crime. Não tenho perdão. Não posso ser perdoado.

O grupo continuava em oração. O espírito de Euclides continuou:

— Até quando sofrerei esse martírio? Deus meu! Estou morto e estou no inferno. O inferno pode ser o meu destino.

— Deus não castiga quem errou. Abra seu coração a ele. Peça forças e tome a decisão de fazer algo para reparar o mal que causou. Isto lhe dará alívio.

— Agora vejo! Lucila, é você? Minha amiga, que vergonha!

— Não se envergonhe. Ninguém aqui tem condições de julgar. Estendemos nosso coração, nossa amizade, nosso abraço amigo. Não queremos esmiuçar o passado. Pelo que sei, posso afirmar o que sempre lhe disse. Carolina é inocente. Álvaro é inocente e já perdoaram seu gesto infeliz. Eles o amam muito e lutam há muitos anos para que você volte a reconciliar-se com eles.

— Tanta grandeza de alma, tanta bondade, eu não mereço. Agora vejo claro. Estou mais lúcido. Como pude escorregar desse jeito? Que loucura tomou conta de mim? Eu, um médico. Que horror! As mãos que deveriam curar serviram para matar. Ai de mim, eu não tenho remédio!

— Não caia na negação. Isso não vai ajudar. Ninguém o acusa de nada. Sua consciência é que está acordando. Tenha o valor suficiente para suportar a situação, procurando sair com dignidade do precipício em que se colocou. Você pode. Todos lhe estendem a mão. Não seja orgulhoso. Dê uma chance de melhoria ao seu espírito. Não transforme o erro de um momento de irreflexão e loucura em destruição maior de sua vida. Carolina está bem. Deseja que você possa melhorar. Ela o ama, sempre o amou. Você errou, mas já faz muitos anos e tem sofrido muito. É hora de procurar mudar, melhorar.

— Ah! Se eu pudesse!

— Você pode. Deus é grande. Carolina pode ajudar. Por que tem fugido dela?

— Então era ela mesma que eu via? Não estava me acusando?

— Claro que não.

Euclides estava mais calmo.

— Nós éramos tão felizes! — tornou ele. — Por que a desgraça abalou nossas vidas? Por quê?

— Tudo saberemos a seu tempo. Por agora lembre que Deus é bom e não desampara ninguém. Confie, ore e procure fazer algo de bom. Queixas e lamentações não vão ajudá-lo. Lembre-se disso.

— Estou amargurado. Geraldo, meu filho. Ele sofre muito. Que destino! Foi para punir-me pelo erro que cometi. Ele paga pelo meu crime.

A voz de Lucila tornou-se enérgica.

— Não acredito. Ninguém responde pelos erros alheios.

— Então, por que lhe aconteceu o mesmo que a mim? Por que foi traído, e se lamenta? Isso é castigo para mim. Ele foi punido, e ele não é assassino como eu!

Lágrimas corriam pelo rosto de Jorge.

— Acompanhei-o de perto e sofri com ele. Tive medo de que ele fizesse o mesmo que eu, por isso o aconselhei a ir embora. Foi melhor.

— Como pôde fazer uma coisa dessas? Eu sou inocente! — tornou Maria Luísa desesperada.

— Calma, minha filha. Ele não tem condições de entender muito — interveio Lucila.

Inocente? E a carta que eu vi, e as fotografias? Por acaso são falsas? Estará ele sendo vítima de um terrível engano?

— Vamos, acalme-se. Agora, não se preocupe mais com nada, precisa descansar. Deus vai ajudar a todos. Você está doente, deve repousar um pouco. Outro dia conversaremos. Talvez Carolina possa visitá-lo no lugar de refazimento para que você será levado. Tenha esperança e fé. Procure esquecer o passado. Muitos anos de dor e sofrimento já bastam. Vamos construir o futuro de amor e paz que todos desejamos. Ore comigo.

Lucila pronunciou sentida prece e aos poucos Jorge serenou e voltou ao normal. Inês, com voz branda e doce, falou:

— Obrigada, meus amigos. Hoje demos um passo muito importante para a solução dos nossos problemas. Fiquem confiantes. Estamos trabalhando e tudo se resolverá.

— O que aconteceu a Geraldo, pode dizer-nos? — indagou Lucila com humildade.

— Posso informar que ele necessita das preces de todos com firmeza. Passa por crise difícil, mas confiemos em Deus. Um dia, voltaremos para contar a origem dos problemas e das lutas que nos têm envolvido o coração. Euclides acordou e eu abençôo vocês pela ajuda preciosa que nos deram. Maria Luísa, minha filha querida, sei o que vai pelo seu coração leal e sincero. A calúnia fere como fogo, e a dor por vezes nos parece invencível. Mas o dia da justiça não tarda. Entregue seus anseios a Jesus. Perdoe incondicionalmente a todos os que a feriram e siga adiante, com coragem e alegria. Dias melhores virão. Seu filho é bênção de Deus guiando seus passos. É um coração muito querido que retorna, esperançoso de recomeçar à luz do seu carinho e da sua orientação. Mais tarde, é possível que você possa agasalhar alguém a quem muito amamos, junto ao seu coração de mãe. Confio que então tudo estará em paz, porquanto você saberá conduzir os inimigos de ontem à fraternidade e ao verdadeiro perdão. Deus guarde e abençoe você. Estamos juntas. Não desanime. Carolina.

O suave perfume encheu o ar, e os presentes, em lágrimas, não encontravam palavras para expressar suas emoções.

Aurora, pálida, chorava sem saber o que dizer, enquanto Maria Luísa indagava assustada:

— Deus meu! Que drama é este que se oculta em nosso passado? Meu pai foi assassinado? Por quê?

Lucila colocou a mão sobre o braço trêmulo da moça:

— Maria Luísa, não sabíamos desse detalhe. Agora, coloquemos o perdão e a serenidade sobre o assunto para não perturbarmos o infeliz espírito de Euclides. Muitas coisas não temos condições de entender. Aguardemos a providência divina. Por agora, conforta-nos saber que Geraldo está vivo, e em alguma parte. Uma tragédia que não conhecemos, alguma trama que por certo será revelada nos envolveu. Agradeçamos a Deus tanta bondade que nos possibilitou esse auxílio.

Confiemos na divina providência, que as coisas voltarão ao seu normal. Deus é grande. Esperemos com fé.

— Ele falou em fotografias, cartas, como pode ser? Isso não existe... — disse Maria Luísa, preocupada.

— Infelizmente, não sabemos o que aconteceu realmente. Mas todos sabemos que Geraldo estava modificado, preocupado, inquieto nos últimos tempos.

— Alguém teria interesse em separar vocês dois — considerou Humberto com seriedade. — Quem?

Maria Luísa enrubesceu. Acabava de lembrar-se de Roberto. Mas não o julgava capaz de tanto.

— Maria Luísa — indagou Humberto, interessado —, aconteceu alguma coisa com vocês, ultimamente, na intimidade, ou algo que pudesse provocar desconfiança em Geraldo?

— Sim. Aconteceu. Mas não acho possível que por causa disso ele tenha ido embora. Não houve nada.

— Bem, o que foi? Conte-me direitinho.

— Está bem.

Maria Luísa contou o reencontro com Roberto no casamento deles, seu assédio constante a partir desse dia.

— Onde eu ia, ele estava. Não sei como descobria os lugares em que deveria ir. Você sabe, as compras, o cabeleireiro, a modista. Fugi dele e disse-lhe que amava Geraldo, até que me pareceu que ele compreendeu e desistiu de procurar-me.

— Quando foi isso?

— Pouco antes de Geraldo desaparecer.

— Isso faz sentido. Sei que esse moço não desfruta de boa fama. Seria capaz de ter forjado alguma "prova" para enciumar Geraldo.

— É difícil acreditar. Conheço Roberto razoavelmente. É leviano, mas creio que não teria coragem para tramar tudo isso. Custa-me crer.

— Você tem uma explicação melhor para o desaparecimento de Geraldo?

— Não — murmurou ela com voz triste.

— Vou investigar. Se ele fez essa traição, vou descobrir. Eu juro.

Aurora estava transtornada. Seu rosto pálido, martirizado, refletia extremo sofrimento. Afonso apertava sua mão fria, com carinho e preocupação.

Enquanto Maria Luísa foi atender a criança, que necessitava dos seus cuidados, Lucila aproximou-se de Aurora com carinhosa atenção.

— Aurora, não se atormente. Deus sempre faz tudo certo. Não tema.

— É o meu castigo! Continuo pagando. Não acho justo, eles são inocentes! Por que devem sofrer pelo meu crime? Você não me havia dito que Deus não pune os filhos pelos crimes dos pais?

— Continuo dizendo. Acalme-se, Aurora. Coragem. Pelo que Carolina nos disse, todos estamos envolvidos em dolorosa trama do passado. Como pode você assumir toda a culpa pelo que aconteceu? Confiemos em Deus e esperemos com fé e serenidade. Se Maria Luísa sofre, se Geraldo sofre, é porque eles precisam aprender algumas lições que a vida se dispôs a ensinar. Ninguém responde pelos erros alheios, pode estar certa. Carolina nos prometeu contar a verdade e afirmou que tudo vai voltar ao normal. Por que então preocupação excessiva? Não acha que esses amigos estão nos ajudando?

Aurora pareceu mais calma. Suspirou fundo.

— Maria Luísa vai descobrir tudo. Ficou sabendo sobre o passado.

— Hoje nós fomos surpreendidos com a descoberta sobre a morte de Álvaro. Não acha que sua filha tem condições de entender a verdade? Não acha que o que tem sofrido a coloca mais perto do seu próprio sofrimento?

— Talvez. Mas eu tenho medo de contar-lhe. Não resistiria.

— Pense bem, Aurora. Talvez este seja o momento adequado. É preferível que ela ouça a sua versão. Não pensou nisso?

— O que quer dizer?

— Que se a vida dispuser as coisas para que ela saiba, tudo virá à tona e ninguém poderá impedir. Pense nisto e conte-lhe tudo. Ela vai entender e você se sentirá muito melhor sem o peso desse segredo.

Aurora abaixou a cabeça pensativa. As palavras de Lucila calaram fundo em seu coração dilacerado.

Humberto estava realmente preocupado. Pela primeira vez uma pista viável havia aparecido. Sabia agora que Geraldo fugira, abandonando tudo voluntariamente. Onde estaria? De repente, deu um salto.

— Já sei para onde Geraldo deve ter ido. Já sei. Só pode estar lá.

— Onde? — perguntou Maria Luísa, que voltava à sala.

— No seu refúgio do mato. Em Dente de Onça. Onde mais poderia estar?

Maria Luísa estremeceu. Lágrimas corriam pelo rosto emocionado.

— É uma esperança. Pode ser.

— Claro que é. Onde mais poderia ter ido? Tinha pouco dinheiro, não levou roupas, e isso me tem intrigado muito. Agora eu sei. Lá, ele deve ter voltado à antiga vida.

— Custa-me acreditar — fez Maria Luísa.

— Ele sempre me dizia que lá era o seu paraíso — disse Jorge, muito emocionado. Gostava de Geraldo como de um irmão. — Garanto que na hora em que se acreditou traído, fugiu para lá. Lógico que está lá.

Maria Luísa, nervosa, decidiu:

— Então vamos para lá imediatamente.

— Calma — tornou Humberto. — É uma hipótese viável, eu preciso investigar alguns dados primeiro. Afinal, nem sabemos onde fica esse lugar.

— É mesmo — disse Jorge, decepcionado. — Ele chamava de Dente de Onça, sabe Deus onde fica...

— Não convém você e o menino viajarem sem saber de nada. Vou realizar algumas investigações, e depois, quando tiver algo mais positivo, planejaremos a viagem.

— Mal posso esperar — suspirou ela, aflita,

— É preciso descobrir quem forjou essa calúnia. Há que desmascará-los. Geraldo precisa descobrir que foi enganado.

— Isso pode demorar. Estou aflita. Por mim, iria amanhã mesmo.

— Calma — interveio Lucila. — Humberto tem razão. O melhor mesmo é tentar descobrir a verdade e depois tomar providências.

— Se precisar viajar, pode deixar o menino — sugeriu Aurora, um tanto mais animada. — Tomaremos conta dele.

— Vou pensar. Não vou conseguir dormir. Pobre Geraldo. Como deve ter sofrido!

— A euforia é natural, mas a excitação não é boa conselheira. Carolina concitou-nos à confiança. Guardemos o coração em paz. Deus está no leme. Procuremos acalmar nossos corações.

A ponderação de Lucila teve o condão de os acalmar. Humberto prometeu:

— Amanhã bem cedo, inicio meu trabalho sobre esse Roberto. Manterei contato com você, informando de tudo quanto descobrir.

— Estarei esperando ansiosa — respondeu a moça.

Naquela noite, nenhum deles conseguiu esquecer os acontecimentos, e cada um, por sua vez, orou pedindo para que tudo se resolvesse.

No dia imediato, Humberto, logo cedo, fez um levantamento da vida de Roberto e descobriu-lhe o caráter leviano e inconstante. Estava praticamente separado da esposa e levava vida ociosa e fútil. Boêmio, era freqüentador assíduo dos teatros de revista e dos bastidores. Com uma foto dele que conseguira na imprensa, onde ele aparecia constantemente nas colunas sociais, Humberto investigava seus passos e surpreendeu-se com a estreita amizade que mantinha com o Dr. Marcondes.

Perguntou a Maria da Glória, que estranhou os fatos porquanto nunca o via entre os amigos do pai. Foi Jorge quem explicou melhor:

— Ultimamente, os dois tinham negócios. Várias vezes que fui ao escritório de papai, ele estava lá. São muito amigos, realmente. E se bem conheço papai, a bolada deve ser boa, porque ele o cumulava de atenção, coisa que só faz se houver dinheiro pelo meio.

Maria da Glória ficou intrigada, e Humberto, apesar da preocupação, procurou dissimular a suspeita que o invadiu, a fim de não magoar a esposa. Estaria o Dr. Marcondes metido nisso? Pretendia descobrir.

Maria Luísa estava desesperada e desejosa de partir o quanto antes, mas Humberto precisava de tempo para completar suas investigações. Queria ter com Geraldo levando provas concretas da trama de que, supunha, eles haviam sido vítimas. Foi a custo que ela concordou em esperar um pouco mais.

Jorge procurou Humberto no seu escritório e confidenciou:

— Não quis falar na frente de Maria da Glória porque ainda não estou certo, mas começo a desconfiar que papai teve algo a ver com isso.

— Eu também — respondeu Humberto, pensativo. — Acha que ele estará envolvido?

— Acho. Ele nunca fez muita questão de Roberto, e de repente passou a cercá-lo de atenções e de demonstrações de amizade. Não é natural dele.

— Com que intuito? Sempre deve haver motivação.

— A fortuna de Geraldo não é o bastante?

— Mas ele não a herdaria nunca. Há Maria Luísa e o filho, que são legítimos herdeiros.

— Quem sabe o que ele está tramando? Pode crer, se ele está nesse assunto é por causa do dinheiro. Nunca se conformou em ter perdido a fortuna de tia Carolina. Quando Geraldo apareceu, ele ia tomar posse de tudo. Ainda mais que está quebrado.

Humberto coçou a cabeça, pensativo.

— Está disposto a ajudar-me?

— Estou — respondeu Jorge com voz firme. — Geraldo é meu amigo e estimo-o muito. Farei tudo que puder para ajudá-lo a recuperar sua felicidade.

— Mesmo que seu pai esteja metido nisso?

— Sim. Se ele se meteu, não foi para ajudar, e nesse caso não merece consideração. Se ele fez alguma sujeira com Geraldo, eu vou descobrir e não vou poupá-lo. Não quero compactuar com ele.

— Está bem. Nesse caso, você poderia dar uma busca nos pertences de seu pai. Quem sabe descobre uma pista. Vou procurar Roberto para interrogá-lo.

— Vou fazer o seguinte. Agora, ele está no escritório. Vou para casa procurar em seus papéis. Se não achar nada, à noite iremos ao seu escritório. Sei onde ele guarda a reserva das chaves. Poderemos examinar tudo com calma.

— Muito bem. Mãos à obra — respondeu Humberto com decisão. — Você é um bom amigo! Nunca esquecerei seu gesto.

— Gosto de Geraldo e não concordo com certas coisas.

Trocaram um aperto de mão e se separaram.

Aurora, entretanto, estava em crise. O velho mal-estar a acometera, e ela, no quarto, pensava, pensava. O que Lucila lhe dissera calara fundo em seu coração. E se a tragédia passada viesse à tona sem que ela pudesse impedir? Não seria melhor enfrentar o problema de uma vez, libertando-se do seu peso atroz? Sentia-se culpada pelo que acontecera no passado. Acreditava que tudo estivesse terminado; no entanto, eis que tudo tomava novos rumos. Álvaro barbaramente assassinado! Ela era culpada também por esse crime. Fora sua suspeita vil, seu ciúme, sua calúnia que colocaram no coração de Euclides o veneno da desconfiança. Agora, sua filha sofria. Até quando deveria sofrer pelos seus erros? A última coisa que desejava era contar à filha toda a verdade. Como ela receberia a tragédia? Não, não podia contar. Mas por outro lado, se alguém, os espíritos por exemplo, contassem os fatos? Maria Luísa já conhecia parte da verdade, não seria melhor abrir seu coração de uma vez?

Aurora debatia-se nessas indagações íntimas, coração atormentado e aflito. O que fazer? Ao mesmo tempo que temia desejava conversar com a filha, dizer-lhe o quanto compreendia seu sofrimento frente à calúnia dolorosa.

Aurora atormentava-se. A sensação de culpa era pesada demais. Se ela não houvesse envenenado a vida, ninguém estaria naquela situação. O crime de Euclides a estarrecia.

Maria Luísa, sabendo do estado precário da mãe, foi visitá-la. A tragédia do pai por certo a abalara muito. Por outro lado, por que ele estava na casa de Euclides? Por que ela, Aurora, não estava lá? Qual o drama que ela pressentia e nunca viera a saber?

Quando entrou no quarto de Aurora, assustou-se com seu precário estado físico. Ela, que parecia tão bem, agora estava uma sombra. Pálida, olheiras fundas, olhos agitados, inquieta. Vendo a filha, não pôde conter o pranto. Maria Luísa correu para ela.

— Mamãe, não se atormente. Sei que foi um choque para a senhora saber que papai não foi assassinado, mas de que adianta agora se desesperar? Não tem remédio. Vamos, acalme-se.

Aurora soluçava em desespero. Maria Luísa sentia as lágrimas rolarem de seus olhos doloridos.

— Mamãe. Por favor. Acalme-se. Vamos. Não posso vê-la assim.

Aurora não podia se acalmar. A crise, a tensão dos últimos dias, o remorso, o medo, o arrependimento, tudo lhe queimava a alma. Chorava convulsivamente. A moça, sem saber o que fazer, abraçava-a com preocupação e carinho. De repente, Aurora parou de soluçar e decidiu:

— Filha, preciso contar-lhe tudo, ainda que seja a última coisa que eu faça na vida. Não posso guardar no coração esse remorso. Depois, posso morrer em paz. Se é que um dia a terei.

A moça olhou penalizada.

— Mãe, não precisa contar-me nada. Não se atormente. Acalme-se.

— Não, filha. Ocultei tudo a vida inteira, mas agora não agüento mais. Vou abrir meu coração, confessar o meu crime. Fui culpada de tudo quanto aconteceu a seu pai e a Carolina. Até o crime de Euclides, eu sou a única culpada.

— Mamãe, não diga isso! Não acredito.

— É verdade. Fui eu que o envenenei de ciúmes. Foi o ciúme que destruiu nossas vidas. Álvaro era inocente! Eu estava louca! O ciúme transtorna nossas vidas. Estou pagando pelo meu crime. Só lamento que vocês estejam sofrendo tanto por minha causa.

Maria Luísa estava assustada. Olhos fixos no rosto macerado de Aurora.

— Mamãe, por favor! Não se atormente. Um dia me contará tudo, com calma.

— Não. Deve ser agora. Se passar o momento, não terei coragem.

Aurora estava determinada. Com voz trêmula, começou a narrar a tragédia de sua vida. A moça, ouvindo-a falar, não podia conter o pranto. Resolvida a ir até o fim, Aurora não se poupou. Contou tudo. Seu arrependimento, seus temores, a ajuda de Lucila e Inês, a bênção da fé, e terminou:

— Pensei que tudo já estivesse esquecido, tentei fazer Afonso feliz. Ele é o amigo de todas as horas, o companheiro que me tem amado, e eu, no meu egoísmo, não compreendia. O que teria sido de mim sem ele?

Maria Luísa soluçava. Tanta tragédia a sufocava.

— Queria evitar esse sofrimento. Não queria que soubesse. Lutei desesperadamente, mas em vão. Lucila aconselhou que lhe contasse; aliás, ela queria que eu o fizesse há muito tempo. Mas eu tinha medo de perder seu afeto e de fazê-la sofrer inutilmente. Agora já sabe; pode perdoar-me? Pode entender que eu estava louca? Pode sentir o meu arrependimento, o meu desespero?

— Mamãe, como pôde carregar esse peso sozinha? Por que quis poupar-me? Não acha que eu tinha o direito de saber?

A voz de Aurora era amarga quando respondeu:

— Acho. Só que eu não tive coragem. Não queria que minha própria filha me desprezasse como causadora da morte do pai. É horrível!

Maria Luísa fixou o rosto pálido e contraído da mãe e comoveu-se.

— Mãe, eu não a desprezo! Quero-lhe bem. Agora entendo por que me afastou do seu carinho, deixando-me tão longe de casa. É isso que lamento. Você errou, mas eu não posso julgar. A tragédia aconteceu e você não a premeditou. Foi a vida. Você amava muito papai.

Amo seu pai e esse tem sido meu castigo. Gosto de Afonso como de um irmão, mas é a Álvaro que eu amo, e guardo no coração a lembrança dos momentos felizes que vivemos juntos. Que alma nobre! Mesmo tendo sido assassinado por minha causa, ele me perdoou. Disse que ainda me ama.

— Teve notícias dele?

— Sim. Eu o vi várias vezes, apesar de tudo. Isso me fez levantar o ânimo e levar a vida com mais coragem. Mas eu não sabia que Euclides tinha chegado ao crime.

Maria Luísa estremeceu.

— Mãe. Tenho sofrido muito. Há coisas que não temos ainda condições de entender. Devemos perdoá-lo e não falar sobre esse crime. Poderíamos atraí-lo de novo.

— Tem razão. Eu não posso julgar; como poderia? Eu, que ainda carrego o peso do remorso e que comecei essa tragédia toda?

— Não carregue o peso da culpa. Você errou, mas tem sofrido muito.

— Você me perdoa?

— Eu? Não tenho nada a perdoar. Lamento não ter sabido antes, porque juntas teríamos lutado e teríamos encontrado forças para superar o problema. Acha que me sentia feliz longe de casa, em meio estranho? Acha que não sofria por vê-la sempre doente e abatida? Crê que eu me sentia feliz acreditando ter sido colocada fora de casa porque você não me amava o bastante para ter-me perto?

Aurora olhou-a admirada. Jamais pensara que Maria Luísa pudesse guardar essas idéias.

— Você sabe que não foi isso. Sabe que eu a amava tanto e por isso queria poupar-lhe a vergonha e a maledicência. Talvez tenha cometido um erro também nesse ponto.

— Não vamos colocar a culpa em cima de ninguém. Você pensou em beneficiar-me, só que eu teria preferido ficar aqui, ao seu lado, mesmo sabendo do drama em que estávamos envolvidas. Mas agora, mãe, tudo passou e não adianta nada nos lamentarmos por algo que não tem remédio. O que desejo mesmo é encontrar Geraldo, é poder esclarecer as coisas e refazer nossas vidas. Você agora também precisa esquecer. Se por um lado deixou-se envolver pelo ciúme e pela vingança, não podia prever o que aconteceu e nem pode ser responsável pelo que os outros fizeram. Se o Dr. Euclides acolheu papai e o salvou da morte, se o levou à própria casa como a um irmão, mesmo depois de você ter falado sobre suas suspeitas com relação a Carolina, alguma coisa aconteceu depois para que ele, numa crise de ciúme, o assassinasse. Quem sabe alguém, com intenção de separá-lo da família, tenha provocado seu ciúme? Depois do que está acontecendo comigo, não duvido de mais nada.

Aurora sacudiu a cabeça, pensativa.

— Isso é verdade. Euclides amava muito a esposa e confiava nela. Quem teria interesse em separá-los?

— Não sei. O dinheiro é tentação muito forte para certas pessoas.

— Acha que o Dr. Marcondes teria sido capaz disso?

Maria Luísa sacudiu os ombros.

— Não sei. Ele sempre anda em volta do dinheiro do irmão. Nunca se conformou em perder a fortuna; mesmo agora, em nosso caso, suspeito dele.

— Na verdade, esse homem tem sido a sombra negra das nossas vidas.

Aurora contou à filha a chantagem de que fora vítima. Maria Luísa indignou-se.

— Mãe! Dar dinheiro àquele patife!

— Que remédio. Agora estamos livres dele. Nunca mais poderá me ameaçar.

Maria Luísa suspirou fundo.

— Agora só tenho um desejo na vida: encontrar Geraldo, trazê-lo de volta para casa.

Aurora estava mais animada. Libertara-se de um grande peso. Foi com mais calma que respondeu:

— Deus é grande. Carolina aconselhou a esperar com paciência. Tudo vai se resolver.

Naquela mesma noite, Jorge foi procurar Humberto em sua casa.

— Então? — perguntou o ex-detetive assim que o viu.

Dei uma busca no escritório dele em casa, não encontrei nada. Eis as chaves. Vamos ao escritório dele na cidade. Quem sabe, lá teremos melhor sorte.

Maria da Glória fora à casa de Maria Luísa, e Humberto iria apanhá-la depois. Estava sozinho em casa. Saíram. Uma vez no escritório do Dr. Marcondes, começaram a busca cuidadosamente.

— Deixe tudo nos devidos lugares — aconselhou Humberto. — Melhor que ele não desconfie da nossa visita.

— Certo. Concordo.

Arquivos, pastas, gavetas, tudo examinado minuciosamente. Até que em uma das gavetas, fechadas a chave, Jorge deu um pequeno grito de susto:

— Achei! Venha ver. Acho que estão aqui.

De um salto, Humberto alcançou a gaveta. Em um envelope grande, algumas fotografias de Maria Luísa com Roberto andando na rua, entrando num táxi, e havia uma em que ele aparecia abraçando a moça, os negativos recortados e colados, em falsificação, cuidadosamente preparados, não deixavam nenhuma dúvida quanto à intenção e à fraude.

As mãos de Jorge tremiam, seu rosto retratava a revolta e a vergonha. Humberto, mãos nervosas, apanhou alguns bilhetes; pela cor do papel, já um pouco envelhecido, percebeu que se tratava de dois bilhetes escritos por Maria Luísa a Roberto. Bilhetes amorosos e sentidos, datados de alguns anos atrás. Porém, junto estava uma carta, com letra da moça, em papel perfumado, que dizia amar Roberto e confessava que o filho era dele.

Humberto ficou olhando aquele papel entre assustado e aflito; Jorge, porém, exclamou:

— Esta carta foi falsificada. Veja como ele treinou a letra, olhe aqui estas tentativas!

Era verdade. Havia alguns papéis onde se percebia o esforço que o falsificador fizera para copiar a letra da moça.

— Agora tudo ficou claro — declarou Humberto. — Finalmente faz sentido! Provando que o filho não é legítimo, acabando o casamento de Geraldo, ele não voltará mais do mato e finalmente o Dr. José conseguirá a tão sonhada herança.

Jorge estava pálido.

— Humberto! Meu pai! Que vergonha! Bem que eu desconfiava, mas não podia supor que tivesse chegado a tanto.

Humberto sacudiu a cabeça, preocupado.

— Ele tem habilidade! Veja, tudo igual; eu mesmo, a princípio, cheguei a pensar que fosse autêntica. Imagino o que fez com o pobre Geraldo!

— É verdade. E agora, o que vamos fazer?

— Levar isso tudo. Vamos ver se há mais coisas.

Realmente, havia vários documentos de fraudes e negócios irregulares, que atestavam bem a "honestidade" do Dr. Marcondes.

— Nunca esquecerei este dia. Humberto, amanhã mesmo vou procurar um emprego decente. Quero ganhar o suficiente e mudar-me daquela casa. Depois disso, não mais suportarei permanecer ali.

— Tem razão. Farei tudo que puder para ajudar. Você tem sido amigo fiel e dedicado. Admiro-o.

Jorge abaixou a cabeça, envergonhado. Duas lágrimas rolavam pelas suas faces.

— Tenho sido um inútil. Aceitei e malbaratei o dinheiro dele, e agora sinto-me como cúmplice dessas barbaridades. Pode compreender?

— Posso. Você não tem culpa. Foi criado nesse meio. É tempo de reagir. O trabalho é preciosa escola que só nos enriquece, seja ele qual for. Veja, aqui há um envelope velho, amarelecido, escrito "negócios de família". Vamos ver o que é.

Humberto abriu o envelope e viu uma foto de Carolina e um homem de pijama; estavam abraçados.

— É tia Carolina e o Dr. Álvaro! — disse Jorge admirado. Junto, o negativo, o mesmo truque, colagem e a foto comprometedora. Uma carta de Carolina ao sogro, em uma viagem pela Europa com o marido. A imitação da letra em vários papéis, e por fim um bilhete de Carolina a Álvaro declarando que o amava.

Jorge tremia, a emoção era forte demais para ele. Humberto, emocionado, sentia-se como que penetrando um mundo diferente. Afinal, a prova da inocência de Carolina e a causa da tragédia de Euclides, da morte de Álvaro.

Humberto olhou penalizado o rosto contrafeito de Jorge. Abraçou-o comovido:

— Jorge! Foi a mão de Deus que nos conduziu aqui!

— Meu pai! Pode perceber minha vergonha? Pode sentir o meu desespero? Eu, um encostado, um acomodado, um jogador, um boneco fútil e sem dignidade?

Lágrimas desciam-lhe pelos olhos sem que ele pudesse conter.

— Não precisa, nem pode assumir responsabilidade pelos erros de seu pai. Você tem se acomodado às facilidades de um berço rico, só isso. Não cometeu nenhum crime.

— Mas ele, como pôde?

— É lamentável, realmente, mas o que podemos nós fazer? O que deseja que se faça com esses papéis?

— Que a verdade se estabeleça, doa a quem doer. Não posso compactuar com essas falsificações. Nem posso concordar com o que ele pretendia ainda fazer. Vamos levar esses documentos todos. Depois decidiremos o que fazer.

— Concordo. Vamos fazer tudo sem deixar nenhum vestígio. Quanto mais demorar a perceber que os papéis sumiram, tanto melhor para nós. Teremos tempo para decidir o que fazer.

Arrumaram tudo cuidadosamente, empacotaram os documentos que lhes interessavam e saíram.

Era mais de meia-noite quando chegaram à casa de Maria Luísa. As duas estavam ansiosas.

Você demorou — estranhou Maria da Glória. — O que aconteceu?

Foi Jorge quem respondeu:

— Fomos revistar o escritório de papai, eu arranjei as chaves.

— Por quê? — indagou ela, alarmada.

— Desconfiávamos dele. E sente-se para não cair, porque encontramos muito além do que fomos procurar.

— Como assim? — perguntou a moça, assustada.

— Infelizmente, minha querida, seu pai realmente planejou uma verdadeira trama, e foi dali que tudo partiu.

A moça empalideceu, e Maria Luísa, agoniada, não ousava perguntar. Apesar de sua angústia, não queria magoar a amiga. Maria da Glória, com voz que procurava tornar calma:

— O que aconteceu? O que ele fez?

— Vamos nos sentar e conversar. Acalmem-se. Temos em mãos a chave de todos os problemas. Tanto dos novos como dos antigos. Infelizmente, Dr. Marcondes está na base de tudo. Precisamos buscar Geraldo. Já sabemos tudo que aconteceu.

Sentaram-se ao redor da mesa e, ante seus olhos indignados, assustados, Humberto foi desfilando os documentos. Maria Luísa ia da palidez ao rubor.

— Por isso ele me seguia; veja, nesse dia ele me disse que não ia mais importunar-me e ajudou-me a subir no táxi. Olha! Foi isso que os espíritos disseram naquela noite. Lembram-se? Mencionaram cartas, fotografias, foi o Dr. Euclides quem contou.

— É verdade — recordou Humberto. — Ele tinha razão. Pobre Geraldo. Como duvidar? Como não acreditar? Achei esta carta.

Maria Luísa leu, e seu rosto mal podia esconder a indignação.

— Que horror! Que infâmia!

— Essa ele não mandou. É provável que a tivesse preparado para provar que seu filho não tinha direito à herança.

Maria da Glória soluçava nervosamente.

— Querida — tornou Humberto, carinhoso —, compreendo sua dor, mas foi melhor termos descoberto antes que ele consumasse outra tragédia.

— Claro — respondeu a moça, procurando acalmar-se. — Estou chocada, só isso. Não concordo com ele, como sempre. E desta vez temos que contê-lo. Ele precisa parar. Como, não sei.

— O que temos a fazer agora é encontrar Geraldo e colocá-lo ao par da verdade. Depois, ele, você, Maria Luísa, D. Aurora, decidirão o que fazer.

— Por que mamãe? Por acaso ela também está envolvida?

— Deixemos isso para depois — aventou Humberto.

— Ele quer poupar Maria da Glória. Eu acho melhor irmos até o fim — interveio Jorge, decidido. O moço, que sempre se mostrara indeciso e fraco, parecia agora revestido de dignidade e firmeza. Maria da Glória olhou-o admirada. Depois, respondeu firme:

— Quero saber tudo até o fim, agora. Seja o que for que ele fez, quero saber.

Humberto pegou o velho envelope e elas puderam observar os documentos que por certo teriam dado origem à tragédia de Euclides.

— Isso é caso de polícia! — desabafou a moça, indignada. — É meu pai, mas é um criminoso. Ele realmente foi o culpado de toda essa tragédia. Acho que deve responder por isso.

— Maria da Glória — interveio Maria Luísa com voz trêmula. — Chega de vinganças. Agora, só quero Geraldo de volta. Para mim, não interessa nada que não seja ele. Por favor! Vamos descobrir onde se encontra. É só o que peço.

— Tem razão — concordou Humberto. — Se ele deve estar em Dente de Onça, hei de encontrá-lo, custe o que custar. Amanhã mesmo partirei à sua procura. Não descansarei até que o encontre.

— Irei com você. Não suportarei esperar.

— Tudo é difícil. Não sei onde fica esse lugar. Depois, falta conforto, tudo.

— Não importa. Eu irei. Não agüento ficar aqui nem mais um dia nesta incerteza. Quero desfazer essa calúnia, quero ver Geraldo, meu Deus! Mal posso esperar.

— Vou com você — tornou Maria da Glória. — Posso ajudá-la com o bebê.

— Está certo. Amanhã bem cedo irei procurar o Dr. Olavo. Ele sabe onde fica esse lugar. Foi ele quem trouxe Geraldo para cá. Enquanto isso, vocês se preparam para a viagem. Reservarei passagens, tudo.

— E eu? — perguntou Jorge. — Também quero ajudar naquilo que vocês acharem mais conveniente. Querem que eu vá junto?

— Você pode ficar aqui em nosso escritório, cuidando dos nossos negócios, e se precisarmos algo, nos comunicaremos com você.

— Certo. Sabe que estou do lado de Geraldo. Sempre estive.

— Foi graças a você que pudemos descobrir tudo. Nunca esquecerei disso.

O dia estava amanhecendo quando Humberto, Maria da Glória e Jorge se retiraram, deixando Maria Luísa entre a angústia da espera e a esperança de rever o marido, esclarecer a situação.

Apesar de ter se recolhido tarde, eram nove horas da manhã quando Humberto entrou no escritório do Dr. Olavo Rangel. Este acabava de chegar e recebeu-o com deferência. Embora não simpatizasse com ele, jamais envolvia seus sentimentos com os negócios. E o Dr. Olavo precisava de dinheiro. Sua situação não era má, mas ele queria sempre mais.

— Em que posso servi-lo? — indagou cortês.

— Preciso de sua ajuda.

— Tenho acompanhado as notícias. Sei que Geraldo desapareceu misteriosamente.

— É verdade. E acreditamos que esteja vivo. Seu corpo não foi encontrado em parte alguma.

— O que lhe teria acontecido

— Ele teve alguns aborrecimentos e acreditamos que tenha se refugiado em Dente de Onça.

Dr. Olavo sacudiu a cabeça, concordando.

— Tenho pensado nessa possibilidade. Geraldo sempre me pareceu diferente das outras pessoas. De início, pensei que não se acostumasse à cidade. Foi um custo trazê-lo! Mas depois, vendo-o tão civilizado, polido e bem vestido, cheguei a esquecer sua maneira de ser. Pode bem ter voltado àquele buraco. Não consigo entender uma coisa dessas!

— Não se trata agora de entender. Precisamos encontrá-lo. Há negócios urgentes a serem resolvidos. Vim procurá-lo para que nos ensine como ir até lá. Quero partir o quanto antes e preciso das suas indicações.

Dr. Olavo sorriu e ajuntou:

— Claro, terei prazer em ajudar. Mas faz tanto tempo! Fui lá apenas uma vez, e levado por outra pessoa. Acho difícil agora lembrar...

— A esposa dele ofereceu uma boa recompensa para quem der a informação melhor. Cinqüenta contos de réis, sabia?

Os olhos do advogado brilharam.

— Pensei que tivesse ouvido dizer que seriam cem.

Humberto olhou firme.

— Sei que ela chega até os sessenta, o que já é bastante.

— Vou esforçar-me para lembrar. Ela pagaria adiantado?

— Vinte agora e o resto na volta, se as informações forem exatas.

— E se ele não estiver lá?

— Não é problema. A recompensa é pela informação do local.

— Está bem. Tenho minhas anotações, vamos ver.

Meia hora depois, Humberto saiu do escritório com as indicações precisas para chegar a Dente de Onça. Tanto quanto Maria Luísa, estava ansioso para encontrar Geraldo e esclarecer tudo. Sofria pelo amigo, imaginando-lhe a angústia, o desespero e a desilusão. Pretendia partir o quanto antes.

Foi a uma companhia aérea e fretou um avião. Sabia que Maria Luísa concordaria em não medir esforços nem dinheiro para rever o marido. Assim, naquela mesma tarde, ele, Maria Luísa, Maria da Glória e o bebê viajaram rumo a Dente de Onça.

Deveriam dormir em Cuiabá e, no dia seguinte cedo, conseguir meios de viajar até Dente de Onça. Pela manhã, as duas haviam chamado Aurora, Lucila e Inês e colocaram-nas ao par dos últimos acontecimentos. As três choraram de emoção frente à comprovação material da inocência de Carolina.

Não que elas pusessem em dúvida, mas aquela volta ao passado, aquelas provas, emocionaram-nas muito.

A possibilidade de Geraldo estar em Dente de Onça iluminou seus corações de esperança. Lucila afirmou:

— Vai, filha, acredito agora que tudo se resolva. Carolina deu a entender que tudo estaria bem. Ficaremos orando por vocês.

Já era noite quando os viajantes chegaram a Cuiabá. Descansaram num hotel modesto. Humberto procurou logo conseguir alguém que os levasse ao local. Conseguira um mapa da região, o que de certa forma pensava facilitar o empreendimento. Mas ali o local não era conhecido. Mandou que um jipe os levasse no dia seguinte até Campo Grande, e tentariam descobrir a vila próxima a Dente de Onça.

Apesar de cansados, resolveram sair bem cedo no dia seguinte. A ansiedade não os deixava nem dormir. Viajaram toda a manhã e chegaram a Campo Grande ao almoço. Resolveram descansar um pouco, enquanto Humberto e o motorista iam indagar sobre a vila perto de Dente de Onça. Teriam que viajar muitas horas, e por isso o motorista negava-se a seguir à tarde. Não queria pegar estrada durante a noite. Ele não a conhecia. A custo os viajantes resolveram esperar até o dia seguinte para continuar. Não houve outro remédio.

Estava amanhecendo o novo dia quando eles reiniciaram a viagem. Levavam provisões e água a conselho do motorista, habituado a viajar por lugares ermos.

— Não vamos achar nada por esses caminhos, até a vila — esclareceu —, e lá mesmo, num sei se tem.

Puseram-se a caminho. O bebê, ora no colo de uma, ora no de outra, nem para amamentar o filho Maria Luísa queria parar. Apesar dos solavancos da estrada, o bebê estava tranqüilo e nem parecia sentir o cansaço da viagem. Quanto aos viajantes, a tensão era tanta que nem percebiam as dificuldades do caminho. Viajaram o dia inteiro, parando o indispensável, e chegaram à vila pela tarde. Procuraram a venda do Sebastião, conforme indicação do Dr. Olavo, e o caboclo os recebeu desconfiado.

— Sou Humberto. Sei que você é amigo de Geraldo.

— Geraldo? Num conheço não.

— Como não? Ele mora em Dente de Onça. Sei que é amigo dele. Ele ganhou muito dinheiro, mudou para São Paulo e agora voltou para cá. Você o conhece bem.

— Geraldo num conheço, não. Só se ocês fala do Raimundo. Quem ganhou uma dinherama foi ele.

— É. Acho que ele aqui é conhecido como Raimundo. Precisamos encontrá-lo, é urgente.

— Pra quê?

— Olha, essa senhora é a esposa dele e esse é seu filho. Está desesperada. Precisa encontrá-lo. Sei que você sabe onde é a casa dele.

Sebastião espichou o olhar curioso para Maria Luísa, que esperava impaciente com o filho nos braços.

— Estamos dispostos a recompensar muito bem pelo tempo que perder.

— Bão, sou amigo do Raimundo e não é pelo dinheiro que vô indicá o caminho.

— Tem visto ele? — indagou Maria Luísa, ansiosa.

— Não tanto. O pobre voltou pra cá triste que dava pena. Sei que num andava muito bem. Quase não falou cumigo e eu num fui lá depois que ele voltou. Num deu pra saber o que ele fez com o dinheiro. Num quis conversá nada. Comprou algumas tralha e se foi pro mato. Num vi mais ele.

— Você pode nos levar até lá? — perguntou Humberto, ansioso.

— Num sei. Sô amigo dele. Num sei se ele qué vê ocês. Devem de ter feito alguma malvadeza pra ele. Tava tão triste...

Humberto colocou a mão no braço dele enquanto dizia:

— Ao contrário. Ele vai ficar feliz com as notícias que trazemos.

Humberto em poucas palavras contou por alto o que havia acontecido, e Sebastião não teve dúvidas.

— Que desaforo! Que sujeira! Levo ocês lá, sim. Só que tem de ser amanhã cedo. De noite num vai dá pra segui viage. Vô vê se arranjo lugar prá ocês drumi, e logo quando clareá o dia nóis vamo.

Maria Luísa estava radiante. Geraldo estava lá! Sofrido, triste, mas ele estava lá e logo o teria em seus braços. Mal podia esperar.

Mas não tinha jeito. Ficaram mal acomodados, as duas e o bebê em um cômodo cheirando a mofo, em uma cama só, mas nada importava além de encontrar Geraldo. Humberto conseguiu uma rede e o motorista esticou-se no jipe.

O dia estava amanhecendo quando saíram. Finalmente! Iam rever Geraldo! Viajaram durante horas e finalmente chegaram. Humberto aconselhou:

— Deixem-me ir na frente. Quero esclarecer tudo primeiro.

— Não sei se vou conseguir esperar — tornou Maria Luísa, trêmula.

— É só um pouco. Prometo não demorar.

Sebastião coçou a cabeça.

— Num sei, não. Olha o mato ao redor da casa. Raimundo nunca deixou isso assim. Será que foi embora?

Maria Luísa não se conteve. Entregou o bebê à amiga e, sem que ninguém pudesse detê-la, correu para a cabana tosca em desespero. Teria sido inútil? Geraldo teria mesmo ido embora?

Empurrou a porta e deu pequeno grito de susto. Na rede estava um homem magro, barbudo e paupérrimo. Ele abriu os olhos e levantou-se assustado:

— Estou ficando louco — tornou ele, passando a mão pelos olhos como para afugentar uma visão.

— Geraldo! — gritou ela com voz emocionada. — É você?

Ele estremeceu. Olhava-a assustado, trêmulo. Ela correu para ele e abraçou-o com força.

— Meu amor! Meu amor! Não vê que quase enlouqueci de dor?

Ele tremia, qual folha sacudida pelo vento. À porta, Humberto e os demais aguardando respeitosos do lado de fora.

A esposa abraçava-o com força e Geraldo apertava-a entre os braços sem poder falar, lágrimas rolando por seus olhos sofridos. Permaneceram assim durante alguns minutos. Ela afastou-se um pouco, olhando o rosto pálido e emocionado do marido.

— Como você tem sofrido — tornou ela com emoção. — Como todos temos sofrido! Mas agora tudo acabou. Tudo vai esclarecer-se.

Geraldo a fixou, e havia tremenda mágoa em seu olhar quando disse com voz que procurava tornar firme:

— Você veio. Diz que me ama, que sofreu. Pensei encontrar aqui a antiga paz, a felicidade que eu tinha. Mas não consegui. Não encontrei senão dor, saudade, desespero, desengano. Se é isso que veio ver, pode saber que é verdade.

Humberto interveio:

— Geraldo, meu amigo! Venha de lá esse abraço!

— Você também veio!

Abraçaram-se comovidos. Humberto tornou:

— Precisamos conversar seriamente. Sabemos tudo quanto aconteceu. Vocês foram vítimas de uma trama terrível. Uma calúnia para separar vocês.

Geraldo olhou admirado.

— Uma trama? Quem teria interesse em nos separar?

— Vou contar-lhe tudo. Trago provas da verdade, que vão surpreendê-lo tanto quanto nos surpreenderam. Provam a inocência de Maria Luísa e de Carolina.

Os olhos de Geraldo brilharam emotivos.

— Mas antes — pediu Maria Luísa com emoção —, existe alguém que você precisa conhecer.

Saiu e voltou logo com o bebê, aproximando-o de Geraldo:

— É nosso filho! Veja como é belo!

Fixando o rosto delicado e róseo do bebê, Geraldo não se conteve, chorou.

— Meu filho! — balbuciou.

Maria Luísa colocou-o em seus braços.

— Tome-o. Veja como se parece com você.

Geraldo, sem jeito, segurou a criança adormecida.

— Parece um sonho! — murmurou. — Nem ouso acreditar.

Olhava a criança embevecido e respeitoso.

— Maria da Glória, você também veio!

A moça aproximou-se e apertou a mão do primo. Não encontrou nada para dizer. A emoção dominava-a.

— Vamos conversar — pediu Humberto. — Há muito que dizer!

— Sinto. Aqui não tem conforto. Nem cadeiras para todos.

Maria da Glória segurou o bebê enquanto Geraldo procurava acomodar os amigos como podia, em bancos de caixote. Ele estava tenso, preocupado.

— Pelo que você disse, acho que fui enganado — começou ele — não por Maria Luísa, como julguei, mas por outra pessoa.

— É. Lamento que você não tenha me confiado seus problemas, porque eu poderia tê-lo ajudado investigando a verdade. Como tudo aconteceu, ficou difícil descobrir. E foi graças ao Dr. Euclides que conseguimos alguma pista.

— Meu pai?

— Sim. Seu espírito manifestou-se em nossa sessão e nos falou de cartas e fotografias.

Geraldo suspirou fundo.

— É verdade! Eu as recebi anonimamente.

— Sabemos de tudo. Mas, graças a Jorge, conseguimos todas as provas de que essas fotos foram montadas.

Geraldo assustou-se:

— Como?

Humberto, então, tirando os documentos que trazia, foi relatando tudo quanto havia acontecido desde que Geraldo partira. O moço ouvia assombrado, e em seu rosto a indignação transparecia a cada nova descoberta.

Maria da Glória, cabeça baixa, não podia impedir que lágrimas de vergonha lhe descessem pelas faces enrubescidas. Quando Humberto terminou, Geraldo levantou-se nervoso:

— Jurei vingança contra o culpado pela calúnia contra minha mãe, e agora descubro que ela se repetiu destruindo minha vida, fazendo comigo o mesmo que fez com meu pai. Que fera é essa que não se acovarda diante de nenhum sentimento, que não se arrepende, nem teme nada? Até quando ele vai continuar a enganar e a destruir?

Maria Luísa abraçou o marido.

— Geraldo! Não vamos agora falar em ódio ou vingança. Agora que nos encontramos, e que tudo esclareceu-se, você sabe que é o meu único amor, e que jamais eu o traí nem em pensamentos; por que obscurecer nossa felicidade com a vingança? Não acha que Deus, que nos ajudou tanto a esclarecer tudo, não vai dar-lhe o que merece?

— Você não sabe o que sofri durante toda minha vida! A solidão, a saudade de minha mãe, a dor, a calúnia sobre seu nome que eu venero, e agora, o que tenho sofrido aqui! Pensei que fosse enlouquecer de dor e de saudade, de desespero e de mágoa. Você pede para esquecer, perdoar. Acha que poderei?

Maria Luísa abraçou-o com força.

— Por favor! Estou tão feliz! Estamos juntos, temos nosso filho. O que nos falta? Quero ser feliz com você, sem sombras nem preocupação. Quer maior vingança do que ele saber que estamos juntos? Depois, somos gratos a Maria da Glória e Jorge. Afinal, nos ajudaram, estão do nosso lado, e não podemos nos esquecer de que é o pai deles.

Maria da Glória interveio:

— Não vou opinar. Só quero que saiba que estou muito envergonhada pelo que ele fez.

— A revolta de Geraldo é justa, é natural — concordou Humberto. — Nada se pode resolver sob o império de tanta emoção. Vamos deixar esse assunto para mais tarde. Temos muito o que pensar por agora. O momento é de felicidade e de paz.

— Tem razão — disse Geraldo com alegria. — Hoje é o dia mais feliz da minha vida. Estava morto e revivi, estava sem esperança e agora tudo é felicidade.

— Vamos agradecer a Deus — pediu Maria Luísa. — Tenho no coração muita gratidão. Nas horas de desespero que vivi, supliquei, pedi. Deus me atendeu. Nunca mais vou me esquecer disso. Quero dedicar-me, de hoje em diante, ao conhecimento das coisas espirituais. Quero aprender com humildade a ser como D. Lucila, D. Carolina e até como minha mãe, que se tem modificado tanto e pensa em dedicar-se mais ao auxílio do próximo. Diante de vocês, aqui e agora, eu juro que vou estudar o Evangelho e tentar segui-lo melhor. Começando agora, quero orar, agradecer a Deus por ter-me dado tanto. Para que ele me permita conservar o amor e o carinho de Geraldo, do meu filho, dos meus familiares e amigos.

Todos estavam comovidos; Maria Luísa continuou:

— Agradeço, meu Deus, de todo o coração, esta felicidade, este momento. Que os nossos corações possam, abraçados, ajoelhar-se ante os vossos pés. Que todos nós, unidos e felizes, possamos honrar o vosso nome, e o nome de vosso filho Jesus, a quem desejamos humildemente servir. Obrigada, meu Deus. Obrigada, D. Carolina. Obrigada, Dr. Euclides. Deus os recompense.

Uma brisa suave enchia o ar, e Geraldo, comovido, apertou a esposa em seus braços. A hora era de felicidade, por que desperdiçar? Finalmente estavam juntos. Quantas vezes sonhara com esse momento, acreditando-o impossível? Não se cansava de olhar o rosto delicado do filho e perceber, comovido, a semelhança de traços, as particularidades das mãos, iguaizinhas às suas.

— Amanhã cedo nós regressaremos — tornou Humberto com satisfação.

Geraldo preocupou-se.

— Isto aqui não tem conforto. Como passar a noite aqui? Maria da Glória, o bebê. Como acomodá-los?

— Temos redes no jipe. Daremos um jeito. Uma noite só.

— Num convém enfrentá estrada de noite. O melhor é mesmo esperá amanhecê. — interveio Sebastião, respeitoso.

— Tem razão. Quero agradecer por ter vindo e trazido eles até aqui.

— Ocê é meu amigo. Num carece agradecê.

— Estou com fome — tornou Humberto, alegre. — Vamos comer.

Foram buscar no jipe a comida e as guloseimas que haviam comprado, e com alegria e disposição começaram a comer.

Geraldo, porém, emocionado, não sentia fome. Abraçado a Maria Luísa, tinha um brilho novo no olhar emocionado. A jovem esposa, feliz, sentia nesse olhar o amor a felicidade, o carinho, e sorria confiante diante do futuro.

Naquela noite, arranjaram-se na cabana tosca em redes, e o motorista e Sebastião estenderam-se em colchonetes que tinham no jipe, improvisaram uma cama para o bebê e cada casal em uma rede.

Geraldo, sentindo o calor do corpo da esposa junto ao seu, estremecia de emoção. Beijando-a com carinho, murmurou ao seu ouvido:

— Muitas vezes sonhei com este momento e me odiava por perceber que, apesar de me julgar traído, não conseguia deixar de amar você. Sofri muito!

— Esqueça o que passou. Agora estamos juntos, e nada nem ninguém conseguirá mais nos separar.

Enquanto os outros, cansados, ressonavam, os dois continuavam conversando baixinho, entre beijos e as alegrias do reencontro.

Capítulo 22

A madrugada estava raiando quando eles se levantaram, e depois do café prepararam-se para voltar.

Geraldo, mais seguro de si, mais refeito, fez questão de mostrar aos amigos as paisagens belíssimas dos seus recantos favoritos, e depois, felizes e animados, iniciaram a viagem de volta.

Geraldo não se cansava de olhar o rosto calmo do filho, descobrindo os traços de Maria Luísa, os seus, e até os de Carolina.

Sua chegada provocou lágrimas em Antônio e Elisa, que o estimavam como a um filho. À noite, Geraldo pôde, feliz, abraçar Lucila, Inês e Jorge. O moço desempenhara muito bem as tarefas no escritório e sentira-se ótimo no trabalho. Dando contas a Humberto das ocorrências durante sua ausência, Jorge ajuntou:

— Sei que o momento não é próprio, mas gostaria de trabalhar. Senti-me muito bem. Descobri minha vocação. Depois, o pessoal lá é muito eficiente. Gente inteligente.

— Está pedindo emprego? — tornou Humberto bem-humorado.

— É. Se tiver algo que eu possa fazer, acho que gostaria muito.

— Precisamos falar ao Geraldo; quanto a mim, acho ótimo. Só que o salário não é alto.

— Não importa. O que eu quero é trabalhar.

Geraldo aproximou-se:

— Ouvi o que disse e aprovo. Há muito que você deveria estar trabalhando.

— Eu sei — Jorge estava meio embaraçado, fez um esforço e continuou. — Pretendo sair de casa. Não suporto mais viver lá depois do que aconteceu, nem quero mais receber dinheiro de meu pai. Estou envergonhado pelo que ele fez e temo a qualquer hora nao poder conter-me. O melhor mesmo é mudar-me. Preciso de um emprego. Não quero ser pesado a ninguém. Posso sustentar-me.

Maria da Glória tinha lágrimas nos olhos quando o abraçou.

— Sempre confiei em você. Tenho a certeza de que vai conseguir.

Humberto propôs, alegre:

— Gostaria que viesse morar conosco. Trabalhará em nossos escritórios e estaremos juntos.

O moço olhou a irmã comovido.

— Não sei. Temo incomodar...

— Não, senhor! Você virá morar conosco. Será muito bom tê-lo sempre em casa.

O assunto prosseguiu animado e havia calma e entendimento no ar. Vendo Inês sentada em um sofá, folheando uma revista, Jorge aproximou-se dela, sentando-se a seu lado.

— Posso interromper? — perguntou alegre.

— Claro. Vocês conversavam sobre assuntos de família, não quis ser indiscreta.

— Que idéia! Você conhece mais sobre nós do que eu mesmo.

Ela sorriu, contente.

— Preciso falar com você. Assunto sério.

— Fala — pediu ela fixando-o atenciosa.

— Você é a melhor amiga de Maria da Glória e tem sido sempre dedicada, atenciosa. Tem me apoiado muito e, você sabe, eu venho lutando para mudar. Você me conhece como o jogador, o irresponsável, o filhinho-de-papai que nunca trabalhou, que não quis estudar, que esbanjou o dinheiro da família. Entretanto, tenho aprendido muito. O Espiritismo, a convivência com sua mãe, com você, meu primo, meu cunhado, foram mostrando como eu estava errado. Esses dias trabalhando, senti-me útil e muito bem. Sei que ainda tenho muito a aprender, muito que lutar, sei que não posso oferecer nada ainda, mas quero perguntar-lhe: se um dia eu provar que mudei, que sou outro homem, que a mereço, você se casaria comigo?

Inês olhava-o comovida. Realmente, sentia-se muito atraída por ele. Quando estavam juntos seu coração vibrava de felicidade, mas continha-se, preocupada com a falta de segurança dele. Embora sentisse amor por ele, nunca o aceitaria se ele não mudasse. Contudo, a atitude franca e firme de Jorge a surpreendera, e ela começou a pensar que realmente já estava começando a mudar. Fixando-o com emoção, respondeu:

— Sim.

Ele tomou-lhe as mãos com entusiasmo:

— Quer dizer que você não era amável comigo só para ajudar Maria da Glória a modificar-me?

— Quem lhe disse isso? — fez ela surpreendida.

— Percebo as coisas. Amo-a muito. Temia que não me amasse. Sei que não a mereço. Envergonho-me de meus pais, não posso oferecer nada além do meu amor, mas agora tenho motivo, tenho um objetivo, sei que vou conseguir. Diga que me quer!

— Calma, Jorge. Eu o quero muito. Entretanto, devo esclarecer que, mesmo assim, o casamento precisa ser encarado com responsabilidade. Só chegaremos a ele se você realmente tiver condições. A família é para mim sério compromisso. Desejo para nós, ainda que simples e modesto, um lar cheio de harmonia, amor, compreensão, paz, trabalho, dedicação. Onde nossos filhos tenham ambiente sadio e feliz para viver. Confio em você. Sei que pode conseguir, se quiser.

Ele olhou-a comovido, apertando suas mãos com força.

— Vou conseguir. Você é tudo quanto almejo alcançar. Esse lar, que nunca tive mas que é o ideal, nós o construiremos juntos, se quiser esperar-me.

— Estarei esperando porque o amo. Mas só nos casaremos quando eu achar que você já está pronto.

Jorge sentiu brando calor envolver-lhe o coração. Beijou-a nos lábios com delicadeza e carinho, e em seu peito a alegria cantava.

Aquela noite foi uma noite feliz para todos. No dia seguinte, Jorge levantou-se muito cedo. Arrumou todos seus pertences. Pretendia mudar-se para a casa da irmã. Estava feliz e renovado. Colocou a bagagem no carro diante do olhar admirado dos criados. Escreveu uma carta para a mãe, deixou-a sobre a cômoda e saiu. Ia começar vida nova. Dali para a frente, seria um outro homem!

Eram oito horas quando o Dr. Marcondes sentou-se à mesa para o café. Estava bem-humorado. Afinal, era questão de tempo. Conseguira livrar-se do sobrinho, e logo mais iniciaria um processo contra Maria Luísa para interditar a herança. Com o sobrinho desaparecido e o casamento anulado, o filho ilegítimo, ele conseguiria seus fins.

A criada tornou, com ar natural.

— Hoje o Sr. Jorge levantou-se tão cedo! Ele foi viajar.

— Viajar? Jorge? Para onde?

— Não sei, doutor. Mas acho que vai demorar. Levou todas as suas coisas.

Dr. Marcondes estranhou:

— Tem certeza?

— Tenho. Levou toda a roupa.

Dr. Marcondes levantou-se preocupado. Teria Jorge feito das suas? Se aparecesse uma dívida grande, não tinha como pagar. A coisa devia ser grossa para que ele fugisse daquele jeito.

Correu ao quarto e constatou que realmente o filho levara todos os seus pertences. Havia uma carta para a mãe. Dr. Marcondes pegou-a. Estava fechada. Irritado, com o envelope na mão, foi ao quarto de Renata, que ainda dormia.

— Acorde, Renata. Depressa. Aconteceu algo terrível!

Assustada, ela abriu os olhos e, vendo a fisionomia do marido, perguntou aflita:

— O que foi? O que aconteceu?

— Ainda não sei bem. Mas o Jorge fugiu de casa. Levou toda sua roupa. Deve ter feito algo muito sério.

— Não pode ser. Ele tem se portado bem ultimamente. Levanta-se cedo, não fica mais até altas horas na rua. E não fez mais dívidas.

— Não acredito nessa mudança. Por certo deve estar metido em alguma patifaria. Sabe Deus a bomba que vem aí! Mas não tenho mais com que pagar. Ele irá para a cadeia!

Renata sentou-se na cama, assustada:

— Foi ao seu quarto?

— Fui. Tudo vazio. Deixou esta carta. Abra, vamos ver o que diz.

Com mãos trêmulas, Renata rasgou o envelope, tirou a carta e leu:

"Mamãe. Não é possível mais continuar nesta casa com papai. Deus o perdoe por tudo quanto ele tem feito, mas eu não quero mais depender dele. Vou trabalhar e cuidar da minha vida. Sei o que estou fazendo. Deixem-me em paz, porque não voltarei para casa. Jorge."

Renata tremia, nervosa.

— O que foi que você fez? — tornou ela, acenando com a carta. — Por que Jorge foi embora? O que aconteceu?

— Nada — respondeu ele —, não houve nada. Não tenho visto Jorge há vários dias. O que me parece é que ele está mentindo. Deve ter aprontado alguma coisa e por isso deu o fora. Só espero que não seja dinheiro, porque desta vez eu não vou ter com que pagar.

— Não é isso o que ele diz. Jorge não é mentiroso. Nunca negou quando fazia suas dívidas.

— É isso o que me assusta. Agora a coisa deve ter sido mais grave. Pode esperar, que alguma coisa vai aparecer!

— Ele diz que foi você quem aprontou. E eu acredito. Por sua causa, Jorge foi embora. Sabe Deus para onde. Sem dinheiro, sem nada. Como vai viver?

— Se ele foi, é porque tinha para onde. Foi porque quis. Arrume-se como puder. Filho ingrato! Depois do que temos feito por ele! Disse que foi por minha causa; desculpa, isso sim. Eu, que tenho lhe dado tudo! Pode haver maior ingratidão?

Renata levantou-se, apressada.

— Preciso procurá-lo. Trazê-lo de volta.

— Eu a proíbo! Ele se foi porque quis. Que fique onde está, vai ver com quantos paus se faz uma canoa.

— Você é insensível — gemeu ela, descontrolada. — Vou trazê-lo de volta.

— Não quero. Depois, ele pediu para não procurá-lo.

— Pobrezinho! Como vai viver? Sem dinheiro, sem conforto, sem ninguém!

— Acalme-se — tornou ele, irritado. Deixe-o ir. Garanto que estará de volta em alguns dias. Afinal, onde encontrará o que tem aqui? O conforto, o dinheiro, as facilidades? Claro que voltará.

Mas Renata não conseguia acalmar-se. Tomou seu banho, vestiu-se, enquanto que o Dr. Marcondes ia para o escritório. O que fazer?, pensava ela. Onde procurar?

Tomou o telefone e ligou para a filha. Estava desesperada. Maria da Glória tentou acalmá-la, esclarecendo:

— Não se preocupe. Jorge veio para cá. Está muito bem.

— Mas por quê? O que aconteceu?

— Jorge cansou-se de ser um inútil. Quer trabalhar e construir sua própria vida. Acho que ele está certo.

— Ele não precisava sair de casa para isso. Podia ter ficado aqui e fazer o que queria.

— Ele achou melhor assim. Vamos dar-lhe apoio.

— Como irá viver? Sem dinheiro, sem nada?

— Ele já está trabalhando. Sente-se muito bem.

— Trabalhando? Em quê?

— No escritório de Geraldo e Humberto. Se esforçar-se, fará carreira. Tenho certeza.

— Pobre filho! Num emprego miserável. Como acabou!

— Não diga isso — tomou a moça, contrariada. — Nunca ele esteve tão bem. Espero que não o atrapalhe. Deixe-o viver sua vida, em paz.

— Vou buscá-lo. Ele voltará para casa.

— Aconselho-a a não aparecer por aqui. Talvez se aborreça ainda mais. Melhor deixá-lo em paz.

— Até você, filha ingrata, está contra mim.

— Não estou contra ninguém, mas não permitirei que continuem atrapalhando a vida de Jorge. Ele tem direito a ser feliz.

— Não me conformo — disse ela, desconsolada. — É demais.

A filha procurou confortá-la.

— Não se aborreça. Ele está aqui e muito bem. Darei notícias sempre e ele por certo irá vê-la. Não se preocupe. Calma. Deixe-o em paz.

Renata concordou. Desligou o telefone. Estava triste e amargurada. Sua casa estava vazia e nunca pareceu-lhe tão triste.

O Dr. Marcondes chegou ao escritório nervoso. A cena matinal, a preocupação com o filho, tirara-lhe o bom humor. "Família!", pensou irritado. Só servia para dar-lhe problemas. Apanhou o jornal e sentou-se para ler. Abrindo-o, levantou-se de um salto. Estava pálido.

Um retrato de Geraldo e a notícia abaixo: "Milionário desaparecido é encontrado. No aeroporto, onde desceu com a esposa e o filho, seu sócio e esposa, recusou-se a dar entrevista, e o mistério do seu desaparecimento continua. Estava alegre e bem-disposto, um tanto magro, mas com saúde. Esperamos que mais tarde tudo seja esclarecido".

O Dr. Marcondes amassou o jornal, atirando-o no cesto.

— Miserável — tornou com raiva. — Parece que tem parte com a diabo! Tudo desfeito.

Mas ele não se deixava abater. Tinha ainda seus melhores trunfos nas mãos. Geraldo ia ver. Fechou a porta a chave para não ser interrompido e abriu a gaveta onde guardava os documentos que havia forjado. Estava vazia! Com sofreguidão procurou, tirou a gaveta; nada. Estava vazia. Fora roubado. Arrasado, deixou-se cair na poltrona. Quem teria feito isto? Quem?

Examinou a fechadura. Estava intacta. Não fora forçada. Aos poucos a suspeita foi se instalando em seu cérebro. A princípio tênue, mas depois foi ganhando corpo. Jorge fizera aquilo. Por isso havia saído de casa, com medo de ser descoberto. Chegara ao furto! Roubara o próprio pai!

— Sentia ímpetos de torcer-lhe o pescoço. Traidor, ingrato, mau caráter. Claro que tinha sido ele! Roubara as chaves e depois as recolocara no lugar. À noite, seria fácil conseguir. Ah! Mas isso não iria ficar assim. Era demais. Por isso Geraldo voltara ao lar. E agora, já devia saber de tudo. Até os documentos de Carolina foram levados. A esta altura, Geraldo por certo já estaria de posse de toda a verdade.

O que fazer? Como castigar o filho traidor? Como escapar à vingança do filho de Carolina? Dr. Marcondes sentiu-se explodir de rancor. Alimentara a víbora que agora o queria destruir. Jamais perdoaria a traição de Jorge. Por certo queria agradar o primo, interessado no seu dinheiro. Que velhaco! Contra o próprio pai!

O rosto dele estava vermelho, e os olhos, injetados. Malditos! Acabaria com eles. Levantou-se, abriu o cofre e apanhou uma arma. Daria uma lição ao filho e a Geraldo. Com mãos trêmulas, apanhou as balas e colocou-as no tambor. A boca estava seca, os olhos injetados. Enfiou a arma no bolso e apanhou um pouco de água. Ao levar o copo à boca, sentiu a cabeça rodar e caiu redondamente ao chão, desacordado.

Foi a custo que a secretária, mais algumas pessoas que ela conseguiu reunir, puderam abrir a porta que estava fechada a chave. Ela ouvira o baque do corpo caindo e batera na porta. Não obtendo resposta, saiu pelo corredor e, enquanto tentava abrir a porta, auxiliada por algumas pessoas, o zelador apareceu e a abriu.

Dr. Marcondes, rosto congestionado, desacordado, estendia-se no chão. Chamaram uma ambulância e avisaram a família. A notícia correu com rapidez. O Dr. Marcondes fora vítima de um derrame cerebral. Durante alguns dias, seu estado foi grave e sua vida esteve em perigo. Contudo, depois de uma semana, estava melhor. Porém, seu lado direito estava afetado. A princípio, não conseguia sequer falar. Com o correr dos dias, foi melhorando. Embora com dificuldade, já podia articular as palavras.

Renata estava assustada. Tinha horror a doenças. Era-lhe difícil suportar a figura do marido; queria fugir, sair dali, não ver. Entretanto, não teve outro recurso senão assistir apavorada ao drama, em todos os seus detalhes.

Foi com muita pena que tanto Maria da Glória como Jorge foram ver o pai. O Dr. Marcondes, vendo-os, sentiu-se tão inquieto, piorou, agitou-se tanto que o médico achou melhor que eles não entrassem mais no quarto.

Para Renata, era um mistério. Por que ele reagia daquela forma? Havia uma arma carregada em seu bolso na hora da crise. Para quê? O que teria provocado o agravamento do seu problema de saúde? Ele ainda não conseguia expressar-se bem e ninguém entendia suas palavras. Tentava explicar, mas só conseguia dizer de forma inteligível uma ou outra palavra. Esse esforço o esgotava de tal forma que Renata pedia-lhe, preocupada:

— Fique quieto. Calma. Você vai melhorar. O médico disse que é questão de tempo, e poderá então falar. Agora deve ter paciência, para seu estado não piorar.

Ele calava-se, desanimado, refletindo o terror, o medo que lhe ia na alma. Renata, assustada, queria fugir dali, mas não tinha outro remédio senão ficar.

Era noite e D. Lucila convidara-os para a sessão. Apesar de a reunião ser costumeira, D. Lucila dissera:

— Espero-os a todos. Faremos uma sessão especial de agradecimento. Geraldo está de volta e estamos muito felizes.

Foi com alegria e respeito que todos foram chegando. Geraldo, Maria Luísa, Aurora e Dr. Afonso, Humberto, Maria da Glória e Jorge.

Geraldo estava pensativo. Ainda estava revoltado com o tio, e mesmo sabendo-o gravemente doente não conseguia esquecer-se do que ele havia feito. Maria Luísa tentava convencê-lo a perdoar. Ele, porém, não conseguia.

— Ainda se fosse só comigo — dissera nervoso —, mas ele foi o culpado de tudo. Forjou a desgraça de meu pai, de minha mãe, a minha. Acha que posso perdoar? Quem poderá nos devolver tudo quanto perdemos? Quem poderá repor o que ele destruiu?

Por mais que a esposa tentasse, Geraldo estava irredutível.

— Quando ele melhorar, vai ajustar contas comigo. Arrasarei com ele.

Na frente de Jorge e Maria da Glória, continha-se. Não queria magoá-los.

D. Lucila reuniu-os ao redor da mesa, dizendo:

— Está na hora. Vamos todos orar.

Murmurou sentida prece, agradecendo pela ajuda e pela alegria de estarem novamente juntos. Depois foi aberto o *Evangelho Segundo o Espiritismo* e Dr. Afonso leu, no capítulo XVIII, "A quem muito foi dado, muito será pedido." Teceu comentários sobre o tema lido, e depois apagaram-se as luzes e Lucila pediu a presença dos espíritos amigos para trazerem suas palavras.

O silêncio era agradável e uma brisa suave balsamizava o ar, envolvendo os presentes com eflúvios de paz. Inês, voz algo modificada, mais velha e mais grossa, começou a falar:

— É com imensa alegria que estamos aqui. Viemos orar com vocês. Temos muito que agradecer nesta noite feliz.

Geraldo estremeceu. O perfume suave e inconfundível de Carolina estava no ar. Era ela! Ficou emocionado. Sua mãe estava ali, viva, a seu lado. Inês continuou:

— Agora que decorreram tantos anos dos acontecimentos terríveis em que tomamos parte, e que com lutas e sofrimentos conseguimos vencer nossas barreiras, posso trazer-lhes, com a permissão do alto, os fatos que nos têm feito sofrer. Geraldo, meu filho, é preciso que compreenda e perdoe. Amo-o muito, como sempre, mas é preciso que você saiba que não sou a santa criatura que imagina. Seu amor é a coisa que mais quero na vida; contudo, não posso deixar que continue a ver-me como um espírito puro e sem mácula. Sou ainda um espírito frágil e cheio de falhas, que está lutando para vencer suas fraquezas.

Geraldo chorava. Carolina fez breve pausa, depois prosseguiu:

— Você conserva a imagem da mãe correta e sofrida, saudosa e triste que fui na última encarnação. Contudo, nossa vida no mundo não se resume a uma só existência. Nós já vivemos muitas outras encarnações na Terra, onde não tínhamos ainda o conhecimento da verdade e a firmeza de caráter para vencer. É isso que quero contar-lhe. Preciso que você saiba o quanto errei. O quanto eu mereço pagar pelos meus erros. O sofrimento na Terra, quando não foi criado pela nossa imprudência atual, é reação de nossa imprudência passada. Não há efeito sem causa. A justiça de Deus jamais ignora os erros que cometemos. Cedo ou tarde eles vêm à tona, para nossa vergonha e arrependimento, e também para que possamos reconstruir o que destruímos e aprender o que ignoramos.

— Por isso, ninguém, quando sofre na Terra, é vítima inocente e desprotegida. O sofrimento é sempre a resposta da vida a um ato nosso, e uma lição de aperfeiçoamento ao espírito. Se o mau soubesse o que terá um dia que sofrer por causa de seus atos, por certo não os praticaria.

— Vejo com tristeza em seu coração o sentimento da vingança e do rancor contra quem tem sido a causa dos nossos problemas. Contudo, a justiça de Deus começa a cobrar daquela pobre criatura, e quem pode avaliar os sofrimentos, as lutas, as aflições daquele coração? Quem pode saber o que o espera de esforço, de problemas e de dificuldades daqui para a frente, a fim de que ele consiga refazer seu caminho e progredir? A vingança é faca de dois gumes e atinge sempre quem a pratica.

O ambiente era de expectativa e emoção. Maria da Glória e Jorge, presos de emoção, pela primeira vez sentiam piedade e amor por aquele que lhes dera a vida e estava agora em tão dolorosas condições. Todos os outros, sensibilizados pela vibração amorosa do espírito de Carolina, oravam em favor do Dr. Marcondes com sincera emoção.

Carolina, observando a atenção dos presentes, continuou:

— Hoje vim para contar. Nossa história remonta há mais de duzentos anos. Vivemos no século XVIII, na corte francesa. Eu era jovem e bela, queria viver, amar, ser feliz. Porém, meus pais morreram muito cedo e eu fui levada ao castelo de minha madrinha, onde fui amparada por ela e muito amada. Deu-me tudo, ensinou-me a crer em Deus, aconselhou-me a trilhar o caminho do bem. Até hoje tem sido o nosso apoio e a nossa mestra. Hoje chama-se Lucila, mas naquele tempo era Luciana. Tia Luciana, como eu a chamava, tinha três filhos. Duas moças e um menino. Apeguei-me a eles com muito afeto. E vivíamos felizes. Quando Eunice, a filha mais velha, viajou, conheceu um jovem e por ele se apaixonou. Juliano correspondeu seu amor e dentro em pouco o pedido foi feito, casaram-se com muita alegria. Foram residir em seu castelo, em Lyon, onde eu costumava ir na primavera. Foi então que começou o meu drama. Apaixonei-me por Juliano. Uma paixão arrasadora, irresistível, e ele também começou a sentir-se atraído por mim.

— Eunice não percebia nada, e uma noite aconteceu o inevitável. Ele invadiu o meu quarto e nos entregamos à paixão que nos envolvia. Não pensamos em Eunice, nem no filho deles, que estava para nascer. E nas noites que se seguiram, Juliano esgueirava-se em meu quarto para buscar em meus braços as sensações da paixão inconseqüente. Eu deveria regressar à casa da madrinha, mas, a pretexto de esperar o nascimento do filho de Eunice, fui ficando. A cada dia mais e mais nos entregávamos à nossa loucura. Nossa paixão era uma sede sem fim. Durante o dia, o fingimento, o ciúme, a insatisfação. A noite, a paixão, a emoção descontrolada, a irreflexão.

— Fui emagrecendo, e Eunice preocupava-se com minha saúde. Contudo, o filho de Juliano nasceu e, embevecido com ele, começou a esfriar sua paixão. Não vinha mais ao meu quarto, e como eu, desfigurada, insistisse, procurou-me uma noite para dizer que estava arrependido, deu-me conselhos e confessou seu amor pela esposa. Não pude conformar-me. Não queria perder seu amor, estava cega.

— A situação estava complicada, porquanto percebi que esperava um filho. Juliano, assustado, prometeu ajudar-me, desde que nem Eunice ou tia Luciana soubessem de tudo. Eu, porém, senti-me envergonhada, preterida, abandonada. Foi quando resolvi jogar minha cartada. Se Juliano deixasse a mulher, por certo poderíamos fugir para algum lugar distante e viver juntos para sempre. Armei-me de coragem e conversei com ele. Ameacei-o. Ou ele fugia comigo ou eu contava tudo a Eunice, à minha maneira, como se eu houvesse sido vítima indefesa.

— Ele empalideceu, ameaçou-me; mas, com medo, concordou por fim. Simularia uma viagem e esperaria-me em local combinado. Juntos, então, viveríamos para sempre. Exultei. Quando Juliano se foi, no dia imediato, iniciei a viagem de volta à casa, onde não pretendia chegar.

— Encontramo-nos e seguimos juntos para Paris. Eu estava confiante e feliz. Não me arrependia do que tinha feito. Só me importava a minha felicidade. Juliano, contudo, não era sincero. Tinha cedido, mas pretendia libertar-se de mim o mais rápido possível e voltar para casa normalmente.

— Quinze dias depois, uma noite, deu-me uma droga para beber e, vendo-me adormecida, levou-me para um convento, onde a peso de ouro conseguiu a promessa de me conservarem encerrada para sempre.

— Quando acordei, tomei conhecimento da situação e fiquei desesperada. A paixão transformou-se em ódio, e eu não conseguia conformar-me. Juliano dissera que eu era órfã e estava com as idéias perturbadas. Meu desespero confirmou essa versão. Parecia uma fera enjaulada. Ansiava viver e acabara prisioneira entre as rígidas paredes de uma cela de convento, uma disciplina horrível que jamais conseguiria suportar.

— Meu filho nasceu em triste manhã de inverno, e eu não me comovi, não quis vê-lo sequer. Pretendia livrar-me dele para fugir o mais breve possível daquele local horrível. Concordei quando a madre superiora deliberou colocar a criança na Roda dos Expostos, em Paris. O assunto não era novo no convento. Mas a criança não podia aparecer. Então, quando tal acontecia, um servo ia sorrateiro, na calada da noite, colocar o fardo na casa dos indigentes.

Carolina parou, emocionada. Fundo suspiro escapou do peito de Inês. Ninguém conseguia conter a emoção, e lágrimas lhes desciam pelas faces. Carolina prosseguiu:

— Daquele dia em diante, concentrei todos os meus esforços em fugir. Porém, o mosteiro era muito bem vigiado e eu não conseguia escapar. Lembrei-me do porteiro que levara meu filho e que ia sempre à vila para as compras. Era a única ligação do convento com o mundo exterior.

— Envolvi-o, chorei, pedi, desesperei-me. Tinha tomado o hábito, mas não queria fazer os votos. Pretendia escapar. Prometi jóias, disse-me muito rica, mas ele não acreditou. Então despertei sua cobiça, e o enredei pela paixão. Foi assim que consegui. Uma noite, ele, na esperança de conseguir seu intento, arranjou-me as chaves da porta principal. Eu iria a seu quarto, encostado ao muro. Ele esperava-me e, conforme eu tinha pedido, trouxera uma garrafa de vinho. Começamos a beber, e eu disfarçadamente coloquei-lhe um soporífero na bebida. Vendo-o adormecido, peguei a chave do portão e saí correndo. Não sei qual o medo maior, se de ser descoberta e voltar à prisão ou enfrentar, à noite, sozinha e sem nenhum recurso, a estrada deserta e escura.

— Andei durante muito tempo. Agora, a alegria da liberdade, o prazer de voltar a viver, a juventude, tudo dava-me forças para prosseguir. O dia tinha já amanhecido quando resolvi sair da estrada e num recanto oculto descansar. Seria longo enumerar o que aconteceu depois. Consegui chegar a Paris, onde parei para decidir o que fazer. Ainda pretendia vingar-me de Juliano; porém, minha paixão por ele já tinha passado.

— A vida em Paris era fascinante, e eu conseguira um emprego em uma oficina de costura. Sentia saudades da madrinha, mas tinha medo de regressar. Não queria ficar trabalhando, mas não podia fazer outra coisa. Era linda e cortejada e conheci artistas, fui retratada por eles e comecei a freqüentar a vida boêmia da cidade. Cantava com graça e dançava. Assim, comecei minha carreira no teatro.

— Isso encheu minha vida. Era aplaudida, feliz, tinha jóias, luxo, tudo. Havia reencontrado a madrinha, que, triste, viera ver-me, querendo saber por que a tinha abandonado. Julgou que o tivesse feito para viver a vida de ilusões na qual me fizera famosa e rica. Deixei que pensasse assim. Afinal, Juliano não me interessava mais e tudo estava esquecido. Foi então que conheci André; era rico e belo, e eu me apaixonei. Era casado, tinha esposa e filhos, mas isso para mim pouco importava. Entreguei-me a ele com paixão e ele correspondeu. A esposa, Henriete, veio ver-me e pediu para que o deixasse, para que ele pudesse viver bem com a família, mas eu fui insensível. Não era problema meu. Se ele me preferia, não tinha culpa. E continuamos nosso romance, desfilando juntos pelas ruas da cidade, sendo vistos pelos lugares da moda, exibindo nossa paixão. Nem a doença séria de Henriete conseguiu separar-nos, e por fim, quando eu viajei em turnê pelo país, André acompanhou-me. Um dia, cansei-me dele. Estava arruinado, desagradável, amargo e talvez um pouco arrependido. Voltou para casa. Henriete o recebeu, mas nunca mais esqueceu. Tornou-se ciumenta e desconfiada, amarga e triste.

— Foi então que conheci um homem que iria mudar o curso de minha vida. Estava já começando a cansar-me da vida que levava. Por mais que procurasse, não achava mais alegria, e, à noite, a depressão e a tristeza invadiam-me o coração. Já tinha alcançado os quarenta anos e já não era mais a jovem inexperiente, sequiosa de viver. Estava cansada. Não mais fazia sucesso no palco, e uma a uma minhas jóias foram sendo vendidas. Fiquei na miséria, e isso colocou-me mais angustiada e nervosa.

— Senti-me doente. Procurei um médico. Conversamos longamente. Era um homem bonito, apesar da meia-idade, e foi muito atencioso comigo. Contei-lhe minha vida como jamais fizera a ninguém. Ouviu-me calado e sério, e no fim ofereceu-me um emprego em seu consultório. Aceitei. Deu-me um quarto modesto para morar, ali mesmo. Eu deveria cuidar de tudo, da limpeza, do atendimento aos clientes. Ele morava na casa em frente. Assim, começou para mim uma vida nova. O doutor Renê era homem sério, educado, bondoso e sincero. Levava vida regrada, embora fosse homem de recursos. Conversava comigo e ensinou-me muitas coisas. Emprestava-me livros e abriu-me o espírito pobre e inquieto para os sentimentos nobres, a arte elevada e o verdadeiro sentido da vida. Percebi que o amava. Creio que aconteceu pela primeira vez. Era um novo sentimento e encheu meu coração de alegria, recato, renúncia, felicidade.

— Eu estava modificada. Comecei a arrepender-me do passado. Renê correspondeu ao meu amor. Casamo-nos. Eu o amava muito. Dediquei-me a ele com carinho. Ajudava-o no atendimento aos doentes. Vivemos juntos durante vinte anos, e sou grata a ele por tudo quanto deu-me durante aquele período feliz. Porém, chega o dia da verdade e a morte descerra o véu da nossa responsabilidade, e nos achamos diante da nossa consciência.

— Quando fechei os olhos do corpo na Terra, fui arrebatada por violento temporal, e em meio à tormenta que me arrastava ouvia vozes, lamentos, acusações. Durante anos perambulei, até que um dia, diante da figura aflita e atormentada em que me transformara, surgiu a figura doce de minha madrinha. Luciana agasalhou-me em seus braços e eu pude descansar. Levou-me para o lugar onde vivia, aqui no mundo espiritual, e com o mesmo amor de sempre amparou-me o espírito atormentado.

— Não suportei. Abri-lhe o coração. Não merecia seu amor. Soube que Eunice tinha descoberto minha traição através de uma criada e nunca mais confiara no amor do marido. Juliano, por outro lado, sentindo-se ofendido, uma vez que tinha se arrependido, não parava em casa, tendo se envolvido por fim com outras mulheres.

— A atitude de Luciana, acolhendo-me com tanto amor, avivava meu remorso. Muitas vezes pensava no filho que abandonara e nunca mais vira. Soube que ele, órfão e só, tinha sido envolvido por pessoas inescrupulosas. Um homem que o tinha retirado da Roda dos Expostos para ensiná-lo a roubar. Como era franzino, obrigava-o a passar pelas frestas, pular janelas, abrindo as portas para eles. Tratava-o com brutalidade, e foi com desesperado terror que o conheci ainda no mundo, em meio ao vício e o roubo, sem ninguém que pudesse despertar-lhe o espírito para os valores nobres da vida. Jean tinha se transformado em um homem oportunista, frio e leviano, entre Marcel, que o tinha criado ladrão, falsificador, assaltante, e sua amante Mary, mulher interesseira e fútil.

— Fiquei arrasada. Eu era responsável por tudo quanto acontecera a meu filho. Se eu o tivesse criado, com sacrifício e amor, ele não estaria naquela situação. Chorei muito, sem poder fazer nada por ele, que mostrava-se indiferente aos pensamentos de amor e de equilíbrio.

Inês suspirou fundo. Carolina deteve-se alguns instantes. Depois continuou:

— Minha taça de fel ainda não estava esgotada. Havia André. Seu espírito encontrava-se em tristes condições, repartindo o seu arrependimento entre o espírito da esposa tristemente sofredora e os filhos no mundo, em grandes dificuldades. Estava arrasado. Fora sua leviandade que conduzira a família àquelas condições de sofrimento.

— Sua esposa transformara-se em pobre doente; seus filhos, em descrentes e desequilibrados, emocionalmente incapazes de conduzir bem as suas lutas na Terra. Sentia-se culpado e infeliz.

— Foi Luciana quem pediu aos nossos mentores espirituais e conseguiu que, sob sua proteção, eu, Eunice, Juliano e André nos reuníssemos para tentar uma solução. Não nos recriminamos. Estávamos todos sofridos e cansados, cheios de remorsos e desejosos de melhorar. Nos propusemos a ajudar Henriete. E, juntos, trabalhamos muito em favor dos nossos filhos ainda na Terra. Sofremos muito vendo-os cometer erros que não pudemos evitar, e foi com o coração despedaçado que amparamos o espírito de Jean, assassinado por Marcel, num acesso de cólera, por causa de uma intriga de Mary, depois de uma briga.

— Não vamos nos alongar narrando todos os nossos sofrimentos nessa época de colheita da nossa semeadura. Lutamos, sofremos, trabalhamos em favor do próximo, nos preparamos. E, mercê de Deus, depois de uma reunião onde pude rever Renê, meu amado esposo, de quem ainda estava separada até que pudesse merecer o reencontro. Traçamos o plano da volta.

— Íamos todos reencarnar para tentarmos nos reajustar, ajudando nossos entes amados. Sabíamos dos perigos, das lutas a enfrentar; contudo, queríamos vencer e era preciso tentar.

— Luciana aceitou renascer, interessada na felicidade das filhas e na minha, que também amava. E assim foi. Renasci na Terra logo depois dela, desposei Renê, agora com o nome de Euclides. Não podíamos receber Jean como filho. Ele estava ligado a Marcel e Mary, pelo crime que tinham cometido, e por isso Marcel renasceu na família de Euclides como seu irmão José e desposou Renata, que era Mary reencarnada. Receberam Jean como filho, a quem tinham prometido educar no bem

— Eu receberia André como filho, para santificar a antiga paixao e ajudá-lo a vencer na Terra. E nasceu Geraldo. Juliano reencarnou como Álvaro, e Eunice, como Aurora, tendo concordado em receber Henriete como filha, para que mais tarde o grupo pudesse encontrar o equilíbrio. No momento oportuno, Lucila encarregar-se-ia de recordar-nos a vida espiritual e os compromissos que tínhamos assumido lá, de trabalharmos na Terra no esclarecimento das verdades do espírito, para evitar que outros errassem e sofressem tanto quanto nós.

O silêncio era grande. Carolina prosseguiu:

— Infelizmente, não pudemos vencer conforme nos propusemos. Meu cunhado José, apesar de ter prometido mudar, ao ver-se de novo na carne, deixou-se envolver pelo orgulho e pela ambição. Mary voltou à vida fútil, embora já menos leviana, e não deram apoio a Jean, agora Jorge.

— Por outro lado, Eunice, agora Aurora, não conseguia confiar no marido. E seu ciúme a arrastou a penosos enganos. E por fim, Renê, mergulhado na carne como Euclides, cego de ciúme cometeu um crime, e a custo agora recupera-se desse deslize.

— Quero dizer que tanto Inês como Maria da Glória estão também ligadas às nossas vidas, nessa trama dolorosa, e que agora finalmente esperamos vencer.

— É por isso, meu filho, que contei o nosso passado. Como vê, nem eu, nem você, fomos vítimas injustiçadas dos enganos dos outros. E longe do seu amor santificado de filho e da presença do esposo amado, aprendi a valorizar ainda mais os lares que destruí, o filho que abandonei; agüentei a calúnia, mas tinha sido já adúltera e falsa, leviana e fútil. Você amargou na solidão sem lar, sem mãe, sem ninguém, para valorizar o amor da família que não respeitou, dos filhos que não apoiou, da esposa que não soube amar. Hoje estão juntos, o amor verdadeiro os envolve. Aprendam a lição do passado. Construam um lar feliz e reto, cheio de paz e entendimento. Façam do filho que não honraram ontem o homem útil e probo de hoje. E você, Jorge, meu filho querido. Estamos do seu lado. Você vai vencer. Só peço-lhe que jamais abandone as tarefas espirituais. Jamais deixe a mediunidade. Ela será seu instrumento redentor. Por ela você poderá ajudar seus desafetos de ontem e diminuir as dívidas passadas. Confia em Deus e segue adiante.

— Minha gratidão a Aurora e Afonso, pela abnegação e coragem. Perseverem no trabalho do bem. Juntos venceremos. Querida Maria da Glória e Humberto. Logo seu lar será enriquecido pelos filhos, tenho a certeza de que saberão conduzi-los com amor. Maria Luísa, Deus a abençoe. Amo-a muito e agradeço seu coração amoroso pela força da fé que muito nos ajudou. Lucila querida, Deus a abençoe. Agradeço a Inês a dedicação. Antes de partir, quero dizer da nossa felicidade. Não a mereço. Por tudo quanto fiz de errado, peço perdão humildemente. Mas que o grupo se fortaleça na prece e no trabalho de amor ao próximo. É ajudando que seremos ajudados, é dando que receberemos. Que a doutrina consoladora do Cristo possa ser estudada e propagada por nosso grupo, que assim certamente terá forças para vencer. Adeus. Deus nos abençoe.

Inês silenciou. O perfume doce de Carolina ainda estava no ar. Lucila fez breve prece e, depois de alguns instantes, acendeu a luz.

Todos, rostos emocionados, estavam silenciosos. Ninguém se atreveu a falar. Lucila quebrou o silêncio:

— Precisamos de um café.

Enquanto Inês ia para a cozinha prepará-lo, Dr. Afonso declarou:

— Agora podemos fundar um Centro Espírita.

— É verdade — concordou Lucila.

— Pois eu faço questão de comprar o prédio — propôs Geraldo.

E todos com entusiasmo começavam a planejar.

E quando, na hora das despedidas, Maria da Glória pediu em voz baixa a D. Lucila para rezar por seu pai, Geraldo aproximou-se e disse alto e com voz firme:

— Maria da Glória pede orações para o pai. Acho que todos nós devemos colaborar.

E no sorriso de alegria de Maria Luísa, no alívio de Jorge e de Humberto, na admiração de Aurora e Afonso, uma lágrima nos olhos luminosos de Lucila começou a brilhar.

Fim

Sucessos de ZIBIA GASPARETTO

Crônicas e romances mediúnicos.
Mais de seis milhões de exemplares vendidos.
Há mais de dez anos Zibia Gasparetto vem se mantendo na lista dos mais vendidos, sendo reconhecida como uma das autoras nacionais que mais vende livros.

Crônicas: Silveira Sampaio

- PARE DE SOFRER
- O MUNDO EM QUE EU VIVO
- BATE-PAPO COM O ALÉM

Crônicas: Zibia Gasparetto

- CONVERSANDO CONTIGO!

Autores diversos

- PEDAÇOS DO COTIDIANO
- VOLTAS QUE A VIDA DÁ

Romances: Lucius

- O AMOR VENCEU
- O AMOR VENCEU *(em edição ilustrada)*
- O MORRO DAS ILUSÕES
- ENTRE O AMOR E A GUERRA
- O MATUTO
- O FIO DO DESTINO
- LAÇOS ETERNOS
- ESPINHOS DO TEMPO
- ESMERALDA
- QUANDO A VIDA ESCOLHE
- SOMOS TODOS INOCENTES
- PELAS PORTAS DO CORAÇÃO
- A VERDADE DE CADA UM
- SEM MEDO DE VIVER
- O ADVOGADO DE DEUS
- QUANDO CHEGA A HORA
- NINGUÉM É DE NINGUÉM
- QUANDO É PRECISO VOLTAR
- TUDO TEM SEU PREÇO
- TUDO VALEU A PENA
- UM AMOR DE VERDADE
- NADA É POR ACASO

Sucessos de LUIZ ANTONIO GASPARETTO

Estes livros irão mudar sua vida!
Dentro de uma visão espiritualista moderna, estes livros irão ensiná-lo a produzir um padrão de vida superior ao que você tem, atraindo prosperidade, paz interior e aprendendo acima de tudo como é fácil ser feliz.

- ATITUDE
- FAÇA DAR CERTO
- SE LIGUE EM VOCÊ *(adulto)*
- SE LIGUE EM VOCÊ - nº1 *(infantil)*
- SE LIGUE EM VOCÊ - nº 2 *(infantil)*
- SE LIGUE EM VOCÊ - nº 3 *(infantil)*
- A VAIDADE DA LOLITA *(infantil)*
- ESSENCIAL *(livro de bolso com frases para auto-ajuda)*
- GASPARETTO *(biografia mediúnica)*

- PROSPERIDADE PROFISSIONAL
- CONSERTO PARA UMA ALMA SÓ *(poesias metafísicas)*
- PARA VIVER SEM SOFRER

- CALUNGA - “Um dedinho de prosa”
- CALUNGA - Tudo pelo melhor
- CALUNGA - Fique com a luz...

- série AMPLITUDE:

1- Você está onde se põe

2- Você é seu carro

3- A vida lhe trata como você se trata

4- A coragem de se ver

OUTROS AUTORES

Conheça nossos lançamentos que oferecem a você as chaves para abrir as portas do sucesso, em todas as fases de sua vida.

LOUSANNE DE LUCCA:

- ALFABETIZAÇÃO AFETIVA

MARIA APARECIDA MARTINS:

- PRIMEIRA LIÇÃO - "Uma cartilha metafísica"
- CONEXÃO - "Uma nova visão da mediunidade"
- MEDIUNIDADE e AUTO-ESTIMA

VALCAPELLI:

- AMOR SEM CRISE

VALCAPELLI e GASPARETTO:

- METAFÍSICA DA SAÚDE:

vol.1: sistemas respiratório e digestivo

vol.2: sistemas circulatório, urinário e reprodutor

vol.3: sistemas endócrino *(incluindo obesidade)* e muscular

MECO SIMÕES G. FILHO:

- EURICO um urso de sorte (infantil)
- A AVENTURA MALUCA DO PAPAI NOEL

E DO COELHO DA PÁSCOA (infantil)

RICKY MEDEIROS:

- A PASSAGEM
- QUANDO ELE VOLTAR
- PELO AMOR OU PELA DOR...
- VAI AMANHECER OUTRA VEZ
- DIANTE DO ESPELHO

MARCELO CEZAR (ditado por Marco Aurélio):

- A VIDA SEMPRE VENCE
- SÓ DEUS SABE
- NADA É COMO PARECE
- NUNCA ESTAMOS SÓS
- MEDO DE AMAR
- VOCÊ FAZ O AMANHÃ

MÔNICA DE CASTRO (ditado por Leonel):

- UMA HISTÓRIA DE ONTEM
- SENTINDO NA PRÓPRIA PELE
- COM O AMOR NÃO SE BRINCA
- ATÉ QUE A VIDA OS SEPARE
- O PREÇO DE SER DIFERENTE
- GRETA
- SEGREDOS DA ALMA

LEONARDO RÁSICA:

- FANTASMAS DO TEMPO - Eles voltaram para contar

MÁRCIO FIORILLO (ditado por Madalena):

- EM NOME DA LEI

LUIZ ANTONIO GASPARETTO EM CD:

Aprenda a lidar melhor com as suas emoções, para conquistar um maior domínio interior.

- Prosperidade
- Confrontando a desilusão
- Confrontando a solidão
- Confrontando as críticas
- Confrontando a depressão
- Prece da Solução *(pelo espírito Calunga)*

• série VIAGEM INTERIOR *(n° 1, n° 2 e n° 3)*:

Através de exercícios de meditação mergulhe dentro de você e descubra a força da sua essência espiritual e da sabedoria. Experimente e verá como você pode desfrutar de saúde, paz e felicidade desde já.

• série REALIZAÇÃO:

Com uma abordagem voltada aos espiritualistas independentes, eis aqui um projeto de *16 cds* para você melhorar.

Encontros com o Poder Espiritual para práticas espirituais da prosperidade.

Temos que trabalhar para alcançar nossos objetivos. Para isto necessitamos de conhecimento e práticas adequadas.

Nesta coleção você aprenderá práticas de consagração, dedicação, técnicas de orações científicas, conceitos novos da força espiritual, conhecimento das leis do destino, práticas de ativar o poder pessoal e práticas de otimização mental.

• série LUZES:
Coletânea de 8 cds, nos volumes 1 e 2.

Através de curso ministrado no Espaço Vida e Consciência, pela mediunidade de Gasparetto, os espíritos desencarnados que formam no mundo astral o grupo dos Mensageiros da Luz, nos revelaram os poderes e mistérios da Luz Astral, propondo exercícios para todos aqueles que querem trabalhar pela própria evolução e a melhoria do planeta.

Nesta coletânea trazemos aulas captadas ao vivo, para que você também possa juntar-se às fileiras dos que sabem que o mundo precisa de mais luz.

• série ESPÍRITO *(composto de 12 cds)*:

1- espírito do trabalho
2- espírito do dinheiro
3- espírito do amor
4- espírito da arte
5- espírito da vida
6- espírito da paz
7- espírito da natureza
8- espírito da juventude
9- espírito da família
10- espírito do sexo
11- espírito da saúde
12- espírito da beleza

A realidade tem muitas camadas, porém mais profunda é aquela que gera a existência das outras. Nós a chamamos de **Espírito**.

Sendo o centro de cada um de nós, é pois o guia de nossos destinos rumo à realização.

Eleve-se, aprofunde-se e acorde para o seu espírito.

ESPAÇO VIDA & CONSCIÊNCIA

É um centro de cultura e desenvolvimento da espiritualidade independente.

Acreditamos que temos muito a estudar para compreender de forma mais clara os mistérios da eternidade.

A Vida parece infinitamente sábia em nos dotar de inteligência para sobreviver com felicidade, e me parece a única saída para o sofrimento humano.

Nosso espaço se dedica inteiramente ao conhecimento filosófico e experimental das Leis da Vida, principalmente aquelas que conduzem os nossos destinos.

Acreditamos que somos realmente esta imensa força vital e eterna que anima a tudo, e não queremos ficar parados nos velhos padrões religiosos que pouco ou nada acrescentaram ao progresso da humanidade.

Assim mudamos nossa atitude para uma posição mais cientificamente metodológica e resolvemos reinvestigar os velhos temas com uma nova cabeça.

O resultado é de fato surpreendente, ousado, instigador e prático.

É necessário querer estar à frente do seu tempo para possuí-lo.

Maiores informações:
Rua Salvador Simões, 444 • Ipiranga • São Paulo • SP
CEP 04276-000 • Fone Fax: (11) 5063-2150
E-mail: espaco@vidaeconsciencia.com.br
Site: www.vidaeconsciencia.com.br

Luiz Antonio Gasparetto

INFORMAÇÕES E VENDAS:

Rua Agostinho Gomes, 2312
Ipiranga • CEP 04206-001
São Paulo • SP • Brasil
Fone / Fax: (11) 6161-2739 / 6161-2670
E-mail: editora@vidaeconsciencia.com.br
Site: www.vidaeconsciencia.com.br